COLECCIÓN
Biografías y documentos

Su
Santidad

Carl Bernstein
Marco Politi

Su Santidad

JUAN PABLO II Y LA HISTORIA OCULTA DE NUESTRO TIEMPO

Traducción de María Mercedes Correa y Ángela García

Grupo Editorial Norma
Barcelona Buenos Aires Caracas Guatemala México Panamá Quito
San José San Juan San Salvador Santafé de Bogotá Santiago

Título original en inglés
 His Holiness
 John Paul II and the Hidden History of Our Time
 Doubleday, 1996
Primera edición en castellano para América Latina: octubre de 1996
Primera reimpresión: noviembre de 1996
©Carl Bernstein y Marco Politi, 1996
Publicado por gentil autorización de Doubleday, una división de
Bamtan Doubleday Dell Publishing Group INC.
©Editorial Norma S.A., 1996
Apartado 53550, Santafé de Bogotá
Diseño: Camilo Umaña
Fotografía de cubierta: ©Fabian-Sygma
Fotografías de Arturo Mari, *L'Osservatore Romano*, excepto
"Bendición de una nueva iglesia, marzo de 1996" de Premio Lepri,
Associated Press

Impreso en Colombia por Printer Colombiana S.A.
Printed in Colombia

ISBN 958-04-3537-7
CC 21018358

Este libro se compuso en caracteres Caslon Berthold

Contenido

11   *Prólogo*

25   PARTE I
          Lolek

87   PARTE II
          El padre Karol

165   PARTE III
          El cónclave

193   PARTE IV
          Il Papa

          PARTE V
253   *El imperio se tambalea*

          PARTE VI
419   *Pastor universal*

479   PARTE VII
          La caída del comunismo

519   PARTE VIII
          La ira del Papa

579   *Fuentes*
607   *Bibliografía*
615   *Agradecimientos*

PARA JIM HART Y THEA STONE
(C. B.)

PARA ROBERTO
(M.P.)

Prólogo

El profesor Henryk Jablonski, presidente del Consejo de Estado polaco, observaba ansioso el descenso del jet blanco de Alitalia hacia el aeropuerto de Varsovia. Cerca de él, un destacamento del Ejército del Pueblo polaco, en traje de ceremonia, se cuadraba rápidamente en posición de firmes. El cuerpo diplomático se hallaba alrededor de Jablonski, al igual que un gran contingente de dignatarios civiles y eclesiásticos. Por su cabeza pasaron frases como "gran hijo de la nación", "prestigio de la patria", "unión de todos los polacos", todas ellas caóticos fragmentos de una ráfaga de comunicados oficiales. El último de esos comunicados había sido redactado el 29 de mayo de 1979, apenas cuatro días antes, en la conclusión de un encuentro entre el primer secretario del Partido Comunista, Edward Gierek, y el jefe de la Iglesia católica polaca, el cardenal Stefan Wyszynski.

Ahora, el avión llegaba a Varsovia como un meteorito y nadie sabía cuál sería su impacto. A bordo de la nave, el papa Juan Pablo II revisaba impacientemente las líneas generales de sus primeros discursos. Después de entrar en espacio aéreo polaco, el piloto Giulio Macchi hizo un pequeño desvío –"En su honor, Santo Padre"–, para sobrevolar la ciudad de Cracovia. El 1º de octubre de 1978, a la edad de cincuenta y ocho años, Karol Wojtyla había partido de esa ciudad en calidad de cardenal. El Papa observó varios lugares conocidos: la imponente colina del Castillo Wawel y su catedral; la amplia curva del río Vístula, por donde alguna vez había caminado con su padre; la gran Plaza de Mercado con su Sukiennice, la logia medieval de los mercaderes; y el suburbio industrial cada vez más grande de Nowa Huta, la nueva "ciudad de los trabajadores", que los comunistas habían tratado, en vano, de convertir en un lugar sin iglesia y sin dios. Desde el aire, el Papa podía ver incluso la carretera que conducía a la población de Zakopane y la vieja fábrica química Solvay, un edificio ruinoso de ladrillos rojos en donde él había trabajado durante la ocupación nazi. Cada año se hacía más decrépito, como el régimen político que lo había expropiado.

"Regreso; voy al encuentro de la Iglesia de donde provengo", le dijo el Papa al primer ministro italiano Giulio Andreotti al partir de Roma.

Más allá de eso el Papa no sabía, como tampoco sabía Henryk Jablonski, qué esperar de este primer viaje de un Pontífice a la Europa oriental comunista. Hablando, como cosa extraña, en un italiano deficiente que delataba su ansiedad, el Papa reiteró a los periodistas a bordo del avión que pasase lo que pasase, sería algo profundo. "Para esto –dijo enfáticamente –tenía que existir una Polonia".

–Me parece que todas esas diferencias entre comunistas y capitalistas... son de cierta manera diferencias superficiales –comentó más tarde en el vuelo–. Debajo de ellas está la gente. Esta es una realidad humana, una realidad de primer orden para la misión de la Iglesia.

Luego, a instancias de un periodista alemán, el Papa volvió a centrar sus pensamientos en las otras naciones de Europa oriental de gobierno comunista y a pensar en los límites que, sin duda, los partidos del bloque comunista impondrían a sus ciudadanos en la semana siguiente: "Quizás muy pocas personas puedan llegar a Polonia en estos días, pero se sentirá el efecto espiritual.

Durante el vuelo, el Papa también miró los telegramas que se suele enviar a los mandatarios de los países sobre los cuales vuela el avión papal. En ellos había algunas insinuaciones: para el mariscal Tito de Yugoslavia, en donde la Iglesia funcionaba con relativamente pocas restricciones, el Pontífice pedía "ayuda divina". En el caso de Gustav Husak, de Checoslovaquia, en donde la Iglesia padecía severas medidas represivas, el Papa se limitaba a expresar deseos de prosperidad.

Desde la cabina de mando, el piloto podía ver interminables filas de personas que se dirigían al centro de Varsovia, y grandes multitudes amontonándose a lo largo de las calles por donde debía pasar el Papa desde el aeropuerto. "Para mí, esta es una bienvenida al hogar", le dijo sonriente el Papa a un periodista polaco. Luego, al cabo de una larga pausa, añadió: "Estoy haciendo todo lo posible para que mis sentimientos no me hagan perder el control".

A las 10:07 de la mañana del 2 de junio de 1979, el avión papal aterrizó en la capital polaca. En ese momento comenzó el tañido de las campanas de todas las iglesias de Polonia. Desde el Mar Báltico hasta los montes Tatras, desde Silesia hasta la frontera con la Unión de Repúblicas Socialistas Soviéticas, el país se estremecía con el repicar de las campanas.

En 1966, los líderes del Partido Comunista Polaco en Varsovia, presionados por los partidarios de la línea dura del Kremlin, Berlín Oriental y Praga, le negaron la entrada a Polonia al papa Pablo VI. Ahora la historia se desquitaba. Como un vengador sonriente, Juan Pablo II tocaba a la puerta de Polonia. Regresaba a su país como un conquistador y, aunque los gobernantes comunistas no lo sabían aún, en el futuro volvería todas las veces que quisiera.

El Papa se arrodilló para besar el suelo en el aeropuerto de Okecie y abrazó a las dos niñas que se acercaron a rendirle homenaje con grandes arreglos florales de claveles rojos y blancos (los colores de Polonia) y azucenas blancas y amarillas (los colores del Vaticano); entre tanto, el sonido de las campanas llegaba hasta las fronteras de Alemania Oriental, cruzaba la frontera de Checoslovaquia, saltaba las barreras de Ucrania y Bielorrusia en la Unión Soviética, y de la católica Lituania. En los días que habrían de venir después, el significado del tañido insistente de esas campanas se volvería más claro para millones de personas.

El protocolo durante los primeros instantes de la visita papal confirmó que la Iglesia había alcanzado en Polonia un *status* nunca visto en otro país socialista. A lo largo de cien años, la Iglesia se había mantenido como la encarnación de la identidad nacional polaca a través de guerras, masacres, divisiones, persecuciones y conquistas. Los dirigentes del Politburó en Moscú sencillamente no podían entender que la Iglesia católica de Polonia no era un engranaje más en la maquinaria del Estado, como la Iglesia ortodoxa rusa. En Rusia, la Iglesia era tolerada a regañadientes por el gobierno y completamente sujeta al poder del partido. En Polonia, *era* un poder. El presidente Jablonski comenzó por citar a los predecesores de Wojtyla, Juan XXIII y Pablo VI, y expresó su esperanza de que el nuevo Pontífice continuara con su política de "coexistencia de los pueblos". En su calidad oficial de jefe de la Iglesia nacional, respondió el viejo cardenal Wyszynski, quien había pasado tres años bajo arresto domiciliario al final de la era Stalin. Señaló un cambio sutil en el poder que se estaba dando en ese momento, aunque disfrazó sus palabras con una retórica eclesiástica: "Santo Padre, usted tiene en sus manos nuestros regocijados corazones, y a sus pies el alma noble de una Polonia siempre fiel".

En toda Polonia la bandera roja del comunismo parecía haber desaparecido milagrosamente; solamente se veían los estandartes del país y de la Santa Sede. En el aeropuerto, un coro de estudiantes católicos empezó a cantar alegremente el himno medieval "Gaude, Mater Polonia" (regocíjate, madre Polonia).

A pesar de los apremiantes análisis de políticos, diplomáticos, periodistas y agentes secretos durante las primeras horas de estadía del Papa en Polonia, nadie percibió cabalmente la enormidad del evento, quizás ni siquiera el mismo Juan Pablo II. Probablemente eso era imposible, pues, ¿quién podía, en ese momento, dilucidar lo que ocurría en los corazones de todo un pueblo? Durante los siguientes nueve días, los hombres, las mujeres y, especialmente, los jóvenes de Polonia vivirían en una especie de trance de excitación sostenida y casi erótica, como si estuvieran experimentando no la visita de un compatriota que ha asumido la suprema autoridad de una de las religiones más grandes del mundo, sino la venida de un emperador, un mesías. La experiencia era avasalladora e irresistible.

Zbigniew Bujak, quien había participado un año atrás en la fundación de un sindicato no autorizado, era uno de los miles de polacos que se amontonaban en las calles para ver al Papa. No sabía con certeza por qué había ido. Era el jefe de la oposición, un hombre fichado. La policía le pisaba los talones. Los milicianos lo habían arrestado poco tiempo antes para interrogarlo. La policía secreta lo tenía en sus archivos. Su esposa y las esposas de sus compañeros habían sido interrogadas. "Iniciamos una oposición –pensaba Bujak parado en medio de la multitud que lo empujaba– pero, ¿con quién podemos contar?" Todavía no sabía qué dirección debía tomar la oposición al Estado. De repente el Papa pasó en un jeep militar blanco, y los gritos de la muchedumbre se volvieron ensordecedores. Bujak quedó impresionado con la sonrisa de Wojtyla; el Papa bendecía y saludaba a esa gente que respondía de manera casi delirante a los profundos sentimientos que leían en el rostro del Pontífice. En ese momento comprendió que "esta también era una manifestación anticomunista", y sintió que se quitaba un gran peso de encima. "Los temores que teníamos al empezar nuestra lucha contra el sistema totalitario y nuestra preocupación por lo que sucedería en el futuro, desaparecieron", recordaría años más tarde. Sus camaradas tuvieron experiencias similares. "Vimos que había muchos como nosotros. Esto era muy importante y nos despejó todas las dudas".

Al llegar a la Plaza del Castillo, en la entrada de la ciudad vieja de Varsovia, el papa Juan Pablo II parecía dominado por la tensión, las emociones y la excitación que se hacían evidentes a través de los gritos de la multitud, de sus caras emocionadas y de sus manos en agitación frenética para saludar. La calle de adoquines por donde pasaba el automóvil del Papa estaba adornada con flores. Ramos de tres o cuatro claveles, máximo, con algo de hojas verdes, y sujetados con una cinta roja o blanca. Los pobladores de Varsovia habían colocado esos ramos en dos filas bordeando la ruta del Papa desde la Ciudad Vieja hasta la catedral de San Juan. Esas humildes hileras de flores eran una muestra de pobreza, amor y esperanza.

Ante la catedral, el rostro de Wojtyla perdió su expresión resuelta; las lágrimas empezaron a rodar por sus mejillas. Salvo por un momento durante el cónclave que lo eligió Papa, nadie lo había visto llorar desde el día en que murió su padre, hacía treinta y ocho años. Se secó la cara con el dorso de la mano.

Algunas personas que había alrededor lo vitoreaban emocionadamente, pero muchas se abstenían de aplaudir y simplemente lo miraban; al igual que él, daban rienda suelta a sus sentimientos y lloraban en silencio. Hasta las rígidas facciones del cardenal Wyszynski, al lado del Papa, sucumbieron bajo la tensión.

Para la primera misa que Karol Wojtyla celebraría en Polonia en calidad de Papa, los obispos mandaron construir una gran plataforma en el centro de la Plaza de la Victoria, en donde se hallaba la tumba del Soldado Desconocido. Generalmente sólo el Partido Comunista usaba esta plaza para revistas militares, mítines y para otras demostraciones de su poderío. Tres niveles de escaleras conducían al altar, en cuya cabecera se hallaba una cruz de madera de once metros de altura. En las vísperas de la visita papal, esa cruz gigantesca, adornada con una simple estola roja, se había convertido en un lugar de peregrinación para los habitantes de Varsovia. Miles de personas habían ido en pequeños grupos a mirar la cruz y la transformación de aquella plaza tan amplia, de símbolo del poder del comunismo a santuario religioso. Con el objeto de restringir el enorme número de personas que irían a la misa, el gobierno polaco anunció que sólo aquellos que tuviesen boletos (distribuidos a través de las parroquias) tenían autorización para asistir. El número de boletos que se emitirían fue objeto de agotadoras negociaciones entre Iglesia y gobierno.

Cuando Juan Pablo II llegó a la plaza, a las cuatro de la tarde, ya había trescientas mil personas esperando. Muchas otras más, a las que se les negó la posibilidad de asistir, se hallaban reunidas en el perímetro del centro de la ciudad. Los grandes ausentes eran los altos representantes del Estado, es decir, del Partido Comunista. El primer secretario Gierek y los miembros del Politburó, que habían vuelto a sus oficinas en la sede del Comité Central, estaban pegados a sus televisores, siguiendo nerviosamente las imágenes temblorosas de la pantalla. Por órdenes expresas del gobierno, las cámaras de la televisión estatal sólo filmaban al Papa y lo que había a su alrededor, pero no las vastas multitudes que asistían a la más grande concentración religiosa de Europa Oriental desde la Segunda Guerra Mundial.

La multitud recibió al Papa con un formidable aplauso; luego se hizo un gran silencio en la plaza. Juan Pablo II, con el cardenal Wyszynski a su lado, se detuvo para ver el pórtico semidestruido a un lado del monumento, en donde estaban escritos en letras de bronce los nombres de las principales batallas de la historia polaca. Detrás de él se levantaba la gran cruz. Al frente, un guardia de honor vigilaba la Tumba del Soldado Desconocido y su llama eterna. Aquí estaban las dos Polonias: la espada y la cruz, la nación y la fe.

El Pontífice se acercó lentamente a la tumba. La muchedumbre permanecía inmóvil. Las banderas del Vaticano y de Polonia se agitaban suavemente al viento, que soplaba poco. Juan Pablo II hizo una leve genuflexión, pero Stefan Wyszynski cayó de rodillas tan violentamente que sus huesos crujieron. Tanto el Papa como el prelado tomaban posesión de la historia polaca.

Juan Pablo II hizo una pausa para meditar y luego besó la tumba. Minutos más tarde, una vez sonó la marcha de Dabrowski, el perdurable himno de la búsqueda de independencia de Polonia, comenzó la misa. Trescientas mil personas escuchaban embelesadas la homilía del Papa, en la que él recordaba el deseo no satisfecho de Pablo VI de ir a Polonia; también resaltó la suma trascendencia de su ascenso, en tanto que hijo de Polonia, al trono de San Pedro. "¿No será posible –preguntó– que tengamos el derecho de pensar que en nuestros días Polonia se ha convertido en una tierra con la especial responsabilidad de dar testimonio?"

El Papa permaneció erguido frente a una imagen de Nuestra Señora de Czestochowa, un reverenciado icono que simboliza la fe de la nación. Luego, en un vibrante *crescendo*, enunció su proclama, esas palabras que los líderes del partido en Varsovia y en Moscú temían más que cualquier otra cosa: "La Iglesia trajo a Cristo a Polonia, la clave para comprender la gran y fundamental realidad que es el hombre... Cristo no puede ser excluido de la historia de la humanidad en ninguna parte del globo, en ninguna latitud o longitud de la Tierra. Excluir a Cristo de la historia humana es un pecado contra la humanidad".

El arzobispo Agostino Casaroli, nombrado secretario de Estado del Vaticano por Juan Pablo II poco antes del viaje, se hallaba sentado ahora frente al altar y era muy sensible a cada matiz de las palabras del Papa. Con ellas, tal como Casaroli lo percibió, Wojtyla acababa de cancelar abruptamente toda la política oriental –*Ostpolitik*– promovida por el Vaticano durante los últimos veinte años. Juan XXIII y Pablo VI habían trabajado para reducir la tensión entre la Iglesia y los regímenes comunistas, para que cesaran las persecuciones lo más posible, para que se construyeran más iglesias, para que se ordenaran más sacerdotes, se nombraran más obispos; en fin, para crear una coexistencia pacífica.

Ahora, en la Plaza de la Victoria de Varsovia, se estaba abriendo un camino de horizontes desconocidos. Juan Pablo II no pronunció palabra alguna que pudiera llevar directamente a una confrontación entre la Iglesia y el Estado, entre el partido y los creyentes cristianos, pero cada cosa que dijo marcaba el inicio de un gran cambio para la Iglesia: en Polonia, en Europa oriental, en la Unión Soviética, en el mundo entero. A través de él la Iglesia reclamaba el desempeño de un nuevo papel, en vez de limitarse a pedir que le dieran un espacio. A través de él, pedía respeto por los derechos humanos y por los valores cristianos, respeto por cada hombre y cada mujer, y por la autonomía del individuo. Estas peticiones representaban un ataque directo a las pretensiones universales de la ideología marxista, que ya se había convertido en una concha vacía en los países bajo la influencia soviética.

En la plaza, la muchedumbre seguía aumentando, pues las personas que no habían conseguido boletos encontraron la manera de entrar. Ahora había unas cuatrocientas mil personas y sobre sus cabezas colgaban las imágenes de la Madre de Dios y del Papa. Juan Pablo II alzó la voz: "Jesucristo nunca dejará de ser un libro siempre abierto, sobre el hombre, sobre su dignidad, sobre sus derechos, y es, al mismo tiempo, un libro de sabiduría sobre la dignidad y los derechos de una nación. En este día, en esta Plaza de la Victoria, en la capital de Polonia, quiero pedir, con todos vosotros, a través de la gran oración de la eucaristía, que Cristo no deje de ser para nosotros un libro abierto de la vida para el futuro. Para la Polonia del mañana". Todos aquellos que lo escuchaban hablar podían sentir esa especie de descarga eléctrica que comunica a los grandes actores con su público. Diez minutos de aplausos ininterrumpidos ovacionaron a la pequeña figura del Pontífice, parado a los pies de la enorme cruz.

En la plaza se escucharon cantos de triunfo y determinación: "*Christus vincit, Christus regnat, Christus imperat*" (Cristo vence, Cristo reina, Cristo impera). Y luego el estribillo, repetido una y otra vez: "Queremos a Dios".

En Estados Unidos, una de las personas que presenciaba el evento por televisión era Ronald Reagan, por entonces candidato a la Presidencia por el Partido Republicano. Él se hallaba sentado al frente de un televisor portátil en el porche de su hacienda cerca a Santa Bárbara con Richard Allen, un católico que se convertiría en su primer consejero para la seguridad nacional. Al observar al pueblo polaco extasiado, los ojos de Reagan empezaron a llenarse de lágrimas. Para ambos hombres, aquello era la evidencia de una metástasis en el cuerpo del comunismo.

A la mañana siguiente el Papa asistió a una misa para estudiantes universitarios frente a la Iglesia de Santa Ana. Se esperaba que asistieran unos treinta mil estudiantes, pero el evento se convirtió rápidamente en una reunión de doscientas mil personas. Una vez más, la atmósfera era electrizante. Si los estudiantes querían encontrar un símbolo de resistencia frente al régimen comunista, en su mensaje lo hallarían en el crucifijo. Casi todos llevaban pequeños crucifijos de madera de no más de 25 o 30 centímetros; algunos crucifijos estaban rústicamente fabricados con dos pedazos de madera. Los estudiantes levantaban los crucifijos ante el Papa, de la misma manera que los revolucionarios comunistas agitaban sus puños. Desde su trono, Juan Pablo observó el bosque de cruces y levantó la mano para bendecirlas.

Al finalizar el sermón, dos hombres y una mujer jóvenes se acercaron al Papa y dijeron con voces potentes: "Venimos ante usted con la cruz en alto. Con este símbolo conquistaremos; este símbolo lo representa a usted".

En Moscú, la cúpula del gobierno soviético recibia alarmantes informes de la KGB sobre los primeros momentos de la visita papal. Los peligros potenciales habían sido puestos de relieve en un informe reciente enviado al Politburó por el Consejo de Asuntos Religiosos de la URSS: "Los camaradas polacos consideran que Juan Pablo II es más reaccionario y conservador en asuntos eclesiásticos, y más peligroso a nivel ideológico, que sus predecesores". El informe decía que cuando Wojtyla era cardenal "se destacaba por sus opiniones anticomunistas. Era un campeón de los derechos humanos en la misma línea de Jimmy Carter, y había cooperado con disidentes de la Iglesia".

En Lituania, según reportes de la KGB, miles y miles de creyentes escuchaban los programas radiales de Varsovia, y las iglesias se atestaban de gente que quería oír las misas en honor al Papa. Muchos lituanos viajaban a visitar a sus parientes en las ciudades cercanas a la frontera con Polonia para poder ver al Papa por la televisión polaca. De manera similar, en Letonia y en Estonia, los ciudadanos de la URSS veían al Papa por la televisión finlandesa.

Todo esto ocurría en un momento en el que los soviéticos estaban preocupados por el florecimiento del fundamentalismo islámico en las repúblicas musulmanas de Asia central pertenecientes a la URSS. Cuatro meses atrás, el Ayatolá Jomeini, líder shiita exiliado, había entrado en la capital de Irán, Teherán, como un héroe conquistador, después de la caída del régimen del Sha. Para los dirigentes del Kremlin, la victoria del Ayatolá y la elección del Papa polaco, ocurridas casi al mismo tiempo, eran una doble señal de peligro. Su advenimiento presagiaba un panorama espantoso: la URSS sitiada por el este y el oeste por un atenazante movimiento de creyentes. El ministro de Relaciones Exteriores, Andrei Gromyko, alertaba constantemente a sus colegas para que no subestimaran la capacidad de Wojtyla de agitar a las masas polacas de manera similar a como Jomeini estaba incitando al pueblo iraní.

Moscú, que tenía un mal presentimiento, seguía de cerca cada medida que tomaban los comunistas polacos. En la tarde del 2 de junio, cuando los líderes del partido polaco hicieron su balance del primer día, se sintieron aliviados porque la calma había prevalecido. Aunque se habían congregado más de un millón de polacos en Varsovia y sus alrededores, no se había registrado un solo incidente. Sin embargo, los dirigentes estatales tenían la situación controlada sólo en un sentido técnico. La Varsovia católica se comportaba como si no existiera el régimen comunista. Los únicos símbolos visibles en las calles eran símbolos religiosos e históricos, más antiguos que el comunismo polaco. La tarea de preservar el orden entre la multitud de fieles y en la gigantesca manifestación en la Plaza de la Victoria había sido asumida por sacerdotes y por miles de voluntarios de las parroquias, identificados con boinas de *boy scout* de colores vivos. Los milicianos se habían mantenido al margen, tal como lo acordaron el secretario Gierek y el cardenal Wyszynski.

Para Edward Gierek, la repetida invocación de Cristo que hacía Juan Pablo II, sus exhortaciones al pueblo polaco para que pensara en Jesús como un guía para el "mañana de Polonia", sonaban a gritos revolucionarios disfrazados de oración. (El Papa cerró su homilía diciendo :"Que el Espíritu descienda sobre nosotros, y que renueve la faz de la Tierra"). ¿Qué tenía en su arsenal ideológico el secretario del Partido de Trabajadores Unidos de Polonia para contrarrestar esto? ¿Qué respuestas podía dar a las difíciles preguntas que ya empezaban a hacer el Kremlin y los representantes de la línea dura del partido local? Todo lo que podía proporcionarles era un resumen de la cortés pero inquietante discusión que había sostenido con el Papa en el Palacio de Belvedere, en donde el Papa lo sorprendió con una lista de peticiones sin precedentes. Pedía al poder comunista conceder garantías de derechos humanos básicos, cosa inconcebible hasta la fecha en cualquier país del bloque oriental.

Juan Pablo II, en cuyos planes de 1979 no estaba contemplada la caída del sistema comunista, lanzaba, sin embargo, una política personal de presión al régimen para producir cambios radicales en la naturaleza de su gobierno. Él mismo basaba su programa centralmente en los principios de igualdad y justicia que el Partido Comunista glorificaba eternamente en teoría, si no en la práctica, y en el argumento de que la Iglesia debía desempeñar un papel social para llegar a esas metas universales. Tal como se vería más tarde, *esto* era realmente desestabilizador.

Esa noche, Juan Pablo II rezó el rosario en la ventana de la capilla de la residencia cardenalicia, compartiendo su triunfo con cientos de compatriotas reunidos abajo, en el jardín. En la Plaza de la Victoria, varios equipos de aseadores de la calle se hallaban por órdenes del partido, desarmando rápidamente la cruz de once metros, con el pretexto de que el helicóptero del Papa debía partir de ese mismo sitio al otro día. El partido podía ordenar que retiraran la cruz de la Plaza de la Victoria, pero era poco lo que podía hacer para sacar al Papa polaco del corazón de su pueblo.

El viaje del Papa a Polonia era una espectacular demostración pública de su potencial y de su agudeza. Casi tan espectacular –al menos por las implicaciones que tenía– fue el encuentro de dos hombres en Roma durante la etapa inicial del gobierno de Reagan. A la hora señalada, un hombre con el rostro arrugado y de apariencia huraña, vestido con un traje gris, cuyo rostro poco conocido no atraía muchas miradas en este planeta, fue conducido a la modesta oficina del Papa en el Vaticano. William Casey era un ferviente católico que iba a misa casi todos los días y su casa estaba llena de estatuas de la Virgen María; era un creyente que poco después se hallaría sumido en una contemplación devota con el Papa. Sin embargo, Casey, director de la CIA, la Agencia Central de Inteligencia de Estados Unidos, había ido en una misión claramente terrenal. Estaba a punto de entregarle a Juan Pablo II una fotografía sorprendente, tomada por un satélite espía estadounidense, ubicado a cientos de kilómetros sobre la Tierra.

En el escritorio de su estudio privado el Papa examinó la foto con infinito cuidado. Los detalles se hicieron evidentes lentamente: primero, las enormes multitudes de personas que parecían puntos en una superficie. Luego, en el centro, un simple punto blanco que, según vio, era él mismo vestido con su sotana blanca, mientras se dirigía a sus compatriotas en la Plaza de la Victoria en 1979. Esta sería una de las muchas fotos tomadas por satélites de la CIA que el Papa examinaría en los años siguientes.

En una reunión mantenida en celoso secreto, una reunión de la cual el mundo no tendría noticia sino un decenio después, Casey usaría esa foto para sellar una alianza informal y secreta entre la Santa Sede y la administración del presidente Ronald Reagan, que aceleraría el cambio político más profundo de la era actual. Estos dos hombres, el uno aclamado por millones como el príncipe de la luz y el otro ridiculizado por muchos como el príncipe de las tinieblas, se reunirían unas seis veces más antes del desmoronamiento del comunismo, primero en la amada Polonia del Papa, luego en Europa oriental y finalmente en la propia Unión Soviética. Sin embargo, ningún encuentro sería tan significativo como el primero.

Aunque el Vaticano buscaría en los años siguientes hacer desaparecer la impresión de que estos dos representantes de poderes terrenales tan diferentes habían formado una nueva Santa Alianza, el Papa recibiría desde ese momento cualquier fragmento de información relevante que poseía la CIA, no solamente sobre Polonia sino también sobre asuntos importantes para Wojtyla y la Santa Sede.

Igualmente sorprendente era la naturaleza religiosa de algunas de las conversaciones que sostenían Casey y el Papa. Además de hablar sobre acontecimientos que sacudían al mundo en Polonia y en América Central (donde tanto Estados Unidos como la Iglesia luchaban contra los sacerdotes y los movimientos políticos que consideraban pro-marxistas) el director de la CIA y el Sumo Pontífice se adentraban en conversaciones espirituales y altamente íntimas. Tal como lo revelaría muchos años más tarde Sophia, la viuda de Casey, "mutuamente se pedían uno al otro que rezaran por ciertas cosas", especialmente cosas concernientes a Polonia, según el asistente del Papa. No cabe duda alguna de que el Papa ofreció a Casey su bendición, y Casey le respondería con el equivalente temporal de la CIA: un cúmulo de información que muy pocas personas en el mundo podían conocer.

Desde que Casey asumió su cargo, veinte meses después de que el satélite estadounidense fotografiara al Papa en Polonia, él y su patrón, Ronald Reagan, empezaron a creer firmemente en la existencia de una posible tercera superpotencia en el mundo –la ciudad-Estado de veinte manzanas que era el Vaticano–, y que su monarca, el papa Juan Pablo II tenía bajo su mando un notable arsenal de armas no convencionales que podría ayudar a inclinar la balanza de la guerra fría, especialmente con la ayuda abierta y encubierta de Estados Unidos. Poco les importaba a Reagan o a Casey que el Papa no soñara con el colapso del comunismo, o que los intereses del Pontífice no fueran necesariamente congruentes en muy variadas esferas con los de la administración Reagan. Ellos comprendían de manera intuitiva lo que el Papa podía lograr, y de qué manera sus actos podían apoyar sus propias políticas globales.

"¿Cuántas divisiones tiene el Papa?" preguntó Stalin desdeñosamente durante la Segunda Guerra Mundial. Muy pronto se daría una respuesta a esta pregunta, una que sorprendería y ofendería profundamente al Politburó de la Unión de Repúblicas Socialistas Soviéticas. Karol Wojtyla era la inspiración y el máximo protector del movimiento Solidaridad, una alianza de trabajadores polacos no comunistas dentro del imperio soviético. Solidaridad recibía fondos de los países occidentales, y Casey ya había tomado medidas para garantizar que esos dineros siguieran llegando. Casey le informó al Papa que la prioridad central de la política externa norteamericana era ahora Polonia. En Washington, Reagan y Casey hablaron sobre la posibilidad de "sacar a Polonia de la órbita soviética", con la ayuda del Santo Padre. Para ellos, Solidaridad y el Papa eran las palancas con las cuales podrían empezar a liberar a Polonia.

El ascenso de Wojtyla al trono papal y los hechos que ocurrían en Polonia redibujaban el mapa estratégico de la guerra fría. Durante varios decenios el axioma fue que Moscú y Washington constituían las coordenadas esenciales con Berlín como punto crítico entre ellos. Ahora, como en una fotografía que se revela, aparecían otros dos puntos: el Vaticano y Varsovia.

En el Kremlin, Mijaíl Gorbachov, el miembro de más reciente nombramiento del Politburó soviético, también secretario de Agricultura del Comité Central, ya había tomado nota del peligro inminente que corría el socialismo, por causa de Roma y de Polonia. Diez años después, con ocasión del primer informe público sobre una Santa Alianza entre el Vaticano y Estados Unidos, Gorbachov escribiría: "Se puede decir que todo lo que ha ocurrido en Europa oriental durante los últimos años habría sido imposible sin los esfuerzos del Papa y el enorme papel, incluyendo el papel político, que desempeñó en el escenario mundial". En ese momento ya Gorbachov y Reagan habían salido de la escena política mundial, y sólo quedaba el anciano Papa para denostar del nuevo mundo que él mismo había ayudado a crear.

Cuando Juan Pablo II tomó las riendas de la Iglesia, se creía que su poder e influencia en el mundo decaían fuertemente. Pero Wojtyla se consideraba a sí mismo como un hombre elegido por el destino, por Dios, para cambiar la faz de su Iglesia y del mundo. Había sido actor, poeta, dramaturgo y filósofo, y todos esos aspectos de su personalidad se juntaron en el papel supremo de su vida: el papel de Pontífice. Lo que sí era totalmente sorprendente era la habilidad que desarrolló como político en el escenario temporal. En su calidad de Papa, se convirtió en uno de los más notables personajes de la segunda mitad del siglo XX.

Aunque era un místico y un solitario nato, la energía se la transmitía una multitud que quizás haya sido la más grande que ha congregado líder alguno en la historia. Su mensaje doctrinal y moral para los fieles católicos era exigente, y no siempre bienvenido dentro de su Iglesia y fuera de ella. A él no le interesaban demasiado las encuestas de opinión, ni las tendencias, ni las ideas de sus detractores. Con mucha más furia de la que usaría contra los soviéticos (pero con mucho menos éxito) protestaría, con el pasar de los años, contra el liberalismo, el hedonismo y el materialismo de su tiempo. El aborto, la contracepción y la moderna ética sexual eran anatema para él.

Las raíces de todo lo que sintió e hizo como Papa, tanto en términos de dogma católico como en doctrina geoestratégica, se hallaban en lo profundo de la tierra de su Polonia natal. Cuando era joven, al igual que muchos de sus compatriotas, se había sumido en la tradición del mesianismo polaco, en la idea de que Polonia era el Cristo de las Naciones que un día se levantaría de nuevo para señalar el camino a toda la humanidad.

Durante un decenio su Polonia natal sería el crisol de la guerra fría y él el gozne donde la historia daba la vuelta. Esta es, pues, su historia.

PARTE I

Lolek

La madre

Se dice que no hubo dolor. En el momento de alumbrar, su madre le pidió a la partera que abriera la ventana para que los primeros sonidos que escuchase su recién nacido fueran los cantos en honor a María, Madre de Dios.

La partera se retiró de la cama y se dirigió a la ventana a abrir los postigos. De repente, la pequeña habitación se llenó de luz y se empezaron a escuchar las entonaciones de las vísperas de mayo en honor a la Virgen María, provenientes de la iglesia de Nuestra Señora, en el mes dedicado a ella. Así, los primeros sonidos que escuchara el futuro Papa, Juan Pablo II, eran himnos a María que cantaban en la parroquia al otro lado de la calle donde él había nacido, en un humilde apartamento de propietarios judíos, en el pueblo de Wadowice, en Galicia, Polonia.

Esta fue la historia contada por el mismo Papa, mientras caminaba por los jardines del Vaticano a los setenta años, contemplando el arco de su vida extraordinaria y describiendo el gran legado de su sufrida madre.

Karol Józef Wojtyla fue concebido en tiempos de guerra, entre la Polonia de independencia reciente y la República Soviética de Lenin. El 7 de mayo de 1920, durante el último mes de embarazo de Emilia Wojtyla, las fuerzas polacas del mariscal Józef Pilsudski obtuvieron su victoria militar más importante sobre el Ejército Rojo: la conquista de la ciudad ucraniana de Kiev. Mientras la nación se hallaba llena de felicidad por las noticias del frente, Emilia mandó llamar a la partera y preparó la pequeña habitación para el bebé. Era una mujer de treinta y seis años, frágil tanto física como emocionalmente. Seis años atrás había perdido una hija, Olga; no se sabe si murió al poco tiempo de nacer o si nació ya muerta. Su esposo, de cuarenta años, teniente del ejército de Pilsudski, era ya muy viejo para estar en el frente de batalla; sin embargo, podía hacerse cargo de su hijo Edmund, de trece años, durante el difícil embarazo de su esposa.

El 18 de mayo, día en que Emilia comenzó su trabajo de parto, Pilsudski hizo su entrada triunfal a Varsovia, después de la campaña ucraniana. Miles de polacos salieron a las calles para saludar al conquistador de Kiev. Su tren especial, adornado con flores, llegó a la estación. Luego, guardias de honor y miembros de la caballería montada acompañaron hasta la iglesia de San Alejandro al mariscal en su carruaje tirado por caballos. Allí se celebraría una misa por la victoria, y un coro magnífico cantaría el "Te Deum". Un grupo de estudiantes jubilosos llevaron el carruaje de Pilsudski desde la iglesia hasta el Palacio de Belvedere, pasando por debajo de un formidable arco con la inscripción "Saludo al vencedor". Este era el día en que la nación polaca proclamaría ante el mundo la recuperación de su grandeza.

Pasarían cincuenta y nueve años antes de que Polonia volviera a experimentar un día de tanto júbilo y esperanza: cincuenta y nueve años hasta que el bebé nacido en el pueblo provincial de Wadowice regresara triunfalmente a Varsovia como el papa Juan Pablo II.

El parto de Emilia fue difícil. Su cuerpo debilitado debió pasar una durísima prueba, pero, según la partera, no hubo complicaciones y el bebé nació sano. Le pusieron por nombre Karol Józef: Karol por su padre y Józef por el mariscal Józef Pilsudski, por José de Nazareth y por su tío. En el registro de nacimiento de la sacristía de la iglesia de Nuestra Señora del Perpetuo Socorro, justo al frente de la habitación donde había nacido Karol Wojtyla, se lee: "Nacido, 18 mayo, 1920, Carolus Josephus Wojtyla, católico, varón, hijo legítimo. Padres: Wojtyla, Carolus –padre, funcionario del ejército; madre, Kaczorowska, Emilia, hija de Feliks y María Szloc".

Emilia era delicada y sensible; sus ojos eran cautivadores, sensuales, tiernos, femeninos. Cuando Emilia conoció por primera vez a Karol Wojtyla (en una iglesia en Cracovia, en donde, según la tradición familiar ambos habían ido a encenderle velas a la Virgen), él era un joven oficial del ejército del káiser Francisco José. Ella se sintió atraída por las muchas cualidades que ponderaban en él sus superiores del ejército austriaco: era un joven "recto, de buena moral, serio, de buen comportamiento, modesto, honorable, muy responsable, de muy buen corazón e incansable". También sabía expresarse muy bien, era ordenado y amable, cualidades que le iban bien a Emila. Ella necesitaba calma.

La muerte había marcado la vida de Emilia desde mucho tiempo atrás: cuatro de sus ocho hermanos murieron antes de cumplir los treinta años. Una de sus hermanas mayores, Olga, a quien Emilia quería mucho, murió a los veintidós años. Su madre murió a los treinta y nueve o a los cuarenta y tres (los registros son ambigüos), cuando Emilia era una adolescente. La familia era de origen lituano, pero ella había nacido en 1884 en Silesia, una provincia del imperio austro-húngaro en donde se hablaba el alemán, al occidente de Galicia. Ella era la quinta hija del hogar formado por un talabartero casado con la hija de un zapatero. Cuando ella era apenas una niña, sus padres se mudaron a Cracovia, el gran centro cultural y católico de Polonia, y su antigua capital. Según decía el Papa, fue su madre "quien creó la formidable vida religiosa de la familia Wojtyla". Ella asistió a una escuela regentada por las Hermanas de la Merced durante ocho años, hasta la muerte de su madre. Su devoción era profunda y silenciosa.

En 1904, Karol y Emilia Wojtyla, recién casados, se fueron a vivir a Wadowice, un pequeño pero importante pueblo de la antigua carretera imperial, a 50 kilómetros al suroeste de Cracovia. Por ser un centro administrativo para la región, en el pueblo se acuartelaba un prestigioso regimiento de infantería, en el que Karol Wojtyla trabajaba como oficinista.

El primer hijo del matrimonio, Edmund, nació en 1906. Era un tesoro: excepcionalmente inteligente, apuesto, atlético, de temperamento dulce... y colaborador. Después de la muerte de su hija, hacia 1914, la salud de Emilia se deterioró. Sin embargo, el nacimiento de Karol –niño vivaz, juguetón, encantador y de un evidente parecido con su madre– volvió a darle vida a su espíritu, aunque su cuerpo se debilitaba cada vez más. Nunca se quejó por la forma en que los embarazos habían arruinado su salud. Lejos de eso, se sentía feliz y orgullosa de sus hijos, y depositaba sus esperanzas y aspiraciones en ello.

Desde el principio, la madre de Karol quería que él fuese sacerdote. "Mi Lolek será una gran persona", solía decirle a sus vecinos. Ella lo adoraba y lo llamaba "Lolus" (un diminutivo de Karol) cuando era más pequeño; luego le decía "Lolek". Cuando Edmund se iba a la escuela y Karol padre (conocido por los habitantes del pueblo después de un ascenso como "el Teniente"), se iba al trabajo, Emilia bañaba a su bebé en una palangana, le leía y, en los meses de verano, se sentaba con él en el jardín a coser. En Cracovia había trabajado como costurera y ahora, para ayudar a la economía del hogar, remendaba y arreglaba vestidos, chales y abrigos de mujer.

Como había sido durante siglos, la vida de Wadowice giraba en torno a la plaza del mercado, frente a la iglesia de Nuestra Señora. El día jueves, los campesinos de la región iban allí a vender sus productos –remolacha, papa y trigo– en puestos que organizaban en la plaza. Cuando podía, Emilia llevaba a Karol a hacer el mercado con ella. Se vestía modestamente, aunque le gustaban los colores pastel, y se hacía en el pelo una moña, como era la moda en esos días. No era fea en absoluto. Todas las personas que la conocían la encontraban encantadora.

Sin embargo, en ocasiones sufría dolores de espalda tan terribles que no podía ni siquiera ir a la plaza del mercado, o coser, o cuidar a Lolek. Entonces cerraba la puerta de su habitación y se acostaba en la cama. En esos días, después de que Edmund llegaba de la escuela, el teniente hacía la comida y la limpieza, y atendía a su mujer. Emilia también padecía mareos y desmayos, que pudo presenciar Karol algunas veces. En ocasiones debía pasar días enteros, incluso semanas, en visitas al médico en Cracovia, en donde vivían aún algunos miembros de su familia. Algunas veces Emilia se llevaba a Karol consigo.

Emilia soportaba sus problemas con fe y estoicismo. "Hasta la gente que no la conocía podía percibir su paz interior y su religiosidad", declaraba un vecino. La palabra *paz* aparece repetidamente en las descripciones de las personas que recordaban a Emilia y a su esposo, pero en ocasiones se ponía melancólica, e incluso revelaba indirectamente la tristeza que le producía la pérdida de su pequeña hija, tal como se lo dijo a María Janina Kaczorowa, una joven adolescente que vivía en la misma calle. "Eres muy joven, pero llega un momento en el que cada uno debe aceptar sus propias desgracias", le decía con tristeza Emilia a María. Sin embargo, jamás dijo cuándo o cómo había muerto Olga. Y nunca se encontró el registro de bautismo o el certificado de nacimiento de la criatura. No está enterrada en la tumba de la familia; y cuando la casa de Karol Wojtyla se convirtió más tarde en museo, el nombre de Olga no aparecía en la placa de los nombres de sus padres y hermanos.[*]

Emilia le enseñó muy temprano a Lolek a hacerse la señal de la cruz, y con frecuencia le leía la Biblia. A la entrada de su apartamento tenían

---

[*]Los archivos de la parroquia militar en donde se casaron Karol y Emilia en Cracovia desaparecieron durante la Segunda Guerra Mundial.

una urna de mayólica llena de agua bendita en donde Lolek, Edmund, Emilia y Karol padre se mojaban los dedos para hacerse la señal de la cruz antes de entrar o salir. En la sala había un reclinatorio. El apartamento de la familia Wojtyla, que quedaba en un segundo piso, era pequeño pero cómodo y acogedor; estaba lleno de libros, cuadros sagrados y fotos de la familia. En una pared se hallaba un retrato del teniente Wojyta, vestido con el uniforme de la legión de Pilsudski. La foto les hacía recordar con orgullo que él había ayudado a restaurar la libertad de Polonia. No había nada notable en el apartamento de la familia Wojtyla, pero tenía una especie de encantadora dignidad burguesa. Cada una de sus habitaciones –una cocinita, un pequeño dormitorio y una habitación que era al tiempo sala y dormitorio– se comunicaban entre sí: en resumen, era un apartamento con poca privacidad. No tenía baño pues todavía no había agua corriente en Wadowice. Había que llevar el agua para bañarse de uno de los dos pozos que había en la plaza del mercado. Cada una de las habitaciones daba al muro de arenisca de la iglesia de Nuestra Señora, y en un reloj de sol que tenía grabado el adagio *"Tempus fugit, aeternitas manet"* –El tiempo se va, la eternidad permanece–, Karol podía ver cómo avanzaba la sombra sobre el cuadrante mientras él jugaba o leía.

La vida de Emilia se fue haciendo un poco más fácil cuando Lolek entró a la escuela, a la edad de seis años. Sin embargo, su estado de salud siguió empeorando. Cuando sus hijos contraían las enfermedades normales de la infancia, ella le rogaba a su esposo, llena de temor, que no la dejara sola. Ahora, se quedaba en silencio durante largo rato y pasaba gran parte del tiempo en la cama, semiparalizada.

Los logros de sus hijos le producían gran alegría. Edmund, a quien la familia llamaba "Mundek", estaba estudiando medicina en la universidad. Lolek había entrado a una escuela primaria para muchachos, que quedaba a pocos minutos de la casa. En su primera libreta de calificaciones obtuvo notas de "muy bien" en religión, conducta, dibujo, canto, juegos y ejercicio, y "bien" en todas las demás asignaturas. Le encantaba jugar fútbol, era excelente en lectura e iba a misa todas las mañanas antes de la escuela. Después de la escuela, Emilia y Lolek solían leer las Escrituras, cuando la salud de Emilia lo permitía.

El 13 de abril de 1929 tuvieron que llevar a Emilia al hospital, mientras Lolek, de ocho años de edad, se hallaba en la escuela. Su profesora y vecina Zofia Bernhardt lo encontró en el patio al regresar de sus clases. "Tu madre murió", le dijo sin más. Emilia tenía cuarenta y cinco años. En su certificado de defunción aparecían las palabras miocarditis y nefritis: inflamación del corazón y los riñones.

Cuando era seminarista, Karol Wojtyla le dijo a un compañero que su madre había sido "el alma del hogar". Recordaba cuando ella lo bañaba tiernamente, cuando lo alistaba para la misa y se preocupaba de que llegara a tiempo a la escuela.

Poco después de iniciar su vocación sacerdotal, Wojtyla abrió su corazón a un padre carmelita de Wadowice, y le habló de la nostalgia que le producía su madre: "Mi madre era una mujer enferma. Trabajaba duro, pero tenía poco tiempo para dedicarme". Sorprendentemente, esta afirmación tiene un tono de queja, parece un grito de privación. Durante el resto de su vida Wojtyla casi nunca hablaría de su madre, aunque de joven a veces comentaba con algo de envidia a sus amigos sobre la cálida vida familiar que brindaban sus madres.

Uno de los más cercanos colaboradores del Papa describía a Emilia como una persona "consumida" física y emocionalmente por las circunstancias de su vida y de su época, por la insoportable frustración que le produjo la muerte de su hija y por las dificultades de una época de guerra y privaciones económicas. Sin duda, la madre de Karol Wojtyla fue una mujer muy enferma durante gran parte de su infancia, pero por su relativo silencio sobre ella, hoy sólo podemos especular sobre el efecto que tuvo sobre él. En todo caso no fue una vida fácil para Karol Wojtyla, ni con ella ni sin ella.

El papel de las mujeres, particularmente la suprema importancia de su devoción a la maternidad, se convertiría en uno de los principales temas pastorales del sacerdocio, de los escritos, y luego, a mayor escala, del papado de Karol Wojtyla. Su oposición al aborto, su intenso deseo de proteger a aquellos que aún no han nacido, su creencia en un "carácter femenino especial" y en un papel limitado para las mujeres en la Iglesia, han sido elementos cruciales en su pensamiento y en su carrera como Papa. Todos ellos podrían reflejar los complejos sentimientos y las añoranzas insatisfechas que se crearon a partir de la relación con su propia madre, y también de su muerte a una edad temprana.

Cada vez que el papa Juan Pablo II exalta a aquellas madres que mueren al dar a luz a un hijo, puede oírse un sutil eco de la tragedia de su propia vida. El 4 de abril de 1995, en el décimoseptimo año de su papado, Juan Pablo II eligió para su beatificación a dos mujeres italianas (la beatificación es el paso previo para la canonización de un santo), y las llamó "modelo de perfección cristiana". Una de ellas, Gianna Berretta Molla, era pediatra. A pesar de tener cáncer decidió, en 1962, llevar a término el embarazo de su cuarto hijo en lugar de aprobar el aborto que habría podido salvarle la vida. La otra era Elisabetta Mora, elegida por Wojtyla por seguir siendo fiel a un marido agresor, que finalmente la abandonó a ella y a sus hijos. El Papa la elogiaba por demostrar "total fidelidad al sacramento del matrimonio, en medio de numerosas dificultades conyugales".

Ese día, algunas personas en el Vaticano, incluyendo al gran amigo del Papa, el cardenal Andrzej Maria Deskur (a quien el Pontífice había confiado la historia de su nacimiento), creían que la vida, maternidad y muerte de Emilia Wojtyla constituían una poderosa fuerza ejemplar en el pontificado de su hijo y, a través de él, en las vidas de millones de mujeres, tal como lo indicaba la inusitada escogencia de estas dos candidatas a santas.

El hermano

Debemos buscar los grandes temas de la vida y del papado de Juan Pablo II en el nacimiento, infancia y juventud de Karol Wojtyla: la devoción, la disciplina, el teatro, la intelectualidad, el aislamiento, el sufrimiento, el misterio, la devoción mariana, la fascinación con el martirio; su relación tormentosa con las mujeres; los lazos familiares con el judaísmo; el énfasis en la muerte y la transfiguración. Además, y por encima de todo esto, la pasión por Polonia: Polonia triunfante, Polonia separada violentamente, Polonia como el Cristo de las Naciones.

La misa de entierro para la madre de Karol se celebró tres días después de su muerte en la iglesia de Nuestra Señora. Al otro día, el teniente Wojtyla llevó a sus dolientes hijos a una peregrinación al santuario mariano de Kalwaria Zebrzydowska. De ahí en adelante, en los momentos importantes y difíciles de su vida y de la vida de la Iglesia, Karol Wojtyla volvería a Kalwaria, el equivalente de Jerusalén en Polonia, en donde la Madre de Dios, la Santa Virgen, la Señora de los Ángeles, la Reina de Polonia, muere cada año y sube al cielo. Allí, a los pies de los montes Beskid, entre Wadowice y Cracovia, en el día de la Asunción, miles de peregrinos acompañan a la Virgen a su tumba, en una atmósfera de devota exaltación. Entre himnos y plegarias, velan a su lado toda la noche, y al día siguiente celebran su triunfo sobre la muerte y su entrada al cielo. Varias generaciones de la familia Wojtyla llevaron grupos de peregrinos a Kalwaria, a la fiesta anual de la Asunción, y entonaron himnos con voces que los hicieron famosos en los alrededores.

Kalwaria, lugar de arrepentimiento y redención, es el mayor lugar sagrado de Polonia, después del santuario de la Virgen negra de Czestochowa. Durante la primavera, se convierte en el escenario natural para los misterios de la pasión de Jesús, cuando los penitentes cargan rocas y se azotan para conseguir la pureza, pues de esta manera se identifican con el tormento de Cristo; y en agosto para la muerte y asunción de la Virgen.

Inmerso en la multitud de fieles que iba lentamente de capilla en capilla (hay cuarenta de ellas desperdigadas por los campos y los bosques) Karol, siendo niño aún, tomó parte en la gran marcha del cortejo fúnebre en honor a la Virgen. Vio a la Virgen María acostada en su catafalco: una estatua de madera de facciones aristocráticas, con los ojos cerrados por el sueño de la muerte, que llevaban en hombros algunos montañeros orgullosos vestidos con sus trajes tradicionales. Karol vio el llanto de los apóstoles representados por aldeanos polacos. Se unió a las plegarias y a los apasionados himnos con los cuales la multitud toma parte en el evento y en donde cada uno se encomienda al abrazo maternal de la Virgen Madre y encomienda también a sus seres queridos, a su destino y al destino de la nación. En la noche del duelo se unió a los fieles penitentes y anduvo con ellos por los escarpados caminos de las montañas, mientras llevaba en alto velas y antorchas, en un río de ardorosa fe. Al día siguiente compartió con ellos la jubilosa explosión de coros, bandas y salvas de cañón, observó el desfile de trajes regionales, de cruces adornadas con flores, de niñas vestidas de blanco, como pequeñas novias. Se unió a las decenas de miles de fieles que iban en la procesión de la Virgen Madre, situada triunfalmente en su trono celestial.

Ahora, en Kalwaria Zebrzydowska, los tres hombres de la familia Wojtyla se arrodillaban ante el gran altar de la basílica (construida en 1658 en la cima del monte Calvary por monjes bernardinos) e imploraban a la Madre Celestial que se llevara a Emilia con ella al paraíso. Karol, llorando la muerte de su propia madre, oraba ante el cuadro del altar principal del monasterio, en donde la cabeza de la Virgen se inclina hacia el Niño y la nariz del Niño toca tiernamente la mejilla de su Madre. Ella está abrazando a su Hijo. Medio siglo más tarde, Wojtyla inscribiría en su escudo de armas papal *Totus Tuus* (soy todo Tuyo).

> En tu blanca tumba
> florecen las flores blancas de la vida.
> Oh, ¿cuántos años se han ido ya
> sin estar contigo? ¿Cuántos años?
> En tu blanca tumba
> cerrada desde hace tanto
> algo parece surgir:
> inexplicable como la muerte.
> En tu blanca tumba,
> Madre, mi fallecido amor...

Esto escribiría el joven Karol Wojtyla en uno de sus primeros poemas, a la edad de diecinueve años; allí expresaría reservadamente el dolor de sus años de infancia, el peso de la pérdida que nunca confesaba ni siquiera a sus amigos. Incluso en la edad adulta, como sacerdote, como obispo y como Papa, Karol Wojtyla sería un hombre reservado y casi nunca confiaría a otros mortales los traumas de su vida.

La muerte de su madre le robó a Karol toda alegría. Su profesora, Zofia Bernhardt, notó el cambio de ánimo. Antes era un muchacho desenvuelto, feliz, seguro de sí mismo, un "líder nato"; pero después de la muerte de su madre comenzó a encerrarse en sí mismo, a buscar refugio en los libros y en la oración. Un compañero de clase, Jan Kus, solía encontrar a Karol deprimido, y otros compañeros de la escuela podían observar su aire de melancolía. Cuando se le preguntaba por su madre, él sencillamente respondía que Dios la había llamado. Con todo, Bernhardt también notó que su carácter excepcionalmente amistoso y colaborador tan bueno como sus extraordinarios talentos académicos, ya evidentes en la escuela primaria, se conservaban iguales que siempre.

Cuando la salud de Emilia empezó a empeorar, el teniente Wojtyla se jubiló con una pensión extremadamente modesta en 1927, y empezó a desempeñar con sus hijos la función de madre y padre. Cuando Edmund se fue a la universidad, él empezó a dedicar la mayor parte de su tiempo al cuidado de la casa y a atender a Karol.

A la edad de once años, Lolek pasó a la escuela pública secundaria, en el gimnasio masculino de Wadowice. Ese mismo año Karol se convirtió en acólito; casi inmediatamente el párroco, el padre Edward Zacher, lo nombró jefe de monaguillos. Algunos días ayudaba en dos y hasta tres misas. Karol también desarrolló una relación cercana con su profesor de religión, el padre Kazimierz Figlewicz, quien percibió en el comportamiento del muchacho "la sombra de una temprana pesadumbre", así como también un talento y una inteligencia casi ilimitados.

La única fuente de alegría permanente en la vida de Karol era su hermano Edmund –Mundek– a quien Karol adoraba. Edmund era catorce años mayor que su hermano; estudiaba medicina en la universidad de Cracovia, era un joven de ojos azules y cabello rubio, robusto y activo, con figura de atleta. Era extrovertido y amable, de modales suaves, deportista, gran jugador de bridge y ajedrez, y estrella de fútbol. Cuando volvía a su casa durante las vacaciones, les enseñaba a los chicos de Wadowice aspectos detallados de ciertos deportes. Le tenía a su hermano menor un cariño ilimitado. Durante el verano se los veía a ambos pateando un balón por las calles del pueblo, o a Edmund llevando a Lolek en hombros por los campos aledaños al río Skawa. Edmund llevó a Karol a sus primeras caminatas por las montañas, y compartían la pasión por la naturaleza y el ejercicio al aire libre; también le enseñó a esquiar. Para Lolek, Mundek era un refugio contra la depresión.

En 1930, Karol y su padre fueron a Cracovia a la ceremonia en la que se le confería a Edmund el título de médico. Fue un viaje muy especial para Karol, quien caminaba extasiado por el gran patio gótico del antiguo Collegium Majus, fundado en el siglo catorce por los reyes Jagellones. Karol estaba orgulloso de ver que los profesores, vestidos con sus espléndidos trajes académicos, graduaban con honores a Edmund: "Magna cum laude" fue el veredicto, reforzado por el vigoroso aplauso de sus compañeros de clase. Para el teniente Wojtyla, la graduación de Edmund también significaba que la familia tendría finalmente un respiro financiero. El título de doctor de Edmund auguraba un futuro más próspero, sin las privaciones a las que estaban acostumbrados por causa de la modesta pensión del teniente Wojtyla.

Edmund comenzó su carrera de médico en la Clínica Infantil de Cracovia, y luego trabajó como residente en un hospital de Bielsko, Silesia, la tierra natal de su familia materna. Karol lo visitaba cada vez que podía y entretenía a los pacientes leyéndoles o recitándoles poemas. La confianza y el optimismo volvían a Lolek en las horas felices de su infancia que pasaba a solas con su hermano.

Así pues, no es posible imaginar un golpe más cruel y sorpresivo que el del 5 de diciembre de 1932: Karol recibiría la noticia de que su hermano murió en el hospital a causa de una escarlatina, adquirida por contagio de una paciente que él había tratado desesperadamente de salvar. Al igual que su madre, su hermano había muerto solo, sin el beso o la caricia de aquellos que lo amaban. Esa tarde, una vecina llamada Helena Szczepanska, quien ayudaba en ocasiones al señor Wojtyla con los trabajos de la casa, encontró a Lolek aturdido, de pie en la puerta del apartamento que daba al patio. "En un momento de emoción me acerqué a él y lo abracé", cuenta Helena. "Pobre Lolek, te quedaste sin tu hermano", murmuró. Con un gesto de gravedad en el rostro, Karol la miró y dijo, con una determinación que dejó sorprendida a la mujer: "Era la voluntad de Dios". Luego volvió a encerrarse en su silencio.

Karol experimentó la muerte de Edmund, a diferencia de la de su madre, con una creciente comprensión adolescente. El papa Juan Pablo II le diría más tarde al escritor francés André Frossard, en un momento de confidencia poco usual: "Quizás la muerte de mi hermano me afectó más profundamente que la de mi madre, dadas las circunstancias particulares, que ciertamente eran trágicas, y porque yo estaba ya algo mayor".

Los detalles de la muerte de Mundek eran, en efecto, particularmente dolorosos. Durante una epidemia de escarlatina, Edmund había optado por pasar la noche cuidando a una joven paciente a quien él se había consagrado especialmente. No sólo no había logrado salvarla, sino que pronto se dio cuenta de que también él se había contagiado. Cubierto de manchas rojas, Edmund padecía insoportables dolores de cabeza y tenía una fiebre que llegaba a los 40 grados; padecía espasmos de vómito y ataques de angina. Edmund pasó los últimaos cuatro días de su vida en agonía y desesperación. Al médico jefe, el doctor Brücken, quien trataba de dar alivio a su asistente moribundo, le preguntó repetidamente: "¿Por qué yo? ¿Por qué *ahora*?"

La idea de la mano de Dios, que quita y da en su insondable sabiduría, la idea del juicio que nos espera a todos –ahora, de repente, súbitamente– se adueñaba de la conciencia de Karol Wojtyla. A partir de ese momento, los pasajes de la Biblia que atraerían mayormente su atención serían los relatos apocalípticos de las Postrimerías: la muerte, el juicio, el cielo y el infierno.

Karol, de pie junto a su padre frente al féretro de Mundek, en el cementerio de Bielsko, escuchaba el panegírico del doctor Brücken: "Con tu mirada débil buscabas en nosotros alguna manera de escapar. Puedo ver aún tu rostro contraído de dolor, puedo escuchar tus palabras, tus amargos lamentos". Karol recordaba vívidamente las preguntas atormentadas de su hermano y los detalles de las horas deliciosamente felices que había pasado con Mundek.

Muchos decenios después, cuando un periodista italiano le obsequió al papa Juan Pablo II un librito dedicado a su hermano, el Papa besó lentamente la foto de la sobrecubierta con la imagen de Mundek. En un cajón del escritorio en su estudio del Vaticano, el Sumo Pontífice guarda un amado tesoro que le dieron en el hospital de Bielsko: el estetoscopio de su hermano.

El padre

A los cincuenta años, cuando su esposa murió, el teniente Wojtyla tenía ya el cabello cano. Ahora, viudo, con su primogénito y su hija muertos, estaba decidido a darle a su único hijo vivo todo el amor, la protección y la disciplina familiar que le fueran posibles.

Él hacía el desayuno en las mañanas y la cena en las noches. Al mediodía, padre e hijo almorzaban juntos en el sencillo restaurante de la señora Banas, a una calle de su apartamento. El día del joven Karol estaba rigurosamente programado: a las seis de la mañana se despertaba; luego venía el desayuno, misa en la parroquia, colegio de las ocho de la mañana a las dos de la tarde, dos horas de juego, misa de nuevo en la tarde, tareas, cena y caminata con su padre. Para él no era difícil aceptar esta rígida rutina. "El padre que se exigía tanto a sí mismo –diría cuando se convirtió en Papa– no debía exigir nada a su hijo".

Oraban juntos. Jugaban juntos.

Karol tenía un compañero de colegio llamado Zbigniew Silkowski que visitaba con frecuencia el apartamento del número dos de la calle Rynek. Algunas veces, cuando llegaba, encontraba al teniente lavando ropa o zurciendo medias. Un día escuchó un fuerte barullo al aproximarse a la puerta de entrada... gritos y el sonido de pies corriendo, seguidos del grito de "¡Gol!" Al abrir la puerta encontró al señor Wojtyla y a su hijo agitados y sudorosos jugando fútbol con una bola hecha de retazos de tela. La sala estaba prácticamente desocupada pues habían arrumado todos los muebles contra las paredes.

En los días en que Karol acolitaba en la misa, su padre asistía invariablemente. Él le enseñó a Karol a vivir sus intensos sentimientos religiosos sin vanagloriarse de ellos. Los compañeros de colegio que se detenían en la iglesia a pedir ayuda divina para sus exámenes, veían con frecuencia a los Wojtyla arrodillados juntos frente al altar, orando fervorosamente.

Antoni Bohdanowicz, un compañero de colegio de Karol, que iba regularmente a estudiar con él en la cocina, se preguntaba siempre por qué Karol, después de terminar alguna tarea, se disculpaba y desaparecía momentáneamente en la habitación contigua. Finalmente, Bohdanowicz pudo mirar por una hendija y vio a Karol arrodillado en un reclinatorio, rezando.

En una tarjeta postal de la época se ve a Wadowice como un pequeño pueblito enclavado a los pies del monte Beskid, en donde el río Skawa, de corriente rápida, se dirige a un amplio valle. Dominando el pueblo se hallan la aguja, la cúpula y el reloj de la iglesia de Nuestra Señora. La vista es pintoresca: un caballo pasta en el campo de trigo que está al otro lado del río; una mujer y su hijo contemplan la escena. En realidad el pueblo distaba mucho de ser tan soñador, rural e idílico lugar para vivir.

Wadowice, cuya población era de unos siete mil habitantes, hacía las veces de capital para los pueblitos rurales de los alrededores. Era un centro industrial menor con una fábrica de partes de acero, un aserradero de vapor y una planta rudimentaria productora de fertilizantes, que usaba el sistema de tratamiento de los huesos con ácido sulfúrico en fosos abiertos. Había dos fábricas de obleas, una de las cuales producía *oplatki*, las hostias de comunión sin consagrar que se consumían en los hogares polacos en Nochebuena.

Wadowice era también un lugar de cierta agitación cultural. Su dinamismo provincial contrastaba con la lobreguez de la empobrecida provincia campesina de Galicia. Todos vivían cerca unos de otros: los artesanos y los obreros, los campesinos y los profesionales, los sacerdotes y los intelectuales, además de los oficiales y soldados de la guarnición del pueblo. En Wadowice había tres bibliotecas públicas, una sala de cine, un teatro y una sociedad gimnástica (Sokol, el Alcón), donde los patriotas polacos solían ejercitar el cuerpo y el espíritu durante los años de la ocupación austriaca; después de la independencia, la casa donde estaba instalado el club siguió funcionando como centro cultural y social. Del afamado gimnasio estatal para muchachos (de secundaria), fundado en 1866, se graduaron muchos jóvenes que luego pasaron a estudiar en la Universidad Jagellona de Cracovia. El *curriculum* del gimnasio continuaba el noble legado de los estudios humanísticos, a la vez clásicos y activamente polacos. Había también dos gimnasios privados en el pueblo: uno administrado por los padres palotinos y el otro por los monjes carmelitas. Muchos de los estudiantes de estos dos colegios religiosos se dedicaban luego al sacerdocio. Por haber sido empleado estatal, el teniente Wojtyla tenía derecho a una reducción del cincuenta por ciento de la matrícula en el gimnasio público; eso y su convicción de que no había que presionar a su hijo para que entrara en el sacerdocio fueron, quizás, los factores decisivos para escoger la escuela secundaria de Karol.

En el curso de Karol había treinta y dos alumnos (hijos de obreros, campesinos, oficiales y profesionales locales) y todos ellos hacían amistad rápidamente, sin prejuicios de religión o clase social. Muchos de sus condiscípulos eran judíos. Uno de sus mejores amigos y vecinos era Jerzy ("Jurek") Kluger, el hijo del presidente de la comunidad judía de Wadowice. También era amigo de Regina ("Ginka") Beer, una niña judía por quien sentía mucho cariño. En Wadowice vivían cerca de mil quinientos judíos, es decir, más del veinte por ciento de la población; la mayoría de ellos artesanos y dueños de almacenes, pero también había muchos profesionales. Galicia, al igual que Lituania, al norte, era uno de los mayores centros de cultura y educación judía de Europa oriental, y la comunidad judía de Wadowice, muy bien organizada, se desarrolló rápidamente después de 1819, cuando el emperador Francisco I de Austria abolió las antiguas leyes que prohibían a los judíos establecerse libremente en las áreas urbanas.

Desde 1830 había rabino y sinagoga en Wadowice. La comunidad judía logró en poco tiempo tener su propio cementerio y otra casa de oración. Karol creció en una atmósfera en donde católicos y judíos se mezclaban con relativa facilidad. Aunque Karol conocía bien a los judíos ortodoxos, que se distinguían por sus bucles y sus gabardinas negras, él sólo tenía amistad y trato cotidiano con aquellos judíos liberales que se sentían más cómodos con la idea de integrarse a la sociedad polaca.

El dueño del apartamento donde vivía la familia Wojtyla era un judío llamado Chaim Balamuth. En el primer piso del inmueble, debajo del apartamento de ellos, Balamuth tenía un almacén de vidrios y cristalería. Él era un adinerado hombre de negocios, bastante moderno, uno de los primeros comerciantes del pueblo en vender motocicletas. Desde los tiempos del apóstol Pedro, ningún Pontífice romano había tenido en su infancia un contacto tan cercano con la vida judía. En su calidad de arzobispo, Wojtyla también tendría bajo su mando la diócesis donde se encuentra Oswiecim, o Auschwitz. Él conocía las grandes festividades de Israel cuyas celebraciones podía observar desde el balcón de su casa. En el patio podía ver las tiendas de la fiesta del Sukot que organizaba la familia de Ginka Beer, y la menorah que ponían en la ventana en la fiesta de Januká. Su padre les ofrecía usar el balcón en el Sukot.

Los sábados Karol podía ver a los soldados judíos, acompañados por un sargento, marchar en fila hacia la sinagoga, a donde iban a rezar. Les concedían el permiso de ausentarse del cuartel durante el Sabbath y, a cambio de eso, debían presentarse a trabajar los domingos. Cuando

Karol era adolescente, llegó un nuevo recluta al Duodécimo Regimiento de Infantería de Wadowice, un joven judío de veintiún años llamado Moishe Savitski, cuya voz era espléndida. El abogado Kluger, presidente de la comunidad judía, lo enroló inmediatamente como cantor en la sinagoga. El padre de Karol Wojtyla llevó a su hijo al templo, en la fiesta de Yom Kipur, para escuchar el Kol Nidre cantado por Savitski. Varias personas no judías estaban entre los asistentes, por la misma razón. Karol, sobrecogido por la terrible sombra del Dios de Job, escuchaba, se conmovía e intimidaba por los cantos solemnes, estremecedores, con los cuales Israel confiesa sus pecados y se encomienda al Señor.

Karol tenía una relación cercana con Jurek Kluger. En el gimnasio, estudiaban en la misma clase desde los once años. La abuela de Jurek sentía un gran aprecio por Karol, quien solía ir a casa de la familia Kluger a jugar y tomar una taza de té, con alguna fruta o con un pedazo de pastel. La abuela de Jurek insistía para que su nieto siguiera el ejemplo de su condiscípulo: "Karol tiene muy buenos modales, es muy buen estudiante, trabaja duro. ¿No podrías tratar de ser como él?"

El abogado Kluger tenía una gran casa de tres pisos en la Plaza del Mercado, en la esquina de la calle Zatorska. Al frente tenía una oficina, en la cual ejercía con éxito su profesión. Tanto sus correligionarios como la mayor parte de personajes importantes no judíos de Wadowice lo tenían en gran estima. Aunque Kluger no tenía ningún trato en particular con el teniente Wojtyla, se sentía feliz de que su hijo visitara regularmente a Karol, uno de los mejores estudiantes del gimnasio.

Karol y Jurek eran excelentes futbolistas. Ellos y sus compañeros jugaban en un claro cerca del río, entre el puente del ferrocarril y el puente de la carretera principal. Cierta vez Jurek tuvo que llegar corriendo a la iglesia de la parroquia para sacar a Karol y llevarlo a un partido. Una señora que se encontraba allí expresó su sorpresa al ver que el hijo del presidente de la comunidad judía se hallaba frente al altar, a lo cual respondió el joven Wojtyla: "¿No somos todos hijos de Dios?"

Cuando hacía de arquero, Karol era llamado con el apodo de "Martyna", igual que el famoso jugador de fútbol, aunque el mejor arquero era su amigo judío Poldek Goldberger. Los cristianos jugaban a veces partidos contra los judíos, sin ningún tipo de animadversión racial o religiosa.

Cuando Goldberger no podía asistir a un partido, Wojtyla era su reemplazo en el equipo judío.

Sin embargo, esta plácida imagen de la relación de la familia Wojtyla con los judíos no correspondía a la actitud general que se observaba en el resto de Polonia. El antisemitismo se había extendido en el país y estaba profundamente arraigado. La población de judíos antes de la guerra y del Holocausto era de tres millones, y pasó a ser de treinta mil después de la ocupación nazi. En Wadowice, sin embargo, el antisemitismo era menor que en muchos otros pueblos y ciudades que en los campos aledaños. En 1936, más o menos por la época en que Karol jugaba de portero en el equipo de fútbol de los judíos, el jefe de la Iglesia católica polaca, el cardenal August Hlond, escribía en una carta pastoral:

> Si los judíos se quedan, tendremos un problema de carácter judío. [...] Es un hecho que los judíos están en contra de la Iglesia católica, persisten en ser librepensadores y están a la vanguardia del ateísmo, el bolchevismo y la subversión. [...] Es un hecho que los judíos son estafadores, agiotistas y proxenetas. Es un hecho que la influencia ética y religiosa de los jóvenes judíos sobre el pueblo polaco es perjudicial.

Incluso después de la guerra, cientos de judíos polacos que regresaban a sus hogares desde los campos de concentración entre 1945 y 1946 murieron en pogromos; cuarenta y cinco judíos fueron asesinados en la ciudad de Kilce.

Si Karol se había vuelto triste y desanimado por la muerte de su hermano, lentamente recrearía la apariencia externa de un ser sociable y seguro de sí mismo. En tanto que los libros lo protegían del mundo y alimentaban su ser íntimo, contemplativo e incluso torturado. La lengua y la literatura de su patria lo fascinaban. Devoró *A fuego y espada*, *El diluvio* y *¿Quo Vadis?* de Sienkiewicz. De esta última podía citar largos pasajes de memoria. Entre sus libros favoritos estaban los de poesía. Aquellos que más disfrutaba eran los poemas de Adam Mickiewicz, el romántico defensor y apóstol de la independencia polaca, esperanza que los hijos de una tierra desmembrada habían abrigado a todo lo largo del siglo XIX.

También con sus compañeros de clase Karol habría de realizar largas caminatas por los montes Beskid, especialmente en el otoño, época en que los días eran fabulosos. Estas eran las montañas que había visitado por primera vez en compañía de Mundek. La soledad de esas montañas permanecería por siempre en su corazón y le produciría un sentimiento de paz.

La única actividad que el joven Wojtyla evitaba era pelear. Nadie lo vio jamás reñirse con otros muchachos. Jerzy Kluger lo explicaba de esta manera: "No es que sea cobarde. Sencillamente no le gusta la camorra". Kluger sentía cierta envidia de la capacidad que tenía Karol de hacerse querer, incluso por gente que acababa de conocerlo. Karol era una agradable compañía, no sólo por ser buen arquero sino porque podía hablar latín, citar a Homero, disfrutar un chiste y contar historias interesantes en el bosque, en torno a una hoguera. El único problema es que no dejaba que nadie le copiara sus trabajos. Su deseo de ayudar a los demás parecía bloquearse con el imperativo moral de no hacerle trampa al profesor. Sólo en una ocasión permitió que alguien copiara su tarea de álgebra, pero por este motivo se sintió tan molesto y avergonzado que fue la última vez.

Al finalizar su primer año en el gimnasio sus profesores y sus compañeros, se dieron cuenta de que Karol era especial, que estaba marcado, como diría uno de sus profesores, por "su gran compostura, talento y versatilidad". Era el alumno perfecto, cálido, fiel a sus amigos y a sus principios, extrovertido aunque profundamente contemplativo, todo lo cual era reflejo de la influencia de su padre.

La escasa documentación que existe sobre la vida de Karol Wojtyla padre hace pensar que se trataba de un hombre de moderada ambición, jubilado a los cuarenta y siete años de una monótona carrera de llevar registros y cuentas en el ejército, conforme con una pequeña pensión con la que escasamente podía sostener a su familia. Sin embargo, el testimonio de aquellos que lo conocieron –incluyendo a su hijo– nos da una imagen más completa, de un padre severo pero amoroso, piadoso y culto, interesado por los libros, los deportes, la historia, el destino de su país, su Iglesia y la vida católica.

Era hijo de un sastre, oficio que le sirvió para confeccionarle ropa a Karol con uniformes militares viejos. "De origen humilde, era todo un caballero en su manera de hablar y en su comportamiento", dice Jerzy Kluger. Quizás lo más importante es que era profundamente religioso pero libre de todo fanatismo.

Los orígenes de la familia del teniente se hallaban en Galicia, en donde los Wojtyla, una familia de campesinos, habían vivido durante siglos; allí también había nacido y crecido el teniente. Para el hijo de un sastre, el reclutamiento en el ejército significaba escapar de la limitada vida del pueblo. Una carrera en la burocracia militar también servía para satisfacer su necesidad de orden, disciplina y dignidad. En Cracovia y Wadowice, donde se desarrolló toda su carrera militar, el teniente Wojtyla pudo saciar su sed de libros y de cultura. No amaba la vida militar en sí misma, pero su salario le alcanzaba para casarse con Emilia y formar una familia. Después del nacimiento de Edmund solicitó que lo transfirieran al servicio civil, posibilidad que se desvaneció al estallar la Primera Guerra Mundial.

Para muchas personas, especialmente para los niños del barrio, la apariencia de Wojtyla era la de un pensionado excéntrico que pasa por una mala racha, y de precaria salud. Por su parte, el teniente consideraba como muy importantes el carácter y el sentido del deber hacia Dios, especialmente en la educación de Lolek. Tenía tan poca vida social que algunas personas en Wadowice creían equivocadamente que no era sólo taciturno, sino antisocial. Después de la muerte de Emilia, los únicos placeres que se permitía eran caminatas por la ribera del Skawa, ocasionalmente nadar en el río en el verano, y la lectura diaria del periódico.

Cuando se hallaba a solas con su hijo, él se liberaba de su natural introversión. En las noches sostenían largas conversaciones, con frecuencia sobre historia polaca. Le enseñó a su hijo a hablar alemán e hizo un diccionario polaco-alemán para ayudarle. Esto le permitió a Karol leer la *Crítica de la razón pura* de Kant, en el original, hazaña que dejó estupefactos a sus condiscípulos. Durante toda la secundaria de su hijo, el teniente hacía con él el papel de tutor, tanto en lo académico como en lo ético. Su hogar, en palabras de Zbigniew Silkowski, "era una comunidad de dos personas".

Pero no se puede ocultar el hecho de que vivían bastante solos. Algunas veces, en Navidad y en Semana Santa, padre e hijo caminaban durante horas por los senderos que bordeaban los campos que llevaban a

Biala Leszczyny, a visitar a la media hermana mayor del teniente, Stefania. En ocasiones, era Stefania quien iba a Wadowice durante las vacaciones, y gracias a su presencia se sentía algo de la vida normal de una familia. En Nochebuena intercambiaban sus *oplatki*, y en Semana Santa la mesa se llenaba con huevos de Pascua, bendecidos en la iglesia. Esos ritos familiares, sin embargo, eran escasos.

El teniente no tenía nada en contra de la diversión y ambos, padre e hijo, iban con frecuencia al cine, placer que deleitaba especialmente a Lolek. Una vez, los dos Wojtyla iban caminando a casa después de ver una comedia polaca. Karol empezó a cantar con su potente voz el tema central de la película: "Bárbara, ya ves/ tú eres sólo para mí./ Bárbara, lo sabes/ todos te hacen un guiño/ porque no hay nadie como tú".

Tango

A los catorce años de edad, Karol Wojtyla descubrió el teatro. Esto produjo en él un efecto fulminante. Fue como si repentinamente hubiera debido enfrentarse cara a cara con su destino. "Su vida dio un giro", recuerda Antoni Bohdanowicz, su condiscípulo. "Lolek dedicaba ahora todo su tiempo libre al teatro".

También había llegado a la pubertad y empezaba a cambiar físicamente. Antes era, en palabras de un profesor de religión, "algo rollizo", ahora estaba más delgado. Su rostro seguía siendo un poco redondeado en los pómulos; sus intensos ojos azules se habían vuelto penetrantes. Era un joven muy atractivo, y las alumnas del gimnasio femenino se daban cuenta de ello.

Aunque de niño le gustaba el teatro, ahora había empezado a leer piezas teatrales; y animado por sus profesores, pudo degustar la emoción de desempeñar el rol principal en los montajes escolares. Este encuentro con el arte, esta ampliación de su mundo, parecían retirar finalmente los últimos jirones de su velo de melancolía. En la sala de la casa de Zbigniew Silkowski, hijo del jefe de la estación del tren, Karol participaba en lecturas dramáticas, y en tardes de música de cámara y recitales poéticos. A través de la lectura de los grandes poetas del siglo diecinueve, Mickiewicz y Slowacki, el futuro Papa accedería de lleno al reino de la palabra.

En particular Adam Mickiewicz, el bardo romántico, tocó puntos sensibles en Karol, y sus ecos pueden escucharse todavía en los discursos cadenciosos pronunciados desde el trono papal. Mickiewicz era un eslavo cosmopolita cuya obra se estremece de amor por la libertad y la belleza natural de su patria. Como figura cultural era un ser escindido entre la Lituania polaca, donde había nacido, y Rusia, donde fue confinado por órdenes del Zar; entre Francia (donde viviría más tarde) y Turquía (donde murió exiliado); entre Polonia y el mundo más cálido de Italia (en donde trató, en vano, de convencer a Pío IX para que interviniera en favor de los revolucionarios polacos que luchaban contra los rusos). Mickiewicz era un poeta que cuestionaba la indiferencia de Dios ante el sufrimiento humano, y cuyo pensamiento prefiguraba el socialismo cristiano. Era un profeta que deseaba conducir no sólo a Polonia sino a la humanidad entera hacia un nuevo destino, una voz que expresaba poderosamente el mesianismo polaco*. Todos esos temas se mantuvieron siempre vivos en la imaginación de Wojtyla.

Mickiewicz estaba comprometido con los derechos humanos universales, y en su *Manifiesto por una futura Constitución del Estado eslavo*, de 1848, declaraba que "todos los ciudadanos son iguales, incluyendo a los israelitas". También era un teórico del teatro. Pensaba que el nuevo drama eslavo debía realizar una fusión entre la tragedia griega y los autos sacramentales del medioevo, lo natural con lo sobrenatural. Rodeados por la embriagadora atmósfera del Romanticismo decimonónico, Karol y sus compañeros de teatro se adentrarían en su visionaria *Weltanschauung*.

En el gimnasio había un grupo de teatro de jóvenes actores formado por el profesor de literatura polaca. Las primeras obras del grupo –un *collage* de poesía romántica y canciones populares– se presentaron en el parque de Wadowice. Karol se convirtió rápidamente en la estrella. Las

---

* Czeslaw Milosz, ganador del premio Nóbel y amigo del Papa, escribió: "Polonia debía redimir a las naciones mediante sus propios sufrimientos, y la misión de los peregrinos polacos era anunciar a las materialistas naciones de Occidente el advenimiento de un mundo nuevo y transformado espiritualmente".

alumnas del gimnasio femenino participaban en estas presentaciones. Durante los ensayos, recitales y discusiones el joven Karol pudo entablar sus primeras amistades con jovencitas. Dos muchachas llegarían a ocupar un lugar muy especial en su corazón: Halina Królikiewicz, hija del director del gimnasio masculino, y Ginka Beer, dos años mayor que él.

Dotada de un gran talento para la declamación, Ginka se convirtió espontáneamente en su maestra de actuación y quizás también en hermana mayor sucedánea. Jerzy Kluger tiene de ella el recuerdo de una muchacha extremadamente bella: "Era una chica judía con unos estupendos ojos negros, de cabello negro azabache, delgada, excelente actriz". Karol siempre llegaba con ella a los ensayos y pensaba en todo tipo de tareas (como encerarle sus esquís) para poder estar juntos.

Halina Królikiewicz también era bella y una gran actriz (como lo fue toda su vida). Aunque competitivos, los dos jóvenes se atraían mutuamente; ella y Karol llegarían a ser los mejores actores de Wadowice, las estrellas del pequeño grupo de teatro. Para todo el mundo era evidente que Karol se sentía atraído hacia ella. Ella consideraba que el chico del abundante cabello castaño (siempre despeinado) era "diferente a los demás... alto, apuesto, con una voz hermosa, con una excelente pronunciación".

Su relación de amistad se volvió más fuerte y más cercana, tanto que –al parecer inconscientemente– evitaban la atracción erótica y, según Halina, no cedían jamás a ella. Desde el punto de vista de una sociedad hipersexual como la nuestra, la relación de estos dos jóvenes puede ser difícil de entender: un lazo emocional sutil, restringido, puro, no expresado entre dos adolescentes educados en el catolicismo más rígido de una provincia polaca en los años treinta.

Después de su elección al trono papal, una cortina de hierro cercó todos los aspectos de su vida privada. Sus amigos y conocidos también cerraron filas ante la curiosidad algunas veces cruda de los medios de comunicación. Con todo, algunos han hablado sobre la relación de Halina y Karol, como Jerzy Bober, quien los conoció a ambos unos años más tarde en la universidad. Para él, no había ninguna duda de que allí había algo más que una simple motivación artística: "Había muchos hilos misteriosamente tejidos en la madeja de la atracción, los sentimientos, los coqueteos juveniles e incluso de los grandes afectos".

Al poco tiempo, Karol fue nombrado director del grupo de teatro y escenógrafo. Su memoria no tardaría en volverse legendaria. Dos días antes del estreno de *Balladyna*, de Juliusz Slowacki, el actor que debía desempeñar el papel de Kostryn se retiró. Los integrantes del grupo entraron en pánico, pero Karol Wojtyla se hizo escuchar con su voz calmada y se ofreció a hacer tanto el papel de Kostryn como el del protagonista, Kirkor (sólo posible porque Kostryn aparece después de muerto Kirkor).

¿Cómo podía aprenderse ese parlamento en un tiempo tan corto?

"Ya me lo había aprendido durante los ensayos", respondió tranquilamente. En menos de cuarenta y ocho horas estaban presentando *Balladyna*, en donde Karol desempeñaba magníficamente ambos papeles. También le encantaban los poemas de Slowacki, y había memorizado en particular "El Papa polaco":

En medio de la discordia
Dios hace sonar una gran campana.
El trono está abierto
Para el Papa eslavo.
Este no rehuirá la espada
Como aquel italiano.
Al igual que Dios, blandirá valiente la espada,
para él, está sucio el mundo...
Miren, ya se acerca el Papa eslavo,
Un hermano del pueblo.

Muchas de las presentaciones que se darían en el auditorio del gimnasio serían dirigidas por Karol Wojtyla, el futuro Papa eslavo, y con frecuencia tratarían sobre temas patrióticos. Las presentaciones del grupo tenían gran demanda en los pequeños auditorios de la ciudad. Actuaban en el casino Sokól y en la casa de la parroquia de Nuestra Señora. El grupo ganó fama de compañía de repertorio e hizo una gira por los pueblos vecinos: Kety, Andrychów, Kalwaria Zebrzydowska.

Los actores eran siempre los mismos y solamente variaba la selección de las obras. Karol tenía prácticamente todos los papeles protagónicos: hacía de rey en *Sigismund Augustus* de Wyspianski, de Hemón en

Antígona de Sófocles, de Juan el Evangelista en una adaptación del libro de las Revelaciones, representaba al terrible Henryk en *La no divina comedia*, al frívolo Gucio en *Las promesas de la doncella* de Fredro. Halina Królikiewicz siempre hacía los papeles estelares femeninos. En una fotografía aparece ella con la cara empolvada y encantadora, con un elaborado vestido blanco, junto al elegante Karol-Gucio, que llevaba un bigote falso.

Cuando la famosa actriz polaca Kazimiera Rychter fue a Wadowice, los jóvenes actores le pidieron que hiciera de juez en un concurso de declamación. La tarde se convirtió en un duelo entre Karol y Halina, quien ganó. La interpretación de Karol recibió el segundo premio, pero causó una profunda impresión entre los espectadores. El joven de quince años, en su uniforme azul del gimnasio, que se inclinaba ligeramente hacia adelante al recitar, había escogido el *Promethidion*, un poema de Cyprian Norwid, poeta y filósofo del siglo XIX de estilo oscuro y difícil sintaxis.

El *Promethidion* habla del trabajo como un medio de redención si se lo acepta con amor y exalta la suprema función del arte como "estandarte en la torre de la labor humana". Era un poema muy largo y exigente, y los espectadores estaban maravillados por el tono "moderno, firme y fuerte" con que Karol declamaba. No había en él sensiblería lírica, según cuenta Halina Królikiewicz; ella recuerda que el estilo de Karol la dejó impresionada, al igual que su habilidad para penetrar el texto. Karol tenía "mucha fuerza expresiva, sin ninguna exaltación o exageración". Norwid también ejerció una gran influencia en la carrera de Wojtyla, tanto de obispo como de Papa. (La encíclica de Juan Pablo II sobre el trabajo, *Laborem Exercens*, refleja algunas de las ideas del *Promethidion*). Uno de los poemas de Norwid que conocía Wojtyla era "Judíos polacos", escrito después de que cosacos a caballo disolvieron una manifestación antirrusa en Varsovia, en el decenio de 1860, tratando a los judíos que había entre la multitud con una excepcional brutalidad. En el poema "Judíos polacos", Norwid describe la "invaluable herencia" polaca de dos grandes y antiguas culturas: la polaca y la judía.

Aquellos fueron años felices para Karol. Los vecinos lo oían cantar con frecuencia al bajar las escaleras, cuando se dirigía a los ensayos. Pasaba largas horas hablando de poesía con sus compañeros y cimentando amistades que habrían de durar toda la vida. A los quince años se convirtió en presidente de la Congregación Mariana, una organización dedicada a la veneración de la Virgen; el año siguiente fue reelegido. También fue escogido para dirigir la Sociedad de la Abstinencia, cuya política era el no consumo de alcohol y cigarrillos por parte de los jóvenes. Él era serio pero no fanático respecto a este compromiso. Por ejemplo, cierto día de invierno en que los alumnos de la clase regresaban en tren después un paseo, inevitablemente empezó a circular entre los muchachos una botella de brandy. El profesor que estaba a cargo del grupo fue el primero en tomar un sorbo y luego siguieron los alumnos. Jan Kus observó con satisfacción que su compañero Karol no se acobardó ante la ocasión.

A Wojtyla también le encantaba bailar a menudo. El Gimnasio de Wadowice reservaba un salón dos veces al mes para dar clases allí. Este era un legado de los días palaciegos del imperio Austro-húngaro, una época de cultura clásica y modales refinados, donde la instrucción buscaba fomentar una mente sana y un cuerpo agraciado. Las parejas de los muchachos eran las alumnas del vecino gimnasio femenino. La profesora de baile era una mujer que conducía pacientemente a sus pupilos a través de los pasos elementales, mientras otro profesor tocaba, una y otra vez, los mismos compases en el piano. El ambiente era extremadamente formal: los muchachos sentados contra una de las paredes del amplio salón y las chicas frente a ellos. Asistía también un enorme grupo de madres como chaperonas.

Wojtyla era un participante entusiasta. Con la música de un gramófono aprendió cómo sacar a bailar a una pareja, tomarla suavemente entre sus brazos y dejarla nuevamente en su puesto tras hacer una venia. Karol no era nada tímido con las chicas. Cuando se convirtió en Papa nunca mostraría esa torpeza frente a las mujeres tan característica e inocultable en muchos sacerdotes, educados en la atmósfera represiva de los seminarios anteriores al Vaticano II.

Karol bailaba con facilidad polonesas, mazurkas, valses y tangos (la música ligera de Europa central, no los fogosos tangos argentinos). Cuando llegaba la "temporada" (entre el día de Año Nuevo y Cuaresma) los estudiantes, hombres y mujeres, incluido Karol, iban a bailar al Club Sokól, con música de piano y acordeón. Junto con Poldek Goldberger, el mejor pianista del curso, Karol solía componer, en son de juego, canciones populares y patrióticas, y algunos tangos románticos.

Sin embargo, no asistía a las fiestas llamadas *pryvatkas*, en donde muchachas y muchachos se reunían en la casa de alguien a beber un poco, escuchar música y coquetear. Para él eran una pérdida de tiempo, según le comentó a Halina Królikiewicz. Poco después, sus amigos dejaron de insistirle en que los acompañara.

Hacia el final de sus años de secundaria conocería a un intelectual que iría a ejercer una profunda influencia en su vida. Mieczyslaw Kotlarczyk, profesor de literatura polaca, era un hombre totalmente dedicado al teatro, siempre ocupado dirigiendo y diseñando escenografías. En 1931 fundó la Universidad de Teatro Aficionado en Wadowice. También colaboraba en la publicación de revistas culturales como *La voz de la nación* y *La forja*; hablaba en la radio; estaba en contacto con Juliusz Osterwa, el gran director del Teatro Nacional de Cracovia; y se mantenía al tanto de los últimos acontecimientos teatrales de Alemania.

Kotlarczyk era un erudito de la lengua, un gran entendido de sus pulsaciones mágicas y místicas. Hablaba de la Palabra Viviente: les decía a sus alumnos que, a través del lenguaje, el ritmo y la rima de una obra teatral deberían convertirse en los protagonistas de cualquier presentación, en tanto que los trajes y el escenario deberían reducirse al mínimo.

Karol pasó largas horas en el apartamento de Kotlarczyk, hablando sobre la importancia del teatro y el sentido de la lengua en la vida polaca. Más tarde, el cardenal Wojtyla elogiaría a Kotlarczyk por ser el creador de un tipo de teatro extremadamente original, la "expresión de las tradiciones polacas y cristianas profundamente arraigadas de un arte que nos llega a través de toda nuestra literatura". Kotlarczyk se convirtió para Karol en algo más que un maestro: quizás en el único amigo con el cual podía sostener conversaciones íntimas, a quien confiaría los pensamientos sobre su propia vida y sobre el destino de Polonia. Kotlarczyk, diecinueve años mayor que Karol, se convirtió en una especie de hermano mayor, un eco de Edmund.

En aquellos años, sus amigos del grupo de teatro nunca dudaron de que Karol se convertiría en un hombre de teatro o en un literato, y que se casaría y tendría hijos. Nada en su vida hacía pensar que las cosas podrían ser diferentes.

El 6 de mayo de 1938, el arzobispo de Cracovia, Adam Sapieha, llegó a Wadowice para administrar el sacramento de la confirmación antes de las graduaciones. Se trataba de un evento de gran importancia para el pueblo. Con los acordes de la banda de la guarnición, el alcalde y las principales autoridades civiles recibieron en la Plaza del Mercado al arzobispo en su automóvil negro. El príncipe metropolitano Adam Stefan Sapieha, nacido en una aristocrática familia de Galicia, era una importante figura en la nueva Polonia y también fuera de ella. El papa Pío x lo había tenido con él algunos años en Roma como miembro del personal de la casa papal. Era un prelado de intensa devoción, con excelentes dotes de administrador, y una especie de buscador de talentos espirituales.

Sapieha no era muy alto de estatura, pero su nariz aguileña, sus facciones aristocráticas y su sorprendente energía contribuían a darle una presencia imponente. A Karol le asignaron la tarea de darle la bienvenida en nombre de los estudiantes; él saludó al arzobispo con un discurso pronunciado en perfecto latín. Sapieha observaba el rostro expresivo del estudiante, enmarcado por un cabello rebelde. Su modo de actuar era resuelto y amable a un mismo tiempo. En sus ojos se adivinaban sensibilidad y sinceridad. "¿Qué va a hacer cuando se gradúe?", preguntó el arzobispo dirigiéndose al profesor de religión, el padre Edward Zacher. "¿Va a ingresar al seminario?"

El propio Karol pidió autorización para responder: "Voy a estudiar literatura polaca y filología".

"Qué lástima", contestó el arzobispo.

Todos los primeros viernes del mes –un día de devoción especial en la Iglesia– Karol Wojtyla iba a confesarse y a comulgar. Así lo había hecho regularmente desde que había entrado al gimnasio. Jamás incumplía esta cita con el Cuerpo de Cristo. Todas las mañanas entraba a la iglesia de la parroquia antes de ir al colegio; aún si no debía ayudar en la misa, entraba a orar. Después de clases, volvía a la iglesia. Oraba después de las comidas y mientras hacía las tareas. Oraba antes de dormirse y durante los rezos especiales de la congregación de la Virgen María.

Sus amigos se acostumbraron a su ritmo monástico de oración.

Comprendían que no había nada de ostentación en aquella devoción. "Todo el mundo veía que él era diferente y que hacía las cosas de manera diferente", recuerda Jan Kus. No se trataba simplemente de una recitación eterna de oraciones: era un distanciamiento gradual de los afanes cotidianos, un paulatino ascenso a un estado en el cual se elimina el propio pensamiento, para sumergirse en Dios.

Los amigos que lo veían inmerso en la oración cuando entraban a la iglesia, se iban de allí con impresiones diferentes y opuestas. Algunos sostenían que en su rostro se veía "algo hermoso, algo maravilloso". Otros afirmaban haber visto el rostro de Wojtyla ponerse pálido como una hoja, o ceniciento, como desprovisto de materialidad. A una de las chicas del grupo de teatro, el joven le pareció, por un instante, feo y atemorizador. Todas estas impresiones eran correctas. Para Wojtyla, en la oración se pasaba por una serie de etapas que van desde el dolor hasta la serenidad, desde la concentración hasta el abandono. Siendo Papa explicaría que la oración comienza como un diálogo y llega a un punto en donde es sólo Dios quien actúa: "Comenzamos con la impresión de que es nuestra iniciativa, pero es siempre la iniciativa de Dios en nosotros".

A los ojos de sus amigos, este comportamiento meditabundo y contemplativo hacía de él un ser algo misterioso. En el gimnasio definían esto como una especie de "santidad". Nadie se atrevía a contar historias sucias o a decir palabras soeces y, mucho menos, a blasfemar en su presencia. Cierta vez, un alumno se le acercó sigilosamente a Wojtyla por detrás y le gritó una palabrota en los oídos; sus compañeros lo agarraron, lo arrastraron hasta un baño y le dieron una paliza. Cuando lo llamaron a ejercicios paramilitares obligatorios en el verano, sus compañeros de armas se abstuvieron de cantar las canciones usualmente crudas de los soldados. Estas anécdotas parecen exageraciones, pero el nivel moral de Wojtyla y su modo de actuar calmado y tranquilo tenían un efecto claramente amedrentador sobre las personas que lo rodeaban.

El padre Józef Prus, rector del colegio de secundaria de los carmelitas, lo veía con frecuencia en la iglesia del convento: era una edificación en ladrillo rojo de estilo seudo Románico, en un pequeño cerro boscoso detrás de la Plaza del Mercado. En el altar principal está san José con el Niño Jesús, que tiene en la mano una azucena simbolizando la pureza; a la izquierda hay un cuadro de la Virgen, de estilo italiano. Wojtyla solía sentarse frente al altar de la Virgen María, y allí oraba durante horas. Él prefería este sitio a la parroquia cercana a su casa, pues más gente pasaba por allá.

El padre Prus observaba cuidadosamente a este joven que volvía una y otra vez a la iglesia vacía, a pasar un tiempo que parecía eterno en meditación silenciosa. Cuando comenzó a hablar con él, el padre tuvo la sensación de que este extraño joven (que lograba combinar sus intereses teatrales con la contemplación, que declamaba poesía neorromántica y que a los diecisiete años, según le confiaría a Prus, había leído *Das Kapital* de Marx en el original alemán) buscaba una guía espiritual. Finalmente, el sacerdote carmelita se convirtió en su padre espiritual y le dio sus primeros libros sobre san Juan de la Cruz, quien llegaría a ser una fuerza teológica en su vida.

A Wojtyla le atraían profundamente los hábitos de los monjes carmelitas descalzos, con los días que pasaban en silencio, su concentración en Dios y las penitencias. Dos veces quiso ingresar a la orden durante los años cuarenta. Aunque comprendía que su lugar se hallaba en el clero secular, nunca perdió su anhelo por la vida monástica. Cuando se convirtió en arzobispo de Cracovia, iba con frecuencia a una ermita de madera construida en el jardín de las hermanas albertinas. Siendo ya Papa, con más de setenta años, invitó a un grupo de hermanas carmelitas a abrir un pequeño convento, al interior del Vaticano.

Bajo la influencia del misticismo carmelita, su compromiso ante la vida cristiana se hizo aún más riguroso por la misma época en que sus compañeros de clase empezaban a tener sus primeras aventuras amorosas. Halina Królikiewicz cuenta que nunca tuvo novias, aunque había tenido todo tipo de oportunidades, pues era un muchacho encantador.

Durante la mayor parte de sus años de adolescencia, la relación de Karol con su vecina Ginka Beer fue una fuente de real afecto para él. Karol se puso especialmente nervioso cuando un día, en el verano de 1938, apareció Ginka de repente en su apartamento. Aunque tenían una relación muy cercana y se veían en los pasillos, en la escalera o afuera prácticamente todos los días, ella nunca había ido a hacerle visita. Cuando su padre la hizo pasar, Karol sintió inmediatamente que algo raro pasaba y se sentía tan perturbado que ni siquiera se puso de pie cuando Ginka entró.

Ginka le contó que su padre, gerente de un banco en Wadowice, había decidido emigrar con su familia a Palestina. Él pensó que Polonia ya no era segura para los judíos. En Wadowice, jóvenes violentos convocaban a boicotear los negocios y los almacenes judíos y les rompían los vidrios de las ventanas. El padre de Ginka había tratado de convencer a otros judíos de que se fueran también, pero nadie le hizo caso.

El teniente Wojtyla trató de convencerla para que se quedara: "No todos los polacos son antisemitas. ¡Tú sabes que yo no lo soy!", repitió varias veces. "Yo le hablé con franqueza y le dije que muy pocos polacos eran como él", recuerda Ginka, casi cuarenta años más tarde. "Estaba muy desconcertado, pero Lolek estaba aún más desconcertado que su padre. No dijo una palabra, pero la cara se le puso muy roja. Me despedí de él de la manera más amable que podía, pero él estaba tan triste que no pudo responder nada. Entonces, le dí la mano a su padre y me fui".

También Karol intentó disuadirla más tarde, pero era inútil. Karol perdía nuevamente a un ser amado. Muchos años después, en una reunión en el Vaticano con los compañeros de clase y los vecinos de Wojtyla, Jerzy Kluger le dijo al Papa: "Ginka está aquí".

"¿Dónde está?", preguntó el Papa, y se apartó rápidamente del grupo con el que estaba hablando para verla. "Me hizo todo tipo de preguntas sobre mis padres y mi hermana", recuerda Ginka Beer Reisenfeld, ahora una mujer anciana. "Realmente fue muy amable". Le dijo al Papa que su madre había muerto en Auschwitz y que su padre había sido asesinado en la Unión Soviética. "Él simplemente me miraba a los ojos; había una profunda compasión en su mirada –decía–. Me tomó de las manos y durante casi dos minutos me bendijo y rezó ante mí, simplemente sosteniendo mis manos entre las suyas".

Durante la secundaria, el joven Wojtyla había optado por la castidad premarital y decidió permanecer fiel a este principio, aunque sus amigos más cercanos ya empezaban a tener sus primeras experiencias sexuales. Las oportunidades de este tipo no eran muy abundantes para los estudiantes del gimnasio, en parte por las costumbres de la época y porque el rector y los profesores eran muy estrictos. Si un estudiante era sorprendido caminando solo con una chica por el camino conocido como Aleja Milósci (sendero del amor), en un parque detrás del convento carmelita, se exponía a recibir un severo castigo. Por consiguiente, algunos adolescentes aventureros consumaban sus primeras experiencias sexuales en salidas o en paseos a poblaciones cercanas.

¿Cómo podemos saber que Karol Wojtyla jamás cedió a la tentación sexual? Él mismo insistió sobre este punto con autoridad papal. Durante los años noventa, cuando se enteró de que uno de sus biógrafos, el padre carmelita Wladyslaw Kluz, había definido la confesión como el medio por el cual el joven Wojtyla había *recuperado* la gracia de Dios, Juan Pablo II se puso muy furioso y le escribió: "Recuperar implica que yo había perdido, por un grave pecado, la gracia de Dios. ¿Quién le dijo a usted que yo cometí pecados graves en mi juventud? Nunca sucedió. ¿No puede usted creer, padre, que un joven sea capaz de vivir sin cometer pecado mortal?"

La mística y el nazismo

Después de su graduación en el gimnasio, Karol y su padre empacaron las pocas pertenencias que tenían en el apartamento. No había nada que amarrara al teniente Wojtyla a Wadowice. En agosto de 1938 se iría a vivir a Cracovia con su hijo, que entraría a estudiar a la Universidad Jagellona, como lo había hecho Edmund. Padre e hijo alquilaron un pequeño apartamento en un sótano de la calle Tyniecka, en un barrio de Cracovia conocido como Debniki, junto al río Vístula. El apartamento era tan pequeño y tan mal iluminado que, en comparación, el otro, el de la vieja estación del ferrocarril en Wadowice, parecía lujoso.

Karol se adaptó muy pronto a la pesada carga de la universidad: etimología y fonética polaca, literatura polaca medieval, teatro polaco del siglo XVIII y lírica contemporánea. Estudiaba, como siempre, con confianza y concentración. Sin embargo, al principio le resultó difícil, desde el punto de vista social, adaptarse a la vida de una gran universidad en el corazón de una ciudad cosmopolita. Seguía siendo un hombre silencioso y profundo; se vestía con ropa de mala calidad, entre la que se contaban un par de pantalones de dril tosco y unos zapatos muy remendados que había usado en el gimnasio. En la atmósfera sofisticada de Cracovia él parecía fuera de lugar.

En las noches, Karol estudiaba, rezaba y hablaba con sus amigos. No le interesaba ir a fiestas, beber, o pasarse por los sitios preferidos de los estudiantes como el cabaret El Globo Verde, en la calle Florianska. A pesar de su ropa tosca y su comportamiento modesto, pronto se hizo amigo de un gregario grupo de poetas y dramaturgos en ciernes, muy seguros de sí mismos. Su nuevo amigo Juliusz Kydrynski hizo la presentación formal de Karol ante la mundana familia Szkocki; en cuya casa de familia se hacían veladas en donde él hablaba sobre literatura romántica y escuchaba sonatas para piano sublimemente interpretadas por el señor Szkocki, un renombrado musicólogo. Karol visitaba a la familia con frecuencia y llegó a llamar "abuelita" a la señora Szkocka*.

Pero el idilio duraría poco tiempo.

Alemania había invadido a Checoslovaquia y existía entre los universitarios polacos el sentimiento generalizado de que se estaba cocinando una guerra. Las manifestaciones antialemanas se hicieron comunes en el *campus* (al igual que los mítines antisemitas). Algunos estudiantes ahorcaron la efigie de Hitler. Aunque Wojtyla se oponía a los nazis, generalmente evitaba el tema de cómo hacerles frente efectivamente. Krystyna Zbijewska, una compañera de estudios, percibía una veta de radicalismo en sus creencias, un cruce entre socialismo y humanismo cristiano. Karol hablaba con frecuencia sobre la inmoralidad de la brecha entre ricos y pobres, tema que entonces preocupaba a muy pocos estudiantes en su círculo. Él hablaba principalmente sobre teatro y sobre sus clases. "Quizás por eso ambos nos entendíamos tan bien... porque los dos simplemente nos concentrábamos en los estudios", diría Zbijewska muchos años más tarde.

Wojtyla se hallaba en la antigua catedral de los reyes polacos cuando cayeron sobre Cracovia las primeras bombas alemanas. Era el 1º de septiembre de 1939. Como lo hacía todos los primeros viernes

---

* En polaco, los apellidos terminados en ski o en cki, en femenino, toman la terminación a.

del mes, Karol había ido a la iglesia a confesarse y a comulgar. De repente, los pilotos de la *Luftwaffe* empezaron a atacar el cuartel de la calle Warszawska. En la ciudad sólo se escuchaban el estallido de las bombas y el ulular de las sirenas. La población civil corría desesperadamente a sus casas y se refugiaba en los sótanos.

Wojtyla se vio prácticamente solo en el cerro Wawel, donde estaban situados la catedral y el palacio real. Estaba con él en aquella iglesia vacía un sacerdote a quien conocía y en quien confiaba: el padre Kazimierz Figlewicz, su antiguo profesor de religión en Wadowice, que había escuchado las primeras confesiones de Karol. A través del sacerdote, Karol había aprendido el oficio de monaguillo y ahora, en medio del ataque nazi, el padre Figliewicz le pidió que le hiciera de acólito en la misa: "Debemos celebrar misa, a pesar de todo. Roguemos a Dios que proteja a Polonia".

Wojtyla obedeció. El altar principal, tallado en mármol negro, que sostiene al sarcófago de plata de san Estanislao, el obispo mártir de la antigua Cracovia y santo patrono de Polonia, es como una roca. Encima del sarcófago había un dosel de oro apoyado en columnas doradas. La catedral era un refugio glorioso y las tumbas de Estanislao y de varios reyes polacos fueron testigos de la tenacidad polaca y de su don para sobrevivir a los ataques. "Kyrie eleison, Christe eleison, Señor ten piedad, Cristo ten piedad", decía el joven estudiante universitario, arrodillado ante el altar de Cristo crucificado, mientras los vitrales se sacudían con las explosiones.

La historia, generalmente ignorada por Wojtyla, irrumpía ahora en su vida. El muchacho que había abandonado el club de historia de la secundaria para dedicarse a poetas y escritores, que evitaba debates políticos y mantenía una estudiada ambigüedad frente a la guerra civil española, que sirvió de preparación para la Segunda Guerra Mundial (Wojtyla estuvo a favor de los obispos que se oponían a la República, pero también quedó trastornado por el cruel despliegue de poder de Hitler en Guernica) se hallaba ahora literalmente atrapado en un fuego cruzado.

Los alemanes habían escogido a Polonia como su presa, y la vida de este estudiante modelo se transformaría y todos sus proyectos personales quedarían suspendidos. En esa época escribiría a su amigo Kotlarczyk: "Para nosotros, la vida consistía en veladas en la calle Dluga, con una refinada conversación hasta más allá de la medianoche, pero ahora..." Ahora los más profundos cuestionamientos, tanto prácticos como morales, se cernían sobre ellos.

Tan pronto se acabó la misa, Karol fue corriendo a la casa de su padre. Luego ayudó a su amigo Juliusz Kydrynski a jalar una carreta con las pertenencias de la familia Kydrynski hacia las afueras de Cracovia. En el camino los sorprendió un nuevo ataque aéreo y buscaron refugio en la arcada de una casa en donde Wojtyla rezaba en silencio mientras los bombarderos alemanes pasaban sobre su cabeza.

Tropas alemanas avanzaban sobre la ciudad. Wojtyla decidió que él y su padre debían abandonar Cracovia y volvió rápidamente a su apartamento. Padre e hijo se fueron a pie, llevando consigo tan sólo una maleta. El viejo teniente Wojtyla caminaba con dificultad, pesadamente, junto con muchos otros refugiados que se dirigían al oriente. Tomar el tren era muy peligroso. Las carreteras, bombardeadas periódicamente por los aviones alemanes, eran la única vía de escape. Un conductor de camión llevó a los Wojtyla durante un breve trayecto pero pronto debieron seguir de nuevo a pie. En los cerros de Tarnobrzeg, a 190 kilómetros al oriente de Cracovia, el teniente ya no podía más. Entretanto, se había difundido el rumor de que el ejército ruso iba a entrar a Polonia por el oriente. Los Wojtyla decidieron regresar a Cracovia.

La caída de Polonia fue rápida y horrenda. El 6 de septiembre los alemanes habían ocupado Cracovia. El 17 de septiembre las tropas soviéticas cruzaron la frontera oriental de Polonia y el gobierno polaco se refugió en Rumania. El 27 de septiembre se rindió Varsovia. El 29, el arzobispo Sapieha celebró la última misa pontifical en la catedral de Wawel pues los nazis las prohibirían después. El 1º de noviembre, los alemanes anexaron Gdansk y grandes porciones de Polonia occidental y del sur (incluyendo a Wadowice). El resto del país, salvo una zona soviética al oriente, se convirtió en una colonia nazi conocida como Gobierno General cuya capital era Cracovia. En el castillo Wawel se veía ahora ondear la cruz gamada.

Había comenzado para Karol Wojtyla la vida en una Polonia ocupada: filas para comprar el pan, dificultad para conseguir azúcar, complejas negociaciones para obtener un poco de carbón en el invierno. Sin contar dichas privaciones, en las primeras semanas todo parecía normal. El 2 de noviembre Karol se matriculó para su segundo año de universidad. En su tiempo libre asistía a las últimas presentaciones teatrales que permitirían los alemanes. Varias personas siguieron reuniéndose en casa de su amigo Juliusz Kydrynski para leer literatura polaca.

Mieczyslaw Kotlarczyk, el profesor de teatro de Wojtyla a quien él llamaba "hermano", debió quedarse en Wadowice por causa de la división del país. Se escribían con frecuencia. Wojtyla seguía intentando explicarse el imprevisible e incomprensible derrumbamiento de Polonia independiente: "Yo no veía al país a la plena luz de la verdad", confesó en una de sus primeras cartas a Kotlarczyk. "La idea de Polonia vivía en nosotros, tal como había ocurrido en la generación del Romanticismo. Pero esta Polonia no vivía en la verdad, porque los campesinos eran golpeados y encarcelados por reclamar, con toda razón, sus derechos políticos, porque sentían que se acercaba la hora de su destino, porque estaban en lo cierto. Se engañó a la nación, se le mintió; y sus hijos, como en los tiempos de la División, se dispersaron por el mundo. ¿Por qué? Para no pudrirse en las cárceles de su propio país".

Wojtyla comprendía que el fin de Polonia no lo había causado solamente la invasión alemana sino también el autoritarismo y el egoísmo de las clases dominantes polacas. La independencia de Polonia había durado escasos veinte años. "¿Habíamos conseguido realmente la liberación?", preguntaba el 2 de noviembre de 1939, un día después de que la nueva división de su país se hiciera oficial. (Casi exactamente cincuenta años después, Wojtyla haría la misma penetrante pregunta, tras la caída del comunismo en Polonia)

Por ahora, Karol Wojtyla encontraba la respuesta a estos conflictos en un vago ideal cristiano-romántico: "Creo que nuestra liberación pasa por la puerta de Cristo. Veo una Polonia ateniense, pero más perfecta que Atenas, gracias a la inconmensurable grandeza de la cristiandad", serían sus palabras en una carta a Kotlarczyk. Era una sociedad ideal similar a la imaginada por los bardos y los profetas. Según su análisis final, Polonia había caído porque, igual que Israel cuando fue conquistada por el rey de Babilonia, "no fue capaz de reconocer el ideal mesiánico, su propio ideal, que resplandecía en lo alto como una brasa, pero que jamás fue realizado".

El 26 de octubre los nazis impusieron trabajos obligatorios para todos los polacos adultos (y para todos los judíos de más de doce años). El 6 de noviembre, los profesores de la Universidad Jagellona cayeron en una trampa. Según se enteró Wojtyla, por intermedio de sus compañeros, los miembros de la facultad fueron convocados por las autoridades alemanas para discutir los programas académicos. Ciento ochenta y seis profesores aparecieron y fueron deportados inmediatamente al campo de concentración de Sachsenhausen-Oranienburg. A instancias de las protestas internacionales e intervenciones de los dictadores de tres países católicos –Mussolini de Italia, Franco de España y Horthy de Hungría– liberaron a unos ciento veinte profesores. Entre los que perecieron se encontraba un profesor a quien mojaron con el agua helada de una manguera y lo dejaron morir a la intemperie por congelamiento.

El primer invierno de la ocupación puso a los polacos ante el dilema de cómo resistir al nazismo. El Tercer Reich ya había puesto en marcha los planes de la aniquilación cultural de Polonia. Los colegios de secundaria, las universidades y los teatros tuvieron que cerrar. A la Iglesia se le prohibió la celebración de las fiestas de los santos polacos. Para los nazis, los polacos eran *Untermenschen*, subhumanos, y había que hacerlos sentir de esa manera.

Durante esos meses iniciales de humillación nacional en 1940, Wojtyla conocería a un personaje extraño, una especie de mago de las almas.

La presencia externa de Jan Tyranowski no tenía nada de imponente. Parecía torpe, era delgado, ligeramente encorvado, con el cabello grisáceo peinado hacia atrás. Su voz era aguda, casi femenina. Vivía en el mismo barrio de Karol, pero era poco lo que sabían sus vecinos acerca de él. Algunos opinaban que era un tipo excéntrico. Era sastre y vivía solo. Nadie sabía si había estado casado alguna vez. Se rumoraba que había estado interno en un hospital mental.

Tenía el taller en un apartamento de una habitación en el número 11 de la calle Rózana, donde hacía y arreglaba trajes y sobretodos de hombre. Sin embargo, la mayor parte del tiempo lo pasaba reclutando jóvenes para una sociedad religiosa secreta. Él los observaba cuando iban a misa en la iglesia de San Estanislao Kostka, que quedaba en el vecindario. Los veía rezar y se fijaba con cuánta frecuencia volvían a la iglesia.

Tyranowski sometió a Wojtyla a su silencioso escrutinio. Lo observó detenidamente durante un retiro espiritual organizado por los padres salesianos. Lo escuchó durante las lecturas vespertinas de la Biblia que dirigía un profesor de la universidad. Luego, un día, con voz apagada, le dijo: "¿Podría hablar un momento con usted, caballero?"

Ese invierno, el joven Mieczyslaw Malinski de diecisiete años, quien trabaría una cercana amistad con Wojtyla, también sería interpelado en la puerta de la iglesia de la misma manera educada pero insistente: "Usted va a misa casi todos los días. Me gustaría proponerle que forme parte del Rosario Vivo".

El Rosario Vivo era una organización estrictamente clandestina, pues los nazis –que ya habían empezado a entorpecer el funcionamiento de los seminarios, aparte de restringir las actividades de la Iglesia– no permitían la formación de ningún tipo de activistas religiosos. El Rosario Vivo comenzaba allí donde se acababa la recitación normal del rosario: los quince misterios del rosario eran encarnados por quince jóvenes que se comprometían a seguir el mandamiento de Cristo de "amar a Dios y al prójimo", todos los días, en todos los aspectos de su existencia. Tyranowski supervisaba personalmente a cada uno y se encontraba con ellos individualmente, para no despertar las sospechas de los alemanes.

Como todos los demás, Wojtyla se encontraba una vez por semana con Tyranowski en aquel cuarto mal iluminado del segundo piso, al final de un corredor estrecho, en donde se hallaban tres máquinas de coser prácticamente sepultadas bajo una indescriptible montaña de libros. El Maestro, como le decían, recomendaba volúmenes sobre religión, incitaba a sus protegidos a que leyeran los manuales teológicos más actuales y también los introducía al pensamiento de grandes místicos como san Juan de la Cruz y santa Teresa de Ávila, a quienes Karol ya conocía. Ahora, bajo la tutela de Tyranowski, Karol se adentraría en la práctica mística.

Para Wojtyla los encuentros en la calle Rózana se convirtieron en una peregrinación a un manantial espiritual. Se lo veía con más y más frecuencia dar lentas caminatas con Tyranowski a lo largo de las riberas del Vístula, frente al castillo Wawel. Tyranowski era un forjador de personalidades. Wojtyla halló en él un paciente guía, amable pero persistente. Todo su día estaba marcado por las indicaciones del Maestro, cuyo lema era: "A cada momento debe dársele una utilidad". Wojtyla se dio a la tarea de regular minuciosamente cada minuto de su vida cotidiana. Empezó a programar con precisión su trabajo como estudiante universitario clandestino y como camarero en un restaurante de propiedad de un hermano de su madre. También lo hacía con sus actividades religiosas: ejercicios espirituales, lecturas de la Biblia, el estudio de textos religiosos, oración, meditación y misa. Esto representaba para él una continuación, una intensificación, del régimen impuesto por su padre. La noción de que "a cada momento debe dársele una utilidad" se convirtió, quizás, en el rasgo más sobresaliente de la vida y de las obras de Wojtyla.

Tyranowski exigía que todos sus discípulos llevaran un diario para mostrar si habían cumplido con sus obligaciones cotidianas. En sus cuadernos, junto a cada tema –desde Sagrada Escritura, hasta siesta en la tarde y oración en la noche– había un espacio en blanco para poner una pequeña cruz que certificaba el cumplimiento de la obligación. Cada vez que Wojtyla asistía a su cita semanal con el Maestro, debía releer sus notas y rendir cuentas de sus acciones.

Muchas de las características que se observarían más tarde en Wojtyla como profesor, como obispo y como Papa parecen derivarse directamente de la experiencia con Tyranowski. (Aun en su frágil vejez, da muestras de una voluntad infatigable y de un insaciable deseo de trabajar, que dejaba casi sin aliento hasta a sus más dedicados ayudantes en el Vaticano.)

En palabras de un testigo, Tyranowski "sabía cómo convencer a la gente y ligarla a él". Hablaba pausadamente; nunca se mostraba estricto o demasiado exigente. Como diría Franciszek Konieczny, "Si Tyranowski quería tener acceso a alguien y ganárselo, no usaba el poder sino la persuasión. Además, todos eran muy importantes para él". Vivía como si fueran suyos los problemas personales de sus seguidores. Más adelante, cuando Wojtyla era obispo, haría lo mismo con sus sacerdotes, convencido de que obispos y sacerdotes debían formar una comunidad viva, una extensión de la "comunidad de dos" que él había experimentado tiempo atrás con su padre.

Siendo ya Papa, Wojtyla se referiría a Tyranowsky como "uno de esos santos desconocidos, ocultos como una maravillosa luz en el fondo de la vida, en una profundidad donde suele reinar la noche". Por intermedio de Tyranowski obtuvo la "revelación de un universo". Según Juan Pablo II, "en sus palabras, en su espiritualidad y en el ejemplo de una vida consagrada totalmente a Dios, él representaba un nuevo mundo que yo no conocía aún. Allí vi la belleza de un alma tocada por la gracia".

Parte de este nuevo mundo sería encontrado en las obras de san Juan de la Cruz, el apasionado monje español cuyos escritos brillaban a través de los siglos hasta llegar al joven Wojtyla. Este místico carmelita enseñaba en sus poemas y comentarios la manera de llegar a Dios mediante una extensa contemplación y un desprendimiento, casi brutalmente austero, de todos los apegos mundanos –como los sentimientos y afecciones naturales, y los bienes materiales. El santo hablaba de crear, un vacío en el centro del propio ser, mediante una rigurosa negación de sí mismo, una vacuidad que Dios llenaría impetuosamente con una gran y hermosa infusión.

Esta práctica la denominaba san Juan "el camino de la negación" y si este obligaba a pasar tiempos de absoluta desesperanza y oscuridad –"la noche de los sentidos" y "la noche oscura del alma"– también conducía, al finalizar el viaje, a una conciencia directa y duradera de Dios.

"Me humillaré en las bajas mortificaciones y en los ejercicios humildes", enseñaba san Juan de la Cruz. "También los consuelos y deleites espirituales, si se tienen con propiedad o se buscan, impiden el camino de la Cruz del esposo Cristo". O: "El que busca a Dios queriendo estar en su gusto y descanso, de noche le busca, y así no le hallará; pero el que le busca por ejercicio y obra de las virtudes, dejando aparte el lecho de sus gustos y deleites, este le busca de día y así le hallará".

Si había algo con lo que el joven Wojtyla podía identificarse, era con el sufrimiento. Ahora se veía surgir en sus versos una apasionada vena mística:

> ¡Sumergirse! ¡Sumergirse! Inclinarse y luego
> levantarse lentamente sin sentir en el torrente los pasos
> hacia el descenso, corriendo y temblando,
> solamente el alma, el alma del hombre inmerso,
> el alma que se lleva la corriente.

En el año en que conoció a Tyranowski, Wojtyla comenzó a escribir frenéticamente tres obras de teatro a un mismo tiempo: *David*, *Job* y *Jeremías*. En ellas se expresaban todos los pensamientos que bullían en la mente de un joven que aún sentía que el teatro, en la noche oscura del alma polaca, era "como una iglesia en la que florecerá el espíritu nacional". En estos dramas hay referencias constantes a la situación de Polonia. La mística del sacrificio y el reconocimiento de la decadencia moral de Israel/Polonia son enfatizados en estas obras con soliloquios sobre el valor del sufrimiento y los anhelos de una nueva liberación nacional. Wojtyla advirtió que Israel/Polonia, en esos tiempos de tribulación, debía ser defendida no sólo con la espada sino, sobre todo, mediante la renovación espiritual.

El teatro se convertiría ahora en un arma para defender la cultura y la nación polacas contra la despiadada arremetida nazi. Con este espíritu de resistencia religiosamente inspirada, Wojtyla comenzó a hacer presentaciones clandestinas de piezas teatrales con un grupo de amigos que se llamaban a sí mismos Studio 39.

Entretanto, la presión nazi se intensificaba. Cualquier persona que careciera de un trabajo certificado por las autoridades alemanas corría el grave peligro de ser deportado a Alemania. En octubre de 1940, Wojtyla consiguió trabajo como obrero en la fábrica de químicos Solvay, en las afueras de Cracovia, que era administrada por los alemanes. Gracias a ese trabajo obtuvo un permiso que lo exoneraba de realizar trabajos forzados para el Reich. También obtuvo un permiso para salir de noche, un salario y mayores raciones de comida (pues las actividades de Solvay tenían que ver con la guerra). En suma, ese trabajo obtenido mediante diversos contactos le ofrecía la protección indispensable frente a los caprichos de las fuerzas de ocupación.

Se ha creado un mito en torno al trabajo de Wojtyla como picapedrero en la cantera Zakrzówek de Solvay y, luego, como trabajador de su fábrica en Borek Falecki. Después de su elección como Juan Pablo II, el florecimiento del culto a la personalidad en la Iglesia católica romana llevó al surgimiento de la leyenda del papa obrero. Trabajadores latinoamericanos de México y Brasil gritaban "*Papa obrero*", siempre que el Papa asistía a encuentros con las empobrecidas masas convocadas por los sindicatos. En Italia, cuando el Papa visitó por primera vez las plantas de laminación de acero de Terni, los trabajadores le pusieron un casco de fundición, como si él fuera "uno de ellos".

En realidad Wojtyla trabajó en la cantera durante unos pocos meses, pero después lo trasladaron a un trabajo más suave. A diferencia de lo que dice la leyenda, nunca fue obligado a trabajar como esclavo; en la fábrica no había tiranos nazis con látigo en mano (como se decía en algunos relatos publicados después de su elección). En 1940, muchos estudiantes de la Univeridad Jagellona hallaron en Solvay un refugio seguro. Edward Görlich, compañero de trabajo de Wojtyla, cuenta que el director alemán de Solvay, un hombre llamado Herr Pöhl, "le pagaba a la Gestapo para que hiciera caso omiso de la alta concentración de jóvenes intelectuales polacos que había en la planta de Solvay". Wojtyla hubiera podido obtener un trabajo de oficina, pero por su seguridad prefería mantenerse en el oficio poco destacado de un obrero común y corriente.

Lo cierto es que su experiencia en la cantera y en la fábrica, así como su contacto con los judíos cn Wadowicc (muchos de los cuales morirían muy pronto en la localidad cercana de Auschwitz) le dieron a Juan Pablo II una formación que ningún otro Pontífice romano había tenido antes. Sus años en Solvay le dieron un conocimiento inmediato sobre la condición de los trabajadores, que le sería de gran utilidad en su futura lucha contra el régimen comunista polaco y lo llevaría a pensar sobre la explotación y la alienación de los trabajadores de una manera poco común para un Papa. Juan Pablo II no dudaría cn usar ocasionalmente un lenguaje marxista, convencido de la necesidad de dar una respuesta cristiana a un problema real: la relación de los trabajadores con el producto de su trabajo.

En 1982, en uno de sus viajes a África, Juan Pablo II diría: fue "una enorme gracia en mi vida la de haber trabajado en una cantera y en una fábrica. Esta experiencia como trabajador, con todos sus aspectos positivos y con sus miserias, así como también, a otro nivel, los horrores de la deportación de mis compatriotas polacos a los campos de la muerte, marcaron profundamente mi existencia".

Zakrzówek, la cantera en donde empezó a trabajar Wojtyla en el otoño de 1940, era un cañón cuyas paredes medían más de veinte metros de altura. Más allá de los bloques de granito había unas laderas boscosas desde donde podían verse los campanarios de Cracovia. Para aquellos que trabajaban en la cantera, el mundo se reducía a imponentes muros de piedra delimitados por una cerca. Wojtyla observaba cómo esos hombres vestidos pobremente, entumecidos del cansancio, preparaban cargas de dinamita, picaban piedras y llevaban los pedazos hacia los rieles de un pequeño "tren" que llevaba la carga hasta la planta para su procesamiento. En sus primeros días de trabajo, Wojtyla estaba encargado de supervisar los rieles de las vagonetas; luego recibió la orden de partir grandes bloques de caliza con una pica. Había que cargar los pedazos en las vagonetas que los conducían al horno. El trabajo físico sacudía al joven intelectual. Debía permanecer durante ocho horas a la intemperie, con temperaturas bajo cero. Los otros trabajadores lo llamaban "el estudiante", y observaban cómo aprendía a soportar el frío vestido con una chaqueta informe de tela azul, pantalones azules y una gorra con una cinta raída, empapada en sudor. En los pies llevaba zuecos de madera. Todo su "uniforme" estaba cubierto de polvo de calcio y de manchas de aceite.

Wojtyla, acostumbrado solamente al mundo de los empleados, los campesinos y los intelectuales, comenzó a experimentar la brutalización producida por el trabajo duro y mecánico y la pobreza de los trabajadores manuales no calificados. También compartía con los otros el desdichado placer de escaparse unos pocos minutos para tomarse un café de mala calidad en una cabaña caliente. El turno de día iba de las 6 a.m. a las 2 p.m.; el turno de la tarde iba de las 2 p.m. a las 10 p.m.; y el turno de la noche iba de las 10 p.m. a las 6 a.m. Los turnos se rotaban una vez por semana.

Tyranowski le había explicado que la personalidad de todos debe moldearse según Cristo y Wojtyla aceptaba ahora su trabajo como una prueba cristiana. Todos los testigos lo confirman: sólo se quejó unas cuantas veces cuando el dolor en las manos, para nada acostumbradas a la pica, se volvía insoportable. Trabajaba en silencio, aplicadamente, metódicamente. Escuchaba mucho y tenía poco qué decir en una situación totalmente nueva para él. Un día presenció la muerte de un compañero: un fragmento de roca le atravesó la sien mientras operaba una sierra para piedras. Sintió el dolor y la ira de los otros trabajadores, la agonía de la esposa de este hombre, transida de dolor, sumada a las caras de confusión de sus hijos. "Levantaron el cuerpo –escribiría Wojtyla en su cuaderno de poesía–. Desfilaban en silencio ante él. Allí se percibían el cansancio y un sentido de injusticia".

Wojtyla cambió físicamente con la severidad del trabajo en la cantera y las privaciones de la guerra. Su rostro se volvió huesudo y perfilado. Caminaba jorobado, como si todo su cuerpo fuera literalmente aplastado por la pobreza. Las raciones de aquellos tiempos de guerra no podían ser peores: una dieta permanente de sopa de papas o de gachas. Cuando, por azar, la cocina de Solvay lograba conseguir carne de caballo, hacían una especie de *goulash*, lo que constituía un banquete para los trabajadores. Como complemento del menú diario servían una tajada de pan. Wojtyla era privilegiado: de cuando en cuando las mujeres de la cocina le cortaban un pedazo extra más grande, pues tenía reputación de ser bien educado, modesto, intelectual y joven piadoso.

En Solvay, Wojtyla cambiaba sus cupones mensuales de vodka por carne de contrabando, manteca de tocino y otros alimentos; a veces usaba los cupones para comprar ropa. Tenía una familia por la cual velar: en su hogar de la calle Tyniecka lo esperaba su deprimido padre, quién parecía que empezaba a perder interés por la vida.

En poco tiempo se hicieron famosos los extraños hábitos del joven Wojtyla. Cierto día, algunos lo vieron llegar al trabajo pálido y congelado, sin chaqueta, pues se la había dado a un pobre desdichado que encontró en la calle. Józef Dudek, un compañero de trabajo, cuenta cómo Wojtyla convenció a los demás trabajadores para que no castigaran muy severamente a un colega que se había registrado ante los nazis como *Volksdeutscher* –ciudadano de origen alemán– para recibir mejor tratamiento durante la ocupación. Ni siquiera en el trabajo Wojtyla dejaba de decir sus oraciones o de persignarse antes y después de las comidas.

En el comedor le hacía la corte, con particular insistencia, una muchacha de dieciocho años llamada Irka Dabrowska, hija de uno de los administradores de Solvay y ayudante de cocina. "Señor Józef –le dijo a Józef Krasuski, otro compañero de trabajo de Wojtyla– por favor, hable con Lolek; es un hombre muy apuesto y amable". Irka se moría de ganas de que Karol fuera a su fiesta de cumpleaños y Krasuski le insistió mucho para que aceptara la invitación. "No seas tonto, Lolek. Todos tenemos hambre. Ve allá, que van a dar buena comida".

Sólo por cortesía Wojtyla terminó finalmente por asistir a la fiesta, pero se apareció vistiendo su uniforme de trabajo y zuecos de madera. "Este es mi overol limpio –explicó–, el que uso para las ocasiones especiales". Irka, mujer muy alta y delgada, se empeñaba en averiguar qué pensaba de ella el muchacho. Decidió entonces pedirle a Krasuski que llevara a Wojtyla a una habitación con el pretexto de ofrecerle una taza de té, y lo interrogara. Ella, mientras tanto, estaría escondida en un clóset escuchando la conversación.

–¿Te gusta? –preguntó Krasuski.

–Es agradable, pero tiene sólo un defecto –contestó Wojtyla.

–¿Cuál?

–Sería muy bueno que se le pudieran acortar las piernas: es demasiado alta; además, sería mejor si fuera más redondita.

El 18 de febrero de 1941, hacía un frío espantoso. Su padre, quien había caído gravemente enfermo pocas semanas después de Navidad, tenía que guardar cama y no podía cuidarse solo. Hacia el mediodía, Wojtyla se detuvo en el dispensario a reclamar un medicamento y luego se dirigió a la casa de la familia Kydrynski, pues la madre de su amigo Juliusz había preparado almuerzo para que le llevara a su padre. La señora Kydrynska ya tenía lista la lata con la comida; la hermana de Juliusz, María, decidió ir con Wojtyla para ayudarle.

Al llegar al apartamento del sótano, María se dirigió a la estufa para calentar la comida y Karol fue a la habitación contigua. Un instante después salió sollozando. Su padre había muerto.

Sus defensas emocionales se desplomaron. Abrazó a María, con el rostro bañado en lágrimas, y dijo llorando: "No estuve presente cuando mi madre murió, no estuve presente cuando mi hermano murió, no estuve presente cuando mi padre murió". En cada oportunidad, Dios lo había golpeado sin darle la oportunidad de compartir los últimos momentos de los moribundos. Pocos meses antes había escrito en su poema dramático *Job*:

Sé cuán pequeño soy
pero hay otros más pequeños que yo.
Él me escoge a mí, me arroja entre las cenizas.

Él puede hacer su voluntad, ¿pero por qué?
¿Por qué yo he de padecer? Es Él quien dispone.

Después de que le fueron administrados los últimos ritos, Karol veló el cuerpo de su padre toda la noche con su amigo Juliusz. "Karol rezó un rato y luego habló un poco conmigo sobre la vida y la muerte –recuerda Kydrynski–. Jamás olvidaré aquella noche. Creo que fue extremadamente crucial en su vida".

Durante esta vigilia, Wojtyla cavilaría sobre su destino y su vocación. Todos los testigos confirman unánimemente que ese golpe produjo una crisis. "La poderosa calma y serenidad" de este hombre, que en apariencia era tan insignificante, había iluminado la vida de Karol. Ahora Wojtyla se quedaba sin su principal fuente de calidez y apoyo emocional. Nada quedaba de su familia. "En estos días pienso con frecuencia en mis padres y en Mundek", le escribiría Juan Pablo II a un primo suyo en el undécimo día de su pontificado. Más tarde le diría al escritor André Frossard: "A mis veinte años ya había perdido a todas las personas que amaba, y aun a aquellas que hubiera podido llegar a amar, como mi hermana mayor, quien había muerto al parecer seis años antes de que naciera yo".

La muerte de su padre lo llevó a una reflexión mística y filosófica aún más profunda. Wojtyla se pasó a vivir durante seis meses con la familia Kydrynski; a la señora de la casa la llamaba "mamá". Allí se lo veía orar con frecuencia, tendido en el piso, con los brazos estirados en forma de cruz.

En esa misma casa también le dieron acogida a María Irmina Woltersdorf, la prometida de un amigo de Karol llamado Wojciech Zukrowski. Para obtener su permiso de trabajo, la muchacha se había empleado en el Instituto del Tifo para la investigación médica, manejado por los nazis. Zukrowski le dijo a Wojtyla: los alemanes "buscan muchachas jóvenes para alimentar piojos. Ponen pequeñas jaulas en los muslos de las muchachas y los piojos les chupan la sangre". La investigación se hacía para producir vacunas y, como subrayaba Zukrowski, "las muchachas polacas van allá para darles sangre a los piojos". A cambio de eso, les daban una ración triple de comida. ¿No era forzoso combatir contra esa gente? A Zukrowski no le cabía la menor duda.

Una tarde, mientras Karol y él conversaban sentados en una banca en la ribera del Vístula, una barcaza cargada de carbón bajaba por el río frente a ellos. "Esta noche vamos a robar un poco de carbón", le dijo Zukrowski, que pertenecía a un grupo de resistencia y cuyo apartamento servía de base de apoyo para prisioneros aliados que huían de los nazis.

–¿Y cómo lo van a lograr? –preguntó Wojtyla.

–Tengo un revólver.

–Pero ellos tienen muchas más armas, tanques, aviones.

–No importa –insistió Zukrowski.

–La oración es la única arma eficaz –replicó Wojtyla.

Esta era su posición, y nunca la cambiaría en todos los años de ocupación. La oración y la confianza en Dios eran el único medio para combatir el mal y la violencia.

A principios de 1941, por recomendación de su antiguo profesor de francés, los directores de Solvay le asignaron un trabajo diferente. Ya no seguiría picando piedras; tres meses eran suficientes. Wojtyla trabajaría en la cantera llevando la cuenta y haciendo el seguimiento de las cargas de dinamita que se necesitaban para hacer explotar las rocas.

Zukrowski, cuyo trabajo consistía en instalar las mechas, aprovechó su oficio para robar explosivos para la resistencia, pero nunca le contó a Karol sobre sus actividades. Sus amigos comprendían que Karol no estaba hecho para la conspiración. Su actitud de no-violencia ni siquiera cambió el 23 de mayo de 1941, cuando los nazis arrestaron a los padres salesianos de su parroquia de la iglesia de San Estanislao Kosta y se los llevaron a un campo. Un novicio y doce sacerdotes salesianos, entre ellos el superior, el padre Jan Swierc, murieron en ese campo de concentración. Cuando algunos partisanos contactaban a los jóvenes del Rosario Vivo para proponerles que hicieran parte de la resistencia armada, Wojtyla lograba persuadir a la mayoría de los muchachos para que no se enrolaran con ellos.

El Rosario Vivo había crecido. Tyranowski había transformado a los quince primeros discípulos en líderes de nuevos grupos de quince. Les aconsejaba que estuviesen preparados y que se salvasen para el futuro, cuando Polonia fuera libre de nuevo y estuviera preparada para realizar el ideal de una sociedad basada en principios cristianos.

Cuando los nazis arrestaron a su querido amigo Juliusz Kydrynski y lo enviaron a Auschwitz (al cabo de dos meses lo dejaron libre), Wojtyla consolaba y ayudaba a la madre de aquel, pero su reacción era la misma: había que orar. Lo mismo sucedió cuando los alemanes apresaron a su amigo Tadeusz Kwiatkowski, director de la revista clandestina *Magazín mensual*. Wojtyla le repetía a Zukrowski: "Recuerda, tenemos el deber de rogar a Dios para que les dé la fuerza necesaria para soportar todo esto". Wojtyla creía en el poder de la oración: la oración podía cambiar o moldear los acontecimientos.

El arresto del seminarista Szczesny Zachuta, con quien Wojtyla había asistido a algunas de las reuniones del Rosario Vivo, fue especialmente penoso para sus allegados. Zachuta pertenecía a un movimiento de resistencia y había ayudado a algunos judíos que buscaban certificados de bautismo para salvarse de ser deportados y morir. Al descubrir sus actividades, los nazis lo fusilaron. Aun entonces Wojtyla siguió sosteniendo que la mejor manera de resistir era simplemente encomendándose a Dios.

Sin embargo, cuando se trataba de prestar ayuda a otros, Wojtyla siempre estaba dispuesto. Colaboraba cada vez que se hacían colectas para ayudar a la familia de un arrestado, o cuando se reunía dinero para pagar un soborno destinado a rescatar a alguna persona en manos de los nazis. Aunque conocía bien al escritor Zofia Kossak-Szczucka, miembro de una organización secreta que ayudaba a los judíos llamada Zegota, nunca formó parte de ningún grupo de resistencia contra los nazis ni desarrolló actividades para rescatar judíos. El judío polaco Marek Halter le preguntó al Papa, años más tarde, si había ayudado a salvar judíos, Juan Pablo II contestó: "No puedo reclamar crédito sobre algo que no hice".

En casa de sus amigos, Wojtyla observaba algunas veces los progresos de la guerra en un mapa, pero en general no discutía sobre asuntos políticos. Cuando los alemanes comenzaron, en junio de 1941, su avance relámpago hacia la Unión Soviética, su primera reacción pareció ambivalente. Ahora que los antiguos aliados eran enemigos, "el comunismo no tendrá forma, no tendrá posibilidad de expandirse bajo estas circunstancias", le dijo a Zukrowski. Cuando el ataque nazi se empantanó en el frente ruso, él y Zukrowski recordaron el viejo dicho polaco: "Cuando el águila negra (de Prusia) se dirige hacia el oriente, regresa con las alas rotas". Pero, en realidad, Wojtyla se interesaba más por la situación religiosa en Rusia que por los acontecimientos de la guerra que se desarrollaban allá. Ya tenía en mente la idea de que el pueblo ruso debía redescubrir el camino de la cristiandad. Como le diría a Zukrowski, "Rusia está escupiendo a Dios. Pero esta batalla contra Dios también está produciendo sed de Dios".

En el año trágico de 1941, la actividad teatral de Wojtyla continuaba sin sobresaltos. En agosto, su ídolo Mieczyslaw Kotlarczyck, el director cuya teoría dramática de la Palabra Viviente lo había inspirado algún tiempo atrás, logró trasladar a su familia de Wadowice a Cracovia y se mudó al apartamento de Wojtyla, que tenía dos habitaciones. Los dos amigos procederían a explorar juntos la realidad teatral, y así nació el Teatro Rapsódico concebido específicamente para ayudar a salvar al espíritu polaco del aniquilamiento nazi.

La Palabra Viviente, el Rosario Vivo: caminando por aquellas sendas paralelas, la búsqueda interna de Wojtyla se intensificaba. Ambos conceptos alimentaban sus tendencias místicas. El Rosario Vivo afinaba su alma para acercarse más a Dios; la Palabra Viviente afinaba las ideas del actor para darle una expresión más clara a los grandes problemas de la vida.

Kotlarczyck aspiraba a crear un teatro de las profundidades, "donde el espectador no sólo observa la actuación sino que la escucha". Wojtyla aprendió que el actor debía seguir el verso en lugar de sumergirse en el patetismo. Su propósito debía ser lograr que el personaje se grabara en la conciencia de los espectadores.

Algún día, esos pensamientos cultivados en el horror de la guerra en Polonia se manifestarían en el grandioso teatro religioso de Juan Pablo II. Allí, sentado solo en un escenario, con un enorme crucifijo detrás, cautivaría a miles, incluso a millones, de personas con su afinada "representación".

En Cracovia se consideraba el trabajo del Teatro Rapsódico como parte importante de la resistencia espiritual contra el nazismo; Kotlarczyk también tenía contacto con Unia, un movimiento católico clandestino. Los ensayos se hacían los miércoles y los sábados en las "catacumbas", el apartamento del sótano donde vivían Wojtyla y Kotlarczyk. De camino al ensayo, los jóvenes actores podían ver pegadas, en los muros o en los postes de la luz, listas de personas buscadas por los nazis o que ya habían sido fusiladas. "En esas listas había amigos nuestros", recuerda uno de los integrantes del grupo. Cada vez que se reunían, flotaba en el ambiente el temor de un allanamiento o una redada nazi. Aparte de Karol Wojtyla, los miembros del grupo de teatro eran Krystyna Debowska, Halina Królikiewicz, Danuta Michalowska y el escenógrafo Devi Tuszynski, este último judío. "Aquellos miércoles y sábados fueron inolvidables, a pesar del terror y los arrestos", recuerda Kotlarczyk. "Seguimos adelante con los ensayos de obras de los más grandes escritores y poetas polacos; muchas veces ensayábamos en la cocina, fría y oscura, en ocasiones tan sólo con una vela o dos. Pero nosotros creíamos firmemente en nuestra supervivencia; estábamos seguros de que cruzaríamos las fronteras de la libertad". Las presentaciones se hacían en la casa de alguien, ante un auditorio de diez o quince personas. Cierto día, durante una de las presentaciones, empezaron a escucharse los rugidos de los altavoces en la calle: anunciaban un boletín de guerra proveniente del cuartel general del *Wehrmacht*. Wojtyla siguió recitando sus líneas, en un duelo tranquilo y deliberado con la voz metálica del poder de la ocupación. Actores y espectadores sabían que con ello estaban haciendo una peligrosa oposición cultural por la cual podían ser deportados. A pesar de eso, entre 1941 y 1945, el Teatro Rapsódico logró organizar veintidós presentaciones. Una frase de Halina Królikiewicz nos da una idea de lo cargado de la atmósfera en los recitales: "Parece una paradoja. Para mí, aquellos años fueron algo maravilloso. No tenía miedo, era feliz con lo que estaba haciendo. Sentíamos que mientras los otros luchaban con el Ejército Patriótico (los partisanos), nosotros luchábamos con las palabras".

El primer montaje del Teatro Rapsódico, en noviembre de 1941, fue *Gran rey*, del poeta romántico Slowacki. Wojtyla se destacó en su interpretación de Boleslao el Valiente, el rey que ordenó asesinar al obispo Estanislao, este último sería declarado santo y sería el personaje de la historia de Polonia con quien mejor se identificaría Juan Pablo II. El estilo de la actuación de Wojtyla revelaba la angustia de su viaje interno por aquellos años. Halina Królikiewicz sentía que "en cada nueva presentación, la manera en que Wojtyla representaba su papel se volvía más ascética, más profunda". Danuta Michalowska recuerda que era una "actuación llena de tensión, en la que Karol no desperdiciaba un solo acento, una sola pausa que pudiera explotarse para intensificar la emoción del espectador". Juliusz Osterwa decía: "Ha nacido un gran actor". Al igual que los demás, Kotlarczyk estaba convencido de que el único futuro posible para Wojtyla era una carrera en el teatro.

Sin embargo, en el otoño de 1942, tras una larga conversación con su confesor, el padre Figlewicz, Karol Wojtyla fue a la residencia del arzobispo Sapieha para anunciar: "Deseo ser sacerdote". La decisión tomó a sus amigos por sorpresa. Antes de dar este paso, él había ido a la ermita carmelita en Czerna con la esperanza de entrar en la orden. Pero el noviciado había sido cerrado por los nazis y lo único que podía ofrecerle el abad, el padre Alfons, era esperar a que volviera a abrirse.

Wojtyla le pidió a Kotlarczyk, director del Teatro Rapsódico, que no le volviera a asignar nuevos papeles. Ahora se consagraría totalmente a Dios Vivo, y el único drama que volvería a representar sería el sacrificio de Cristo. "Mieczyslaw Kotlarczyk –diría luego– pensaba que mi vocación eran la lengua y el teatro, en tanto que el Señor Jesús pensaba que era el sacerdocio, y de algún modo llegamos a ponernos de acuerdo en esto". Tadeusz Kudlinski, en cuya casa se había reunido el grupo de teatro Studio 39, pasó toda una noche tratando de convencerlo de no abandonar su carrera de actor. Kotlarczyk también intentó disuadirlo de su decisión, citando la parábola de Mateo 25, sobre el hombre que enterró su talento. Wojtyla le recordó las palabras del poeta Norwid, también parafraseando el Evangelio: "La luz no debe ponerse debajo de la mesa". Todos los intentos fueron en vano.

Aunque también estaba sorprendido, Juliusz Kydrynski parecía comprender mejor a Karol que los demás. Más adelante, haría un resumen de la personalidad de su amigo así: "Karol Wojtyla era igual que todos nosotros. Pero al mismo tiempo era diferente, porque era el elegido".

Mentor

Adam Sapieha, príncipe metropolitano de Cracovia, era un patricio, un patriota y un político*. Se sentía orgulloso de sus orígenes aristrocráticos, y recordaba con placer los años de infancia que pasó aprendiendo a encerrar y a montar caballos con una despreocupada facilidad. Su padre y su abuelo habían participado en rebeliones contra el zar, y a sus setenta y dos años permaneció resueltamente en su cargo cuando el ejército de Hitler entró en la ciudad. No había seguido el ejemplo del primado de Polonia, cardenal August Hlond, quien huyó al exilio con el gobierno polaco. Sapieha se hizo cargo del Comité de Ayuda Cívica y se convirtió en una luz de guía para el sufrido pueblo de Cracovia.

Sus relaciones con las fuerzas nazis de ocupación eran frías y distantes. Solamente se entrevistó una vez con el gobernador general Hans Frank. El dirigente alemán, quien le propuso una cruzada conjunta contra el bolchevismo, recibió una inequívoca negativa. Sapieha no tenía la menor intención de luchar hombro a hombro con la cruz gamada.

En los primeros días de la ocupación el arzobispo estableció un seminario clandestino para garantizar que la Iglesia polaca tuviera un buen número de candidatos al sacerdocio; los nazis habían decretado que sólo los seminaristas que ya se habían inscrito en 1939 podían proseguir su formación. Su estrategia se inspiraba en un realismo clarividente. Había comprendido que una vez finalizara la guerra, la lista de muertos entre los miembros del clero y la órdenes religiosas sería muy larga. De hecho, 1 932 sacerdotes y clérigos, 850 monjes y 289 monjas morirían durante los años de la guerra.

Sapieha mantenía contacto con varios grupos de resistencia y con el gobierno polaco exiliado en Londres. Ayudó personalmente a varios judíos, expidiéndoles certificados bautismales para protegerlos de las inspecciones nazis; apoyaba las iniciativas culturales clandestinas de Unia; trabajó para hallarles refugio a los pocos prisioneros que lograban escapar de los campos de concentración y, en 1944, a los miembros del Ejército Patriótico Polaco que participaron en la insurrección de Varsovia.

---

* Su título data de la Edad Media, época en la que muchos obispos metropolitanos tenían también títulos feudales.

Durante la guerra, cinco de sus parientes más cercanos fueron asesinados por los nazis.

Cuando Wojtyla se unió a las filas de los seminaristas secretos de Sapieha, en octubre de 1942, se encontró inmerso en un sistema cuidadosamente organizado. A cada estudiante se le asignaba un profesor que lo supervisaba individualmente. Las clases tenían lugar en conventos, iglesias y en las casas de cada uno. A los estudiantes se les ordenaba no revelar nada sobre sus estudios a las personas que los conocían y mantener los mismos hábitos seculares de siempre. Sapieha dedicaba especial atención a Wojtyla y le pedía que hiciera de acólito en las misas de la capilla del palacio arzobispal. Después de la misa de la mañana, solían desayunar juntos. A Sapieha le simpatizaba ese muchacho delgado y meditabundo y Wojtyla consideraba al arzobispo su tercer maestro, después de Kotlarczyk y Tyranowski.

Wojtyla siguió trabajando en la fábrica de Solvay y viviendo en su casa. En el trabajo debía cargar ocasionalmente grandes cantidades de "leche de cal", para ablandar el agua de los hornos; tenía que llevar en sus hombros unas aguaderas con dos baldes de madera, cada uno de los cuales pesaba sesenta y seis libras.

–¿Por qué vino aquí, señor? –le preguntó el trabajador Franciszek Pokuta.

–Para evitar que me deportaran a Alemania –respondió Wojtyla con franqueza.

Sus compañeros de trabajo lo veían con frecuencia sentado detrás de las tuberías o subido en la plataforma del tanque de la sala de calderas, estudiando u orando. Él prefería el turno de la noche, el ambiente en la fábrica era más solitario y calmado. Wladislaw Cieluch, un compañero de trabajo, con frecuencia lo veía arrodillado hacia la medianoche. Si un colega se acercaba, recuerda Cieluch, "él botaba el libro y fingía estar haciendo otra cosa".

Algunos lo llamaban burlonamente "el padrecito" y le lanzaban pedazos de estopa u otros desperdicios mientras rezaba. Él se mantenía impasible. Wojtyla leía su breviario y un libro que ejercería una gran influencia sobre él: *Tratado de la perfecta devoción a la santísima Virgen María*, de san Louis Grignion de Montfort. Más difícil que éstos era el grueso manual de filosofía que su director de estudios, el padre Kazimierz Klosak, le asignó: *Teología natural*, del padre Kazimierz Wais. El libro era un hueso duro de roer. "Me siento junto a la caldera y trato de comprenderlo –le decía a su amigo Malinski–. Una vez lloré sobre él". Dos meses estuvo luchando con el libro al cabo de cuales pudo decir: "Finalmente me abrió todo un mundo nuevo. Me mostró una nueva manera de ver la realidad y me hizo tomar conciencia sobre asuntos que yo escasamente alcanzaba a vislumbrar antes".

Un papa filósofo nacía en medio de las tuberías y calderas de Solvay.

Todos los días hacía una larga caminata hasta la tumba de su padre; por la noche se tiraba en el piso húmedo de su habitación y allí rezaba durante horas.

El 29 de febrero de 1944, Wojtyla tendría un encuentro cercano con la muerte, que no sería el último. Eran un poco más de las tres de la tarde. Regresaba a su casa después de un turno doble en la fábrica, (nocturno y de la mañana), cuando un camión alemán que venía dando una curva lo atropelló.

La cabeza de Wojtyla se estrelló violentamente contra uno de los costados del camión, luego cayó inconsciente al piso. El conductor no se detuvo, ni siquiera bajó la velocidad. Una mujer llamada Józefa Florek llegó corriendo a ayudarlo. Al parecer, el muchacho de los pantalones azules y los zuecos de madera estaba muerto. Un oficial alemán que pasaba por allí se detuvo y dictaminó que Wojtyla, a pesar de estar lleno de sangre, seguía vivo. Movido por la compasión, el oficial hizo parar un camión y le ordenó al conductor llevar al joven trabajador al hospital; allí los médicos le diagnosticaron una conmoción cerebral y graves heridas en la cabeza.

Franciszek Konieczny, un compañero seminarista, fue a visitar a Wojtyla a su cuarto de hospital. Lo encontró acostado en una cama cercana a una ventana que daba a los jardines dcl monasterio carmelita. "¿No querías entrar al monasterio de los carmelitas? –dijo Konieczny en son de chiste–. Pues, fíjate: te trajeron aquí". A los trece días lo dejaron salir dcl hospital. El resto de la convalecencia lo pasó en casa de la familia Szkocki, luego regresó a la fábrica.

El 6 de agosto de 1944, conocido como el "domingo negro" –mientras el ejército de Hitler ahogaba en sangre el gran levantamiento del Ejército Patriótico Polaco en Varsovia– las fuerzas nazis llevaban a cabo una gigantesca operación de rastreo en Cracovia. La revuelta en la capital, que había comenzado el 1º de agosto, tomó a los nazis por sorpresa. Las órdenes de Hitler eran aplastar cualquier tipo de resistencia polaca. Las tropas soviéticas desarrollaban su plan ofensivo y se acercaban al Vístula, cerca de Cracovia. Las ss y la Gestapo registraban milimétricamente las calles de la ciudad. Nadie olvida el horror de aquel día. "Los alemanes estaban seguros de que en Cracovia se produciría un levantamiento para apoyar a Rusia. Entonces fueron por los hombres, casa por casa", recuerda Malinski, también estudiante en el seminario clandestino. Detuvieron a más de ocho mil hombres y muchachos, muchos de los cuales fueron conducidos a prisiones y campos de concentración. Malinski logró escaparse sólo porque se hallaba jugando fútbol fuera de la ciudad con quince muchachos de su Rosario Vivo: "Estábamos esperando a Wojtyla y a su grupo, pero no llegaron".

Wojtyla estaba en su apartamento de la calle Tyniecka cuando escuchó los gritos y los pesados pasos de los soldados alemanes. Comenzó a orar en su pequeña habitación: primero de rodillas y luego tendido en el suelo. Los Kotlarczyk, quienes también estaban en el apartamento del sótano, estaban paralizados de miedo. Podían escuchar a los soldados subiendo las escaleras. En su afán, las tropas nunca pudieron encontrar la puerta que daba al apartamento del sótano. Wojtyla y los Kotlarczyks permanecieron inmóviles durante un tiempo que pareció eterno, incluso mucho después de que los alemanes se fueron.

El príncipe metropolitano Sapieha decidió reunir inmediatamente en el palacio arzobispal a los seminaristas que quedaban. Al día siguiente, lunes, envió sacerdotes para notificarlos, uno a uno. "La calles de la ciudad estaban desiertas", recuerda un testigo. Los habitantes estaban encerrados en sus casas o en escondites. Wojtyla caminó desde el barrio de Debniki, al otro lado del río, hasta el palacio; se desplazaba cautelosamente por las calles vacías. La señora Szkocka iba delante de él, mirando si había patrullas alemanas en los cruces de las calles. El padre Mikolaj Kuczkowski, oriundo de Wadowice, iba detrás de ellos.

Finalmente llegaron a la calle Franciszkanska; allí Wojtyla descubrió que tenía que acercarse al palacio bajo la mirada de un centinela alemán que vigilaba los depósitos de la policía, a poca distancia de allí. Por fortuna, el guardia hizo caso omiso de él cuando entró por la puerta del siglo XVI del palacio de Sapieha. No llevaba consigo más que dos cuadernos.

Sapieha reunió en la capilla a siete jóvenes y a otros tres seminaristas que habían iniciado su formación antes de que estallara la guerra. "Yo soy su rector, –dijo el príncipe arzobispo–. Confiaremos en la Divina Providencia. No sufriremos daño alguno". Se les repartieron sotanas viejas a los seminaristas: muy grandes, muy largas o muy apretadas. Todos tuvieron que ponerse una, incluyendo a Mieczyslaw Malinski, cuya sotana despedía un terrible olor a tabaco. Luego, Sapieha les dio documentos falsos; ya se había encargado de hacer que borraran el nombre de Wojtyla de la lista de trabajadores de Solvay, para evitar las indagaciones de la Gestapo.

El arzobispo contaba con que los rusos avanzarían rápidamente para producir la liberación de la ciudad. En pocas semanas, les dijo a sus pupilos, el ejército ruso habrá entrado en Cracovia. Se equivocaba. Por orden de Stalin, el Ejército Rojo se detuvo en el costado oriental del Vístula, a fin de que los alemanes tuvieran tiempo de seguir adelante con la eliminación de los combatientes de la resistencia polaca, aliados con el gobierno exiliado en Londres. De este modo se prepararía el camino para que los apoderados de Stalin tomaran control sobre la Polonia de la posguerra. Wojtyla y sus hermanos debieron acostumbrarse a permanecer escondidos durante largos meses en el palacio arzobispal. Si se producía un allanamiento, ellos debían decir que eran sacerdotes. Las cortinas de las ventanas permanecían cerradas y ellos tenían absolutamente prohibido correrlas. El único momento en que podían respirar aire puro era en las tardes, durante pequeñas caminatas en el jardín. El voleibol era la única distracción de los estudiantes.

Sapieha iba todos los días y participaba en discusiones académicas y prácticas. Había muy poca tensión, no había envidias ni ninguna de las camarillas que podrían surgir en condiciones normales. El recuerdo de la pequeña comunidad de la calle Franciszkanska permanecería en lo profundo del corazón de Wojtyla como ejemplo de vida comunitaria, y Sapieha siempre sería su modelo de lo que debería ser un obispo. Kazimierz Suder, seminarista por aquel mismo periodo, afirmaba: "Sapieha estaba enterado de todo lo que ocurría en el país. Conocía y solucionaba nuestros problemas... Era muy amigable con los sacerdotes, con los novicios, se interesaba mucho en sus vidas y en sus estudios, y se preocupaba por que los sacerdotes tuvieran un alto nivel de preparación". Finalmente Wojtyla estaba vestido de sotana, tal como deseó verlo su madre desde el primer momento en que lo tuvo en sus brazos. Ahora vivía en contacto con un hombre de acción, a la vez que hombre devoto, que conocía el mundo y sabía cómo obtener energías insospechadas pasando largas horas en oración. "Él me abrió los ojos al sacerdocio", diría Wojtyla veinte años más adelante, al entrar en la catedral de Wawel, vistiendo la insignia de arzobispo de Cracovia.

Wojtyla le contó al arzobispo sobre su deseo todavía vivo de ingresar en la orden de los carmelitas, pero el príncipe metropolitano se oponía a ello. Con su propio ejemplo le mostraría a Wojtyla que una relación intensa y mística con Dios no está reservada exclusivamente a aquellos que se encierran en las paredes de un monasterio.

El 13 de noviembre de 1944 Wojtyla recibió la tonsura, el rito medieval que consiste en recortarse el cabello, para simbolizar la sumisión al Señor.

Con la llegada del nuevo año, la resistencia de los alemanes ante las fuerzas aliadas se vendría abajo. El 13 de enero, en el frente oriental, el Ejército Rojo se lanzaba a una ofensiva mayor. Existía el temor de que los alemanes convirtieran a Cracovia en su última línea defensiva, su "fortaleza", con lo que era seguro que la ciudad quedaría totalmente destruida. El 17 de enero aparecieron por primera vez los aviones soviéticos sobre el cielo de Cracovia. Los habitantes de la ciudad, encerrados en sus casas, no sabían si los nazis convertirían a Cracovia en otra porción de tierra arrasada. Desde las ventanas ellos podían ver los convoyes de camiones en dirección a Alemania, cargados con los últimos restos de objetos polacos robados, principalmente obras de arte.

Sapieha envió a sus seminaristas al sótano y empezó a esperar la llegada del Ejército Rojo, rezando en la capilla, mientras se escuchaban ruidos de ametralladora en los alrededores del castillo Wawel. Cracovia se había salvado finalmente. Cayeron unas cuantas bombas rusas y se destruyeron algunos puentes, pero la Florencia polaca, como se conoce a Cracovia, permaneció intacta. Los libertadores llegaron de noche, inspeccionaron toda la ciudad tratando de encontrar alemanes y solicitaron entrar al palacio arzobispal. El encuentro que tuvo lugar a continuación parecía una página escrita por Gógol. "¿Quién vive aquí?", preguntaron los dos mayores del ejército soviético que llegaron a la puerta. "El metropolitano", respondió el conductor del arzobispo. Los dos oficiales inspeccionaron el sótano, encontraron a los seminaristas y a las monjas esperando el veredicto de la historia y los saludaron con grandilocuencia. "Pueden considerarse liberados, –anunciaron–". "El gobierno polaco ya viene en camino". Luego hicieron la pregunta crucial: "¿Tienen vodka?" El conductor del arzobispo sacó una botella. Uno de los oficiales bebió un trago, luego otro. Media botella desapareció antes de que interviniera el otro oficial. "Alto, –ordenó–. Ahora me toca beber a mí. Hable usted".

Los temidos libertadores rusos no tenían esa apariencia terrible que imaginaban los seminaristas. Se veían harapientos, cansados, eran crudos algunas veces, pero no especialmente agresivos. Algunos episodios insignificantes se grabaron en sus memorias: el joven soldado que encontró una bicicleta y empezó a montar por las calles, feliz como un niño; los soldados que disparaban al aire, locos de alegría; los otros que buscaban relojes y alcohol con una avidez pueril.

Para Wojtyla esta ocasión estaría siempre relacionada con un soldado ruso que le preguntó sobre Dios y la religión: "El soldado golpeó en la puerta del seminario, que por ese tiempo estaba parcialmente destruido. Le pregunté si necesitaba algo. Él quería saber si podía ingresar al seminario. Pasamos varias horas conversando".

Al soldado lo llevaban a la iglesia cuando era muy niño. En la escuela y en el trabajo escuchaba una y otra vez que Dios no existía. "Pero yo siempre supe –repetía– que Dios sí existía. Ahora quiero saber más sobre Él". Wojtyla anotó esta singular conversación en un cuaderno, y comentó: "Durante nuestra larga charla aprendí mucho sobre la manera como Dios se manifiesta en la mente humana, aun en condiciones que son sistemáticamente negativas".

Ahora que la guerra había terminado, Wojtyla regresó a la Universidad Jagellona a proseguir sus estudios de teología de tercer y cuarto año. En la universidad fue nombrado vicepresidente del concejo de estudiantes. Desde abril de 1945 hasta agosto de 1946 trabajó tam-

bién como profesor adjunto. Como siempre, sus calificaciones eran unas
de las mejores del curso. El balance de los veintiséis exámenes que tomó
arrojan las siguientes cifras: calificación de "excelente" en diecinueve
asignaturas, "muy bien" en seis y "bien" en una: psicología. Como era
costumbre, la gente que lo conocía le tomaba el pelo de manera amigable por su impecable devoción. "Karol Wojtyla, futuro santo", decía una
tarjeta que halló una tarde pegada en su puerta.

Entre sus colegas y amigos, como ocurría en toda Polonia, las conversaciones trataban sobre el futuro del país. Después de Yalta era
evidente que quedar consignado a la esfera de influencia soviética signi-
ficaría, tarde o temprano, una pérdida de la independencia real. Sin embargo, Wojtyla no participaba activamente en estas discusiones. No
simpatizaba en absoluto con los polacos pro-rusos, especialmente si
eran clérigos, pero lo importante, según declaraba en sus caminatas con
Malinski, era que debían recordar siempre ser "polacos, cristianos, humanos".

Cuando supo que el noviciado carmelita de Czerna había vuelto a
abrir sus puertas, se postuló para ingresar. El abad, el padre Alfons, había
sido asesinado por los alemanes y ahora el padre Leonard Kowalówka,
amigo de Wojtyla, era quien dirigía el noviciado. Sin embargo, el padre
le explicó que se necesitaba autorización del arzobispo para ingresar en
la orden, y Sapieha se oponía categóricamente a la idea. Wojtyla, obsti-
nadamente, volvió a intentarlo en 1948, después de dos años de estudios
en Roma. Una vez más, Sapieha negó su autorización. "He dado mi autorización cientos de veces a todo tipo de candidatos que deseaban ingresar al monasterio, –explicaba el príncipe metropolitano–. Solamente
la he negado en dos oportunidades. La primera vez fue con el padre
Koslowski, que también es de Wadowice. Esta es la segunda vez que
daré mi negativa". Cuando el provincial de la orden insistió, Sapieha le
hizo saber qué lugar ocupaba Wojtyla en los planes del arzobispo. "Al
finalizar la guerra nos quedamos con muy pocos sacerdotes. Necesitamos mucho a Wojtyla en la diócesis". Luego añadió: "Más adelante lo
necesitará la Iglesia entera".

El 1º de noviembre de 1946, en la fiesta de Todos los Santos, el arzobispo ordenó personalmente sacerdote a Wojtyla, seis meses antes que
sus compañeros de curso, en la capilla del palacio arzobispal. Al día si-

guiente, el día de los Fieles Difuntos, el padre Karol Wojtyla celebraría su primera misa en la catedral de Wawel. Su antiguo profesor, Kazimierz Figlewicz, hacía de *manuductor*: el mayor de los cofrades que guía a un nuevo sacerdote durante la celebración. Este tiene la misión de sujetarlo pues, por primera vez, experimenta el tremendo poder que implica la transformación del pan y el vino en el Cuerpo y la Sangre de Cristo.

Así se cerraba el círculo. Lolek había aprendido su oficio de monaguillo con el padre Figlewicz. Le había ayudado a dar misa el día que los nazis invadieron Polonia y bombardearon Cracovia. En esta misma catedral, en medio de las tumbas de reyes y héroes polacos, Karol Wojtyla se convertía en sacerdote de Polonia liberada. En la misa rezó por las almas de todos los muertos de su familia.

El 3 de noviembre dijo misa en la iglesia salesiana, en su antiguo barrio de Debniki, con Jan Tyranowski como asistente. El 4 celebró una misa solemne de inauguración en Wawel. Sus antiguos compañeros de trabajo en Solvay le regalaron una sotana, y todos sus colegas del Teatro Rapsódico estaban presentes en la ocasión. Escuchaban cómo Wojtyla, ahora actor en un gran misterio, proclamaba la palabra de Dios Vivo.

"Fecit mihi magna" ("Él ha hecho en mí grandes cosas", Lucas 1:49), escribió Wojlyla en el recordatorio que les repartió a sus amigos en una pequeña recepción. Luego fue a Wadowice a decir misa en la iglesia de la parroquia de su infancia. El 11 de noviembre administró por primera vez el sacramento del bautismo a la hija de su viejo amigo Tadeusz Kwiatkowski y su antigua compañera de recital, Halina Królikiewicz.

PARTE II

El padre Karol

Amor

La consolidación estalinista de Europa oriental y central fue brutalmente rápida. En junio de 1948, Karol Wojtyla regresó de Roma, en donde había estudiado durante dos años (dedicado a la filosofía de santo Tomás de Aquino y los místicos españoles). Polonia sufría un tipo de transformación diferente a la de sus vecinos países socialistas. Adaptar el comunismo a Polonia, según diría Stalin, era como ensillar una vaca, y la realidad de la Polonia de la posguerra eran un reflejo de ello.

Para los partidos comunistas que tomaron el poder en Europa, frenar el avance de la Iglesia católica era uno de los asuntos más importantes para tratar. En Yugoslavia, el obispo de Zagreb fue sentenciado, en 1946, a dieciséis años de trabajos forzados por colaborar en la guerra con los fascistas. En la pascua de Navidad de 1948, el cardenal József Mindszenty, el primado de Hungría, fue arrestado por falsas acusaciones de traición, y fue condenado a cadena perpetua. En Checoslovaquia, en ese mismo invierno, el arzobispo Josef Beran recibió una sentencia de catorce años. En Hungría y Checoslovaquia fueron arrestados cientos de monjes, sacerdotes y monjas.

Polonia, con una población católica del noventa y cinco por ciento, era especial. El resultado fue que tanto en el ámbito religioso como económico el proceso fue menos severo y tuvo menos éxito. A lo largo de varios siglos de guerras y divisiones del país, la cultura polaca y su campesinado habían establecido un lazo inextricable con la Iglesia: la Iglesia era una fuerza que los comunistas debían tratar con respeto. Siempre se había defendido contra los invasores y contra la población autóctona infiel. Aunque las actividades de la Iglesia polaca de la posguerra quedaron limitadas, el régimen toleró su existencia y permitió que la gente siguiera practicando su fe. Muy pronto, la Iglesia se convirtió en la voz muda de cualquier oposición persistente. El número de sacerdotes y monjas polacos encarcelados constituía una pequeña fracción del total de las naciones vecinas. Aunque acartonado y precario, se mantenía entre el Estado y los creyentes una suerte de diálogo. El terror estalinista, ya sea medido por los falsos juicios o por la erradicación masiva de cualquier tipo de oposición, no fue tan intenso en Polonia como en los otros países de la cortina de hierro. En Polonia sólo se hizo un intento a medias de colectivizar la tierra, y el régimen les asignó a muchos campesinos sus propias parcelas.

En los inicios de su vida pastoral, Wojtyla no mostraba un interés particular por la situación política de su país. Por el contrario, su proceso de toma de conciencia de la supresión de los derechos civiles en Polonia y otros países ocurrió lentamente, en el muy peculiar estilo de Wojtyla.

El arzobispo Sapieha escogió para Wojtyla la parroquia rural de Niegowic. Allí, su joven sacerdote preferido tendría su primera experiencia pastoral: bautizar, escuchar confesiones, oficiar en matrimonios y funerales, visitar enfermos, decir misa, ocuparse de la vida de los parroquianos rurales que habían sido durante siglos la principal clientela del clero polaco.

Wojtyla fue asignado a Niegowic en 1948, cuando contaba veintiocho años de edad. Niegowic, con dos mil habitantes, era una aldea rudimentaria aislada en la provincia campesina de Galicia, a cincuenta kilómetros de Cracovia. Tenía una iglesia de madera y un puñado de casas sin electricidad, sin agua corriente ni tratamiento de aguas residuales. Wojtyla, el sacerdote de anteojos, llegó allí con una sotana raída y unos zapatos viejos. Cargaba sus pertenencias en una maleta estropeada, un poco jorobado. Llegó tras una penosa caminata de ocho kilómetros por la carretera sin pavimentar que conducía a la estación del tren.

El alojamiento de él y de otro joven coadjutor era decente: más amplio que sus antiguas viviendas en Cracovia. La destartalada *wikariówka* (casa del párroco) tenía dos habitaciones para cada hombre y un pequeño huerto detrás. Las comidas eran buenas y abundantes. Hasta el momento en que se implantó la reforma agraria, el párroco de Niegowic poseía 50 hectáreas de tierra, 120 vacas, dos tiros de caballos y muchas aves. Tenía para su servicio una cocinera, una asistente de cocina, un mozo de cuadra, un vaquero y una muchacha de los mandados.

El plan de actividades diarias de Wojtyla era duro: se levantaban hacia las cinco de la mañana, daba misa y luego se iba a visitar a los parroquianos en una carreta tirada por caballos (mientras se desplazaba, Wojtyla solía leer un libro); daba clases de religión, celebraba misa en caseríos distantes y atendía a sus feligreses. Maria Trzaska, quien aún vive en Niegowic, recuerda que el joven vicario ayudaba a su hermano a cavar zanjas y a trillar el trigo. La trilla se hacía como en los tiempos bíblicos, separando el grano de la paja con un mayal hecho con dos maderas unidas con una cuerda.

Aquella era una vida saludable. Los feligreses veía con frecuencia al vicario caminando solo, después del almuerzo, por los huertos que quedaban detrás de la iglesia. Algunas veces rezaba mientras iba caminando. Luego, cuando encontraba un sitio tranquilo, se detenía a meditar. El padre Wojtyla empleó, por un sueldo modesto, al joven Stanislaw Wyporek, hijo de un granjero de la región, para que le mecanografiara (con dos dedos) su tesis sobre la fe en los escritos de san Juan de la Cruz, con la que culminaría sus estudios iniciados en Roma. Stanislaw no comprendía ni una palabra de aquello, pues el manuscrito estaba en latín. Al mismo tiempo, el muchacho intentaba con poco éxito enseñarle al futuro Papa a montar en bicicleta. "Nos decía que tenía problemas con el equilibrio".

En los siete meses que pasó en Niegowic, Wojtyla se destacó por su dedicación a los jóvenes. Organizó con ellos presentaciones teatrales, los ayudaba con sus estudios y sus oficios, los llevaba de paseo a Cracovia o a caminar por los bosques, jugaba voleibol y fútbol con ellos en las praderas. Al atardecer, encendían una hoguera y el joven sacerdote y sus feligreses se tomaban de las manos, cantaban canciones populares y luego rezaban. Esta era una actividad poco usual para un sacerdote en los años cuarenta y atraía la atención de las autoridades.

Allí, en una pequeña aldea, Wojtyla vio por primera vez cómo funcionaba el aparato estalinista. La policía secreta deseaba disolver la Asociación de Jóvenes Católicos local y sustituirla por una seccional del Grupo de Juventudes Socialistas. Comenzaron por persuadir a los miembros del círculo del padre Wojtyla para que les dieran información sobre él y trataron de chantajear a otros para que hicieran lo mismo. Stanislaw Wyporek, su mecanógrafo, fue uno de los muchachos que recibió la visita de un agente que pedía informes sobre las actividades de los jóvenes católicos: él se negó a colaborar. Una noche la policía recogió a Wyporek en un automóvil, lo llevaron a una población cercana, lo golpearon y lo acusaron de pertenecer a un grupo clandestino. El muchacho regresó a Niegowic a las nueve de la mañana siguiente, aterrorizado y en estado de *shock*.

Wojtyla, que se lo encontró en la carretera, trató de calmarlo y consolarlo. "No te preocupes, Stanislaw. Se van a aniquilar a sí mismos", decía de los comunistas. Luego les diría a otros muchachos del grupo: "El socialismo no está contra las enseñanzas de la Iglesia, pero sus métodos son contrarios a la Iglesia. El comunismo le impone al pueblo concepciones materialistas, tortura a la nación". Años más tarde, en cierta ocasión en que Stanislaw Wyporek visitó a Wojtyla en su apartamento de Cracovia, encontró en su biblioteca libros de Marx, Lenin y Stalin. "¿Se está usted convirtiendo a otra ideología?", preguntó humorísticamente. "Stanislaw –contestó Wojtyla–, si quieres comprender al enemigo debes saber qué ha escrito". Estos comentarios abiertamente políticos eran extremadamente raros en el joven padre Wojtyla.

Le aconsejó a su joven mecanógrafo que le dijera a la policía la verdad sobre las actividades de los jóvenes de la parroquia. No había nada que esconder. Así empezaba a definirse la pedagogía especial de Wojtyla: "Nunca nos aconsejó que nos resistiéramos –dice Wyporek–. Él decía que las cosas malas debían ser vencidas por la bondad. Nosotros debíamos dar buen ejemplo. Mostrar nuestra humildad".

En marzo de 1949 el arzobispo Sapieha volvió a llamar a Wojtyla a Cracovia: le asignaría la parroquia de la Universidad de San Florián. Casi medio siglo más adelante, Juan Pablo II comentaría que la experiencia más memorable que tuvo en los inicios de su trabajo pastoral fue el descubrimiento de la *importancia fundamental de la juventud*. "Es un tiempo que nos confiere a todos la Providencia y que se le da al joven como una responsabilidad", decía en su libro de entrevistas *Cruzando el umbral de la esperanza*. "Este es un tiempo en que busca, como el joven del Evangelio, respuesta a las preguntas fundamentales; no sólo busca el significado de la vida, sino también una manera concreta de vivir esta vida... Desea ser él mismo". Todos los pastores deben identificar esta característica en cada muchacho y en cada muchacha. "Deben amar este aspecto fundamental de la juventud".

Y Wojtyla lo hacía.

Karol Tarnowski, estudiante universitario por aquella época, recuerda la manera particular en que Wojtyla escuchaba las confesiones. En algunas se demoraba hasta una hora. "Sabía escuchar; siempre estaba dispuesto a hacerlo y a responder todas nuestras preguntas. No se preocupaba por el tiempo". Aunque había otros muchachos esperando llegar al confesionario, este joven de diecisiete años se sentía seguro y sin afanes en compañía del sacerdote de perfil pensativo, que alcanzaba a percibir detrás de la rejilla del confesionario. El timbre de la voz de Wojtyla era normal; no susurraba sino que hablaba como si estuviese meditando en voz alta.

Wojtyla se explicaba así con Malinski, su compañero seminarista:

En la confesión no podemos jugar al pájaro carpintero: una persona martillando de un lado y la otra respondiendo al otro lado. Las cosas no se pueden resolver con unas cuantas palabras amables. Hay que establecer un diálogo y tratar el asunto verdaderamente con el corazón. La confesión es el punto culminante de nuestra actividad apostólica... El problema está en determinar si podemos preservar los valores apostólicos. Sin una vida interior muy profunda, los sacerdotes se convertirán imperceptiblemente en oficinistas y su apostolado se convertirá en una rutina de oficina parroquial, simplemente resolviendo problemas cotidianos.

El viejo arzobispo Sapieha había intuido que el trabajo en San Florián sería perfecto para Wojtyla. Allí podría expandir esa relación suya tan especial con la juventud y desarrollar sus nuevos métodos pastorales; al mismo tiempo, podía mantenerse en contacto con la vibrante vida cultural e intelectual de Cracovia. También podría seguir desarrollando su potencial literario y filosófico.

Cuando Wojtyla empezó a organizar paseos a las montañas y a los lagos con los jóvenes universitarios de San Florián, hombres y mujeres, su propósito era crear un nuevo tipo de educación. Las caminatas y los paseos no se hacían con el único fin de pasar un rato sano y agradable. La naturaleza era un medio para acercarse a Dios, para inducir el alma a la meditación, para hallar y poner en contacto al ser humano esencial y al Dios esencial.

Los "chicos y chicas" (pues así los llamaba) sentían una cálida simpatía por él y su poco común forma de ser. Más adelante le darían al grupo un nombre distintivo: el *Srodowisko* (el Medio) de Wojtyla, pero él prefería otro término: *paczka* (el rebaño).

El grupo comenzaba el día construyendo un altar con un *kayak* volteado o con un montón de piedras, sobre las cuales se celebraba el sacrificio. Luego, después de misa, una larga fila de muchachos iniciaba la marcha por las montañas; otras veces cruzaban el lago en sus *kayaks*. Wojtyla iba a la cabeza, por lo general vestido de manera informal con una camiseta y unos pantalones cortos, con lo que evitaba que la policía lo identificara como sacerdote. A los sacerdotes les estaba prohibido dirigir grupos de jóvenes fuera de la iglesia. Los muchachos, hombres y mujeres, lo llamaban *wujek* (tío), en parte por el gran afecto que le tenían y en parte para evitar sospechas con los extraños. En varias ocasiones la milicia llegaba a registrar el campamento poco después de la partida del grupo pero, en la distancia, no veían que hubiera un sacerdote entre los caminantes. Wojtyla solía pasar todo el día con algún muchacho o muchacha, y dedicaba largas horas a conversar con cada uno. Todas las noches comía con los muchachos de una tienda diferente. Los jóvenes le abrían su corazón y algunas veces hablaban con toda franqueza sobre sus problemas amorosos. Muchos de ellos tenían una relación de noviazgo, pero los muchachos y las muchachas que no estaban casados dormían en tiendas separadas. Para Karol Wojtyla el sexo, el amor y el matrimonio se convirtieron en los elementos básicos de la orientación pastoral para los jóvenes. Muchos años antes de la revaluación católica de las relaciones maritales que se llevó a cabo con el Concilio Vaticano II, Wojtyla ya se había formado una opinión basada en la convicción de que el matrimonio era una genuina *vocación*, similar a la vocación del sacerdocio. Su actitud de no limitarse a señalar sólo las normas establecidas por el dogma de la Iglesia y hablar de los problemas prácticos y sexuales de las relaciones le resultaba atractiva a los jóvenes. Esto era bastante poco convencional. El joven capellán no parecía sentir ninguna vergüenza de hablar sobre las relaciones sexuales. Él creía que el sexo adoptaba una realzada intensidad y una importancia *amorosa* específica –por encima de la procreación– en el contexto de una pareja monogámica, unida para toda la vida por el lazo del matrimonio. La revisión doctrinal adoptada por el Concilio versaba casi exactamente sobre este aspecto.

Los consejos que daba a hombres y mujeres eran diferentes. "La moralidad respecto a las relaciones con las mujeres –según recuerda Karol Tarnowski, quien, como otros miembros del Medio, pedía ayuda y consejo a Wojtyla– era para él un asunto básico. Quería ayudarnos a comprender que dar a luz a un hijo era participar en el acto de la Creación".

En palabras de uno de los integrantes del grupo, Wojtyla era "menos intelectual en su forma de tratar a las mujeres". Les enseñaba a las mujeres que, además de la maternidad, poseían un don especial: la capacidad de formar hombres. "¿Te gustaría educarlo?", le preguntaba Wojtyla a Maria Bozek, una estudiante que le comentó que no deseaba la compañía de cierto joven. Wojtyla, que sentía que este muchacho era la pareja perfecta para la joven, insistió. "¿Quisieras hacer de él un hombre?", preguntó nuevamente.

"Sí", contestó Maria, poco segura de su respuesta. Sin embargo, terminó casándose con Karol Tarnowski, un muchacho que Wojtyla consideraba una opción equivocada para Maria.

Wojtyla "es paternal y muy amoroso", comentaría años más tarde. "Es enormemente paciente". Incluso después de convertirse en obispo auxiliar, Maria lo seguía buscando para pedirle consejo. Él la recibía en su residencia y allí hablaban sobre sus problemas familiares; otras veces, cuando estaba abrumada de tristeza, se sentaba en silencio junto a él.

El tiempo y la paciencia eran para Wojtyla los elementos cruciales de las relaciones entre hombres y mujeres. Mientras remaba el *kayak* con su "marinero" o "marinera" (como solía llamar a la persona que había escogido ese día para remar), explicaba que el hombre y la mujer "deben aprender a estar juntos mucho antes de llegar a una relación más íntima. Deben aprender a tratarse, a ser pacientes, a soportarse, a comprenderse mutuamente". Dado que el sexo sólo podía tener significado dentro de los límites de un matrimonio indisoluble, era esencial aprender a manejar las característica negativas del otro para hacer que el matrimonio fuera duradero.

"Debajo de la superficie del amor –continuaba Wojtyla– se agita una corriente rápida, trémula, cambiante. En ocasiones esta corriente es tan poderosa que termina arrastrando a hombres y a mujeres. El amor no es una aventura, no puede ser un momento. Tiene sabor de totalidad".

Wojtyla les decía a los estudiantes que la eternidad del ser humano pasa a través del amor.

El asunto no era reprimir el deseo y los sentimientos sexuales sino orientarlos hacia una unión en la que se garantizara la dignidad de ambas personas. "Las relaciones sexuales por fuera del matrimonio –escribiría más tarde– producen siempre un daño objetivo a las mujeres, aún si ellas las aprueban o las desean". En opinión de Wojtyla, esto valía también para los hombres, pero veía con más frecuencia a las mujeres como víctimas del irrespeto de ellos. Les enseñaba a los hombres el gran valor de la ternura, sin la cual, al decir de Wojtyla, "el hombre sencillamente tenderá a someter a la mujer a las exigencias de su cuerpo y de su mente".

Para reforzar la idea de la disciplina personal, Wojtyla aconsejaba a algunas parejas de prometidos que no se vieran con frecuencia el uno al otro, espaciar sus encuentros con intervalos de dos o tres días. Pero su consejo tenía poco éxito, casi siempre porque las mujeres (no los hombres) rechazaban la idea.

De esta manera, las caminatas y los paseos en canoa se convertían en cursos matrimoniales y en sesiones de consejería. Las conversaciones y las reflexiones de estas horas al aire libre volverían a aparecer en *El taller del orfebre* –una pieza teatral de Wojtyla que trata sobre los problemas de las parejas de casados– y en su admirable ensayo *Amor y responsabilidad*, publicados ambos en 1960, cuando Wojtyla era ya obispo auxiliar.

Amor y responsabilidad causaría sensación en los círculos de la Iglesia, pues nadie había visto hasta entonces que un obispo tratara en un libro asuntos como la excitación sexual, que hablara sobre esposas que fingen orgasmos o sobre la fundamental importancia de que un hombre se preocupe por el clímax de su pareja. Incluso su defensa "de la igualdad del hombre y la mujer en el matrimonio" parecía un poco turbadora para ese tiempo. En sus años de profesor universitario, muchos estudiantes se sentían cautivados por este sacerdote tan poco común que, según su antigua alumna Zofia Zdybicka, muchos se preguntaban si el padre Karol no habría tenido alguna vez una novia o incluso una esposa. La verdad es que gran parte de esa información la obtenía en el confesionario.

Aunque en las notas de pie de página de *Amor y responsabilidad* se citan pocas fuentes aparte de sus propios escritos filosóficos, se puede colegir por el texto que Wojtyla había hecho investigaciones sobre sexualidad humana, especialmente en materia de fisiología y anatomía. Se mencionan con frecuencia las opiniones de los "sexólogos", lo mismo que las "enseñanzas sobre sexología". Respecto a su atrevimiento de crear una teoría de las relaciones sexuales sin tener ninguna experiencia directa, se puede decir que siempre le habían preocupado las cuestiones sobre el amor, entre las cuales el sexo ocupaba un lugar importante: el milagro del amor entre un hombre y una mujer, el amor al prójimo, el amor de los padres por sus hijos, el amor como la base de los valores sociales, el amor como el legado de Cristo a sus discípulos. Su audacia –siempre sería un hombre muy decidido– se apoyaba principalmente en su deseo de hablar sin tapujos y de corazón sobre un tema que ocupaba su mente, en una época en la que no solía escucharse este lenguaje en boca de un sacerdote.

Un fragmento representativo de los escritos del futuro Papa dice así:

> Es necesario tener presente que a la mujer le resulta difícil por naturaleza adaptarse al hombre en una relación sexual, que existe una disparidad entre ambos ritmos físicos y psicológicos, y que por ello existe la necesidad de crear armonía, cosa imposible sin el concurso de la voluntad, especialmente por parte del hombre, que debe observar cuidadosamente las reacciones de la mujer.
>
> Si una mujer no obtiene una gratificación natural en el acto sexual, existe el peligro de que su experiencia de este sea cualitativamente inferior y que no se sienta participando totalmente como persona. Este tipo de experiencia hace que se vuelvan demasiado comunes las reacciones nerviosas y puede producir frigidez secundaria. La frigidez puede ser, en ocasiones, el resultado de una inhibición por parte de la propia mujer o una falta de interés que puede a veces ser culpa suya. Pero casi siempre es producto del egoísmo del hombre, que no reconoce los deseos subjetivos de la mujer durante el acto ni las leyes del proceso sexual femenino, y que busca simplemente su propia satisfacción, algunas veces de manera bastante brutal.

Estos eran los temas que trataban los chicos y las chicas del rebaño de Wojtyla durante sus cursos en *kayak*. Incluso después de ser nombra-

do Papa, Wojtyla mantuvo contacto con este grupo de cincuenta o sesenta hombres y mujeres. Más adelante, uno de estos discípulos –Tarnowski, quien terminaría por casarse con Maria Bozek– discutía con su
mentor, ahora Papa en el Vaticano, sobre la prohibición de la Iglesia respecto al uso de anticonceptivos para matrimonios católicos, y argüía
que aquello no era defendible para parejas que ya habían hecho honesta-
mente su labor de traer hijos al mundo. El viejo Papa, que había pasado
muchos años de su juventud construyendo lo que para él era una teoría
humana del matrimonio católico, le sugirió a Tarnowski que buscara
otro confesor. Luego le dijo: "No puedo cambiar lo que he venido ense-
ñando toda mi vida".

Lublín

En octubre de 1954, el gobierno de Polonia cerró la Facultad de Teología de la Universidad Jagellona, en donde Wojtyla daba clases de ética
cristiana. La Universidad Católica de Lublín (KUL), a donde llegó Wojtyla poco después a dar clases de ética y filosofía, tenía una importancia
capital: era la única universidad manejada por la Iglesia católica en el inmenso territorio bajo el poder de los herederos de Stalin y Mao Zedong.
El jefe de la Iglesia polaca, el primado Stefan Wyszynski, había hecho
sus estudios de derecho canónico en esa universidad. De 1946 a 1948,
mientras los comunistas solidificaban su poder, fue obispo de Lublín y se
dedicó a la reorganización de la universidad, que antiguamente había
sido un monasterio y que los nazis habían convertido en cuartel.

En la Universidad de Lublín Wojtyla tenía apariencia de poeta, llevaba una vistosa boina morada, anteojos con montura de carey y una sotana negra limpia pero desgastada por el tiempo que pasaba de rodillas.
Sin embargo, como ocurrió en los años en que él mismo era estudiante,
había poco espacio para la diversión. El ambiente político y religioso en
Polonia se había vuelto más sombrío. Hacía poco tiempo el gobierno
había arrestado al rector de la universidad y a nueve sacerdotes del cuerpo docente. El arzobispo Eugeniusz Baziak, quien había sucedido al arzobispo Sapieha tras la muerte de este, fue encarcelado, al igual que el
pastor de San Florián, amigo de Wojtyla. Un sacerdote encargado del

Rosario Vivo Femenino de Cracovia y de la Asociación de Jóvenes Católicos fue condenado a muerte junto con otros dos compañeros de trabajo laicos (luego les fueron conmutadas las penas por cadena perpetua). En septiembre de 1953, el propio cardenal Wyszynski fue arrestado: se había opuesto intensamente a la nueva constitución polaca que acentuaba la injerencia del comunismo en el Estado y eliminaba muchos de los derechos que desde hacía largo tiempo se le habían otorgado a la Iglesia. El *Tygodnik Powszechny*, el periódico semanal católico de Cracovia que publicaba los poemas de Wojtyla desde 1949, fue cerrado por negarse a publicar una nota necrológica de Stalin, muerto el 5 de marzo de 1953.

Wojtyla empezó a formar parte de un pequeño círculo de profesores que se reunía secretamente con el decano de la Facultad de Filosofía, el padre Jerzy Kalinowski, para hablar sobre su situación y su relación con la de la universidad, la de la nación y la de la Iglesia. Se convirtieron en conspiradores intelectuales que buscaban maneras sutiles de debilitar espiritual y filosóficamente al comunismo.

"La jerarquía católica consideraba que la labor de una universidad católica consistía en defender el catolicismo en un hostil mundo comunista", decía uno de los miembros del grupo, el historiador Stefan Swiezawski. "Nosotros, por el contrario, pensábamos que nuestro papel fundamental era hacer un buen trabajo académico... Lo segundo era reforzar el papel de la filosofía en el sistema comunista, para acentuar la dialéctica entre la filosofía cristiana y el sistema comunista".

Karol Tarnowski recuerda a Wojtyla diciendo que la ética marxista pasaba por encima de la realidad del hombre. Los marxistas, según decía el joven sacerdote filósofo, consideraban "al hombre como algo que será, tendrá que ser creado en el comunismo... pero no hay lugar para el hombre individual, ni para la esencia del hombre. Porque la esencia del hombre se concreta en cada ser humano".

Para Wojtyla, la percepción de la vida y la sociedad del cristianismo era más realista, mientras que la visión marxista terminaba siendo "puramente idealista, pues no se pueden hallar hombres concretos en el marxismo, sino una idea de hombre". Muchos años más tarde, al regresar a Polonia en calidad de Papa, Wojtyla retomaría este tema. Respecto a la confrontación con el comunismo, Wojtyla afirmaría que "no se trata de luchar contra el comunismo, sino de continuar en la tarea positiva de ahondar en la vida cristiana".

"La actitud de Wojtyla –dice Swiezawski– consistía en usar cada momento para reforzar la orientación de las personas, para ampliar sus conocimientos, para concentrarse en el trabajo real, sin perder tiempo en asuntos y conflictos políticos".

Wojtyla se mantuvo en esta línea incluso durante los acontecimientos históricos de 1956, cuando el mundo comunista fue sacudido por una revuelta obrera en la ciudad industrial de Poznan, con la cual se prepararía el terreno para una rebelión anticomunista en la vecina Hungría. En junio de ese año, miles de manifestantes polacos que pedían aumentos salariales se encontraron con un muro de policías antimotines en su marcha por la Plaza de la Libertad de Poznan. Los uniformados atacaron: murieron cincuenta y tres personas y más de dos mil quedaron heridas. Tras la ira producida por la masacre de Poznan, subió al poder una facción reformista del Partido Comunista, liderada por Wladyslaw Gomulka (un antiestalinista que había permanecido por ocho años bajo arresto domiciliario). Muchos de los presos políticos de Polonia, incluido el cardenal Wyszynski, fueron liberados. Gomulka anunció triunfalmente que los comunistas polacos "empezaban a liderar el proceso de democratización". Sin embargo, el secretario del partido soviético, Nikita Jrushov, declaró en Moscú que las acciones del nuevo gobierno polaco eran una "amenaza para todo el territorio comunista"; las tropas del pacto de Varsovia, comandadas por Rusia, se dirigieron a la capital. Gomulka le advirtió a Jruschov que los polacos lucharían. Las fuerzas del gobierno bloquearon una columna blindada a cien kilómetros de la capital. El 20 de octubre, a las 2 a.m., Jruschov cedió. (No existen datos que indiquen la mención por parte de Wojtyla de estos acontecimientos, ni en público ni en privado.)

En Hungría, sin embargo, Jruschov no daría marcha atrás. Las tropas y los tanques soviéticos aplastaron la revolución húngara. Muchas vidas fueron segadas. El cardenal Mindszenty, a quien sus conciudadanos de Budapest habían liberado de la prisión, huyó a la embajada de Estados Unidos cuando las tropas rusas volvieron a entrar en la ciudad. Allí permanecería por quince años, "libre" pero preso al mismo tiempo. Wojtyla comentaba con frecuencia que Mindszenty no debió haber buscado asilo en la embajada sino permanecer con su grey. Sus modelos eran los cardenales Sapieha y Wyszynski, que habían permanecido en sus puestos en momentos de peligro, aun a riesgo de convertirse en mártires.

Veinticuatro inviernos más adelante, los hombres del Kremlin temían que Karol Wojtyla regresara del Vaticano a Polonia a quedarse con su grey y oponerse personalmente a una invasión soviética.

Una carta de Roma

El primado de Polonia, cardenal Stefan Wyszynski, miró de pasada al joven sacerdote de piel bronceada cuyo aspecto, aun bajo aquella sotana, era vigoroso y atlético. Conocía la edad del sacerdote, treinta y ocho años, pero aparte de eso era poco lo que sabía sobre él. Sabía, eso sí, que por culpa suya había tenido que interrumpir sus vacaciones en los lagos de Mazur, en donde se hallaba haciendo retiros con un grupo de jóvenes. Un telegrama enviado el 4 de julio de 1958 lo citaba urgentemente en la residencia del primado en la calle Miodowa, en Varsovia.

Wyszynski había sido el más alto de los funcionarios de la Iglesia católica polaca durante diez años, su encarnación personal. En sus hábiles y rebeldes relaciones con las autoridades comunistas, había defendido diplomáticamente la tradición de independencia de la Iglesia. En 1948, cuando contaba sólo con cuarenta y siete años de edad, se convirtió en el primado más joven de la historia de Polonia.

En 1950, Wyszynski había provocado la furia del Papa reinante, Pío XII, pues firmó un acuerdo con los rusos en donde reconocía la autoridad suprema de estos en la esfera temporal y admitía para la Iglesia limitados derechos en el ámbito espiritual. "El episcopado será guiado por la razón de Estado polaca", decía el texto del acuerdo y añadía que el Papa "es la más alta y competente autoridad eclesiástica en asuntos de fe, moralidad y jurisdicción de la Iglesia". El gobierno interpretó esto como una autorización para ejercer su poder de veto sobre el nombramiento de obispos.

Después de firmar el acuerdo con el gobierno, el primado explicó así los motivos que lo llevaron a tomar esa decisión: "El martirio es siempre una gracia y un honor, pero cuando veo las grandes necesidades que tiene actualmente nuestra católica Polonia, pienso que sólo acudiré al martirio como último recurso. Deseo ver a mis sacerdotes en el altar, en el púlpito y en el confesionario... no en la cárcel".

Con todo, él mismo había pasado más de tres años, desde 1953 hasta el invierno de 1956, en un monasterio bajo arresto domiciliario, por defender persistentemente los derechos de la Iglesia y por sus protestas contra las restricciones estalinistas sobre la actividad clerical.

–¿Es usted un prelado o un canónigo? –le preguntó a Wojtyla en su habitual tono imperioso de cortesía.

–Ninguno de los dos, Su Eminencia. Soy sacerdote y profesor asistente en la Universidad Católica de Lublín.

El cardenal levantó un hoja de papel de su escritorio con una mano huesuda y miró nuevamente al sacerdote que esperaba en silencio, sin dar la menor muestra de nerviosismo.

–Tengo una interesante carta enviada por el Santo Padre. Escuche, por favor: "A instancias del arzobispo Baziak, nombro al padre Karol Wojtyla obispo auxiliar de Cracovia. Le pido servirse expresar su aprobación de este nombramiento".

El primado hizo una pausa para estudiar la reacción de Wojtyla. Esa noche, Wyszynski haría una rápida descripción de la escena en su diario privado, como era su hábito desde hacía muchos años. Algunas veces un intimidado candidato a un cargo de esta naturaleza, en la misma situación de Wojtyla, empezaría a parlotear:

–Debo consultar esta decisión con mi director espiritual.

Luego el primado diría:

–Si usted es una persona madura debería saber lo que desea hacer.

Otros sacerdotes buscarían ganar un poco de tiempo diciendo:

–Debo preguntarle a Jesús en mis oraciones.

Ante eso, el primado señalaría la puerta y diría:

–Detrás de esa puerta hay una capilla. Por favor, haga sus oraciones. Pero no se demore más de quince minutos, que no tengo tiempo, ni Jesús tampoco.

–¿Acepta el nombramiento? –le preguntó Wyszynski a Wojtyla.

–¿En dónde tengo que firmar? –contestó el sacerdote sin asomo de duda.

Aquel 8 de julio se quedaría grabado en la memoria del primado: era la primera vez que no era tenido en cuenta para el nombramiento de un obispo polaco. Dado que las autoridades polacas habían hecho tan difícil el manejo de los asuntos eclesiásticos, Pío XII le había concedido a Wyszynski el privilegio extraordinario de seleccionar y mantener a la mano una lista de futuros obispos, previamente aprobada por el Papa. Cuando Wyszynski quería hacer un nombramiento enviaba un mensaje secreto a Roma y, cuando obtenía una respuesta en clave del Pontífice, procedía a realizar el nombramiento. El nombre de Karol Wojtyla no estaba en la lista de Wyszynski.

Siempre hubo en la vida de Wojtyla un ángel de la guarda que lo guiaba y lo hacía avanzar en el momento preciso: primero fue el arzobispo Sapieha; ahora, su sucesor Eugeniusz Baziak. Más tarde, ese papel sería desempeñado por el papa Pablo VI y –finalmente, durante el cónclave que lo elegiría Papa– el cardenal Franz König.

Media hora después de la "conversación" en el palacio del primado, llegó un sacerdote al convento de las hermanas ursulinas grises (el hábito que solían llevar era gris), a orillas del río Vistula. Le preguntó a la hermana que abrió la puerta en dónde quedaba la capilla y entró allí sin decir más. Caminó rápidamente hacia el altar y cayó de rodillas en el primer banco.

Pasó una hora y otra más. Una hermana, y luego varias, entraron y salieron en silencio. Hacia la hora de la cena empezó a circular el rumor de que el silencioso sacerdote era el profesor Wojtyla y las hermanas decidieron invitarlo a comer. Pero el sacerdote no se levantaría de su puesto. La madre superiora se dirigió a la capilla y encontró a Wojtyla sumido en la meditación, con la cabeza entre las manos. Esa noche no comió. Seguía en la capilla cuando las hermanas se fueron a dormir. Siguió orando otras ocho horas.

El 28 de septiembre de 1958 Karol Wojtyla fue consagrado obispo en la catedral de Wawel, en Cracovia. El 9 de octubre murió Pío XII a la edad de ochenta y dos años, el 28 de octubre los cardenales eligieron Papa a Angelo Giuseppe Roncalli, de setenta y siete años. Él tomaría el nombre de Juan XXIII. Casi tres meses después el nuevo Papa convocaría un concilio ecuménico. Una de las cartas de invitación, enviadas a los 2 594 obispos en todo el mundo, era para el joven Karol Wojtyla.

El Concilio

El segundo concilio –Vaticano II– fue una revolución.

La institución de la Iglesia católica tiende a poner el énfasis sobre los elementos de continuidad, como si tuviera grabado en su destino un patrón evolutivo desde los tiempos de Cristo. No es de sorprenderse, pues, que una atenta lectura de los documentos del Vaticano II muestre claramente los compromisos adquiridos entre los tradicionalistas y los adeptos de la innovación: la Iglesia católica romana siempre se las ha arreglado para absorber los impulsos renovadores atándolos a sus más antiguas tradiciones.

Sin embargo, a los ojos de millones de personas, tanto católicas como no católicas, el concilio era considerado –no sin razón– revolucionario: era un corte radical con el pasado. Con el Vaticano II se restringiría el absolutismo de la curia –la burocracia papal de las congregaciones, los tribunales y los puestos pontificales, en Roma y en todo el mundo, que durante siglos había dictado y hecho cumplir las leyes de la vida católica– y se reduciría la concentración del poder de la Iglesia centralizado en Roma. Con el concilio de Juan XXIII, la comunidad católica parecía abrirse al mundo.

Un número considerable de reformas pronto confirmó a los católicos que una ruptura con el modelo de Iglesia heredado del antiprotestante Concilio de Trento (1545-63) había tenido lugar. Con el Vaticano II se produjo una reforma litúrgica, se admitió el uso de las lenguas vernáculas en la celebración de la misa, se afirmó la libertad de conciencia, se produjeron acercamientos con las comunidades protestante y ortodoxa oriental y con otras religiones, se estableció un diálogo con los no creyentes, se desaprobó el antisemitismo y, sobre todo, se presentó a la Iglesia no ya como una institución estática sino como el pueblo de Dios abriéndose paso a través de la historia, un nuevo Israel en peregrinación.

Se necesitaron cuatro años de preparación para reunir en Roma a 2 381 personas, entre obispos, superiores de órdenes religiosas y cardenales –los "Padres del Concilio"–, en octubre de 1962. Es interesante leer el memorándum de siete páginas que Karol Wojtyla envió a Roma en respuesta al cuestionario que recibieron los obispos antes del concilio. De hecho, sus expectativas respecto al Vaticano II eran bastante modestas, y los temas que pedía tratar con sus homólogos jefes de la Iglesia tenían poco que ver con los intereses de los participantes con mayor visión de futuro. En su opinión, el propósito del concilio debería ser emitir una declaración sobre la importancia de la trascendencia de la persona humana* ante el creciente materialismo de la era moderna. Este concepto (elemento central de la filosofía de santo Tomás de Aquino) guiaría con gran vigor a la Iglesia sólo hasta el papado de Juan Pablo II.

En cuanto a la unidad esencial de todos los cristianos en la Iglesia, un ideal caro a Juan XXIII, Wojtyla se reafirmaba en la doctrina tradicional (enunciada por Pío XII) que definía a la Iglesia como el cuerpo místico de Cristo: sólo podía existir un cuerpo, una sola Iglesia de Cristo, y la unión con otras iglesias cristianas debía hacerse a través de la lealtad a Roma. El joven obispo, en respuesta a otras preguntas, sostenía que era necesario darles a los laicos una mayor participación en la iglesia. Uno de los temas que deseaba que se discutieran era la importancia del celibato para los sacerdotes, la utilidad pastoral de las actividades atléticas y teatrales, el diálogo ecuménico y la reforma del breviario y la liturgia.

La asistencia al concilio se convertía para Wojtyla en su primera salida del país tras catorce años de no salir nunca. Unos meses antes había muerto el arzobispo Baziak, su jefe. El 15 de junio de 1962, Wojtyla se convirtió, a la edad de cuarenta y dos años, en vicario capitular, o jefe temporal, de la diócesis de Cracovia. En la Conferencia Episcopal polaca también había sido nombrado capellán nacional de la "intelectualidad creativa", como reconocimiento a sus lazos con el mundo de la cultura.

Sin embargo, en el seno de la gran Iglesia era un desconocido, un obispo cualquiera. El 11 de octubre entraría como uno más a la basílica de San Pedro, a la sesión inaugural del concilio. A ambos lados de la inmensa nave central se habían dispuesto unas plataformas con diez filas escalonadas de sillas. Wojtyla veía a su alrededor una selva de mitras blancas, salpicada por unos cuantos tocados negros de los patriarcas de las Iglesias ortodoxas orientales. En una sección aparte se hallaban sentados 101 "observadores" de otras denominaciones cristianas, una total y

---

* En la teología católica, el término "persona humana" hace referencia a la totalidad del ser humano: cuerpo, razón y alma.

absoluta novedad, además de varios teólogos y otros "expertos" que harían el papel de consejeros en las deliberaciones del concilio.

Wojtyla, con su mitra nueva de obispo, no tuvo que caminar mucho pues, por cuestiones de protocolo, a los obispos novatos les asignaron los puestos a la entrada de la basílica. Desde su puesto Wojtyla podía observar a los Padres del Concilio preparándose para adentrarse en lo desconocido. En la víspera de la inauguración, el papa Juan XXIII había declarado: "En lo que al concilio se refiere, todos somos novatos. Sin duda, el Espíritu Santo estará presente cuando se reúnan los obispos, y ya veremos qué sucede entonces".

Al convocar el concilio, el viejo Papa había hablado del *aggiornamento*, la renovación, un esfuerzo por actualizar a la Iglesia. Wojtyla estaba emocionado por la magnificencia del momento. Ser un obispo católico en Roma en ese momento era como ser un estadounidense en el Segundo Congreso Continental de 1776 o un francés en la sesión inaugural de los Estados Generales en 1789. "Me dirijo hacia allá con la más profunda emoción, con una gran agitación en mi corazón", dijo Wojtyla antes de dejar a sus fieles en Cracovia.

En la basílica de San Pedro resonaron los acordes del "Veni Creator", y Wojtyla observó el avance solemne de Juan XXIII hacia su silla gestatoria, acompañado por unos asistentes que portaban los *flabella*, o abanicos ceremoniales. En contraste con aquellos que él llamaba los "profetas de la desgracia" de la jerarquía eclesiástica –en buena parte su propia curia–, el papa Juan XXIII tenía una inquebrantable confianza en un concilio de renovación. Había convocado la mayor cantidad de ancianos en la historia de la Iglesia católica. Había llamado a Roma a obispos de 141 países, más del triple del número de obispos presentes en el Primer Concilio Vaticano, noventa años atrás. En ese entonces no asistió ni un solo africano. Ahora había más de cien obispos negros. Los europeos escasamente constituían una tercera parte del grupo de Padres del Concilio, y los italianos veían que los obispos cuyos idiomas eran el francés, el alemán y el inglés empezaban a pisarles los talones. Por primera vez había un obispo japonés, lo mismo que un chino, un indio y un africano.

Profundamente emocionado, Wojtyla escribió un poema, más sentido que pulido (como solía ocurrir con su poesía):

Estaremos pobres y desnudos
transparentes como el vidrio
que no sólo refleja sino corta.
Ojalá se abra el mundo
y se componga bajo el azote
de las conciencias que han elegido el telón de fondo de este templo.

Para este prelado poeta, dada su manera de pensar y de vivir la vida de la Iglesia, el concilio significó también una revolución personal. Venía de una cultura de obispos en donde las leyes de discreción y solidaridad episcopal se hallaban en pleno vigor. La Conferencia Episcopal polaca se reunía cada dos meses a puerta cerrada. Allí jamás se escuchaban murmullos de opiniones disidentes o encontradas. Ante la implacable presión de un Estado ateo, los obispos conformaban un bloque de total unanimidad. El primado Wyszynski reinaba sobre los demás como un monarca.

Ningún obispo polaco común y corriente había visto que las cosas sucedieran de otro modo. Ahora, desde su lugar en la basílica de San Pedro, Wojtyla era testigo del surgimiento de feroces disputas entre bloques hostiles, de duelos verbales, aplausos triunfantes, murmuraciones de protesta, pullas sarcásticas, arranques de ira. Aquello era una versión eclesiástica de la democracia parlamentaria, con todo y demandantes, cabildeos y maniobras tras bambalinas por parte de los "partidos" conciliares, de los miembros de la curia y del Papa mismo.

La sensibilidad de Wojtyla se vio golpeada por una memorable discusión de los Padres del Concilio quienes decidieron de manera arrolladora, en los primeros días, dejar de lado los setenta y dos proyectos que constituían la agenda conservadurista que había preparado la curia. Esto significaba virtualmente echar por la borda cuatro años de trabajo previo, para poder comenzar la discusión sobre las reformas de mayor alcance. Wojtyla escuchaba aterrado los crudos ataques que realizaba el cardenal de Colonia, Joseph Frings, al Santo Oficio de la inquisición –la congregación de la curia encargada de luchar contra las herejías y, por ende, contra las doctrinas perniciosas del modernismo– y la respuesta airada del prefecto del Santo Oficio y gran inquisidor, el cardenal Alfredo Ottaviani. Wojtyla observaba cómo los tradicionalistas invocaban el artículo 222 de la ley canónica para argumentar que el Papa tenía la prerrogativa de establecer la agenda del concilio, en tanto que los reformistas –que finalmente serían apoyados por el Papa– reclamaban el derecho a rechazar la imposición de cualquier borrador de agenda, a nombre de la libertad del concilio.

Los proyectos preparatorios fueron finalmente rechazados, pues eran el reflejo de una vieja visión de la Iglesia, parecida a una monarquía, en la cual todo el poder se centraba en las manos del Papa y en donde la transmisión de la fe hacia el creyente seguía un camino dogmático y deductivo: la Iglesia tenía toda la verdad y para todas las decisiones prácticas de la vida se necesitaba simplemente la aplicación de ciertos principios infalibles previamente enunciados por la jerarquía. El papa Juan deseaba que comenzara pronto el concilio, para reconocer que la era de los "estados cristianos" o la era de la "cristiandad" –con una sociedad completamente formada bajo la inspiración cristiana– había llegado a su fin.

De nuevo en Polonia, Wojtyla fue testigo de los ataques a la jerarquía por parte de las autoridades ateas o, dicho en otros términos, los "enemigos". Pero en Roma las críticas más crudas provenían de la propia Iglesia. Wojtyla no se sentía cómodo con este tipo de debate. "Nunca fue hombre de criticar a la Iglesia", recuerda Karol Tarnowski. Cuando se acercaba la hora del concilio, algunos de los jóvenes polacos cercanos a Wojtyla se sumaron a los duros juicios contra la jerarquía. Para ellos resultaba liberador cuestionar el pasado de la Iglesia, pero estas críticas no hacían muy feliz a Wojtyla. El futuro Pontífice pasó tensos momentos con algunos de los editores de *Tygodnik Powszechny*, que tendían hacia una interpretación reformista del *aggiornamento* de Juan XXIII. "Recuerdo muy bien –anota Tarnowski– que a él no le gustaba mi actitud crítica –ni la de nadie– frente a la Iglesia".

Este era –y sigue siendo– un elemento esencial del carácter de Wojtyla. Siempre estaba dispuesto a escuchar, pero escuchar no equivale a una tolerancia real. A la larga, su método filosófico no da cabida a ningún conflicto genuino y abierto entre verdades opuestas. Para Wojtyla, el asunto es muy sencillo: hay que conducir a las personas, amorosamente y de la mano, como si fuesen niños, por el camino de la "verdad", que luego aprenderán a reconocer por sus propios ojos. Incluso en su "rebaño –como anota Tarnowski– se abstenía de agitar cualquier tipo de discusión intelectual en un sentido crítico". No es de sorprender que el clima parlamentario del concilio resultara contrario al temperamento de Wojtyla. Siendo ya Papa, Juan Pablo II evitaría que las reuniones trienales de los obispos en Roma (los sínodos) tomara el mismo camino de independencia que tomaron los Padres del Concilio.

Sin embargo, las sesiones conciliares serían una gran escuela para Wojtyla. Allí observaba, escuchaba, aprendía y, con frecuencia, estaba de acuerdo con los resultados, aun sin estar muy acostumbrado a esa manera de hacer las cosas.

El joven vicario capitular de Cracovia tampoco estaba acostumbrado a que la prensa y la opinión pública intervinieran en los asuntos de la Iglesia. En Roma, tarde o temprano, todo terminaba apareciendo en los periódicos: las reuniones a puerta cerrada, los comunicados secretos, los supuestos acuerdos confidenciales. Esto era inimaginable para un obispo de Polonia. Wojtyla desconfiaba de la manera como los medios influían sobre los debates internos de la Iglesia. (Cuando fue nombrado Papa, hizo que su Secretaría de Estado emitiera una orden prohibiendo a los altos funcionarios de la curia conceder entrevistas sin un permiso especial.)

A Wojtyla tampoco le gustaba el papel preponderante que empezaban a asumir los teólogos en el debate conciliar. En cierto sentido, la revolución del Vaticano II era obra suya, el producto del trabajo de los hombres de la "escuela francesa" como Yves Congar, Henri De Lubac, Jean Daniélou; y también de la "escuela alemana" como Karl Rahner, Hans Küng, Bernhard Häring, Hans Urs von Balthasar. Los teólogos, no los obispos, habían preparado el terreno para la renovación de la liturgia, para el ecumenismo, para los estudios bíblicos desprejuiciados y para una nueva eclesiología. La católica Polonia, encerrada detrás de la cortina de hierro, había contribuido muy poco, o nada, a estos desarrollos.

Durante el reinado de Wojtyla como Papa, algunos de estos formidables teólogos conciliares fueron marginados o se les prohibió enseñar, en tanto que otros más cercanos a las opiniones del Papa serían nombrados cardenales. De cualquier manera, la autoridad de los obispos sería celosamente protegida, pues Juan Pablo II seguía desconfiando de la excesiva interferencia de los teólogos en los asuntos de la Iglesia. Para él, estos hombres debían ser colaboradores subordinados, cuando no simples instrumentos de los obispos y los papas.

Cuando Karol Wojtyla se convirtió en Juan Pablo II, algunos escritores no pudieron evitar la tentación de exagerar su injerencia en el concilio. Sin embargo, no existen pruebas de que haya desempeñado un papel fundamental en el Vaticano II, aunque en el transcurso de las sesiones se destacó por su participación extremadamente activa y sus razonados discursos despertaron la admiración y el respeto de sus compañeros. Únicamente formó parte de las negociaciones directas de *Gaudium et Spes* (Alegría y esperanza), la constitución pastoral de la Iglesia en el mundo moderno, sólo que en el bando de los perdedores.

Antes de la llegada a Roma del cardenal Wyszynski y once obispos polacos, se había publicado un artículo en el influyente periódico francés *Informations Catholiques Internationales* en donde se describía a la Iglesia polaca como una institución bastante rezagada en la historia. Los obispos polacos no habían llegado a Roma con grandes proyectos reformistas. La opinión expresada por el artículo francés tuvo tanta difusión que Wyszynski se vio en la obligación de condenar la falta de comprensión que se cernía sobre su delegación: "Nuestros obispos han sido tachados de reaccionarios, como si desearan aferrarse a ciertos derechos de la época feudal. Sin embargo, no es cuestión de feudalismo ni de privilegios sino del derecho que tiene la Iglesia a vivir".

La fuerza del proceso reformista provenía de Occidente: de Francia y Alemania occidental, con la contribución de Bélgica, Holanda, Suiza, Italia y Estados Unidos. En vísperas del concilio, cuando Juan XXIII sintió que necesitaba ayuda para crear un plan global de renovación, acudió al cardenal belga Leo Suenens. Los primeros discursos que marcarían la pauta sobre cómo ampliar la misión de la Iglesia en el mundo contemporáneo fueron pronunciados por el propio Suenens y por el cardenal de Milán, Giovanni Battista Montini, futuro papa Pablo VI.

Aunque Polonia no era considerada como una de las fuerzas rectoras en el concilio, Wyszynski gozaba de un enorme prestigio personal por su lucha contra el comunismo. Adicionalmente, en ciertos asuntos claves dentro del debate conciliar –como la libertad religiosa y el apoyo a las conferencias episcopales– el primado apoyaba con entusiasmo las reformas. De manera similar, sus ideas en el campo social eran, en general, consideradas como bastante avanzadas, críticas tanto del materialismo marxista *como* capitalista –demostrando (una vez más) que, en la Iglesia, una diferenciación plana entre "liberales" y "conservadores", o entre mayorías y minorías ideológicas, por lo general distorsiona la verdad. Las fronteras son cambiantes, según el asunto de que se trate.

Una serie de votaciones demostró estruendosamente que un gran número de obispos estaba a favor de una renovación total, a favor de la terminación del poder sofocante de la curia. Wojtyla estaba con los obispos que querían reformar la Iglesia. Años más tarde describiría así su percepción del evento: "El Concilio Vaticano II era nada menos que una *Magna Carta*, unos grandes estatutos diseñados para volver accesible la Iglesia y predicar el Evangelio en el mundo de hoy".

El concilio sesionó entre los meses de octubre y diciembre de cada año, desde 1962 hasta 1965. Cuando murió el papa Juan XXIII, el 3 de junio de 1963, su sucesor Pablo VI siguió adelante con su legado conciliar, tras sacar de la agenda los temas sobre control de la natalidad y el matrimonio clerical. El concilio produciría, finalmente, cuatro constituciones, nueve decretos y tres declaraciones.

Uno de los documentos innovadores del Vaticano II fue *Lumen Gentium* (Luz de las naciones), la constitución dogmática de la Iglesia; este documento definía la naturaleza, la estructura y la misión de la Iglesia. En *Lumen Gentium* el principal propósito de los reformadores era destacar el papel de la Iglesia concebida como una comunidad y no como una sociedad jurídica y monárquica.

En esta ocasión Wojtyla argumentó que la comunidad era ciertamente la base de cualquier estructura de la Iglesia, pues "todos los cristianos participan de una manera especial, única e irremplazable en la misión que la Iglesia recibió de Cristo". Según Wojtyla, esa dimensión horizontal básica de la Iglesia se entrecruza con su dimensión vertical (los sacerdotes y los obispos), pero en modo alguno la anula, pues se halla profundamente arraigada en el sacrificio y el misterio de Cristo.

Lumen Gentium provocó un intenso debate sobre la revaluación del papel de los obispos, cuya injerencia en las políticas de la Iglesia había disminuido casi hasta desaparecer con el Vaticano I: el Primer Concilio Vaticano, de 1869-70, había creado el dogma de la infalibilidad del Pontífice y reducía a los obispos a funcionarios papales, similares a los prefectos napoleónicos. El Vaticano II los entronizaba como sucesores de los apóstoles, como verdaderos "vicarios de Cristo".

Inspirados en el ejemplo de los apóstoles reunidos alrededor de Pedro, los reformadores buscaron crear un poder colegiado en la Iglesia y propusieron la conformación de una asamblea internacional de obispos para ayudar al Papa a gobernar a la Iglesia universal. No se sabe que Wojtyla haya tomado partido en las crudas disputas generadas por este tema. En los informes sobre el concilio que Wojtyla les enviaba a los obispos y a los fieles en Cracovia, o que les pasaba a los jóvenes sacerdotes del Instituto Polaco en Roma, en donde se hospedaba, siempre disimuló las notas de dramatismo o los enfrentamientos graves que se producían durante las reuniones.

Finalmente, Pablo VI resolvería por decreto el problema del poder compartido. Primero les propuso a los presidentes de la asamblea que el asunto fuera estudiado por un comité especial. Luego, sin siquiera esperar a la formación de dicho comité, estableció una entidad: el sínodo de obispos. Se trataba de un cuerpo consultivo que no compartiría el poder con el Papa y que se reuniría en Roma sólo cada tres años. Al mismo tiempo, sometió a la curia a una reforma parcial: asignó a sus variadas provincias obispos residentes (aquellos que tuvieran bajo su mando una diócesis). Ellos participarían en los asuntos de la curia y seguirían supervisando sus diócesis en sus países de origen. Esto era mucho menos de lo que buscaban los reformadores. Ellos querían que un cuerpo de obispos *controlara* a la curia y gobernara con el Papa.

Para Wojtyla este episodio era una lección sobre el arte de gobernar. A pesar de tener temperamentos diferentes, el papa Pablo VI se convirtió en otro de los padres espirituales de Wojtyla. Era el ejemplo vivo de cómo un Pontífice debía abrirse paso en medio de los grupos de presión de la Iglesia y afirmar su propia supremacía en el momento oportuno.

Pablo VI alternó hábilmente medidas que apaciguaban a las minorías tradicionalistas y estimaban a las mayorías reformistas. Sin embargo, en cuestiones de poder o de doctrina que consideraba esenciales, el Papa tomaba sus propias decisiones. En una ocasión, para aplacar a los obispos polacos, impuso una definición de María como Madre de la Iglesia, aunque la comisión doctrinal del concilio había rechazado abiertamente esta propuesta por temor de que una "sobrevaloración" del papel de María ahondara la brecha entre protestantes y católicos. Después del debate sobre *Lumen Gentium*, Pablo VI le añadió al texto una "nota introductoria explicativa" que ponía de relieve el poder supremo, no mediatizado del Papa y la naturaleza no funcional de la asamblea de obispos si alguna vez intentaba actuar sin el Papa.

En su puesto de la basílica, Wojtyla tomaba nota sobre los debates. Marcaba la esquina superior derecha de cada página con las letras AMDG: *Ad majorem Dei gloriam* (A la gloria de Dios). La sensación de hallarse en medio de un rebaño universal reunido en torno a su pastor en esta ocasión excepcional lo absorbía por completo. Algunas veces escribiría esbozos de poemas en sus hojas blancas. Desde las primeras sesiones, Wojtyla se hizo amigo de los obispos africanos, hombres de una cultura muy lejana de la suya pero por los cuales sentía una simpatía irresistible. Le parecía que los obispos africanos estaban animados por una fe fresca, viva, física e inspiraron uno de sus poemas durante el concilio. Siendo ya Papa, Juan Pablo II prestaría una especial atención hacia África, al que considera el continente de la esperanza para el catolicismo.

En Roma, un viejo amigo, monseñor Andrezj Maria Deskur*, con quien Wojtyla había asistido al seminario del arzobispo Adam Sapieha, le presentó a los personajes centrales del ámbito de la curia. En la gran mesa redonda del comedor de la casa de Deskur, desde donde podía verse el ábside de la basílica de San Pedro, Wojtyla hizo sus primeros contactos importantes fuera de Polonia. Deskur estaba bien conectado tanto con los monseñores como con los cardenales de la curia y con obispos de otros países.

"Todos los lunes yo le preguntaba cuáles eran las personas que quería conocer y Karol me daba una lista", recuerda Deskur. Entre las personas presentes en la mesa se hallaban el estadounidense polaco John Krol y el rector del Colegio Polaco, el obispo Wladyslaw Rubin, uno de los secre-

---

* El título de "monseñor" está reservado a obispos y funcionarios (especialmente en el Vaticano) de especial importancia, como el jefe de un oficio.

tarios de la comisión preparatoria del concilio. Ambos se convertirían en cardenales y desempeñarían un papel importante en el futuro de Wojtyla.

En el concilio, los polacos conformaban la delegación más importante del mundo comunista, y tenían cierta autoridad en las cuestiones que afectaban a la Iglesia en los países de la cortina de hierro. Los obispos polacos se reunían una vez a la semana, con Wyszynski a la cabeza, para coordinar con precisión cualquier iniciativa importante para ellos. Como siempre, la delegación abordaba los asuntos conciliares desde el punto de vista de los creyentes cuyas tradiciones religiosas estaban amenazadas por un régimen comunista. Por esta razón, los obispos polacos siempre se sentían incómodos ante las críticas formuladas contra la tradición de la Iglesia, principalmente por temor de que los comunistas se aprovecharan de ello. Wyszynski expresaba una preocupación constante por el hecho de que las cosas que ocurrían en el concilio debían servir para la preparación y la celebración del milésimo aniversario de la cristiandad en Polonia, previsto para 1966. Wyszynski sentía que una nueva consagración de la nación polaca a sus raíces católicas era la mejor forma de afianzar el poder de la Iglesia en su lucha constante contra las autoridades.

En poco tiempo, Wojtyla se convirtió en el vocero de la delegación polaca, y con frecuencia negociaba a título personal con los obispos franceses y alemanes. Después de Wyszynski, él era el obispo polaco que más llamaba la atención. En los registros del concilio aparecen siete discursos de Wojtyla, pronunciados ante toda la asamblea. También pasó trece declaraciones escritas. El obispo Wojtyla empezaba a ser reconocido por sus propios méritos.

La única persona que inicialmente se negó a admitir la importancia de Wojtyla fue el primado de Polonia. Tras la muerte del obispo Baziak, en 1962, el cardenal Wyszynski se vio en el problema de elegir a su sucesor permanente como arzobispo metropolitano de Cracovia. Según el procedimiento establecido, él debía presentar al gobierno polaco una lista de tres candidatos (previamente aprobada por el Papa) y esperar la luz verde de las autoridades de Varsovia. El nombre de Karol Wojtyla no aparecía en la lista de Wyszynski. Los tres primeros candidatos fueron rechazados categóricamente por el gobierno. Wyszynski no puso el nombre de Wojtyla en la segunda lista que envió. De nuevo, el régimen rechazó sumariamente a los tres candidatos.

Entre estos dos sacerdotes de temperamento fuerte hubo siempre una especie de barrera, un continuo malestar. Durante los primeros años Wyszynski sentía por Wojtyla algo cercano a la deconfianza. Tanto en el plano emocional como temperamental eran totalmente diferentes. Wyszynski era sociólogo, Wojtyla filósofo. Wyszynski era de origen campesino y Wojtyla provenía de la clase media baja. Wyszynski había participado activamente en la resistencia como capellán de los partisanos; Wojtyla se había mantenido, cuando mucho, al margen de este movimiento. El primado se sentía más a gusto con las masas; el obispo de Cracovia se hallaba más en la onda de los intelectuales.

Estos dos hombres vivían en mundos diferentes. Incluso su manera de entender la realidad del comunismo en Polonia era diferente. El primado era un auténtico político; el obispo parecía un hombre de principios abstractos, muy alejado de la política.

El hecho real es que Wyszynski tomó en consideración el nombre de seis candidatos que, según él, estaban mejor preparados para ocupar el puesto de arzobispo de Cracovia, aun cuando Wojtyla ya hacía allí las veces de arzobispo. Finalmente, esta reticencia por parte de Wyszynski de nombrar a Wojtyla terminaría favoreciendo al segundo. Los comunistas buscaban un candidato que pudieran usar para socavar la supremacía de Wyszynski. Consideraban que Wojtyla, quien siempre había parecido enemigo de la política y más interesado por problemas intelectuales, era el hombre indicado.

El padre Andrzej Bardecki, editor de religión del *Tygodnik Powszechny*, recuerda que Zenon Kliszko, el segundo a bordo del régimen comunista polaco, hizo público su deseo de que Wyszynski nombrara arzobispo a Wojtyla. "Wyszynski ya había designado a seis candidatos para suceder a Baziak en Cracovia y ninguno de ellos me gustaba", decía Kliszko, jactancioso. El líder comunista pensaba que Wojtyla sería más abierto, que estaría más dispuesto a dialogar que los prelados de las listas de Wyszynski. Los camaradas estaban fascinados con las cualidades intelectuales de Wojtyla. Bardecki apuntaría más adelante: "Ambos, el primado y Kliszko, se equivocaban. Lo que Kliszko veía como un punto a favor de Wojtyla era una desventaja según la opinión de Wyszynski. Los comunistas creían que podrían manejar fácilmente a Wojtyla, y Wyszynski pensaba lo mismo".

Finalmente, el primado cedió ante la presión de una delegación de clérigos ancianos en la arquidiócesis, conocida como el capítulo de la catedral de Cracovia. Bardecki tiene un claro recuerdo de la satisfacción que produjo en el Partido Comunista el nombramiento de Wojtyla como arzobispo*.

Wojtyla se convirtió en arzobispo de Cracovia el 30 de diciembre de 1963. El 8 de marzo de 1964 hizo su entrada triunfal en la catedral de Wawel. Escogió para la ocasión unas vestiduras cuyo simbolismo produjo gran admiración y sorpresa entre la multitud reunida en la catedral. Llevaba una casulla que la reina medieval Ana Jagellón había donado a los arzobispos de Cracovia, y encima un palio donado por la reina Jadwiga, en el siglo XVI. La mitra databa del siglo XVII y había pertenecido al obispo Andrzej Lipski y el báculo era de tiempos del rey Jan Sobieski, quien venció a los turcos en la batalla de Viena, en 1683. El anillo pertenecía al cuarto sucesor de san Estanislao, el obispo Mauritius, muerto en el año 1118.

Las espléndidas vestiduras de Wojtyla representaban casi mil años de historia polaca. Esto no era simple respeto por las tradiciones: era una manera de recordarles a los fieles y a los "infieles" que el poder de la Iglesia polaca era la nación misma, y que sin la Iglesia no existía la historia de Polonia.

Ahora, en la catedral gótica donde había escuchado los primeros bombardeos nazis sobre Cracovia, se convertía en sucesor de san Estanislao, el obispo medieval asesinado por órdenes del rey, igual que Thomas Becket en Inglaterra. Celebrar el sacrificio de la misa en la tumba del obispo mártir ese día ataba a Wojtyla a una tradición que le pedía derramar su sangre, como Estanislao, por la causa de la fe.

---

*Por ese tiempo se hallaba preso en Gdansk el disidente religioso Piotr Rostworowski, abad benedictino. Cierta noche, el director de la cárcel entró en la celda del abad, después de pasar lista, y anunció: "Tenemos muy buenas noticias. Wojtyla acaba de ser nombrado metropolitano de Cracovia". Tres meses más tarde el director regresó a la celda quejándose: "Ese Wojtyla nos engañó".

El arzobispo

Con su nombramiento como arzobispo de Cracovia, aumentó el prestigio de Wojtyla. Cuando se empezaron a tratar en el Vaticano II los temas de la libertad de conciencia y la libertad religiosa, sus discursos adquirieron mayor peso. Los tradicionalistas se oponían fuertemente al texto de *Dignitatis Humanae* (De la dignidad de la persona humana), la declaración sobre la libertad religiosa. Ellos permanecían fieles al *Sumario de errores* (1864) de Pío IX, en donde se condenaban muchas de las tendencias de las recientes investigaciones teológicas tildándolas de "modernismo pernicioso". Consideraban totalmente inaceptable el concepto de libertad religiosa. El cardenal Ottaviani, prefecto del Santo Oficio, sostenía que era imposible concederle derechos al "error". Una doctrina equivocada no podía ser elevada a la categoría sublime de verdad eterna de la Iglesia. (Casi todos los miembros de la curia conocían el chiste sobre Ottaviani, en donde éste le pedía a un taxista que lo llevara "al concilio", y el conductor respondía: "¿A Trento?") Para el cardenal, como era obvio, prácticamente cualquier doctrina no católica podía recibir el nombre de "error".

El ala reformista del concilio le respondía insistiendo que era necesario hacer una distinción entre *error* y *persona errada*. Juan XXIII había utilizado estas palabras para referirse al marxismo y a sus seguidores, con lo cual justificaba el diálogo con los representantes de los regímenes comunistas: el error siempre estaba mal, pero a la persona errada había que respetarla.

Para los obispos católicos de los países occidentales, la proclama de la libertad de conciencia era un requisito indispensable para abrirle un espacio al diálogo real con otras Iglesias cristianas. En Occidente, la libertad religiosa partía de la neutralidad del Estado y del respeto a todas las denominaciones religiosas. Para los obispos de Oriente, por el contrario, la libertad religiosa era un principio que había que luchar ante un Estado ateo, y una cuestión de derechos humanos.

A través de los discursos de Wojtyla empezaba a tenderse un puente entre las dos escuelas de pensamiento. Él evitaba cuidadosamente usar el concepto de indiferencia y la noción de que todas las doctrinas son igualmente válidas, y defendía las propuestas del borrador de *Dignitatis*

Humanae contra las acusaciones de los tradicionalistas. Recalcaba el hecho de que el texto contenía tanto una concesión como una petición: si la Iglesia católica iba a admitir la libertad religiosa allí donde era fuerte, entonces también tenía el deber de exigir libertad a los gobiernos que atropellaban los derechos de los creyentes.

Wojtyla estaba profundamente convencido de que una ética personalista, que pusiera el énfasis sobre la unicidad e inviolabilidad de la persona humana, nunca permitiría que se le impusieran a nadie las ideas de otro. Wojtyla se mantuvo en esta postura cuando el concilio discutió el tema del ateísmo, asunto que irritó a los Padres del Concilio desde el principio hasta el final del Vaticano ii. "La misión de la Iglesia no es sermonear a los no creyentes", declaró Wojtyla al tomar la palabra el 21 de octubre de 1964. "Todos nos hallamos en una búsqueda... Abstengámonos de moralizar o de pensar que tenemos el monopolio de la verdad". Wojtyla no quería que se viera a la Iglesia como una institución autoritaria. Explicaba que en lugar de imponer la verdad, había que usar el método heurístico, para "permitirle al pupilo que sea él mismo quien descubra la verdad, tal como es".

Hablar en el concilio sobre "las relaciones con al ateísmo" equivalía a establecer un diálogo con los marxistas. En su encíclica *Pacem in Terris* (Paz en la Tierra) de 1963, Juan xxiii estableció un nuevo principio: las ideologías son inmutables, pero los movimientos históricos que éstas producen pueden cambiar y, en cualquier caso, hay que hacer un esfuerzo para diferenciar el error ideológico de sus simpatizantes. Hay que buscar el *bien* en todos los hombres de buena voluntad. Para los obispos polacos, el diálogo (la cara opuesta de las negociaciones) con los marxistas carecía de sentido. Wojtyla era de esta misma opinión. Llegó al concilio con buena parte del bagaje obtenido en las largas discusiones nocturnas con sus profesores amigos de Lublín. Como diría el profesor Swiezawski: "Evitábamos el diálogo con el marxismo porque considerábamos que era un camino político que no conducía a ninguna parte. No había manera de que pudiéramos llevar a cabo una discusión sincera y honesta con un interlocutor que tenía todo el poder. Esto nos ponía en una situación diferente a la de los intelectuales católicos de Occidente".

Wojtyla y sus amigos opinaban que los intelectuales occidentales eran ingenuos e ignorantes respecto a la realidad del comunismo, e incluso llegaban a considerarlos verdaderamente idiotas. La actitud de Wojtyla en esta materia no cambió jamás, ni se interesó, ya siendo Papa, por aprender qué significaba realmente el marxismo para los países occidentales.

En el concilio, Wojtyla volvía a centrar su atención en el ser humano, no en los movimientos. El ateísmo, como diría al referirse a este tema el 28 de septiembre de 1965, debía considerarse principalmente como un estado interno de la persona humana, y debería estudiarse con criterio sociológico y psicológico. "El ateo está convencido de su 'soledad esencial', pues cree que Dios no existe. De allí su deseo de volverse, en cierto sentido, inmortal a través de la vida de la colectividad. Así pues, debemos preguntarnos si el colectivismo propicia el ateísmo o viceversa". Por eso era tan difícil el diálogo con el comunismo.

Sin embargo, Wojtyla no creía que la retórica anticomunista clásica –que utilizaban muchos cardenales y obispos– sirviera de algo. Como diría Swiezawski: "Nunca atacamos al marxismo; esa no era la cuestión. No queríamos enredarnos en esos asuntos". Cuando un grupo de obispos pidió en el concilio que se incluyera una condena explícita del comunismo en el documento de la Constitución de la Iglesia en el mundo moderno (*Gaudium et Spes*), Wojtyla se opuso a ello por considerarlo contraproducente.

Gaudium et Spes constituye uno de los pilares del Vaticano II y de la "revolución conciliar". El documento proclama que la Iglesia católica vive y actúa *al interior* de la historia del mundo y que en sus relaciones con la sociedad no sólo da sino que también recibe. También se declara allí el respeto por la autonomía de la sociedad civil. Todo esto era la expresión del deseo de que la Iglesia se abriera más al mundo, como nunca antes.

Las primeras palabras del documento, de donde viene su título, tienen un ímpetu poético que refleja la atmósfera reformista del momento: "Las dichas y esperanzas, las tristezas y agonías de los hombres de hoy, especialmente de los pobres y los sufridos, son las dichas y las esperanzas, las tristezas y las agonías de los discípulos de Cristo. Y no hay nada de lo humano que no encuentre eco en sus corazones. La comunidad de los discípulos, en efecto, está conformada por hombres que, reunidos en Cristo, son guiados por el Espíritu Santo hacia el sendero que lleva al

Reino del Padre; ellos han recibido un mensaje de salvación para proclamarlo a todos y cada uno de los seres. La comunidad de cristianos se percibe a sí misma en verdadera e íntima solidaridad con el género humano y su historia".

Es digno de anotar que en todo este párrafo nunca se menciona la palabra "Iglesia". El puesto de honor lo ocupa la "vocación de hombre". El problema de la misión de la Iglesia en el mundo de hoy sólo aparece en el cuarto párrafo, después de que se ha hablado acerca de la actitud de la Iglesia de prestar atención a la sociedad y tratar de leer "la señal de los tiempos" en la historia.

Desde el principio, Wojtyla y los obispos polacos se mostraron en desacuerdo con esta posición y se convirtieron en los protagonistas principales en el debate del documento. Un tiempo atrás, en mayo de 1964, Wojtyla había presentado al presidente del concilio un texto escrito a nombre de los obispos polacos, en donde se proclamaba que la relación de la Iglesia con el mundo moderno debía basarse en el concepto (que databa de los tiempos de la Contrarreforma) de la Iglesia como una sociedad perfecta, fundada por Cristo y por encima de la historia. Si se da una mirada a la versión final de *Gaudium et Spes* se percibirá el abismo entre el pensamiento de los polacos y el del ala reformista, liderada en esta ocasión por teólogos y obispos franceses.

Para Wojtyla, tanto entonces como ahora, la Iglesia es la única guardiana de la verdad de Dios. Aunque la filosofía del Papa exalta la dignidad del ser humano y su libertad de conciencia, todas las personas deben seguir los preceptos de la Iglesia para alcanzar la verdad. Wojtyla ya se había dirigido a los miembros del concilio, a nombre de los obispos polacos, el 21 de octubre de 1964, atacando un concepto básico de lo que más tarde se convertiría en *Gaudium et Spes*: el diálogo con el mundo. "Las situaciones –decía Wojtyla– en las que se encuentra la Iglesia en los diferentes países del mundo, son diversas y contrastantes. En algunos países la Iglesia puede enseñar libremente la verdad. Pero en otros, se la bloquea y se la persigue. No es posible hablar de la misma forma a todas las personas, católicos y no católicos, creyentes y no creyentes. No es posible hablar a aquellos que se encuentran fuera de la Iglesia, a aquellos que la combaten y a aquellos que no creen en Dios, usando el mismo lenguaje que usamos para hablar a los fieles".

Wojtyla añadía que no se podía establecer un diálogo verdadero, "a menos que pensemos que la Iglesia, aunque haga parte del mundo, está por encima de él". Al pronunciar su discurso, Wojtyla no pudo evitar hacer una observación hiriente: aquellos que se embarcan en el diálogo, decía, suelen terminar pronunciando monólogos.

Algo que preocupaba particularmente a Wojtyla era la afirmación de que la Iglesia no simplemente debía darle sus enseñanzas al mundo, sino también aprender de él. ¿No se corría así el riesgo de confundir a la gente respecto a la misión específica de la Iglesia?

Wojtyla y los obispos polacos no eran las únicas voces críticas. Los obispos alemanes, que solían ser una fuerza líder del ala reformista de la Iglesia, adoptaron una postura hostil con respecto al borrador, pues lo encontraban demasiado optimista, demasiado inspirado por una confianza en el progreso tecnológico, poco atento al pecado y a la importancia de la Cruz.

Sin embargo, el 14 de noviembre de 1965 se presentó el borrador final, y el 6 de diciembre fue aprobado en una votación de 2 333 miembros a favor y 251 en contra. Era la más alta tasa de oposición registrada en una votación final sobre cualquier texto conciliar, en notable contraste con la casi unanimidad que generalmente caracterizaba a dichas votaciones. Pablo VI se hallaba del lado de los optimistas. En la clausura del concilio, el 8 de diciembre de 1965, exclamó lleno de entusiasmo: "Nadie en el mundo es un extraño, nadie está excluido, nadie está lejos".

Durante los debates de *Gaudium et Spes* se estableció un fuerte lazo entre Wojtyla y los obispos alemanes. Este lazo se fortificaría con una carta que los obispos de Polonia enviaron a los obispos de Alemania, haciendo un llamado al perdón y a la reconciliación entre las dos naciones. La frase final del documento –*"Perdonamos y pedimos perdón"*– provocó una respuesta vehemente por parte del gobierno comunista e incomprensión por parte de muchos ciudadanos polacos, incluso por anticomunistas. Después de los horrores de la ocupación nazi y los hornos de Auschwitz, ¿de qué tenían que pedir perdón? El Partido Comunista convocó a una protesta pública. Entre los firmantes de una carta de protesta publicada en el periódico oficial del partido se contaban los trabajadores de Solvay.

En opinión de Wojtyla, la carta de reconciliación era, en términos prácticos, un acto con visión de futuro. Preparaba al episcopado alemán para reconocer la frontera occidental de la Polonia de posguerra, en la línea del Oder-Neisse; también acercaba a Wojtyla a sus colegas alemanes con el propósito de rechazar el nacionalismo y emprender una defensa conjunta de los valores europeos contra el comunismo*. Más adelante, los cardenales alemanes formarían parte de la alianza que eligió Papa a Wojtyla.

Tras el concilio, Karol Wojtyla se convirtió en una persona apreciada por sus conocimientos filosóficos, por su dedicación pastoral y por su capacidad de escuchar. En el concilio sobresalía por su personalidad y sus principios, difíciles de catalogar. Unido a la tradición pero amante de la renovación de la Iglesia, era un activista de pensamiento positivo, aun estando convencido del impacto del pecado en la historia y en la sociedad. Nunca puso en duda la autoridad de la Iglesia, pero se cuidaba de adoptar puntos de vista clericales demasiado cerrados. El punto convergente de todas sus preocupaciones era el ser humano concreto y su salvación.

El 30 de noviembre de 1964 tuvo su primera audiencia privada con el papa Pablo VI, quien había seguido de cerca las intervenciones del nuevo arzobispo metropolitano. Para Pablo VI, Wojtyla era el personaje más destacado entre los obispos polacos, capaz, a diferencia de Wyszynski, de llevar la renovación conciliar a la Iglesia de Polonia. El 13 de diciembre de 1965, Wyszynski fue recibido por el Papa en una audiencia de despedida con los obispos polacos. Allí, el primado tuvo el descaro de imponer ciertas condiciones para introducir en Polonia las reformas conciliares: "Todos sabemos que será difícil, aunque no imposible, poner en práctica las decisiones del concilio, dada nuestra situación. Por ello, pedimos al Santo Padre un favor: confiar plenamente en los obispos y en la Iglesia de nuestro país".

El papa Pablo VI era un hombre tímido, pero también hipersensible. Ante esta falta de tacto y de respeto, el Papa, estupefacto, adoptó una expresión glacial mientras escuchaba las demás frases de Wyszynski:

---

* Al finalizar la Segunda Guerra Mundial, la frontera de Polonia se corrió hacia el occidente, sobre terreno alemán, pues Polonia debió ceder parte de su territorio oriental a la Unión Soviética.

"Nuestra petición puede parecer terriblemente presuntuosa, pero es difícil juzgar nuestra situación en la distancia".

Desde ese momento, Wojtyla se convirtió en el hombre clave de Polonia en el Vaticano. Con Wyszynski el Papa se limitó a decir que esperaba que las decisiones del concilio se implementaran tanto en Polonia como en el resto del mundo "con energía y voluntad". Al arzobispo Wojtyla, en cambio, le dio una piedra de la antigua basílica vaticana del emperador Constantino, para que hiciera parte de los fundamentos de una iglesia que Wojtyla proyectaba construir en Nowa Huta, en las afueras de Cracovia.

El arzobispo Wojtyla regresó a Cracovia renovado y fortalecido. Consideraba que el concilio era un evento fundamental, tanto para él como para la Iglesia. Era un gran impulso para predicar el Evangelio y para estimular a la Iglesia a lograr que el hombre se hiciera más humano.

Sin embargo, en sus escritos posteriores sobre el concilio, Wojtyla centró principalmente su atención en los textos del Vaticano II y en los efectos que produjo el concilio en los obispos que asistieron a éste, "como si no hubiera creado expectativas en todos los miembros de la Iglesia", como diría Peter Hebblethwaite, biógrafo de Juan XXIII y Pablo VI (y crítico frecuente de Wojtyla).

Halina Bortnowska, teóloga polaca y amiga personal de Wojtyla, quien editó una versión de su libro *Fuentes de renovación*, de 1972, sintió la necesidad de poner en su introducción la siguiente frase: "No hay ningún llamado a discusiones posconciliares. El libro da la sensación de una gran abstracción y distancia del mundo de la gente que busca una guía en su vida".

En cuanto a los eventos posconciliares, el arzobispo Wojtyla nunca dudó de que, en su viaje a través del tiempo, la Iglesia todavía tenía que hacer algunas correcciones a su rumbo.

Un cardenal diferente

El cardenal Wyszynski debió reconsiderar su opinión respecto a Wojtyla. En 1966, cuando las celebraciones en honor de los primeros mil años de cristiandad en Polonia se hallaban en su culmen, el primado descubrió en el arzobispo de Cracovia a un aliado leal y confiable en la lucha contra el comunismo.

Polonia era verdaderamente una provincia especial de la cristiandad. Después del concilio, los obispos en todo el mundo miraban hacia el futuro y buscaban introducir las reformas, pero en Polonia los obispos miraban hacia el pasado. El país tenía sus razones para hacerlo, independientemente de la renuencia del cardenal Wyszynski a adoptar una agenda reformista (el credo del primado era: "No se puede reestructurar el ejército en medio de una batalla"). El pasado glorioso servía para recordarles a las autoridades comunistas que desde hacía cientos de años la Iglesia representaba la unidad de la nación, aún en ocasiones en que el Estado polaco era borrado del mapa. Al dedicarse al milésimo aniversario más que al concilio, la Iglesia polaca santificaba la tradición. Era una cuestión de "raíces" frente a "cambio".

La piedra de toque de la celebración milenaria era una movilización emocional de millones de católicos en torno a la "Reina de Polonia", la Virgen Negra de Czestochowa. Una copia de la venerada imagen, bendecida por Pío XII, fue enviada en peregrinación por cada una de las once mil parroquias en las veintisiete diócesis de Polonia. Este era un referéndum de fe sin precedentes en ningún país de la cortina de hierro. La pintura iba de iglesia en iglesia, y era recibida con gran pompa y euforia por interminables romerías de parroquianos. Millones de personas se dirigían al santuario de Czestochowa, en donde se conserva la pintura original.

Esta respuesta masiva ante un icono que durante siglos había simbolizado el triunfo de la Iglesia sobre el Estado soberano alarmó al régimen comunista. El jefe del partido, Wladyslaw Gomulka, ahora no era más que otro líder fosilizado del este comunista, y sus impulsos reformistas habían sido superados hacía mucho tiempo por su deseo de permanecer en el poder. Entonces empezaron a ocurrir episodios irritantes, e incluso ridículos, en un intento del gobierno por desanimar a la Iglesia. Planeaban de manera chabacana eventos deportivos, como partidos de fútbol, que coincidieran con la ceremonias organizadas en torno a la imagen de la Virgen Negra. Hacían esfuerzos por bloquear el paso del icono de una ciudad a otra, o de una parroquia a otra. Finalmente, en Silesia, el gobierno ordenó que enviaran de nuevo la copia al monasterio de los padres paulinos en Czestochowa.

Sin embargo, la prohibición de ver la pintura no apagó el entusiasmo popular de los polacos, que utilizaban la peregrinación de la imagen para expresar su vivo deseo de independencia. En señal de protesta, se siguieron diciendo misas por el milésimo aniversario frente a los marcos vacíos ubicados en los altares de las iglesias en todo el país. El arzobispo Wojtyla presidió cerca de cincuenta y tres misas especiales por el milenio. El 3 de mayo de 1966 celebró una misa pontifical en Czestochowa cn nombrc de Pablo VI, a quien el régimen le había prohibido la entrada a Polonia para asistir al aniversario.

El gobierno se había venido dando cuenta, durante varios años, de que al arzobispo de Cracovia no lo podían manejar tan fácilmente. En julio de 1965, Zenon Kliszko, la mano derecha de Gomulka, logró concertar un encuentro privado con el arzobispo en el castillo de Wawel, con el supuesto propósito de revisar las relaciones entre el Estado y la Iglesia. Un incidente ocurrido con anterioridad, en el que Wojtyla había actuado separadamente de Wyszynski en las relaciones con el partido, le hizo abrigar a Kliszko la esperanza de entablar una relación especial con el arzobispo. Poco después de la muerte del arzobispo Baziak, las autoridades de Cracovia pidieron el edificio del seminario diocesano para usarlo como colegio para la formación de profesores. El joven obispo auxiliar había ido personalmente a ver al secretario regional del Partido de los Trabajadores Polacos Unidos, Lucjan Motyka, para protestar.

Esta era una acción sin precedentes. Ningún obispo polaco había puesto sus pies en el salón de un comité del Partido Comunista. Motyka se mostró dispuesto a llegar a un acuerdo: la Facultad de Profesores de Cracovia se instalaría en el cuarto piso del edificio y los demás pisos les quedarían a los seminaristas.

Sin embargo, las esperanzas de Kliszko de fomentar una relación cómoda con Wojtyla no se hicieron realidad. Después de una hora de discusión en la oficina del arzobispo, salió molesto de allí. Gomulka se enteró de que Wojtyla se ceñía rígidamente a línea de conducta trazada por el primado. Wyszynski, a través de sus propios canales de información, también se enteró de esto y nunca lo olvidó.

Las autoridades, a pesar de todo, seguían pensando que Wojtyla era más dado a negociar con el Estado que Wyszynski, a quien veían como "el portaestandarte del frente anticomunista". Esa descripción aparece en un documento confidencial de la policía secreta polaca de 1967, en donde también se lee:

> Se puede decir sin temor que [Wojtyla] es uno de los pocos intelectuales en el episcopado polaco. A diferencia de Wyszynski, reconcilia con destreza la devoción tradicional popular con el catolicismo intelectual y a ambos sabe apreciarlos... Hasta ahora no ha desarrollado actividades políticas abiertamente antiestatales. Parece que la política no es su fuerte: es demasiado intelectual... Carece de capacidad de liderazgo y organización. Esta es su debilidad en contraposición con Wyszynski.

El informe de la policía sugiere luego una estrategia para separar a los dos cardenales, basándose en su creencia de que

> el modelo de catolicismo y la coexistencia con los países socialistas propuesto por Wojtyla... corresponde a la línea que adoptará el Vaticano en el futuro.
>
> Debemos observar y estudiar cada rasgo de las relaciones entre los dos cardenales y adoptar una política elástica que se acomode a las circunstancias cambiantes... Debemos usar los canales diplomáticos para determinar a quién apoyaría más el Vaticano y ver si Wojtyla tiene posibilidades reales de convertirse en jefe del episcopado polaco. No debemos golpear muy fuerte a la arquidiócesis –aunque de vez en cuando debemos aplicar "medidas administrativas"– para no levantar sospechas en torno a Wojtyla por parte de grupos tanto nacionales como extranjeros [que no] sean adeptos a él... Debemos interesar a Wojtyla en los problemas generales de la Iglesia polaca, y ayudarlo a manejar los problemas con su arquidiócesis. Por esta razón, debemos dar comienzo a reuniones de alto nivel entre Wojtyla y, por ejemplo, el primer ministro Cyrankiewicz y Kliszko, para discutir asuntos generales... Y debemos seguir demostrando nuestra animadversión contra Wyszynski cada vez que podamos, pero de una manera tal que Wojtyla no se vea obligado a demostrar su solidaridad con Wyszynski.

"Wojtyla se mantuvo heroicamente leal con Wyszynski", recuerda el padre Andrzej Bardecki, a pesar del estilo dictatorial del primado. En cierta ocasión, en Roma, alguien le dijo a Wojtyla que los cardenales romanos no esquiaban. Wojtyla contestó: "¿De verdad? En Polonia, el cuarenta por ciento de los cardenales sabe esquiar". Le recordaron que sólo había dos cardenales polacos. "En Polonia –contestó sin pestañear– Wyszynski vale por el sesenta por ciento".

En lo concerniente a las relaciones con los comunistas, Wojtyla y Wyszynski estaban separados por una brecha generacional. Para Wyszynski, la pregunta sobre si podía existir una verdadera Iglesia o nación polaca era una cuestión sencillamente académica. Para Wojtyla, las cuestiones más relevantes eran saber qué clase de Polonia existiría y cómo podían florecer los derechos religiosos y eclesiásticos en Polonia.

A pesar de sus diferencias privadas, Wojtyla creía firmemente que era necesario juntar fuerzas con Wyszynski pues compartía con él la opinión de que, bajo el régimen comunista, la Iglesia sólo podría sobrevivir si su unidad era inquebrantable. Cuando en 1967 los comunistas le negaron al primado el permiso de salida para ir a Roma y asistir al sínodo de obispos, Wojtyla rehusó ir al encuentro en demostración de solidaridad.

El sexo y el *papabili*

En la historia de la Iglesia casi nunca es posible determinar por qué un cardenal en particular es elegido Papa. Pero la excepción confirma la regla. Un observador minucioso puede develar las razones que llevaron al candidato a estar en la mira de los *papabili* (probables candidatos a Papa).

El cardenal Andrzej Deskur, un profundo conocedor de la curia, cree que, de una manera misteriosa, cada Papa elige a su propio sucesor. Según él, Pío XII recomendó a Juan XXIII nombrándolo en la sede patriarcal de Venecia, uno de los cargos más prestigiosos de la Iglesia en el Occidente latino. El viejo Juan XXIII consideraba, sin lugar a dudas, que el cardenal de Milán Giovanni Battista Montini, era el hombre adecuado para terminar el trabajo que él había comenzado con el Vaticano II.

A su turno, Pablo VI tenía una preferencia por dos individuos: Albino

Luciani, patriarca de Venecia, y Karol Wojtyla, arzobispo de Cracovia. Al primero le regaló su estola papal, ante una multitud emocionada, durante una visita a Venecia. Al segundo le prestaba una atención especial, cosa bastante evidente para las personas cercanas al Papa después del concilio.

En 1967 Pablo VI nombró cardenal a Wojtyla. (La carta de nombramiento se conserva en la casa donde nació Wojtyla, en Wadowice.) En el momento de recibir el solideo rojo de manos del papa, en la basílica de San Pedro, Karol Wojtyla tenía cuarenta y siete años: era el segundo cardenal vivo más joven. "Sé que debo ponerme a prueba a lo largo del camino de mi nuevo llamado y debo demostrar nuevamente mi valía". Estas fueron su palabras, en donde mezclaba, como era característico en él, humildad y un cierto orgullo subyacente.

De allí en adelante, la colaboración y el afecto entre Pablo VI y el arzobispo de Cracovia se harían más fuertes. Wojtyla fue nombrado en cuatro congregaciones del Vaticano: el clero, la educación católica, la liturgia y las iglesias orientales. El Papa también lo designó consultor para el concilio del laicado.

También hay que hablar sobre su cooperación especial en una encíclica papal que haría época: *Humanae Vitae* (De la vida humana). Si alguna vez hubo un momento en que la Iglesia católica parecía inclinarse a adoptar una nueva actitud respecto a la anticoncepción y el control artificial de la natalidad, específicamente prohibidos por la doctrina de la Iglesia, fue ese. El 18 de junio de 1966, tras siete años de estudio, la comisión del papa Pablo VI encargada de este tema pasó un informe aprobado por la mayoría de miembros en donde se decía que la oposición de la Iglesia a la anticoncepción "no podía seguir manteniéndose con un argumento válido", y que la práctica del control artificial de la natalidad no era "intrínsecamente mala". Nueve obispos votaron a favor del informe, tres en contra y tres se abstuvieron. Wojtyla era miembro de esta comisión y, aunque no estuvo presente el día de la votación, se había pronunciado enérgicamente contra cualquier cambio en la doctrina de la Iglesia en cuanto al control de la natalidad.

Las opiniones de Wojtyla ya habían sido enunciadas en su libro *Amor y responsabilidad*. Para él, el uso de anticonceptivos rebaja la dignidad del acto conyugal y la dignidad de la mujer (pues se supone que ella se convierte en un mero objeto para el placer del hombre). Un año antes de la votación de la comisión, Wojtyla había comenzado a trabajar en un documento sobre la anticoncepción, basado en sus opiniones de vieja data y en las conclusiones de su propia comisión de estudios en Cracovia, compuesta por laicos y clérigos. Este material, cuya preparación tomó cuatro meses, fue enviado directamente al Papa.

Pablo VI simpatizaba con los católicos que se inclinaban por la planificación familiar. Sin embargo, se sentía terriblemente incómodo con las recomendaciones de su comisión. No quería ser el Papa responsable de haber encaminado a la Iglesia en una visión de la sexualidad cuyos efectos eran difíciles de imaginar. La presión que se ejercía sobre Pablo VI era inmensa: del laicado (mayoritariamente a favor de levantar la prohibición de la Iglesia); de los cardenales Ottaviani y Wojtyla, que habían proporcionado amplia documentación teológica para sustentar la prohibición; y de la mayoría de los integrantes de la comisión, cuyo codirector, el cardenal Julius Döpfner de Munich había convocado un grupo de trabajo que produjo un material en donde se pedía la liberalización de las normas de la Iglesia.

Los trabajos y argumentos de Wojtyla fueron decisivos para ayudar al Papa a tomar una determinación e inclinarse por algo que desde hacía mucho tiempo le venía indicando su corazón: debía mantenerse la prohibición sobre la anticoncepción artificial. Después de estudiar la propuesta de Wojtyla, siguió adelante con su decisión y publicó *Humanae Vitae* en julio de 1968. Tras leer el texto, Wojtyla comentó con satisfacción: "Ayudamos al Papa". Según el padre Bardecki, colega de Wojtyla en el *Tygodnik Powszechny*, un sesenta por ciento del texto de *Humanae Vitae* es producto del trabajo de la comisión de Cracovia dirigida por Wojtyla y el documento emitido por esta. Así, la filosofía sexual de Wojtyla y su rebaño de católicos polacos se convertía en la norma para la Iglesia universal.

Humanae Vitae desató una andanada de protestas en el mundo católico. Wojtyla, enormemente complacido, la defendía públicamente con gran vigor. A fin de divulgarla en las familias católicas de su diócesis, Wojtyla fundó "grupos matrimoniales" especiales cuya misión era seguir los preceptos de la encíclica y lo que él llamaba su "expresión de la verdad inmutable, siempre proclamada por la Iglesia".

Este episodio unió aún más a Pablo vi con el cardenal Wojtyla, a quien recibía regularmente en audiencias privadas. Nada más entre 1973 y 1975 el arzobispo de Cracovia asistió a audiencias privadas en el estudio del Papa unas once veces. Luego, en 1976, Pablo vi honró a Wojtyla con una invitación extraordinaria: le pidió que dirigiese los ejercicios espirituales de Cuaresma en el Vaticano para los miembros de la curia y el personal de la casa papal. Ese mismo año, el periódico *New York Times* señaló al cardenal como uno de los diez personajes más frecuentemente mencionados como candidatos para suceder al papa Pablo vi.

El sacerdote, vestido de sotana negra con botones de color rojo vivo, entró por la pequeña puerta de la sacristía, hizo una genuflexión reverencial, se levantó lentamente e inclinó la cabeza ante una presencia invisible a la derecha del altar. Luego le dio la espalda al gran retablo de mármol e hizo una venia ante su auditorio, cuyos miembros llevaban en la cabeza solideos de color rojo o púrpura. Cerca del altar había una pequeña mesa con un micrófono. El cardenal se sentó y comenzó su sermón: "Que Dios me conceda la gracia de hablar con sensatez y que mis pensamientos sean dignos de sus dones, pues Él es quien guía la sabiduría" (Sabiduría de Salomón, 7:15).

Ante él se hallaban sentados los líderes de la Iglesia católica. Un observador laico habría llamado a esto la esencia pura del poder de la curia. Para el hombre que se hallaba frente al micrófono, estos cien hombres (más o menos) eran sencillamente los colaboradores más cercanos y fieles al Papa. Entre ellos se encontraban el cardenal Jean Villot, secretario de Estado: un francés distante y aristocrático; monseñor Sostituto Giovanni Benelli, el poderoso segundo hombre a bordo de la Secretaría de Estado; el yugoslavo Franjo Seper, prefecto de la Congregación para la Doctrina de la Fe (antiguamente, el Santo Oficio); el estadounidense John Wright, prefecto de la Congregación para el Clero; el tozudo Sebastiano Baggio, prefecto de la Congregación de Obispos; el cardenal Bernardin Gantin de Benin, presidente del Consejo Pontifical para la Justicia y la Paz; y Sergio Pignedoli, presidente del Secretariado para los No Cristianos.

Por un momento, la mirada de Wojtyla cayó sobre la figura pequeña y vivaz del ministro de Relaciones Exteriores del Vaticano, monseñor Agostino Casaroli, secretario del Consejo para Asuntos Públicos. Él era el promotor del diálogo entre el Vaticano y los países comunistas, un diplomático infatigable encargado de garantizar para las iglesias de Oriente no tanto un *modus vivendi* sino, como él mismo decía con ironía, un *modus non moriendi*. Los italianos le habían puesto el sobrenombre de "Lagostina", que correspondía a la marca de una olla a presión que podía resistir altas temperaturas.

Como ocurría todos los años durante la primera semana de Cuaresma, la capilla Matilde del Vaticano estaba llena. En el salón cuadrado de la segunda *loggia,* el piso del Palacio Apostólico generalmente destinado a las audiencias oficiales con el Pontífice, estaban reunidos ahora los prefectos, los secretarios y subsecretarios de las congregaciones sagradas que habían ido a hacer sus ejercicios espirituales.

"Durante los próximos días nos acompañarán, de una manera especial, las oraciones de la Iglesia de Polonia; traigo de ella expresiones de la más profunda comunión en la fe, la esperanza y el amor –continuó Wojtyla–. Es como un cimiento invisible mediante el cual nos hallamos siempre unidos al sucesor de San Pedro".

Hablaba con voz firme y clara, y trataba de darle a su manejo del idioma italiano las inflexiones más auténticas posibles. Su actitud no dejaba traslucir ninguna tensión. Wojtyla no había tenido mucho tiempo de prepararse. Esa invitación papal, que solía hacérsele a un teólogo renombrado, lo había tomado por sorpresa. Wojtyla se dirigió apresuradamente a una casa de reposo dirigida por unas monjas católicas en los montes Tatras, a donde le gustaba ir, en ocasiones más relajadas, a hacer largas y solitarias caminatas. En esta ocasión se encerró en una habitación a escribir y pidió que no lo molestaran por ningún motivo. Allí tomaba sus comidas y solamente salía para ir a la capilla o al baño.

Los miembros de la curia observaban ahora a Wojtyla con gran interés. Esta era una de las raras ocasiones en que un Papa escogía a un miembro del colegio cardenalicio para que dirigiera los ejercicios espirituales de la Cuaresma. Su personalidad, o los rasgos que se conocían de ella, agradaba a muchos en el Vaticano, pero ninguno de los presentes, con la posible excepción del arzobispo Deskur, podía decir que conocía íntimamente a Wojtyla. Aunque siempre se mostraba dispuesto a entablar conversación, el cardenal de Polonia seguía siendo un misterio. Rara vez hablaba de sí mismo, a pesar de la amplitud de su experiencia como erudito, dramaturgo y testigo de muchos de los horrores de la historia. Muchos de los que se hallaban en la capilla sabían que había perdido a su madre, a su hermano y a su padre durante sus primeros años de vida, pero él nunca hablaba de esto, ni siquiera en el día de los Fieles Difuntos, fecha en que los católicos suelen visitar la tumba de sus seres queridos. Aunque le era bastante fácil entrar en contacto con la gente, de una manera sorprendente, no tenía ese carácter descomplicado y campechano que se observa a veces en los sacerdotes de alto nivel. Era cálido en su relación con las personas, pero rara vez se mostraba jovial; estaba atento siempre a lo que la gente tenía que decir, pero era amante de la soledad. Tenía muchos conocidos, algunos amigos, pero –excepción hecha quizás de su secretario personal– ningún verdadero confidente.

Se sabía de su poder carismático sobre los jóvenes. Podía llegar al corazón tanto de los humildes como de los más sofisticados. Algunas personas se sentían especialmente impresionadas cuando tenían con él un encuentro cara a cara, y comentaban sobre su capacidad de mirar una persona a los ojos de una manera especial. Como cosa poco común en un religioso, trataba a las mujeres con total soltura y con un sentido de la amistad en donde no se hallaban trazas de torpeza o de excesiva familiaridad. Sin embargo, algunas personas notaban en él cierta actitud defensiva cuando se lo cuestionaba, y una tendencia a ubicar a su interlocutor en determinado lugar dentro del espectro teológico o religioso, y dirigirse no a la persona o a sus creencias individuales sino a la etiqueta que él les asignaba. A veces parecía que escogiera de antemano a las personas que podrían ceder ante sus encantos y evitar de plano a las demás.

La gente que lo conocía quedaba impresionada por la extrema simplicidad de su conducta, por su porte modesto. No poseía prácticamente nada, aparte de sus libros, sus vestimentas eclesiásticas, unos cuantos recuerdos familiares, unos esquís (que guardaba en el palacio episcopal) y ropa para caminar. Podría catalogárselo como una persona humilde de no ser por las pocas ocasiones en que revelaba un gran orgullo y, al parecer, un alto sentido de su propio ser.

En el Vaticano no sólo se conocía a Wojtyla como filósofo sino como políglota. Aunque su acento era a veces defectuoso, el arzobispo de Cracovia manejaba fácilmente varias lenguas europeas: alemán, ruso, francés, inglés, italiano, español. Su facilidad lingüística se complementaba con una propensión creciente a viajar. Había estado en Tierra Santa, en Norteamérica, en Australia, en Nueva Guinea y en varios países europeos participando en congresos, visitando comunidades polacas en el exterior, obedeciendo a un impulso interior que nadie podía comprender del todo.

Tenía una incansable capacidad de meditar. Había escrito un libro sobre el amor conyugal y el significado del acto sexual. Había escrito un libro sobre los principios fundamentales del Vaticano II. Había publicado un largo trabajo antropológico llamado *Persona y acción*.

Estos no eran libros fáciles, especialmente el último, al que los sacerdotes de Cracovia llamaba humorísticamente "ejercicio penitencial para las almas en el purgatorio". Algo que agradaba a muchos obispos y cardenales de la curia era la capacidad de Wojtyla de ver más allá de las tendencias culturales e ideológicas que sacudían a la sociedad y a la Iglesia en todo el mundo occidental. El arzobispo de Cracovia no era un atemorizado defensor del establecimiento; no daba la impresión de aferrarse al pasado por un mero espíritu reaccionario. Tampoco se dejaba arrastrar por el impulso progresista y de izquierda que se observaba en ciertos círculos de la Iglesia, en el que muchos miembros de la curia percibían un marxismo y una secularización temibles y soterrados.

La voz de Wojtyla daba la nota justa en los oídos de los príncipes de la curia, preocupados por un mundo en donde parecían triunfar fuerzas extrañas, contrarias a la Iglesia. En lugar de acelerar el florecimiento espiritual por el que oraba Juan XXIII, los años setenta trajeron agitación. El Vaticano se sintió golpeado por la aprobación de una ley de divorcio en Italia, mediante un referéndum nacional convocado en 1974. Este golpe contra el tradicionalismo católico fue una total sorpresa para la curia, y revelaba cuán pobre era la visión que tenía la jerarquía de la Iglesia sobre la cambiante realidad.

El año siguiente, 1975, parecía aún más alarmante. En Italia, el Partido Comunista obtuvo una votación récord en las elecciones locales, casi los mismos votos de los demócrata cristianos. En Portugal, un golpe de Estado llevó al poder a una junta militar de izquierda. En Grecia fue ele-

gido un partido socialista de izquierda. Estados Unidos había perdido la
guerra en Vietnam contra el régimen marxista de Hanoi apoyado por la
Unión Soviética y la China comunista. En África, las antiguas colonias
portuguesas de Angola y Mozambique parecían adoptar el camino del
marxismo, mientras que en América Latina la teología de la liberación
se inspiraba en la lucha de clases a expensas de la Iglesia establecida.

Lo que Wojtyla les ofrecía a estos príncipes de la Iglesia era una manera, al parecer original, de salir de la crisis que agitaba en el momento a
la sociedad y a la Iglesia. En su prédica de aquellos días de Cuaresma,
Wojtyla decía que los sistemas político y social debían consentir la autodeterminación del individuo; simultáneamente, debían existir mayores
intereses y normas comunitarios a los que debía someterse la voluntad
individual.

En la capilla Matilde el cardenal Wojtyla continuaba con su sermón y
el idioma italiano le fluía a cada instante con mayor facilidad. Podía sentir a su lado la presencia de Pablo VI, aunque el Papa se hallaba en una
pequeña antesala a la derecha del altar. El Papa, quien padecía un cáncer
en la próstata, atormentaba aún más su cuerpo con un cilicio de puntas
de hierro que llevaba debajo de la ropa. Wojtyla también llevaba algo
debajo de su camisa: un escapulario carmelita que le recordaba su dedicación mística a Dios.

"Durante estas semanas se hacen muchos ejercicios espirituales en la
Iglesia de Polonia –prosiguió–, no sólo retiros parroquiales de Cuaresma
sino retiros especiales para jóvenes, que tienen claro que los quieren y
los necesitan. Con mucha frecuencia el número de candidatos que desea
participar en los retiros excede nuestra modesta capacidad de organización. Eso fue lo que ocurrió este año en mi diócesis, por ejemplo, con los
estudiantes de último año de secundaria: sólo había doscientos cupos y
el número de solicitudes era mucho mayor".

Un aire de consuelo refrescó a los prelados. En Occidente, la juventud se alejaba cada vez más y más de la Iglesia. Incluso entre los estudiantes que seguían siendo católicos devotos podían encontrarse críticos
acérrimos del sistema eclesiástico. Para algunos de los obispos y cardenales de la curia, no todos, la Iglesia polaca era como una isla feliz en
medio de un océano turbulento, a pesar del estado ateo que la amenazaba. En Polonia las iglesias se llenaban y los seminarios no daban abasto

con las solicitudes de aspirantes al sacerdocio. Las diócesis exportaban misioneros a todos los países del mundo; y los jóvenes se sentían orgullosos de llamarse a sí mismos católicos, aunque sólo fuera como una forma de manifestarse contra la ideología marxista-leninista y proclamar su identidad polaca ante la hegemonía de Moscú.

A través de los tiempos, Polonia había sido un baluarte de la cristiandad contra los ortodoxos cismáticos y el demonio turco. ¿No podía ser ahora un baluarte contra el nuevo Satanás, el comunismo moscovita y sus retoños internacionales?

En la curia existía una admiración generalizada por los cardenales Wyszynski y Wojtyla, aun conociendo las diferencias fundamentales entre ellos. Wojtyla no representaba ni el anticomunismo tradicional de la Iglesia ni, como era el caso de Wyszynski, se identificaba con un anticomunismo continuamente obligado a hacer difíciles acuerdos con un Estado hostil. Parecía como si el arzobispo de Cracovia viviera en una dimensión trascendental. Su confrontación con el comunismo no tenía lugar en el contexto de una denominación religiosa específica o en un campo ideológico: era sencillamente una cuestión de derechos humanos. Jerzy Turowicz, editor del semanario católico de Cracovia, dio en el blanco al definir a Wojtyla así: "No es izquierdista, no es derechista ni tampoco es nacionalista".

El cardenal polaco también sabía cómo actuar para utilizar contundentemente el poder del simbolismo. Por ejemplo, desde sus primeros días como obispo había tratado de obtener el permiso para construir una iglesia en Nowa Huta, el vasto barrio industrial construido hacía poco por los comunistas en las afueras de Cracovia, como un modelo de ciudad socialista. Pasó varias navidades celebrando la misa de medianoche a la intemperie, en la nieve y con temperaturas por debajo de cero, en el lugar elegido para construir la iglesia y para la cual el régimen incumplia con el permiso prometido. En cierta ocasión, durante una misa de pascua de resurrección proclamó en medio de los enormes bloques de cemento del complejo habitacional de Nowa Huta: "Muchas veces, desde hace tiempo, la gente ha decretado la muerte de Cristo... muchas veces han anunciado la muerte de Dios diciendo: 'Dios no existe'. Pero no se dan cuenta de que si eso fuera verdad, el intelecto del hombre perdería su sentido".

En su antesala, el Papa, pálido y enfermo, escuchaba la voz del predicador en su discurso. El Papa agradecía de manera especial la iniciativa del joven cardenal polaco de convocar un sínodo diocesano en Cracovia para aplicar las doctrinas del concilio. A partir de 1971, casi once mil personas se pusieron a estudiar en trescientos grupos de trabajo, con un entusiasmo que igualaban pocos países del Occidente cristiano.

Pablo VI sentía una gran simpatía hacia Wojtyla, por muchas razones. La seguridad de éste servía de contrapeso al carácter dubitativo del Papa; la cálida lealtad del polaco compensaba las implacables críticas que recibía el Papa de los fieles y los teólogos disidentes (especialmente en lo tocante al control de la natalidad y otros asuntos sexuales). Las reflexiones de Wojtyla sobre el poder del amor –y sus palabras se escuchaban ahora en la capilla Matilde– se complementaban con el pensamiento de un Papa que soñaba con una civilización de amor.

Wojtyla afirmaba que cuanto más amor da una persona a los otros, más debe renunciar al amor que se dirige hacia sí mismo, y más debe olvidar sus propias necesidades. Estas palabras tocaban una fibra sensible de Pablo VI. El Papa, ese personaje a quien su curia veía como un hombre cerrado y reservado, sentía una inmensa necesidad de dicha y amor. Un pintor alemán que había hecho un retrato del Papa, decía que Pablo VI era como una ostra cuya perla permanecía siempre escondida.

Según decía el predicador, había que tratar de dar siempre más amor del que se recibe. Para el hombre sentado en el trono papal esas palabras eran muy valiosas.

Los ejercicios espirituales del Vaticano duraron una semana. A lo largo del día se daban tres sermones. Para Karol Wojtyla estos constituían una ocasión privilegiada para mostrar a los cardenales de la curia su forma de ver a la Iglesia. Pablo VI le había sugerido hablar en italiano y no en latín. Este consejo resultó ser de una gran astucia psicológica. Si se dirigía a los cardenales en la lengua que ellos manejaban cotidianamente, el arzobispo de Cracovia podía guiarlos mejor por el camino de sus ideas. Decía que Cristo, el Evangelio, la Iglesia eran signos de contradicción en el mundo moderno. La sociedad buscaba, con demasiada frecuencia, adaptar el Evangelio a las distorsiones y las desviaciones del consumismo, en tanto que en otros lugares la Iglesia simplemente era perseguida. Como cosa sorprendente, afirmó que el mayor riesgo provenía de los sistemas aparentemente libres y tolerantes que, sin embargo, minaban constantemente los valores cristianos mediante el materialismo y el hedonismo. Esto también, según subrayaba Wojtyla, era un tipo de persecución programática, fomentada por el individualismo liberal.

Cuando Karol Wojtyla habló por última vez en la mañana del 13 de marzo en la capilla Matilde, monseñor Andrzej Deskur miró con satisfacción al niño prodigio de Cracovia, cuyo surgimiento en los círculos del Vaticano él apoyaba irrestrictamente. Su ascenso había sido gradual y sin dificultades. A ello había contribuido considerablemente el hecho de que Wojtyla era miembro del consejo del sínodo de obispos, el cuerpo que hacía el trabajo preparatorio de las asambleas trienales. Fue elegido para el consejo en 1971 y ocupó el tercer lugar entre los candidatos europeos. En 1974 pasó a ocupar el segundo lugar. Tres años más tarde fue elegido de nuevo, pero con menos votos. Quizás esta era una señal de que algunos obispos tenían muchos deseos de disminuir la velocidad de su ascenso en la jerarquía de la Iglesia.

El cardenal secretario de Estado Jean Villot siguió con particular atención los sermones de Cuaresma pronunciados por Wojtyla. Como buen observador de la naturaleza humana, Villot notó la atracción que el cardenal polaco ejercía aun en individuos tan perspicaces como los altos mandos de la curia. Había un aspecto de su personalidad que no era evidente a primera vista, una esencia fuerte y oculta que lo sustentaba: una voluntad de hierro y una fe ilimitada en el poder de dicha voluntad. "El hombre es amo de sus acciones mediante la voluntad", decía Wojtyla en uno de sus ensayos y añadía que el control de sí mismo era la manifestación más importante de la valía de una persona.

Cualquiera que pasara por alto su sonrisa triunfante y más bien lo mirase directamente a los ojos, podría darse cuenta.

El legado polaco

Allá en su interior, el cardenal Wyszynski ya había designado a Wojtyla como futuro primado de Polonia. Había discutido este asunto en 1974 con su asesor y confidente Romuald Kukolowicz: "Me gustaría fortalecer la Iglesia polaca lo más posible antes de mi partida". Wojtyla tenía una capacidad mucho mayor que Wyszynski para acercarse a la generación de creyentes nacidos después de Yalta y que eran el futuro de Polonia. En el país se libraba una auténtica batalla contra el comunismo por las almas de los jóvenes. Wojtyla comprendía sus problemas: bajo nivel de vida, trabajos aburridos en fábricas y oficinas, lúgubres conjuntos habitacionales, búsqueda de ideales, de realización personal y libertad y, cosa no menos importante, atracción por el materialismo y el hedonismo fuertemente reprimidos por el sistema comunista y también rechazados por la Iglesia.

Desde el concilio Wyszynki empezó a percibir a Wojtyla como una figura políticamente madura, aun a su pesar. "Era obvio que no deseaba meterse en asuntos políticos", recuerda Jacek Wozniakowski, un importante portavoz del grupo católico Znak* en Cracovia. "Él pensaba que debía limitarse únicamente a los asuntos de la Iglesia. Consideraba que eran los laicos o el cardenal Wyszynski quienes debían ocuparse de los problemas políticos". La frase de Wojtyla era siempre: "No me interesa mucho la política". Sus amigos, casi al borde de la desesperación, le insistían una y otra vez que no se mantuviera al margen pues, como arzobispo de Cracovia, no había manera de evitar la política.

Sin embargo, a comienzos de 1968 Polonia se vio sumida en una serie de crisis –tanto internas como con sus vecinos soviéticos– ante las cuales nadie, ni siquiera Wojtyla, podía permanecer distante. El control del partido, siempre débil, sobre la sociedad polaca empezaba a venirse aba-

---

* Znak ("el signo", en polaco) era el nombre de un grupo de intelectuales católicos congregados en torno a la editorial Znak, su periódico mensual (también llamado *Znak*) y a su revista semanal *Tygodnik Powszechny*. Después de la guerra, Wojtyla comenzó a escribir artículos y poemas que *Tygodnik* publicaba bajo el seudónimo de Andrzej Jawien. Más adelante, muchas de sus contribuciones se publicaron con su propio nombre. Entre 1956 y 1976 un buen número de intelectuales afiliados a Znak decidieron buscar curules en el Parlamento con la bandera de Znak, y recibieron la autorización de la jerarquía de la Iglesia. Una vez elegidos, se convirtieron en una pequeña minoría que hacía el papel de vocera del catolicismo en el Parlamento. Los miembros de Znak también fundaron el Polands Klub Inteligencji Katolickiej (KIK: club de católicos intelectuales).

jo. En la primavera de 1968 los estudiantes salieron a la calle a gritar consignas antisoviéticas después de la cancelación –a instancias del embajador soviético– de una presentación en Varsovia de la obra teatral patriótica y antisoviética de Adam Mickiewicz llamada *El crepúsculo de los antepasados*, un trabajo que Wojtyla admiraba desde sus épocas de actor. Muchos estudiantes fueron golpeados y arrestados, se cerraron las universidades y –para culpar a los judíos del desorden (aunque en el país sólo quedaban unos treinta mil, cuando su número antes de la guerra llegaba a tres millones)– el ministro del Interior lanzó una histérica campaña antisemita. Prácticamente todos los judíos que estaban en el gobierno o que trabajaban como profesores fueron despedidos. Los que pertenecían al partido fueron expulsados y la mayoría salió del país.

Wojtyla respondió defendiendo públicamente a los estudiantes y, como gesto adicional, invitó al filósofo judío Roman Ingarden, su antiguo profesor en la Universidad Jagellona, a dar una conferencia en la arquidiócesis de Cracovia.

El sentimiento antisoviético se avivó aún más cuando, en agosto, las tropas polacas se sumaron a las fuerzas del Pacto de Varsovia para invadir a Checoslovaquia y reprimir el espíritu reformista de la primavera de Praga. Dieciséis meses más tarde, los acontecimientos en Polonia tomaron un rumbo imposible de echar atrás, cuando el gobierno subió los precios de los alimentos hacia el final de año. En aquel "diciembre sangriento" de 1970, los trabajadores polacos salieron a las calles a exigir mejores condiciones de trabajo, sueldos más altos y una revocatoria del aumento de los precios. En Gdansk y otras ciudades del Báltico, lo mismo que en Lódz, los tanques dispararon sobre los trabajadores y cientos de ellos murieron.

Wojtyla, impresionado por la horrible imagen de polacos matando polacos, seguía ciñéndose a la línea de conducta de Wyszynski: se mantenía muy cauto en el campo político al tiempo que apoyaba irrestrictamente al pueblo. "Cuando el pueblo está herido y sufre –decía Wojtyla en su sermón de Navidad en Cracovia–, la Iglesia acude en su ayuda sin ninguna motivación política, simplemente movida por un amor y una solidaridad cristianos". Sin embargo, en la víspera de año nuevo, parecía que Wojtyla cruzara ese Rubicón político cuando pidió abiertamente "derecho a la comida, derecho a la libertad... a una atmósfera de auténtica libertad sin ataduras, sin amenazas; una atmósfera de libertad interior, de libertad sin temor de que algo nos pase si actuamos de determinada manera o vamos a ciertos lugares".

Para enfrentar la crisis, el Partido Comunista había reemplazado once días antes a Gomulka por Edward Gierek, jefe del partido en Silesia, quien había trabajado en las minas de carbón en Bélgica y Francia durante la ocupación nazi. Basado en su experiencia en Occidente, el ingeniero se lanzó como uno de los miembros de la nueva generación de administradores económicos, como un tecnócrata y no como otro *apparatchik* comunista. Se embarcó en un programa que mejoraría las relaciones con Occidente, aseguraría préstamos por parte de Estados Unidos y de los países de Europa occidental para modernizar la industria polaca y adoptaría una firme política de apaciguamiento con el Vaticano, marcada por una ola de construcción de iglesias.

Paradójicamente, el interés de Gierek en el capital de Occidente y su relativo liberalismo contribuyeron a empeorar la crisis económica (pues sus excesivos préstamos sumieron a Polonia en una deuda enorme). Cada vez se hacía más evidente que el Partido Comunista no podía mantener un poder hegemónico sobre la sociedad, y Wojtyla supo utilizar esta situación para provecho de la Iglesia. Wojtyla llenó a las autoridades de peticiones de permiso para hacer nuevos seminarios, iglesias y procesiones públicas. Se quejó ante el gobierno por su intención de prohibir la enseñanza del catecismo a los niños; pidió respeto por las disposiciones del acuerdo de 1950 entre la Iglesia y el Estado que eximían a los seminaristas del servicio militar. Luchó para defender la libertad de los cristianos de expresar su fe sin sufrir discriminación. Cuando el gobierno dejó de proveer con tinta de imprenta a las diócesis y a *Znak* (el periódico católico mensual de Cracovia) como una forma de censurar la prensa católica, Wojtyla se pronunció contra esto de manera contundente. Desde el púlpito y a través de sus colaboraciones en el *Tygodnik Powszechny* (artículos, discursos, homilías, poemas y ensayos) definía su postura, cuidadosamente enunciada, basada en principios e inusitadamente desprovista de una retórica vacía, y centrada siempre en su filosofía cristiana personalista.

Wojtyla empezó a trabajar al lado de los militantes del único grupo católico clandestino directamente patrocinado por el cardenal Wyszynski: Odrodzenie (renacer), fundado en los años veinte como una asociación para fomentar el renacimiento católico en Polonia. Después de desarrollar actividades conspiradoras durante la guerra, siguió funcionando durante el régimen comunista como un centro clandestino de formación para la elite católica laica. En opinión de Wyszynski, sus miembros podían sacar adelante los proyectos de la jerarquía de la Iglesia en aquellas situaciones en las que el clero prefería permanecer tras bambalinas. En todas las diócesis polacas podían hallarse pequeños grupos de Odrodzenie. A Wojtyla lo invitaban con frecuencia a dar charlas en las reuniones de Odrodzenie (que hacían pasar por peregrinaciones) en el santuario de la Virgen Negra de Czestochowa, en donde hablaba sobre problemas sociales y religiosos.

"Una vez Wojtyla hubo determinado que, después de todo, tendría que meterse en política, –decía Wozniakowski–, me sorprendió ver cuán rápido era para aprender, para asimilar la información. Me sorprendió su forma de acomodar la información a su manera de pensar y su forma sumamente interesante de resumir las cosas, especialmente después de escuchar en silencio una larga discusión política".

Durante las reuniones con sus amigos de Znak en el palacio arzobispal en Cracovia, Wojtyla solía dar la impresión de hallarse distante. Mientras que los demás discutían sobre la Iglesia y el régimen, la religión y la vida cívica, él se sentaba en su escritorio a leer documentos, a escribir cartas. Luego, casi sin ningún esfuerzo, producía una declaración centrada precisamente en los puntos claves que se estaban discutiendo.

Observando la facilidad con que Wojtyla asumía las responsabilidades políticas, Wozniakowski tuvo una intuición: "En posesión de ese insospechado talento, pensé por primera vez que él podría convertirse en Papa, aunque en un futuro distante".

Los encuentros de Wojtyla con los intelectuales se convirtieron en un método de gobernar la diócesis de Cracovia. En su residencia Wojtyla no sólo se reunía con los editores del *Tygodnik Powszechny*, sino también con historiadores, matemáticos, filósofos, científicos, escritores, actores y músicos. Les preguntaba su opinión sobre Polonia, sobre el mundo. Rompiendo las reglas tradicionales de la burocracia eclesiástica, mantenía siempre abierta (literalmente) la puerta de su despacho a los sacerdotes de la diócesis y dedicaba gran atención a sus visitas pastorales a todas sus parroquias.

Jószef Mucha, su chofer durante aquellos años, todavía recuerda asombrado las agotadoras jornadas del arzobispo. "A las cinco y media ya estaba en la capilla de su residencia. Hacia las siete se dirigía a la iglesia franciscana que quedaba al otro lado de la calle y allí rezaba durante un largo rato. A las ocho regresaba a desayunar. Después volvía a la capilla, cerraba la puerta, trabajaba, oraba y leía hasta las once".

En el costado izquierdo de la capilla, no muy lejos del altar, el arzobispo se hizo construir una silla con reclinatorio y una pequeña tabla de madera oscura. De esa manera podía escribir y orar al mismo tiempo. También podía mirar por una ventana que daba al jardín en donde solía caminar cuando era seminarista clandestino, o podía inspirarse con el tabernáculo.

"Después de las once, –continuaba Mucha–, el arzobispo recibía en su despacho a cualquier persona que quisiera hablar con él". El almuerzo, la comida principal del día, era a la una y treinta. Luego, Wojtyla hacía una siesta de diez minutos en el sillón de su habitación. "Si la siesta duraba un cuarto de hora, él se levantaba diciendo: Ay, dormí cinco minutos de más'".

En el palacio episcopal Wojtyla mantenía ese estilo espartano con el cual se sentía tan a gusto. Aunque su despacho y su habitación eran relativamente grandes, estaban amoblados de manera sencilla. La pintura de su escritorio estaba pelada y su cama sencilla estaba cubierta con una colcha gastada. En la pared había una virgen renacentista y un paisaje polaco invernal. Su rosario reposaba en la mesa de noche. Tenía siete sotanas: cuatro rojas y tres negras, y tres pares de zapatos, todos negros.

Con frecuencia dedicaba las tardes a visitar algunas de las 329 parroquias de la arquidiócesis. En las noches, discutía con sus amigos de Znak y del *Tygodnik Powszechny* sobre los problemas de la Iglesia en Polonia. Ocasionalmente bebía con ellos un poco de vino o una cerveza.

Incluso cuando iba en el automóvil, el arzobispo seguía trabajando prácticamente sin parar. Mucha le había fabricado un atril de madera con una lámpara para que pudiera leer en la oscuridad. "Cuando iba en el automóvil siempre llevaba cuatro maletines –cuenta su conductor– y dos de ellos estaban llenos de libros".

Una cosa que Wojtyla casi nunca hacía (ni hace en la actualidad) era leer periódicos. Tampoco le interesaba ver noticias por televisión o escucharlas por la radio. Cada dos semanas el padre Bardecki, editor religioso del *Tygodnik*, iba al despacho del arzobispo y le hacía un resumen de las noticias obtenidas en los periódicos y los noticieros estatales televisados, ambos fuertemente censurados en Polonia. En la época de los medios masivos de comunicación, Wojtyla se ha negado a asimilar este elemento aparentemente indispensable de la vida contemporánea, aun cuando se ha servido de él como ningún otro personaje histórico.

En junio de 1976 surgió una nueva explosión de ira y odio contra el régimen comunista en Polonia. En Radom, Ursus, y otros centros urbanos se produjeron sangrientos enfrentamientos entre los trabajadores y la policía, después de que el gobierno aumentó nuevamente los precios de los alimentos. Era la misma situación que había provocado la caída de Gomulka.

Polonia y la Iglesia se vieron abocadas a un nuevo conflicto cuando se declaró una huelga general. El primado y Wojtyla apoyaban las peticiones de los trabajadores pero les solicitaron que retornaran a sus trabajos. Ambos lograron que el gobierno se abstuviera de levantar cargos contra los huelguistas o de castigarlos de alguna manera.

"No podemos darnos el lujo de ser irresponsables, pues nos hallamos en una posición geográfica difícil", afirmaba el cardenal Wojtyla en su sermón de la misa de Año Nuevo en 1976. Para el arzobispo de Cracovia, reconocer la realidad de Yalta (es decir, la dominación rusa en Europa oriental) no significaba que los polacos debían abandonar su sentido de la nacionalidad. "El año que pasó nos ha mostrado que debemos luchar por las verdades básicas de nuestra existencia como nación y como Estado. Tenemos que repetir una y otra vez que el Estado existe para la nación, y no al revés. Después de tantas luchas, de tanta guerras en tan variados frentes, después de tanto sufrimiento, esta nación merece ser libre e independiente".

Aprovechando el ímpetu de la huelga, en noviembre de 1976 un grupo de intelectuales, entre los que se encontraban los disidentes del marxismo Jacek Kuron y Adam Michnik, conformaron un comité para la defensa de los trabajadores, conocido por las iniciales KOR. Muchos de los dirigentes del KOR habían sido izquierdistas, pero ahora giraban en torno a la Iglesia. El club de intelectuales católicos (KIK), del que Wojtyla era capellán, empezó a defender más abiertamente los derechos de los ciudadanos. El arzobispo patrocinaba las "universidades volantes" (seminarios clandestinos para contrarrestar la propaganda oficial), y permitía que las iglesias y monasterios se usaran para dar clases.

Después de junio de 1976, Wojtyla percibió un nuevo talón de Aquiles en el sistema, una verdadera oportunidad para la Iglesia y el pueblo de obtener las libertades y los derechos básicos que hasta el momento los comunistas se habían empecinado en suprimir. De 1976 a 1978 Wojtyla pronunció una gran cantidad de homilías que agitaron un movimiento de resistencia espiritual. Estas son similares, en algunos aspectos, a los grandes sermones que predicara Martin Luther King Jr. durante la crisis moral y política que se vivió un decenio atrás en Estados Unidos. Cada vez más, Wojtyla criticaba directamente el abuso de autoridad moral por parte del gobierno en el trato que les daba a los trabajadores, los disidentes, los intelectuales, los estudiantes y los creyentes. Era inevitable evocar el ejemplo de san Estanislao:

> San Estanislao se ha convertido en el santo patrono del orden moral y social del país... Él se atrevió a decirle al mismísimo rey que debía respetar la ley de Dios. La antigua veneración a san Estanislao es, de hecho, una confesión de que la verdad y la ley moral son la base del orden social. Él también era un defensor de la libertad como un bien inalienable de todos los hombres, y por ello la violación de esa libertad por parte del Estado es también una violación al orden moral y social.

Wojtyla atacaba permanentemente la censura de prensa (sus propios sermones eran con frecuencia eliminados de los periódicos católicos por el régimen) y proclamaba el derecho de todos los ciudadanos de expresar sus opiniones. "Queremos que el clima de la verdad sea la base de nuestra vida social –decía en otro sermón, en 1977–. Queremos ver nuestra verdadera imagen en los periódicos, en la radio, en la televisión. No queremos una verdad artificial y amañada, ni una opinión pública manipulada... No queremos que la autoridad se base en la violencia policiva".

"A veces escuchamos decir que debe existir una segunda Polonia [una referencia a las reformas económicas de Gierek] –decía Wojtyla en su sermón de Navidad–. Pero no hay más que una sola Polonia, y esa segunda Polonia, si es que debe existir, tiene que surgir a partir de la primera. No puede olvidar ningún elemento de nuestra herencia nacional y cultural".

Wojtyla pronunció sus declaraciones más apasionadas, extensas y cuidadosamente pensadas sobre derechos humanos ante miles de jóvenes estudiantes que acudieron en masa a las procesiones del Corpus Christi en 1977 y 1978 en el área del monte Wawel, en parte para rendirle tributo a un estudiante líder de la oposición, a quien ellos consideraban víctima de asesinato por parte de las autoridades. (El régimen sostenía que el joven había muerto accidentalmente.) El cardenal habló así ante aquella multitud de jóvenes en 1977:

> Los derechos humanos no pueden darse en forma de concesiones. El hombre nace con ellos y busca hacerlos realidad en el transcurso de su vida. Si no los experimenta o no los puede hacer realidad, el hombre se rebela. Y no puede ser de otro modo, puesto que es un hombre. Así se lo dicta su sentido del honor.

Mientras Wojtyla hablaba, un jet militar pasó con gran estruendo por encima de la multitud, en un intento por ahogar sus palabras. Esto produjo una risa de burla en la muchedumbre, que aplaudió y vitoreó con frenesí al cardenal cuando este miró hacia arriba y saludó al "entrometido invitado". Cuando el jet terminó de hacer su sobrevuelo, Wojtyla continuó: "Y es imposible resolver estos problemas mediante la opresión. La policía y las prisiones tampoco son la respuesta. Lo único que hacen es elevar el precio que finalmente hay que pagar... Sólo existe un camino hacia la paz y la unidad nacional, y este es el respeto sin límites a los derechos del hombre, a los derechos de los ciudadanos y los polacos".

Wojtyla pidió a los estudiantes –"la juventud madura e independiente"– que fueran pacíficos en sus protestas de la primavera. "Ellos tienen la capacidad de pensar sobre los temas básicos como la justicia social y

la paz, los derechos de la persona humana, los derechos de la nación".
Wojtyla concluyó hablando sobre Cristo crucificado: "Pido excusas a
Nuestro Señor Jesucristo, pues, al menos en apariencia, no hablé de Él.
Pero sólo en apariencia. En realidad hablé de tal manera que todos pudimos entender que Él, que vive en este sacramento, vive en nuestra vida
humana".

Así pues, el cardenal Wyszynski podía descansar tranquilo
sabiendo que su despacho quedaba en buenas manos. Wojtyla sería el
primado de Polonia. Wyszynski se lo había manifestado claramente a
Kukolowicz, su asesor de confianza.

El 26 de agosto de 1978, el colegio cardenalicio, en el cual participaba
Wojtyla, se reunió en cónclave para elegir al sucesor del papa Pablo VI.
El escogido fue Albino Luciani, de sesenta y seis años, patriarca de
Venecia. A la gente le gustaba su sonrisa y la gran humanidad de su comportamiento. Adoptó el nombre de Juan Pablo I, inspirándose en sus dos
predecesores inmediatos. Los cardenales que no eran italianos se sintieron aliviados con la elección de un hombre que no había formado parte
del aparato de la curia. El camino parecía allanado para los años venideros, quizás hasta el final del siglo.

La señora Tymieniecka

En 1974, una aristócrata polaca, cosmopolita y vivaz, entró en el despacho del cardenal, convencida de haber encontrado un espíritu filosófico
gemelo. Su nombre era Anna Teresa Tymieniecka. Durante los cuatro
años siguientes ella y el cardenal se dieron a un diálogo filosófico cuyo
resultado fue la elaboración definitiva de la edición en inglés del trabajo
escrito más importante de Wojtyla: *Persona y acción*.

Más tarde, cuando fue elegido Papa, los reporteros empezaron a
remover cielo y tierra para encontrar alguna mujer que hubiese sido
amante de Wojtyla, o su esposa, o su compañera. La búsqueda fue inútil,
porque tal mujer no existía.

Pero, en este proceso, pasaron por alto la importancia crucial de la doctora Anna Teresa Tymieniecka en la vida de Karol Wojtyla, la influencia que ejerció en su vida y, por ende, en su papado. No tuvieron en cuenta el hecho de que ella había contribuido a hacer de él una persona prominente... y *papabile*.

Hasta la aparición de la señora Tymieniecka, las principales figuras en la vida adulta de Karol Wojtyla habían sido hombres. La relación de estos dos individuos (las semanas que pasaban escribiendo juntos, las caminatas, su trabajo sobre el texto de *Persona y acción*) y la presentación de Wojtyla por parte de la señora Tymieniecka en la comunidad filosófica europea y ante auditorios estadounidenses fueron experiencias formativas para el joven cardenal.

La historia de este impresionante trabajo conjunto está registrada en su correspondencia: más de noventa cartas guardadas bajo llave en una biblioteca de la Universidad de Harvard, en el incontrovertible relato escrito de Tymieniecka, en sus entrevistas con los autores del presente libro, y en el testimonio personal del doctor George Hunston Williams, amigo de Tymieniecka, catedrático de Harvard Divinity School y autor del libro *La mente de Juan Pablo II: orígenes de su pensamiento y acción* (1981).

El doctor Williams es un ministro protestante que asistió como observador oficial al Concilio Vaticano II, en donde se hizo amigo del obispo Wojtyla. En su libro hace una breve mención del papel de Tymieniecka como coautora de la edición en inglés de *Persona y acción*, pero nunca habla de la relación personal que se desarrolló entre esos dos personajes, ni de la magnitud de su trabajo conjunto. Sin embargo, él y otras personas afirman que el Vaticano se sintió muy desdichado con su libro simplemente porque mencionaba el trabajo de ella con el cardenal, y buscaron negarlo en los círculos católicos. Para los demás, se trataba de un gran libro.

Existen dos razones básicas que explican la reacción del Vaticano, según el doctor Williams y la señora Tymieniecka: la primera es que el Vaticano temía que se propagara la noticia de que una mujer conocida personalmente por Wojtyla había influido sobre el pensamiento y la escritura del futuro Papa. La segunda es que la obra en la cual habían trabajado juntos –una extensa revisión de la edición original polaca de *Osoba i Czyn* (literalmente Persona y acción)– se inclinaba por la filosofía contemporánea de la fenomenología a expensas del tomismo, es decir, de la doctrina de santo Tomás de Aquino que durante siglos ha sido la guía de la filosofía católica.

En 1977, el cardenal Wojtyla reconoció profusamente su deuda con la señora Tymieniecka en una introducción manuscrita reproducida en el libro, y un año antes le había cedido a ella los derechos mundiales de esta nueva versión en inglés, que él aceptaba como la única edición "definitiva" y autorizada. Él indicó que todas las futuras ediciones del libro deberían ser traducidas a partir de este y no de la versión original en polaco.

Sin embargo, cuando Wojtyla se convirtió en Papa, una comisión papal nombrada para deliberar sobre la manera como debía manejarse el repentino valor de la obra literaria de Karol Wojtyla le pidió al Papa que desautorizara el trabajo que había realizado con la señora Tymieniecka, que recuperara los derechos de *Osoba i Czyn* y volviera a designar la edición original polaca como el texto auténtico. Los representantes del Vaticano trataron –sin ningún éxito– de detener la publicación y la distribución de la versión del libro de Tymieniecka.

Juan Pablo II no cuestionó las recomendaciones ni las acciones de la comisión, y a continuación se produjo un período de distanciamiento entre el nuevo Papa y la señora Tymieniecka –aunque él siguió escribiéndole regularmente (casi cada mes, según dice ella) y con menos frecuencia a los miembros de su familia. Mientras tanto, ella contrató abogados y pensó en demandar al Sumo Pontífice de la Iglesia católica romana o a su representante por infringir la ley de derechos de autor. Tymieniecka comenzó a recopilar meticulosamente el registro de su trabajo conjunto y la correspondencia, y envió este material a varias personas e instituciones para que lo resguardaran y para que eventualmente lo publicaran después de su muerte. Contra los deseos del Vaticano, ella persistió en publicar este trabajo de equipo, que sigue siendo la versión estándar en idioma inglés. Cuando el libro salió publicado, el Vaticano lanzó una campaña en la prensa católica contra el trabajo de Tymieniecka, dando a entender que ella había usurpado el pensamiento de Wojtyla y que el resultado había sido una interpretación excesivamente fenomenológica de las ideas del Pontífice.

Ella calificó el silencio público del Papa en esta disputa como una "traición" personal, aunque luego se restableció nuevamente su relación. Sin embargo, en el entorno papal no existe ninguna duda sobre la autenticidad de su trabajo conjunto ni sobre la autenticidad del contenido filosófico del libro final*.

"Fue un incomparable compañero filosófico, –dice Tymieniecka, nacida a fines de los años veinte–. Teníamos una sociedad filosófica. Él también decía eso, pero no sé si realmente lo sentía así. Al menos lo expresaba con mucha intensidad".

En una de la cartas que recibió la señora Tymieniecka, fechada el 8 de febrero de 1979, el papa Juan Pablo II hacía reminiscencias sobre su relación: "A este respecto debo decir que confié de manera considerable en sus capacidades, en su experiencia o –como sigo creyendo– en su intuición. No pelee usted con ella, pues la intuición (y no solamente la 'erudición') es precisamente su fortaleza como filósofa".

En opinión de Tymieniecka –apoyada por el doctor Williams y muchos otros expertos en el papado de Wojtyla– existe una conexión directa entre *Persona y acción,* particularmente la edición en inglés, y las encíclicas, los pronunciamientos y la filosofía del papa Juan Pablo II. "Su trabajo conjunto fue extremadamente importante –dice Williams– Posteriormente, el Vaticano y el Papa se comportaron mal tratando de evitar que se tuviera noticia de este trabajo conjunto".

Refiriéndose a la encíclica *Veritatis Splendor* (El esplendor de la verdad), tal vez la obra más lograda de Juan Pablo II, dice el doctor Williams: "Hace parte de su relación. No se lo puede entender a él, ni

---

* El doctor Joaquín Navarro-Valls, vocero del Papa, admite que la comisión actuó de manera "sobreprotectora" en el manejo del asunto Tymieniecka. Él también admira su trabajo: "El libro es más fenomenológico que tomista, pero en eso consiste su belleza –dice–. Desde el punto de vista filosófico y literario, constituye un excelente análisis... Creo que este es el último libro sobresaliente escrito sobre la fenomenología". Él explica así el comportamiento de la comisión: "Imaginen la situación de un nuevo Papa con una cierta cantidad de producción literaria y filosófica. Es un Papa no italiano y la mayoría de la gente no conoce el trabajo de Wojtyla. Ellos [la comisión] sentían que debían proteger la imagen del Papa... La confusión con todas esas circunstancias podía ser enorme, la situación era tan nueva [que la reacción fue:] hagámonos cargo de la manera como puede interpretarse."

Entre tanto, la comisión estaba presionada también por algunos académicos polacos que sostenían que la traducción al inglés del trabajo conjunto de Tymieniecka y Wojtyla tenía errores.

siquiera como Pontífice, sin esta encíclica. No podría haber hecho lo que hizo sin esa relación [con Tymieniecka]. No puede pasar desapercibida en la descripción de su biografía o de su intelecto".

El texto original en polaco de *Osoba i Czyn*, que no fue jamás editado por alguien distinto del obispo Karol Wojtyla, era una obra mucho menos desarrollada, más imprecisa y (por muchas razones) más impenetrable que la versión producida después del trabajo conjunto.

Tadeusz Styczen, amigo y discípulo filosófico de Wojtyla, escribió en el *Tygodnik Powszechny* de diciembre de 1978 que "gracias a la dedicación de la catedrática Teresa Tymieniecka, directora del Instituto Mundial de Investigación y Educación Fenomenológica Avanzada, su obra... no es una traducción en el sentido ordinario de la palabra, pues el trabajo ha sido enriquecido con nuevas reflexiones por parte del autor, y contiene una serie de análisis nuevos y nuevas precisiones... tanto así, que podemos decir que se trata de un nuevo libro que vale la pena traducir al polaco".

La doctora Tymieniecka nunca afirma que la filosofía subyacente en la versión inglesa de *Persona y acción* sea suya y no de Wojtyla. Su participación, según afirma, consistió en ejercer cierta "influencia". Ella y otros expertos sostienen que su trabajo le permitió a Wojtyla articular y depurar sus ideas a través de lo que ella ha descrito como el desarrollo del "estilo filosófico" del cardenal. Al final, el cardenal Wojtyla escribió en el prefacio a la edición en idioma inglés que la doctora Tymieniecka era la responsable de la "maduración" del libro y de "su forma ulterior".

Básicamente ella hizo el papel de colaboradora y editora. Antes de la aparición de Tymieniecka en la vida de Wojtyla, el polaco había sido ignorado e incluso rechazado por la comunidad filosófica.

Sin embargo, el doctor Rocco Buttiglione, protegido de Wojtyla y autor de un libro sobre la filosofía del Papa, también admira el trabajo de Tymieniecka y la llama "la compañera de Wojtyla en un diálogo filosófico" en *Persona y acción*. "Creo que fue un diálogo muy positivo entre Tymieniecka y el Santo Padre... [E]l diálogo con Tymieniecka ayudó al Santo Padre a ahondar en ciertos aspectos de su propio pensamiento... Yo diría que Tymieniecka ayudó a Wojtyla a pensar en la posibilidad de reescribir su propio pensamiento en términos más fenomenológicos y darle una forma fenomenológica a ciertos conocimientos que él adquirió a través de la metafísica tomista. Quizás ella le ayudó a Wojtyla a concebir la idea de una relación más íntima entre el tomismo y la fenomenología".

"Los filósofos católicos polacos no apreciaban mucho este libro –le dijo el cardenal a Tymieniecka en su primera cita–. Él estaba muy desanimado con su libro. En general estaba muy desanimado con la acogida que había tenido su libro ...y su filosofía".

Pero quizás casi tan importante como el contenido de la edición en idioma inglés es la historia misma del trabajo de grupo. El cardenal y su compañera filósofa pasaban gran cantidad de horas juntos y, en el proceso, Tymieniecka –casada con un distinguido catedrático de Harvard quien trabajó como miembro del consejo de asesores económicos del presidente Richard Nixon– se convirtió en uno de los pocos testigos de su personalidad por fuera del estrecho círculo eclesiástico de Polonia.

Durante un período de cuatro años trabajaron juntos en el manuscrito en Cracovia, Roma, Vermont, Suiza y Nápoles, y mantuvieron un diálogo y una correspondencia regulares que versaban principalmente sobre filosofía. Al menos en dos ocasiones durante su trabajo conjunto discutieron fuertemente (aunque ella no dice sobre qué tema). Según anota Williams, se trataba de "un diálogo filosófico entre dos mentes independientes".

Ella contribuyó a darlo a conocer, ayudó a planificar su primera visita larga a Estados Unidos y logró hacer que la Universidad de Harvard lo invitara a dar su primera conferencia en ese país. A través del delegado apostólico para Estados Unidos, Tymieniecka logró concretar otras citas en Washington. Logró que lo invitaran a tomar el té con el presidente Gerald Ford en la Casa Blanca (el cardenal tuvo que declinar el honor pues tuvo problemas para cuadrar los horarios) y envió a los medios montones de comunicados de prensa en los cuales se anunciaba la visita a Estados Unidos del distinguido cardenal polaco del cual se hablaba en Europa como posible candidato al papado.

Wojtyla y su secretario privado, el padre Stanislaw Dziwisz, se quedaron en la casa de campo de la señora Tymieniecka en Vermont en el verano de 1976. El cardenal celebraba misa todos los días en la mañana, en una mesa del jardín; pedía prestada una pantaloneta del marido de su anfitriona para ponérsela encima del traje de baño cuando iban a bañarse al lago de un vecino; y hacían largas caminatas (por lo general acompañados de Dziwisz) durante las cuales hablaban de filosofía y de su trabajo conjunto.

Tymieniecka se dedicó de lleno al proyecto durante cuatro años, durante los cuales visitaba a Wojtyla seis veces al año en Cracovia y en Roma, trabajaba con su secretario y con el cardenal y luego volvía a su casa de Nueva Inglaterra a trabajar sola en el manuscrito.

Entre tanto, durante el tiempo en que trabajaron juntos, muchas de las reflexiones filosóficas y las ponencias del cardenal Wojtyla –que hasta entonces sólo habían sido publicadas en Polonia– fueron traducidas al inglés y divulgadas en *Analecta Husserliana*, una publicación de la Sociedad Internacional Investigativa Husserliana y Fenomenológica, de la cual la doctora Tymieniecka era directora. También presentó ponencias en muchos congresos de filosofía en Europa, por intermedio de Tymieniecka.

Para responder a la pregunta de si había surgido en ella algún tipo de cariño romántico por el cardenal y arzobispo –aunque tan sólo hubiera sido un sentimiento unidireccional– Tymieniecka, mujer católica, dijo: "No. Nunca me enamoré del cardenal. ¿Cómo iba a enamorarme de un sacerdote de edad madura? Además, yo soy una mujer casada".

Sin embargo, el doctor Williams, quien ha pasado cientos de horas conversando con ella, no duda de que tal sentimiento sí se haya producido. "Por supuesto que sí. De cierta manera, *eros* es la base de la filosofía. Hay que amar. Ella es un ser humano apasionado. Sentía una pasión católica por Wojtyla, es decir, refrenada por su dignidad eclesiástica y porque ella comprendía las limitaciones del caso. Pero había un gran sentimiento, circunscrito en esos límites, por parte de ella".

Tras observar a Wojtyla en presencia de Tymieniecka y de hablar con ella sobre la situación, el doctor Williams concluye: "No creo que él se dé cuenta de lo que implica para ella estar en su presencia... Es como un imán que atrae a las partículas de metal. Él no lo sabe".

La doctora Tymieniecka, una mujer de baja estatura, como un duende, de cabello rubio, ha descrito a Wojtyla como un hombre sexualmente ingenuo, tanto en su modo de actuar como en su libro *Amor y responsabilidad*. "El cardenal era la modestia personificada –en su relación, según dice ella–. Es un hombre con un insuperable control de sí mismo, que ha elaborado una bella y armoniosa personalidad". También añade:

> Para escribir [como él lo ha hecho] sobre el amor y el sexo se necesita saber muy poco sobre eso. Me sorprendió mucho la lectura de *Amor y responsabilidad*. Pensaba que obviamente él no sabe de qué está hablando. ¿Cómo puede escribir sobre esos temas? La respuesta es que él no tiene experiencias de ese tipo. *Amor y responsabilidad* no es solamente un libro sobre sexualidad. Su filosofía está emparentada con *Persona y acción*.
>
> Él es ingenuo sexualmente, pero no en los demás aspectos. Para ser cardenal bajo un régimen comunista hay que ser extremadamente sagaz. No se puede ser ingenuo. Él es una persona muy inteligente que sabe lo que hace.

Al preguntarle si hubo algún componente sexual o de atracción en su relación con el Papa, Tymieniecka responde: "Voy a serle muy franca: yo no estoy interesada en la sexualidad. En ningún sentido. Soy una polaca chapada a la antigua que piensa que ese no es en absoluto un tema de conversación".

Anna Teresa Tymieniecka nació en una propiedad rural de Masovia, en Polonia, y se educó en la Universidad Jagellona de Cracovia. Entre 1945 y 1946 estudió con Roman Ingarden, el fenomenólogo que también ejerció cierta influencia sobre Karol Wojtyla por la misma época.

Se fue de Cracovia en 1946, año en que obtuvo su graduación y en que el gobierno comunista empezó a dividir las grandes propiedades rurales de los antiguos nobles polacos. Después vivió en París, y en Friburgo, Suiza. Obtuvo su grado de maestría en la Sorbona en 1951, y se doctoró en la Universidad de Friburgo, en 1952, en donde trabajó durante seis años en su doctorado bajo la dirección del catedrático Ignacy Bochenski.

Bochenski, una autoridad en filosofía marxista, era un sacerdote polaco que alguna vez fue escogido por el arzobispo Sapieha para llevarle una carta al papa Pío XII en la que pedía ayuda al Vaticano para luchar contra la ocupación nazi en Polonia. El Papa no prestó ningún tipo de ayuda.

En 1954, la señora Tymieniecka fue a Estados Unidos y trabajó como profesora de filosofía en la Universidad de California en Berkeley y de matemáticas en la Universidad Estatal de Oregon. Culminó una investigación posdoctoral en Yale, se convirtió en catedrática asistente de filosofía en la Universidad Estatal de Pennsylvania y conferencista en Bryn Mawr College.

La historia de la relación entre Wojtyla y Anna Teresa Tymieniecka comienza en 1972, cuando Tymieniecka, que ya rondaba por los cuarenta, obtuvo una copia de *Osoba i Czyn*, publicada en 1967 por Karol Wojtyla. "En ese momento yo no conocía al autor", escribe Tymieniecka, y sigue:

> Tras un breve examen de su trabajo comprendí rápidamente que este presentaba ciertas afinidades con mi propio trabajo en fenomenología, tal como se evidencia en [mi libro] *Eros y logos* (publicado en 1962). En este libro yo defendía con mucha vehemencia la prioridad de la acción sobre la cognición por ser *la clave para comprender al ser humano*, en oposición al énfasis que prevalecía en fenomenología sobre la prioridad del carácter cognitivo de la constitución intencional...
>
> Yo estaba sorprendida, y no poco agitada, pensando que otro filósofo había llegado a un punto de vista tan compatible con el mío. Mi interés por su libro era, pues, comprensible... Por fin encontraba un espíritu gemelo.

En 1972 y 1973, Tymieniecka les hablaba mucho a sus estudiantes sobre "el libro genial" del cardenal Wojtyla. Cuando la invitaron, en la primavera de 1973, al Congreso Internacional Séptimo Centenario de Tomás de Aquino, en representación del comité científico de la academia estadounidense, Tymieniecka fue a Polonia a invitar al cardenal a que presentara una ponencia en la sección de fenomenología, en la cual ella iba a ser moderadora.

"El cardenal, a quien yo había contactado por correo, respondió a mi invitación concediéndome una audiencia [en su residencia] en Cracovia, el 29 de julio –escribió la filósofa–. Se sorprendió de ver tanta admiración por su trabajo filosófico, pues este había sido duramente criticado en todos los aspectos por varios filósofos católicos durante un simposio en Lublín, especialmente dedicado a la discusión de su pensamiento. Sin embargo, después de una audiencia posterior, pude convencerlo de participar en un foro internacional de filósofos profesionales, y él prometió contribuir con una ponencia".

Su primera conversación se llevó a cabo en uno de los salones del palacio arzobispal, en donde charlaron durante cerca de una hora. Ella cuenta que Wojtyla "estaba sorprendido por mi visita. Estaba totalmente asombrado de que yo hubiera venido del extranjero a decirle que consideraba que *Osoba i Czyn* era un gran libro".

La secretaria del cardenal, la hermana Eufrozja, estaba encantada con el hecho de que alguien se hubiera interesado tanto en la filosofía de Wojtyla, y cuando las dos mujeres tomaban té con galletas en el refectorio de la hermana, ella le insistía a Tymieniecka para que volviera al día siguiente. "Allí fue cuando le di un largo discurso [a la hermana Eufrozja] –dice Tymieniecka–. Yo quería trabajarla a ella para que convenciera al cardenal. Le dije que yo lo iba a invitar para que hablara en la conferencia de Tomás de Aquino en Nápoles. Yo quería que él representara al catolicismo: ya tenía a un judío y a un protestante. Yo veía que sus ideas eran muy similares a las mías... Le di un largo discurso a la hermana, diciéndole que necesitábamos en el mundo a un líder de la cristiandad porque todo se estaba desmoronando, y que yo había llegado allá porque había leído el libro de Wojtyla. Le dije que lo necesitaba a él porque yo era laica y librepensadora, y necesitaba a alguien [en la conferencia] que representara a la cristiandad".

En la correspondencia que siguió a este encuentro, el cardenal y Tymieniecka acordaron que Wojtyla se presentaría en Nápoles y en Roma para el congreso de Aquino, presentaría una ponencia en la sesión plenaria sobre "La autodeterminación como la estructura constitutiva de la persona", y luego participaría en el coloquio de fenomenología de Tymieniecka. Estando en la conferencia, que tuvo lugar del 17 al 24 de abril, el cardenal Wojtyla también aceptó la invitación de Tymieniecka a contribuir con más ponencias para la publicación *Analecta Husserliana*.

Según Tymieniecka, en ese momento ya habían empezado a contemplar la posibilidad de hacer una edición en inglés de *Osoba i Czyn*, para la cual ambos trabajarían conjuntamente y que ella haría publicar en la sociedad de fenomenología.

> Por mi parte, yo hacía este trabajo por amor, para que lo conocieran a él y se le diera un reconocimiento justo como filósofo... Mi condición era que debíamos trabajar juntos. Él quería que yo lo hiciera sola [editar la obra], pero yo me negué. Le dije: "Sólo si trabajamos juntos".

En noviembre, después de recibir una carta del cardenal en la que respondía positivamente a sus sugerencias de hacer más trabajos como el del congreso de Aquino, Tymieniecka volvió a viajar a Cracovia para entrevistarse con Wojtyla. Durante esta visita, que duró más de un mes, ambos acordaron que ella publicaría una traducción al inglés de *Osoba i Czyn* en el volumen 10 de *Analecta Husserliana*, e hicieron un contrato en el que se le daban a Tymieniecka los derechos exclusivos de publicación en todo el mundo. Entre tanto, el cardenal encargó a un traductor profesional para que comenzara a trabajar en una versión al inglés del manuscrito. Tymieniecka recuerda:

> [M]i primera conversación con el futuro traductor, el 13 de julio de 1975, bastó para sacar a la luz las enormes dificultades que iban a surgir en el proceso de vertir el libro al inglés. Las críticas que manifestaron los académicos polacos parecían justificadas en muchos puntos. Cuando yo cuestioné al autor a este respecto, él admitió que nunca había editado su libro para la publicación, y que después de mecanografiado el texto, sencillamente lo habían publicado sin más.

Este había sido siempre el método de Wojtyla, y parece ser una de las razones por las cuales muchos de sus escritos son considerados vagos, difíciles o inaccesibles. Además de las "innumerables deficiencias en el texto", en el original se encontraban "frases sin terminar, errores gramaticales, expresiones vagas, gran cantidad de repeticiones y análisis sin concluir", decía Tymieniecka.

En este punto, según Tymieniecka y otras personas, comenzó en serio su trabajo conjunto: una tarea que se prolongó tres años durante los cuales ella le programaba conferencias de filosofía en Europa (por ejemplo en Roma, en marzo y septiembre de 1976), por lo general de una semana de duración, o algo más. En 1975, Tymieniecka comenzó a hacer los preparativos para llevar a Wojtyla a Estados Unidos en una gira de charlas durante el verano siguiente, al tiempo que participaba en el Congreso Eucarístico de Filadelfia. Su intención era "presentar a este gran pensador a la comunidad internacional".

Con el paso del tiempo, se iba estableciendo la pauta de su trabajo conjunto en el libro, durante las conferencias en las diversas ciudades europeas, sentados a la mesa del Collegio Polacco cuando Wojtyla iba a Roma por asuntos eclesiásticos, y en los viajes de ella a Polonia.

Yo iba a Polonia tres veces al año, y a Roma tres veces al año también. Me quedaba cinco semanas en Polonia y dos o tres semanas en Roma en cada ocasión; esto ocurrió así a lo largo de cuatro años. En Polonia me demoraba por lo menos tres semanas en Cracovia y allí trabajábamos cada vez que él tenía un tiempo disponible... Me enviaba una nota o me mandaba llamar con la hermana Eufrozja.

Yo permanecía con mis amigos, por lo general profesores universitarios, algunas veces en un hotel... Un día antes [de encontrarnos] me enviaba una nota. Durante las cinco semanas yo estaba disponible para cuando él estuviera disponible: dos semanas en Varsovia y tres en Cracovia. Era una dedicación total. Teníamos enormes discusiones, las discusiones filosóficas más fascinantes del mundo, sobre su libro y otros de sus escritos. También discutíamos sobre mis escritos. Él leyó en ese tiempo mis escritos, no todos los que tengo sino los que yo le pasaba.

En una foto de esos años, que la señora Tymieniecka tiene sobre el piano de su casa en Vermont, se ve a una mujer diminuta de minifalda, con el cabello rubio recogido en una cola de caballo.

En cada período de cinco semanas de trabajo en Europa, ellos lograban reunirse de seis a ocho veces. Al respecto comenta Tymieniecka:

Algunas veces nos veíamos una hora, a veces nos encontrábamos para almorzar, o para comer, o para desayunar, o cuando él tenía tiempo...

Una vez tuvimos un encuentro de tres horas en un automóvil, en un viaje de ida y regreso a Bolonia, simplemente para hablar del libro. Él no tenía tiempo. Permanecía viajando por toda la diócesis. Nos encontrábamos una o dos veces [durante cada estadía en Cracovia] un día entero, y hablábamos de filosofía a lo largo de seis horas. En esas salidas hacíamos caminatas por los bosques. Él era muy buen caminante y yo a duras penas le seguía el paso. Dziwisz iba con nosotros. A veces íbamos a la zona montañosa y el servicio secreto [comunista] seguía al cardenal. Mucha [el conductor del cardenal] trataba de perderlos.

En este punto hay una anécdota interesante: después de que Wojtyla se convirtió en Papa, las fuentes comunistas polacas y los documentos de la policía fueron la base de algunos de los rumores infundados de que Karol Wojtyla había tenido una relación –presumiblemente sexual– con una mujer polaca cuando era prelado. De hecho, la descripción de la mujer que los agentes secretos aparentemente vieron con él en varias ocasiones correspondía a la de la señora Tymieniecka.

Los dos contertulios hablaban de literatura, de la naturaleza, de poesía, de antropología:

Todo el tiempo era un diálogo entre dos filósofos, que no se limitaba al tema del libro. Por eso era tan encantador este trabajo. Si no lo hubiéramos hecho así, probablemente yo no le habría tomado tanto cariño al libro. Wojtyla era un incomparable compañero filosófico.

Los grandes temas de *Persona y acción* "ya estaba articulados en el libro escrito en polaco. Lo que hacíamos era concentrarnos en aspectos filosóficos más pequeños; teníamos que mirar algunas formulaciones que no estaban muy claras, acabar algunas frases. Pero los grandes temas estaban claros".

Esos mismos grandes temas se convertirían en la base de su filosofía como Papa:

En *Persona y acción* se encuentran sus principales políticas como Papa. Eran la razón por la cual podía ser el jefe de la cristiandad, la razón por la cual fui a Cracovia la primera vez. Esos temas iban en contravía de la tendencia de la cultura eclesiástica de la época. Él ponía el énfasis en la autodeterminación del ser humano, es decir, que en las manos del individuo está la responsabilidad de delinear su vida, de desarrollarla. En consecuencia, la sociedad y los sistemas políticos deben darle al individuo la oportunidad de autodeterminarse.

Si, por una parte, el sistema sociopolítico no garantiza los derechos para que se produzca esta autodeterminación –como en los sistemas totalitarios y en el comunismo, que suprime la autodeterminación del ser humano– entonces el Estado es pernicioso. Por otro lado, si las sociedades y las culturas permiten que el individuo se vuelva netamente individualista y se olvide de los lazos comunitarios que exige y establece la autodeterminación, entonces se desintegra la cooperación social.

La visita de Wojtyla a Estados Unidos, en 1976, fue un éxito. Era la primera vez que captaba la atención de un público estadounidense grande e influyente. "Yo quería presentarlo como una gran personalidad, un gran estadista, pero nadie iba a aceptar eso de entrada –dice Tymieniecka–. Venía de un país sin importancia y nadie lo conocía. Le conseguí una cena en la casa del rector de Harvard, a la cual asistieron doscientas cincuenta personas. La universidad le facilitó un automóvil y un conductor, y todos los profesores polacos fueron a recibirlo cuando llegó". La invitación formal que recibió Wojtyla para hablar en Harvard fue extendida por el doctor Williams.

Su conferencia fue muy bien recibida en Harvard tanto por los académicos como por los líderes de la Iglesia, y se le dio un amplio cubrimiento noticioso, incluido un artículo en el *New York Times*. En un almuerzo en Harvard, al que asistieron funcionarios de la universidad y miembros de la prensa, Hendrik Houthakker, el esposo de Tymieniecka y profesor de la misma universidad (hombre judío, nacido en Holanda, quien pasó un tiempo en un campo de concentración nazi), presentó a Wojtyla como el futuro Papa.

Durante las tres semanas del Congreso Eucarístico, las conferencias del cardenal y las reuniones con los jefes de la Iglesia católica estadounidense en Washington y otras ciudades, Wojtyla se quedó dos veces en la casa de Tymieniecka, en los bosques de Vermont: seis o siete días en total. (En Washington, Tymieniecka fue la anfitriona de una cena y una recepción en honor del cardenal.)

Según la señora Tymieniecka, este período fue el más intenso de su trabajo conjunto, impresión que también comparten los catedráticos Williams y Houthakker. La situación, dice Tymieniecka, "era hermosa. Hacíamos cosas maravillosas, sosteníamos un diálogo filosófico incomparable. Él trabajaba en la cocina. Cuando se sienta a la mesa se concentra de una manera extremadamente intensa y no se levanta hasta no terminar... Luego reflexiona sobre ello".

La señora Tymieniecka había decidido recibir al cardenal "de la manera más auténticamente estadounidense posible". El desayuno era con avena Quaker. "Todos íbamos a nadar al lago del vecino. Hacíamos misa debajo de un árbol, en una mesa del jardín, a las siete y media de la mañana, para que mi hijo pudiera asistir [antes de irse a trabajar]. El padre Dziwisz hacía de monaguillo. Teníamos animales: un caballo, una cabra y un burro, y estos se acercaban durante la misa a ver qué estaba pasando".

Algunas veces ella y Wojtyla trabajaban dieciséis horas diarias. Con frecuencia iban a hacer largas caminatas, hablando "de filosofía, de la sociedad, de literatura, de poesía. Teníamos grandes debates... Él estaba proyectando hacer, después de *Persona y acción,* otro volumen sobre algo que él consideraba un tema antropológico, un tratado de ética, que finalmente se convertiría en la base de *Veritatis Splendor*".

Tymieniecka dice que es "el hombre más elegante... el actor más elegante. Hay en él un ingrediente de perfecta compostura y un autocontrol muy suave en su comportamiento. Esa suavidad es la clave. No hay que olvidar que él tuvo una formación como actor". Tymieniecka continúa:

> Ha desarrollado una actitud modesta, una manera muy llena de interés para acercarse a la gente. Él le hace sentir a cada persona que no tiene nada más en su mente, que está dispuesto a hacer cualquier cosa por el otro... Gracias a su encanto personal innato, que es una de sus mejores armas, tiene, además de un carácter poético, una cautivadora manera de tratar a la gente. Estas son muestras de su carisma, hasta su manera de moverse, aunque ya no tanto, ahora que es un hombre viejo. Tenía una

manera de moverse, de sonreír, de mirar a su alrededor diferente y sumamente personal. Era algo muy hermoso.

Gradualmente, tras mucho oír al cardenal expresar sus pensamientos y trabajar con él durante un largo período en circunstancias intelectualmente íntimas, Tymieniecka sacó más conclusiones respecto a él.

El mayor poder del Papa, esa vocación especial, está hecho a imagen de Cristo ¿En qué consiste? Él ve a alguien por primera vez en su vida y puede descubrirle a este individuo un tesoro escondido de fraternidad. El propio Cristo no podría hacerlo mejor. Por eso la gente se siente tan fascinada por él. Por su sonrisa, por su actitud tan cálida emocionalmente, tan interesada en la otra persona, como si fuera su hermano más cercano, el pariente más cercano a quien el Papa se entrega enteramente. Aquí no se trata de determinar si esto es una pose o es algo real. Es su esencia.

La gente que lo rodea ve a una persona muy dulce y modesta. Nunca ven la voluntad de hierro que hay detrás. El Papa *es* así. Actúa de manera relajada. Uno no ve el increíble trabajo que se produce en su mente... Su actitud en general [para con los otros] es la afabilidad. Su voluntad de hierro se ejerce con suavidad y con una enorme discreción. No se manifiesta de una manera directa. De cierta manera esta sería la pose. Pero también es algo natural, no una mera pose. Quizás él siempre fue así. Al ver fotografías [de su juventud] se ve a un muchacho muy dulce, pensativo, ligeramente sentimental.

Un rasgo de la personalidad que observo en él es el amor por la contradicción... La perseverancia es otra característica primordial. Para él no hay obstáculos. Nada es un obstáculo.

"Es un hombre extremadamente orgulloso –observa Tymieniecka–, terriblemente sensible al orgullo. Es un ser humano sumamente multifacético, muy llamativo. No es en absoluto tan humilde como parece. Tampoco es modesto. Se tiene a sí mismo en muy alta estima".

¿Cambia Wojtyla de parecer alguna vez?, le preguntamos a Tymieniecka.

Me da la impresión de que no. Se interesa mucho por las ideas nuevas. Está abierto a las ideas nuevas siempre que sean compatibles con las suyas. Es una persona muy sistemática. No es un hombre que actúe por ensayo y error. No experimenta. Él subió al papado siendo un hombre maduro que posee un sistema. El resto de su vida ha consistido en implementarlo.

La señora Tymieniecka encontraba muy acertadas las opiniones de Wojtyla, excepto cuando debatían sobre Occidente y Estados Unidos. Tymieniecka llegó a la conclusión de que muchas de las impresiones del cardenal eran erradas, y que su falta de conocimiento era inquietante. Le daba la impresión de que Wojtyla percibía el dominio del comunismo en Oriente como una fortaleza inexpugnable. Ella hablaba sobre estos temas con su marido, aunque no entraba en detalles sobre el resto de actividades que desarrollaba durante el tiempo que pasaba con Wojtyla. El doctor Houthakker recuerda:

A ella le parecía que Wojtyla consideraba a los comunistas más poderosos de lo que en realidad eran. Mi esposa tenía la impresión de que él pensaba que los comunistas terminarían prevaleciendo en el largo plazo, o sea que él, de cierta manera, estaba luchando una batalla perdida. Tenía muy presente el poder del sistema soviético. Pero no conocía el poder del sistema occidental.

...Mi esposa se preocupaba por su falta de conocimiento sobre Occidente. Ella le hablaba sobre la naturaleza de esta sociedad, tan diferente de la sociedad en la que él fue criado... Él tendía a ver a los países occidentales, especialmente a Estados Unidos, como inmorales, o quizás amorales. No percibía correctamente las virtudes reales de la democracia. Al menos en dos ocasiones, mi esposa desempeñó un papel decisivo al decirle que iba a sonar como una especie de Savonarola en Estados Unidos. Ella le decía que este es un país maravilloso. Naturalmente que aquí hay cosas que a ella no le gustan, pero hay ciertas cosas que él no puede decir. Ella lo convenció de que no expresara su desdén o su preocupación por la decadencia de Occidente y de Estados Unidos en particular. Esto es muy importante, porque él habría podido arruinar la recepción que tuvo en Estados Unidos si hubiera dicho las cosas que iba a decir.

Más adelante, en una conversación que sostuvo Houthakker con Wojtyla en el Vaticano, cuando este ya era Papa, la impresión que tenía se intensificó: "Traté de hacerle ver los méritos del capitalismo y la democracia –dice Houthakker–, pero me dio la impresión de que mis palabras eran inútiles".

Durante el papado de Wojtyla, varios obispos estadounidenses tuvieron una experiencia similar.

Respecto a la relación entre su esposa y Wojtyla a través de los años, el doctor Houthakker comenta:

Hay que tener en cuenta que mi esposa y yo tenemos diferentes esferas de intereses. No nos vemos mucho, salvo en los fines de semana, tiempo en el que hay muchas cosas que hacer.

Mi esposa es muy femenina, y estoy seguro de que ella veía a Wojtyla como sacerdote y también como hombre. No cabe la menor duda. Mi esposa siempre clasifica a la gente como bella o no muy bella. Con seguridad debió hacer el mismo juicio respecto a él. El asunto es que no creo que se sintiera particularmente atraída por él. Nunca dejó de tener presente el hecho de que era un hombre, y ella no podía evitar ser... Creo que mi esposa congeniaba bastante con el Papa. Ella descubrió que podía hablar con él de temas sobre los cuales no hablaba con muchas personas, porque él es polaco y porque, en general, no se entiende muy bien con otros polacos.

¿Qué halló el cardenal en esta relación?

"Quizás una especie de ventana al mundo exterior", especula Houthakker. "Creo que él no estaba muy consciente de que había pasado su vida en un ambiente cerrado".

Houthakker describe a Tymieniecka como "una persona muy franca y directa" (palabras muy similares a las que usa el doctor Williams), y añade: "Ella no lo trataba con excesiva deferencia o con más respeto del que se le debe al Papa. Ella habla con él con bastante libertad". Quizás, según Houthakker, esta es otra de las razones que explican la influencia de ella sobre él.

Williams relata: "Ella me ha contado más cosas sobre su relación con él de las que yo encontraba apropiado... para él, con seguridad, y para mí, que me enteraba de ellas". Sin embargo, durante el período en que Williams estaba escribiendo su libro *La mente de Juan Pablo II*, en los primeros años del papado de Wojtyla, ella se mostró bastante circunspecta y prácticamente no le prestó ninguna ayuda, según dice Williams.

Más tarde, después de escucharla largamente, Williams llegó a la conclusión (que ya venía madurando desde hacía mucho tiempo) de que Tymieniecka sentía una fuerte atracción sexual por el cardenal, pero que la "sublimaba" dada la naturaleza del oficio de Wojtyla y la reemplazaba por "una pasión intelectual... en la cual la excitaban las ideas. Creo que se trata de una interacción en la cual la sensación de ella de ser una católica universal es realzada por este erudito misterioso y encantador, que no era un producto común y corriente de un seminario teológico, alguien que era más fenomenólogo que tomista. Y creo que a ella esto le pareció muy innovador, en términos de la historia intelectual de la Iglesia".

"Oh, yo creo que ellos se reían, y se divertían y nadaban y hacían todo juntos, acompañados por alguien, naturalmente", dice Williams.

Para él no hay duda de que Tymieniecka, a su manera, se enamoró del cardenal y de que Wojtyla no correspondía a sus sentimientos:

"Habría que determinar si él estaba comprometido emocionalmente. Me parece percibir cierto desequilibrio, incluso cuando están juntos y están mirando el mismo paisaje, haciendo las mismas actividades y demás". Wojtyla, según conjetura Williams, se sentía atraído por ella a un nivel intelectual:

El corazón tiene sus razones, y la mente tiene corazón. En la mente de él se produce una pasión, un tipo de pasión que sólo podía experimentarse de manera única compartiendo el trabajo de *Persona y acción*. Eso es *Persona y acto*. Si reparamos en el título del libro, en su concepción original, hallamos una dualidad: la persona y el acto, y yo creo que ese es el paradigma de la relación... Se podría decir que, invirtiendo el orden original, él es *Czyn* y ella es *Osoba*.

PARTE III

El cónclave

Un Papa en piyama

La hermana Vincenzina entró en la habitación del Papa poco después de las cinco de la mañana. Corrió las cortinas de la cama y halló un cadáver. Juan Pablo I estaba doblado sobre su costado derecho, y sostenía en la mano un puñado de papeles. En su rostro se dibujaba una sonrisa estática. Todos los días a las cuatro y media de la mañana la religiosa acostumbraba dejar una taza de café junto a la puerta del dormitorio del Papa. Cuando la vio intacta, se alarmó. Era el 29 de septiembre de 1978. La vida del Palacio Apostólico se vio súbitamente alterada.

A las siete y cuarenta y dos de la mañana la Radio Vaticana anunció la muerte del Papa, pero también dijo una mentira. Revelar que la hermana Vincenzina había visto al Papa muerto en piyama era inconcebible. Por eso, en la versión oficial fue monseñor John Magee, el secretario irlandés del Papa, quien descubrió el cuerpo del Pontífice. El cardenal Jean Villot, secretario de Estado del Vaticano, dio instrucciones precisas: "El mundo no puede saber que una mujer fue la primera persona en entrar en la habitación del Pontífice".

Otra mentira piadosa ampliamente difundida fue que el Papa se hallaba leyendo, en el momento de su muerte, *La imitación de Cristo*, escrita por el místico del siglo XV Tomás de Kempis. Más adelante, las autoridades del Vaticano dirían que lo que tenía en la mano Juan Pablo I era el borrador de una homilía que estaba preparando. Al poco tiempo, se divulgó el rumor de que el Papa había tenido con su secretario de Estado fuertes discusiones acerca de los futuros cambios de personal en la curia y en la Iglesia italiana. También se dijo que, en la noche de su muerte, había llamado al cardenal Giovanni Colombo, arzobispo de Milán, para pedirle consejo.

Todo esto llevó a algunos monseñores de la curia a murmurar que el fajo de papeles encontrado en la mano de Albino Luciani estaba relacionado con nombramientos y traslados: notas para la reestructuración del equilibrio de poder al interior de la Iglesia. Las notas del papa Juan Pablo I nunca se publicaron. Ateniéndose a las costumbres, el secretario de Estado Villot ordenó que se retiraran todas las pertenencias personales del Papa, incluyendo sus anteojos, sus pantuflas y, sobre todo, las medicinas de la mesa de noche. Para algunas personas el examen realizado por el médico del Papa, el doctor Renato Buzzonetti, fue chapucero, pero se usó para preparar un comunicado en donde se decía que Juan Pablo I había muerto en la noche del 28 de septiembre a causa de un ataque al corazón (infarto del miocardio). Los más allegados al Papa, especialmente aquellos que conocían mejor su estado físico y mental, pensaban que la causa real de muerte era probablemente una embolia pulmonar.

Pocas horas después de divulgarse el informe, comenzaron a circular en Roma rumores sobre los "misterios" que rodeaban la muerte de Albino Luciani. La decisión del Vaticano de no ordenar una autopsia no hizo más que avivar la llama de las sospechas y dar origen a la leyenda de que el Papa había sido envenenado, hipótesis inverosímil incluso para los observadores más paranoicos en el Vaticano. Una de las personas que halló esta teoría particularmente ridícula fue un sacerdote que conocía sumamente bien a Albino Luciani, pues había sido su secretario personal en Venecia durante siete años. El sacerdote dice: "Él sucumbió bajo una carga demasiado pesada para sus frágiles hombros, y bajo el peso de su inmensa soledad". En la noche anterior a su muerte, mientras terminaba de cenar, Juan Pablo I le dijo a monseñor Magee: "Ya hice todos los preparativos para los retiros de la próxima Cuaresma". Luego añadió: "El retiro que me gustaría hacer ahora es un retiro para morir bien".

La clave del final de Juan Pablo I puede hallarse en esta premonición. Su alma ya había sido herida de muerte por el estrés, la soledad y por su profundo deseo de no ser Papa. Pocos días antes de morir le dijo al secretario de Estado Villot, durante el almuerzo: "Habrían podido escoger a otro hombre mejor que yo. Pablo VI ya había designado a su sucesor: estaba sentado justo frente a mí en la capilla Sixtina..." Naturalmente se trataba de Wojtyla. "Él vendrá, pues yo me iré".

En Cracovia se supo de la muerte del papa Juan Pablo I por las noticias radiales de la mañana. El padre Mieczyslaw Malinski estaba escuchando el programa en la casa parroquial de la Iglesia de Santa Ana. Lo primero que pensó fue ir a avisarle al cardenal. Se fue corriendo al palacio arzobispal. En el patio se encontró con el conductor de Wojtyla, Józef Mucha, quien iba a toda prisa a ver al cardenal por la misma razón.

Entraron juntos a la cocina del primer piso. El ambiente allí era cálido, por contraste con el aire frío de otoño que ya se empezaba a sentir en las calles. Los dos hombres sintieron el olor del pan, los huevos y el café. El cardenal Wojtyla se hallaba en el salón contiguo, sentado a una larga y estrecha mesa, hablando sobre el programa del día con sus asesores más cercanos.

Había acabado de celebrar misa en su capilla y estaba tomando su breve descanso de la mañana. Por lo regular desayunaba no en los apartamentos históricos del palacio, en el segundo piso, sino en el primer piso, cerca de la cocina.

Mucha trató de convencer a una de las monjas que trabajaban en la cocina para que le diera la noticia al cardenal.

–Tiene que decirle que el Papa murió en Roma.

–Pero si se murió hace un mes –dijo la monja aturdida.

–No, el nuevo Papa.

–No le puedo decir eso. Si quiere, dígaselo usted mismo.

Irritado, Mucha metió la cabeza por la abertura que se usa para pasar la comida y le preguntó al secretario del cardenal, Stanislaw Dziwisz:

–Padre, ¿ya sabe que Juan Pablo I murió?

Wojtyla acababa de poner un poco de azúcar en su taza de té. Con la mano derecha suspendida en el aire, se puso pálido y helado. En aquel silencio, lo único que pudo escucharse fue el sonido de la cuchara al caer sobre la mesa.

–No –susurró Wojtyla.

Según recuerda Mucha, el primer efecto de la noticia sobre el cardenal fue una fuerte migraña. Wojtyla se encerró en la capilla durante varias horas y luego continuó con su agenda de trabajo normal y, según lo programado, visitó una parroquia.

Estuvo tenso todo el día. Sabía que no iría al próximo cónclave como simple espectador. Aquel mes de agosto anterior, durante la votación en la cual se había producido la elección de Albino Luciani, había obtenido un buen número de votos: nueve, según Romuald Kukolowicz, asesor del primado Wyszynski.

Estos votos a favor de Wojtyla eran una señal. El arzobispo de Cracovia los había tomado tan en serio que cuando fue elegido Juan Pablo I él sintió un gran alivio. "Estaba muy feliz", recuerda la hermana Andrea

Górska, antigua superiora de las hermanas ursulinas en Varsovia, en cuyo convento se quedaba el cardenal durante sus visitas a la capital polaca.

–Cardenal, se ve mucho más joven –le dijo la monja a Wojtyla cuando regresó del cónclave.

–Es porque elegimos a un Papa magnífico –contestó–. Es una persona muy creyente, muy simple pero muy creyente.

Y no muy resistente. El papa Juan Pablo I, tal como lo mostraba una caricatura de *Le Monde,* había sucumbido bajo el peso de la cúpula de San Pedro tras un pontificado de tan solo treinta y tres días. Era una señal para los cardenales que les anunciaba que un hombre de simple fe ya no era suficiente para designar al sucesor de San Pedro.

El 1º de octubre Wojtyla celebró una misa por el Papa difunto en la iglesia de Santa María, en Cracovia. Al día siguiente se fue a Varsovia. Mucha, que lo llevó al aeropuerto, lo encontró triste y deprimido: "Todo el mundo decía que no iba a regresar".

Una vez más, el cardenal fue al convento de las ursulinas en Varsovia. Wojtyla tenía en aquel edifico gris, construido en los años treinta, un pequeño apartamento de dos habitaciones que usaba en sus frecuentes visitas a la capital. Pasó el día tratando de ocupar su mente con los asuntos de siempre. Asistió a una reunión de dirigentes de la Conferencia Episcopal polaca y pasó las últimas horas de la noche leyendo la tesis doctoral de su alumno de Lublín, Andrzej Szostek.

A la mañana siguiente, cuando se despidió de la hermana Andrea, estaba pálido y distraído.

–Eminencia, no sé qué desearle: que regrese o que no regrese –dijo la monja.

–Hermana –contestó Wojtyla con gravedad–, hay muchas cosas que no sabemos. En nuestra vida sólo Dios lo sabe todo.

La campaña

Si sólo Dios lo sabía todo, el obispo Andrzej Deskur era una de las personas mejor informadas en la curia romana. Había sido íntimo amigo de Wojtyla desde los tiempos en que estudiaban juntos teología. El 4 de octubre, después de la misa fúnebre en honor de Juan Pablo I celebrada en el Vaticano, el arzobispo de Cracovia fue a cenar con Deskur. Este hombre era el presidente del Consejo Pontifical de Comunicaciones Sociales, y era el más indicado para darle un rápido informe sobre la situación.

Los cardenales se hallaban profundamente divididos y profundamente preocupados por la elección que se avecinaba. Una vez más deberían hacer la cuenta de sus amigos y sus enemigos, hacer alianzas, convertir las minorías en mayorías. Era un trabajo agotador, sobre todo porque se desarrollaba tras bambalinas. Oficialmente todos se encomendaban al Espíritu Santo, pero en el proceso de elegir a un Pontífice se mezclaban toda la perseverancia, la astucia e incluso el rencor de los que somos capaces los seres humanos. El cardenal Bernardin Gantin de Benin resumió el estado general de desorientación diciendo: "Estamos reunidos en la oscuridad".

La rápida elección del papa Juan Pablo I, el 26 de agosto, parecía un milagro, aunque con la ayuda subrepticia de los poderosos cardenales de la curia Sebastiano Baggio y Pericle Felici. Con apenas cuatro votaciones se había logrado un acuerdo entre los cardenales más adeptos a las reformas que querían un Papa "pastoral", no contagiado por la estructura de poder de la curia, y los cardenales más inclinados hacia la tradición, que pedían garantías absolutas para la ortodoxia. Albino Luciani, patriarca de Venecia, era el hombre ideal para eso: un hombre nuevo a los ojos del mundo, de trato humano, rígido en la doctrina.

Ahora había que encontrar otro nombre, y una vez más los italianos harían lo posible para nombrar a uno de los suyos. Pero lo primero que debían hacer los cardenales era llegar a un acuerdo sobre el significado del Concilio Vaticano II y decidir si continuarían con el proceso reformista al interior de la Iglesia.

El cardenal Pericle Felici, prefecto del Tribunal Superior de la Signatura Apostólica (la más alta corte de la Iglesia católica romana), era el personaje más importante en la movilización de los cardenales llamados "conservadores" por la prensa secular de Italia y del mundo. La suya era una coalición con una gran cantidad de quejas: un clero en crisis, la disminución de las vocaciones, seminarios a la deriva, teólogos rebeldes, la ética sexual católica abandonada, el principio de autoridad cuestionado, el comunismo a la ofensiva en Europa y en América Latina.

Karol Wojtyla compartía estas preocupaciones, y muchos miembros de la curia eran conscientes de ello. Pero él era menos pesimista que los otros. No sentía que la Iglesia debía darle la espalda al Vaticano II. No estaba de acuerdo con la descripción patética que hacían de Pablo VI sus desdeñosos cardenales derechistas: el maquinista de una locomotora que no sabía a dónde se dirigía su tren.

Por el contrario, el arzobispo de Cracovia apreciaba la fe inteligente del papa Pablo, su paciencia, su "gradualismo", su capacidad de mediación, su deseo de salvaguardar la doctrina de la Iglesia, su deseo de entablar un diálogo con el mundo moderno. Muchos de los cardenales tanto del ala moderada como de la llamada ala progresista del cónclave conocían la actitud equilibrada de Wojtyla respecto a Pablo y su pontificado.

Wojtyla salió del apartamento de Deskur con la certeza de que su nombre estaba en la lista de candidatos. Esta vez no contaba con el padre Mieczyslaw Malinski, su amigo de Cracovia que tenía el hábito de decir sin tapujos lo que pensaba. Antes del cónclave de agosto, mientras llevaba a Wojtyla a una reunión de cardenales en el Vaticano, Malinski había dicho: "Se supone que el siguiente Papa debe ser un hombre pobre, y usted, ¿compra un pasaje de ida y regreso cuando sabe que va a quedarse en calidad de Pontífice?"

Wojtyla parecía ausente, como cuando escuchaba y pensaba. Malinski insistió: "Usted va a ser el Papa, porque usted es un pastor y no un burócrata. Usted no es ni un cardenal Siri, derechista, ni un hombre de izquierda, como el cardenal Suenens. Usted es de centro. La gente quiere a un hombre de centro". Sin embargo, Malinski añadió que todo dependía de una condición: "Siempre y cuando los italianos no encuentren un hombre con el cual se identifiquen. Pero no hay nadie. Aparte de Bertoli, Baggio y Benelli no tienen candidatos de respeto. Y van a tener que elegir a un extranjero".

–¿Por qué no alguien de Estados Unidos, de Francia, de Alemania? –preguntó Wojtyla.

–Nadie de Francia, ni de Alemania, porque entonces todo el mundo en el Vaticano tendría que hablar alemán o francés, y todos los monseñores de la curia se retirarían –respondió Malinski en tono burlón.

Había una especie de regla tácita que estipulaba que ningún obispo de un país poderoso sería jamás elegido Papa.

–El Papa debe proceder de un país pequeño –comentó Malinski.

–El cardenal König también viene de un país pequeño –objetó Wojtyla. König era austriaco.

–¿Por qué usted y no König? Desde el concilio ha habido varios sínodos de obispos, y en todos ellos usted fue elegido para el consejo del sínodo. Nadie en el mundo ha estado presente en este tantas veces.

Wojtyla no respondió.

Desde agosto hasta octubre nada había cambiado en el perceptivo análisis de Malinski.

El 5 de octubre, después de la visita a Deskur, Wojtyla fue a almorzar a la casa de otro importante prelado polaco en Roma, el obispo Wladyslaw Rubin, miembro de la Congregación Vaticana para la Educación Católica. Una de sus muchas ocupaciones era la de desempeñarse como consultor del Consejo Pontifical de Atención Pastoral a los Inmigrantes, presidido por el influyente cardenal Sebastiano Baggio. En ese consejo trabajaba también, como funcionario menor, otro polaco: el padre Ryszard Karpinski. Hacia mediados de septiembre (el papa Juan Pablo I todavía estaba vivo y parecía saludable) el padre Karpinski escuchó una sorprendente y franca indicación de los gustos de la curia. Iba en un automóvil con su jefe, el arzobispo Emanuele Clarizio, vicepresidente del consejo. De repente, durante el curso de la conversación, Clarizio dijo: "El cardenal Wyszynski es demasiado viejo para ser Papa, pero el cardenal Wojtyla sería un buen Papa". Esta noticia llegó a oídos de Rubin, quien ahora se la comunicaba a Wojtyla, que cada vez se sentía más incómodo.

En la Iglesia de Roma, la víspera de un cónclave es un momento único para los cardenales pues allí pueden vivir una democracia real. Es la corta temporada en la que son adultos, ya no los hijos del Santo Padre sino ciudadanos dotados con un deber básico: elegir a un hombre. Su deber es asignarle a alguien el poder y, al hacerlo, toman una decisión sobre la manera como será usado el poder en su Iglesia en el futuro. Esta vez debían decidir quién guiaría a la Iglesia hacia el tercer milenio, y muchos cardenales estaban decididos a luchar hasta el fin por su propia visión de la Iglesia.

Ser candidato en una elección papal es quizás la cosa más extraña que puede ocurrirle a un dirigente. Se requiere para ello una gran cantidad de humildad, control de sí mismo... y esquizofrenia. El candidato sabe que es *papabile,* pero no puede decirlo. No puede presentar su programa de gobierno, no puede ni siquiera reconocer que está en campaña. Debe encomendar todo al Espíritu Santo al tiempo que se suma a las maniobras clásicas (o al menos es testigo de ellas) que se usan para conseguir un consenso y tratar de bloquear a sus oponentes.

La regla fundamental consiste en no convertirse en centro de atención. Todo tiene que decirse en un lenguaje alusivo e insinuante, moldeado por siglos de diplomacia. Los individuos se tantean unos a otros de manera misteriosa, sin mencionar nunca los hechos. Hyacinthe Thiandoum, cardenal de Dakar, hizo una descripción de la reunión que tuvo en un convento romano con el patriarca de Venecia, Albino Luciani, un día antes de la iniciación del cónclave de agosto.

–Mi patriarca –dijo Thiandoum cuando se terminó la cena y las monjas les llevaban el café.

–Yo soy el patriarca de Venecia –replicó Luciani.

–Lo estamos esperando –insistió el cardenal africano.

–Eso no es asunto mío –concluyó el futuro Papa.

Todo quedó dicho antes de que tuvieran tiempo de revolver el azúcar de sus cafés *espressos.*

El candidato con más probabilidades de éxito deja que los otros se encarguen de todo y se mantiene al margen, lo más calmadamente posible. En octubre, cuando los partidarios de Wojtyla empezaron a trabajar en su votación, esa fue la actitud que asumió el polaco. En todo caso, le iba bien a su temperamento.

Pero no podía taparse los oídos. Su amigo, el arzobispo Deskur, era experto en organizarle importantes reuniones. Cierta noche arregló una cena con el cardenal Mario Nasalli Rocca, hombre de setenta y cinco años de edad, veterano de la curia, de gran poder e influencia. Durante la cena en el convento de las hermanas felicianas en la Vía Casaletto, Nasalli Rocca rompió el tabú y dijo sin más ni más:

–Para mí, sólo hay un candidato: el cardenal Wojtyla.

Wojtyla se sintió incómodo.

–La hora de la cena no es el momento más apropiado para hablar de esos temas. Dejemos que sea la Providencia quien decida –dijo, con modales dignos de un *papabile*. Deskur estaba muy satisfecho.

Tal apoyo de un viejo zorro de la curia era crítico en un momento en el que las maniobras políticas se hallaban en su punto álgido. Se aprovechaban las más variadas ocasiones: almuerzos en las casas de los prelados, conversaciones en restaurantes, caminatas por la plaza de San Pedro, reuniones en el Palacio Apostólico. Mientras tanto, corrían por los alrededores del Vaticano los rumores más disparatados y las más descaradas calumnias.

Una semana antes del cónclave Wojtyla fue testigo del esfuerzo del cardenal Giuseppe Siri de Génova por aprovechar su última oportunidad de convertirse en Papa. Siri parecía ser el heredero de Pío XII, pero el cónclave que siguió a su muerte sorpresivamente eligió a Juan XXIII. Luego vino Pablo VI, y luego Juan Pablo I...

Siri era ciento por ciento anticomunista. En los años sesenta, Nikita Jruschov acudió a él para que le sirviera de conducto secreto entre Moscú y la Santa Sede. El cardenal también era muy conocido desde los días del Vaticano II por luchar contra viento y marea para reducir la velocidad de cualquier movimiento reformista. Ahora estaba en juego la aplicación de las reformas. Al tiempo que honraba, de dientes para afuera, la memoria de Juan Pablo I, hacía comentarios irónicos fuera de tono como: "No se puede gobernar con sonrisas o manifestaciones de humildad y simplicidad". Estaba dando a entender que el timón de la barca de san Pedro necesitaba con urgencia ser guiado por alguien que tuviera su firmeza.

Los cardenales que consideraban que las reformas del Vaticano II eran un preludio del caos estaban dispuestos a apoyar a Siri como el hombre que restauraría el orden, o al menos como un candidato que podía asustar a los cardenales reformistas para que desecharan a cualquiera de sus candidatos que estuviese demasiado inclinado hacia el cambio. Se acercaba la hora de la verdad del gran juego de la puja previa al cónclave.

Wojtyla sabía que la candidatura de Siri aterraba a los cardenales más progresistas. Sentían que aquel era una amenaza para la esencia del Vaticano II: apertura al mundo moderno, reforma litúrgica, libertad en la investigación teológica, encuentro verdadero con otras iglesias cristianas y diálogo con otras religiones, incluso con la "religión" del marxismo.

El miércoles 11 de octubre, más de doce cardenales notables se reunieron en el Seminario Francés. Querían formar un frente contra Siri y escoger un candidato distinto. Era una conferencia cumbre que tenía los ojos puestos en el sábado 14, día en que debía comenzar el cónclave. Entre los participantes se hallaban los franceses Paul Guyon y François Marty; George Flahiff y Maurice Roy de Canadá; Evaristo Arns y Aloísio Lorcheider de Brasil; Basil Hume de Inglaterra; Bernardin Gantin de Benin; Stefan Kim de Corea del sur; Leo Suenens de Bélgica; y los italianos Giovanni Colombo de Milán y Salvatore Pappalardo de Palermo.

Los participantes querían conformar un frente unificado para defender los logros del Vaticano II. No terminaron proponiendo ningún nombre en particular, pero en la lista de los *papabili* el cardenal Giovanni Benelli ganaba muchos puntos. Él era obispo de Florencia y durante diez años había sido el poderoso Monsignore Sostituto, es decir, vicesecretario de Estado del Vaticano. También había sido uno de los más fieles colaboradores de Pablo VI y, antes del advenimiento de Montini, había sido su secretario. Este *papabile* tenía la clara intención de mantener la Iglesia abierta al mundo moderno.

Los observadores externos que consideraban que sólo había dos facciones en la guerra al interior de la Iglesia católica se equivocaban. Las líneas de batalla eran mucho más irregulares. A los cardenales Joseph Höffner de Colonia y Joseph Ratzinger de Munich no les gustaba el dogmatismo extremo de un hombre como Siri, pero también les preocupaba que los cardenales llamados "liberales" por la opinión pública se volvieran demasiado influyentes. El cardenal Ratzinger utilizó una entrevista en el *Frankfurter Allgemeine Zeitung* para llamar la atención sobre el riesgo de una influencia comunista en el cónclave. Al denunciar los peligros de una "presión por parte de las fuerzas de izquierda", Ratzinger les recordaba a los votantes las críticas que había enunciado Juan Pablo I contra la teología de la liberación, el movimiento teológico latinoamericano que se oponía al capitalismo y con frecuencia se identificaba con las luchas revolucionarias contra dictaduras afianzadas.

Wojtyla compartía las mismas preocupaciones de Ratzinger. Desde hacía algunos años el arzobispo de Cracovia valoraba cada vez más a su cofrade de Munich, joven y muy combativo. Ratzinger, de cincuenta y un años, era un teólogo brillante que en los inicios de su carrera había sido un duro crítico de la curia romana y apoyaba a otro teólogo, llamado Hans Küng, que se oponía tajantemente al autoritarismo del Vaticano. Durante el Concilio Vaticano II Ratzinger se había opuesto a los tradicionalistas y se mostraba a favor de la causa de la renovación de la Iglesia. Sin embargo, en los años setenta se había asustado con el terremoto posconciliar. Le preocupaba que la Iglesia se volviera demasiado izquierdista, que se metiera demasiado en asuntos políticos y sociales, que fuera demasiado sensible a las fuerzas seculares desatadas en Europa en 1968.

Cuando tomaba parte en las reuniones oficiales de cardenales en al Vaticano previas al cónclave, Ratzinger recalcaba que en la Iglesia católica no debía existir "ningún compromiso histórico" como la alianza forjada entre los eurocomunistas italianos y los demócratas-cristianos en el Parlamento. Al decir "ningún compromiso histórico" Ratzinger les recalcaba a sus escuchas que esas eran palabras textuales de Juan Pablo I. Wojtyla comprendió. Esto significaba que un grupo de cardenales alemanes y de otros países bloquearían los reaccionarios propósitos del cardenal Siri y de sus amigos de la curia romana, pero significaba también que no estaban listos para recibir un Papa "izquierdista". El lema "Comprometidos con el Concilio pero contra la izquierda" se convirtió para muchos cardenales moderados en una descripción del candidato ideal.

Wojtyla sabía que Franz König de Viena, uno de los cardenales más influyentes (y con quien él mantenía contacto frecuente), estaba haciendo campaña en su favor. Era, como pocos, un prelado de mente abierta a quien le gustaba el montañismo incluso más que al arzobispo de Cracovia. Podía subir fácilmente a picos de más de cuatro mil metros de altura. También era capaz de subirse por la cortina de hierro, aún en los días más fríos de la guerra fría.

Este hombre alto de estatura cuyo parecido con Konrad Adenauer, el canciller alemán, era increíble, hablaba fluidamente inglés, francés, ruso, italiano y alemán. Juan XXIII lo había escogido a principios de los años sesenta como el más indicado para romper el hielo con los países de

Europa oriental. Fue el primer cardenal católico de Occidente en visitar
la Yugoslavia de Tito y luego Budapest, en donde se encontraría con el
cardenal Mindszenty, atrapado en un exilio voluntario en la embajada
de Estados Unidos. Pablo VI le había confiado la dirección del Secretariado de No Creyentes, pues podía habérselas con los comunistas, tanto
desde el punto de vista cultural como político.

En el año de 1978 König tenía ya veinte años de experiencia en el
Colegio cardenalicio. Él y el arzobispo de Cracovia se conocían muy
bien. Con regularidad Wojtyla hacía escala en Viena, de camino a Roma,
y visitaba el palacio episcopal. Con frecuencia hablaban largamente sobre la situación de Europa oriental, especialmente la de los países en
donde la Iglesia prácticamente debía funcionar de manera ilegal. "Siempre tenía en mente a la cortina de hierro –recuerda König–. Él creía que
iba a durar mucho tiempo".

En Roma, König les habló a muchos cardenales sobre su convicción
de que el próximo Papa debía ser joven, saludable y no italiano. Tras la
muerte de Pablo VI, afirmó que los cardenales de Europa oriental también tenían derecho de tener su propio candidato. Concretamente, y
para decir un nombre, estaba pensando en Karol Wojtyla. Cuando se reunió con Wojtyla, König jamás habló de estrategias: no hacía falta. Pero
tampoco ocultaba su propósito. Al contrario: bromeaba al respecto.
Cierta noche en la que llevó a su amigo Wojtyla al exclusivo restaurante
Eau Vive, administrado por monjas africanas y asiáticas vestidas con trajes típicos, König le dijo al taxista: "Cuidado... llevamos a bordo al futuro
Papa".

Salvo por esos pequeños y casi íntimos encuentros, Wojtyla evitaba
cualquier reunión extraoficial, especialmente las reuniones grandes, de
corte conspirativo, como las del Seminario Francés. König tampoco había asistido a esa reunión. Aunque era amigo personal de muchos de los
que sí se hallaban presentes y compartía totalmente su posición reformista, prefería mantenerse al margen. La sede de su discreta campaña
para elegir un Papa polaco se hallaba en la Clínica Salvator Mundi, en el
monte Janiculum, su residencia en Roma. Cuando recibía en su casa a
los cardenales, les explicaba por qué Wojtyla le resultaría aceptable a un
amplio espectro de electores: "El cardenal Wojtyla no es italiano y viene
de un país comunista... estos son dos puntos a su favor. Además ha cau-

sado buena impresión con sus declaraciones públicas en el Vaticano II y en los sínodos. Cuando habla, a la gente le gusta lo que dice, y a todo el mundo le gusta su personalidad encantadora".

Prácticamente no había argumentos de peso contra él. De cuando en cuando König soltaba las palabras que Pablo VI había dicho alguna vez sobre el obispo de Cracovia: "Es un hombre valiente, magnífico". Tampoco había que olvidar el hecho de que, por designación de Pablo VI, Wojtyla había dirigido los retiros de Cuaresma para el Papa en 1976.

Al tantear a sus cofrades, König no halló un consenso inmediato. Los alemanes tenían sentimientos encontrados y los italianos comprometidos con las reformas conciliares estaban divididos. También se barajaban los nombres de otros candidatos extranjeros, como el del cardenal Marty de París.

Cuanto más avanzaba en su campaña mayor conciencia cobraba König de lo difícil que sería romper con el estereotipo de medio milenio de Papas italianos. El cardenal Raúl Silva Henríquez de Santiago de Chile, conocido por su valiente oposición al régimen dictatorial del general Pinochet y algunas veces mencionado como posible candidato, no se oponía a la idea de un *papabile* no italiano, pero estaba indeciso. "Todavía estamos dispuestos a elegir a otro italiano", reveló al subdirector de *L'Osservatore Romano*, el padre Virgilio Levi, "pero deben decirnos quién es su candidato".

Uno de los más entusiastas partidarios de la candidatura de Wojtyla era el cardenal brasileño Aloísio Lorcheider, obispo de Fortaleza. Era uno de los miembros más jóvenes del Colegio Sagrado. Habían pasado tan sólo dos años desde que Pablo VI le había impuesto el capelo rojo en la cabeza. Sin embargo, ya ejercía una gran influencia como dirigente de la Conferencia Episcopal de Brasil y como presidente de la Conferencia Episcopal Latinoamericana, la voz de autoridad de la Iglesia católica en Latinoamérica. Era enemigo de todos los dictadores, defensor de un clero más liberal, protector de las "comunidades de base" izquierdistas, inspiradas por la teología de la liberación de corte marxista.

Lorcheider esperaba que el año de 1978 se convirtiera en el año de la renovación en el gobierno de la Iglesia. Quería a "un Buen Pastor, sensible a los problemas sociales, paciente, dispuesto a entablar diálogo y a buscar puntos de encuentro". Buscaba a alguien que estuviera en favor de la colegiatura, de una mayor comunicación entre las conferencias episcopales y el Papa, una mayor participación de las iglesias locales en el proceso de toma de decisiones en Roma. Además, proponía que "viajes frecuentes del Pontífice a los diferentes continentes podrían ser útiles".

Lorcheider había apoyado la elección de Juan Pablo I. Ahora le daba su apoyo al cardenal Wojtyla. Le gustaban los discursos de Wojtyla en los sínodos, su compromiso en la prédica del Evangelio, su atención a otras culturas, su posición equilibrada en los debates, su sensibilidad a los problemas de justicia social, su apertura con personas de otras naciones y continentes. El cardenal brasileño empezó inmediatamente a hacer campaña entre los cardenales de los países del Tercer Mundo, a favor del arzobispo de Cracovia sin saber que en realidad Wojtyla compartía muy pocas de sus opiniones. Incluso un candidato bien conocido puede decepcionar a sus más fervientes seguidores una vez que se convierte en Papa.

En tanto que Wojtyla se mantenía discretamente lejos de un primer plano, su incansable compatriota, el obispo Deskur, había asumido el papel de director de la campaña. Ahora buscaba poner del lado de Wojtyla a la facción norteamericana, organizando una pequeña cena en su apartamento, el 11 de octubre, con la asistencia del cardenal John Patrick Cody, de Chicago, el obispo Rubin y Wojtyla. Cody era miembro de dos departamentos claves de la curia: la Congregación para la Propagación de la Fe (la que tenía control económico sobre las iglesias en muchas partes del Tercer Mundo) y la Congregación para el Clero, dirigida por otro estadounidense, el cardenal John Wright, de Pittsburgh.

El ambiente en la mesa era de mucha alegría. Como siempre, Deskur –un intelectual gregario y de mente ágil– hacía que la conversación fuera estimulante. Cody (quien sería acusado poco después de malversación de fondos) hablaba sin parar, lleno de energía y de entusiasmo. Los invitados se acercaban con extrema cautela al tema del cónclave, y de vez en cuando hacían una alusión a Pablo VI y a Juan Pablo I. Wojtyla, muy pensativo, se concentraba en la comida y no participaba en la conversación. Entre los invitados se hallaba monseñor Virgilio Levi. Al observar a Wojtyla, Levi pensó: "Qué invitado más extraño. Sólo dice unas pocas palabras mientras que los demás están radiantes".

Ese mismo día, el cardenal König decidió que ya había llegado la hora de hablar con el primado de Polonia. Al final de una reunión de rutina, König se ofreció a llevar al cardenal polaco. Era un día hermoso, soleado y cálido.

–Su Eminencia –preguntó con mucho tacto el arzobispo de Viena–, ¿ve usted algún buen candidato en el horizonte?

–Ninguno sobresaliente, a mi modo de ver.

–¿Tiene Polonia un candidato?

–¿Cómo? ¿Insinúa que yo debo ir a Roma? –dijo Wyszynski con brusquedad–. Mi salida del país equivaldría a un triunfo para los comunistas.

–También hay otro hombre –le recordó el cardenal vienés.

–No, eso ni pensarlo. A él no lo conocen bien.

König dejó a Wyszynski en su residencia con la certeza de que el primado no consideraba la candidatura de Wojtyla como una posibilidad real. Hasta el último momento, los dos hombres fuertes de la Iglesia polaca seguían manteniendo la distancia. En Roma vivían en sitios diferentes: Wyszynski en el Instituto Polaco de la Vía Cavallini, cerca al Vaticano, y Wojtyla en el Colegio Polaco en el Aventino, el monte cuya vista daba a los techos de Roma, las riberas del Tíber y la cúpula de Miguel Ángel. No había peligro de que los visitantes de Wojtyla se encontraran con los de Wyszynski.

El primado seguía convencido de que los italianos querían un Papa italiano, que nunca iban a tolerar a un extranjero en el trono de San Pedro, y así se lo repetía a todo aquel que lo escuchaba.

En todo caso estaba sorprendido con la audacia de König. Al día siguiente, Wyszynski llamó de repente a sus compatriotas Deskur y Rubin al Instituto Polaco. "No sabíamos para qué nos necesitaba –recuerda Deskur–. Llegamos allá y nos preguntó quién sería el próximo Papa. El obispo Rubin y yo le dimos la misma respuesta: Wojtyla".

–¿Cómo lo saben? –preguntó Wyszynski, al borde del colapso.

–Su Eminencia –contestó Deskur–. He vivido treinta años en Roma.

En ese momento Deskur ya estaba seguro de que la base electoral de Wojtyla se estaba ampliando. El cardenal polaco-estadounidense John Krol había iniciado una activa campaña en favor de él. Y había otro personaje central que tenía en mente a Karol Wojtyla: el secretario de Estado del Vaticano, el francés Jean Villot.

Wojtyla lo sabía. Cinco meses atrás, el 18 de mayo, había celebrado su cumpleaños número cincuenta y ocho en el apartamento de Deskur, en el Vaticano. El invitado de honor era el cardenal Villot, junto con el obispo Rubin y Luiggi Poggi, el nuncio papal para Europa oriental. Durante el almuerzo que se llevó a cabo aquella tarde de primavera, la conversación viró hacia el futuro de la Iglesia y el secretario de Estado afirmó que Wojtyla era el único hombre que podía obtener la mayoría de dos terceras partes que se necesitaba para la elección. "Recuerdo la cara del pobre Poggi mirando a Rubin –recuerda Deskur–. Pensaba que el secretario de Estado se estaba volviendo loco. Una mención al siguiente Papa, en su propia casa, cuando el Pontífice gozaba de una salud aparentemente buena nos cayó a todos por sorpresa".

Después de eso, el cardenal Villot le envió a Deskur una breve nota, para responder a la sorpresa de Deskur y a la incomprensión de Poggi: "Sostengo lo dicho durante el almuerzo. No fue un error". Deskur todavía conserva esa nota.

Sin embargo, pocos días antes de que comenzara el cónclave, Deskur, que había soportado un estrés más allá de sus límites desempeñando la función, creada por sí mismo, de director de la campaña de Wojtyla, sufrió un derrame cerebral del cual nunca se recuperaría totalmente. Karol Wojtyla fue a visitarlo a la Clínica Gemelli, en un gesto de afecto y preocupación. Luego, para liberar su propio estrés, Wojtyla fue a la playa las dos últimas tardes previas a la iniciación del cónclave. El agua fría de otoño tenía la temperatura ideal para este hombre proveniente del norte. Allí, a poca distancia de Roma, nadó vigorosamente.

Antes de que los cardenales se confinaran en el cónclave, un nuevo drama saltaría a la escena, un drama renacentista de orgullo, intriga y traición protagonizado de manera magistral por el probable Papa, el león de la derecha, Giuseppe Siri.

En la víspera del cónclave, el periodista italiano Gianni Licheri, viejo conocido de Siri, contactó al arzobispo de Génova para hacerle una entrevista. Siri sabía que los hombres que estaban a punto de elegir al nuevo Papa eran hipersensibles y, por ello, estipuló que la historia no fuera publicada sino hasta el 15 de octubre, cuando las puertas del cónclave ya estuvieran cerradas y ninguno de los cardenales pudiera leer la entrevista.

Al parecer el reportero estuvo de acuerdo y Siri habló con toda franqueza. No ocultó su rechazo hacia la democratización de la Iglesia. Se burlaba de las colegiaturas, una de las principales doctrinas del Vaticano II que consistía en compartir, de manera responsable, el poder entre Roma y sus obispos. "Ni siquiera sé qué significa la colegiatura episcopal", declaró, indiferente al hecho de que sus palabras eran registradas por una grabadora. "El sínodo nunca podrá convertirse en un cuerpo deliberante".

El 14 de octubre, pocas horas antes de que los cardenales se dirigieran a la Capilla Sixtina, se repartió una copia de la entrevista en la residencia de cada miembro del Colegio Sagrado. La trampa había funcionado. Siri había sido herido de muerte, aun cuando sus seguidores estaban decididos a luchar por él hasta el final. En la curia, en donde los lobos suelen disfrazarse de ovejas, empezó a circular el rumor de que el hombre que había preparado la trampa era Giovanni Benelli, el cardenal de la ciudad de Nicolás Maquiavelo. Cierto o falso (Benelli lo negaba con firmeza), en la atmósfera enrarecida por las maniobras previas al cónclave muchos lo creyeron.

El 14 de octubre, a las cuatro y treinta de la tarde, una vez terminó la misa del Espíritu Santo en la Basílica de San Pedro, 111 cardenales electores entraron al cónclave en solemne procesión. Wojtyla se arriesgó a llegar tarde, pues había decidido ir a hacerle una última visita a Deskur. Hacía tan sólo unas horas el obispo Bronislaw Dabrowski, que acababa de llegar de Varsovia, le había relatado una profecía: cuando el ministro comunista de asuntos religiosos, Kazimierz Kakol, supo que Wojtyla había obtenido un buen número de votos en el cónclave de agosto, soñó que el arzobispo de Cracovia sería el nuevo Papa.

Ya no había tiempo para hacer predicciones ni maniobras mundanas. El maestro de ceremonias llevaba un crucifijo y detrás desfilaba una procesión de cardenales de sotana roja. El cónclave entraba ahora en una atmósfera de meditación y contemplación. La imagen de Cristo en la cruz les recordaba a los electores su enorme responsabilidad. El coro cantaba "Veni Sancte Spiritus": Ven, Espíritu Santo.

En la Capilla Sixtina, los cardenales se reunieron bajo otra imagen de Cristo: la poderosa figura del *Juicio Final* de Miguel Ángel. Escuchaban en silencio la lectura de las reglas que les exigían guardar absoluto secreto y les prohibían comunicarse con el mundo exterior. Las nuevas regulaciones promulgadas durante el papado de Pablo VI exigían una tecnología moderna para evitar el espionaje o la fuga de información. Los organismos de seguridad del Vaticano ya habían recorrido toda el área usando detectores electrónicos para ubicar posibles micrófonos ocultos. Estaba prohibido el uso de radios intercomunicadores, radios corrientes, grabadoras y teléfonos portátiles.

Después de reunirse en la Capilla Sixtina, los cardenales se dirigieron a sus celdas, asignadas previamente a cada uno, al azar. Karol Wojtyla buscó el número 91 y entró allí con su maleta. Las celdas estaban formadas por tabiques ubicados a lo largo de los antiguos apartamentos de los papas Borgia. El arzobispo observó su sencilla cama, la mesa de noche y un pequeño escritorio. No había lavamanos. Para ir hasta el baño comunal debía pasar frente a las celdas de otros cardenales. Nunca le habían preocupado sus condiciones de vida. Estaba acostumbrado a situaciones espartanas, e incluso en el palacio arzobispal su habitación era como la de un monje. Cuando Maryska, su ama de llaves, le preparaba el equipaje, sólo le ponía medias y ropa interior, unas cuantas camisetas y dos pares de zapatos. Algunas veces, cuando iba al campo a visitar a su amigo, el padre Franciszek Konieczny, pedía prestada una anticuada camisa de dormir.

Según el testimonio de algunas personas, Wojtyla parecía sereno en la víspera de la votación. Algunos lo vieron en su celda, leyendo una publicación sobre marxismo. Más tarde, esa misma noche, un joven sacerdote norteamericano, Donald Wuerl, acompañante del cardenal John Wright, que estaba casi ciego, se dirigía al único espacio abierto en los recintos del cónclave, el gran patio de San Dámaso. De repente, Wuerl sintió que una mano fuerte lo tomaba del brazo. Al voltearse vio que era Karol Wojtyla.

–¿Usted va a caminar? Caminemos juntos –dijo el arzobispo de Cracovia. El sacerdote lo miró, un poco sorprendido. Luego Wojtyla añadió–: Yo hablo en inglés, para practicar, y usted habla en italiano para que sepamos de qué estamos hablando.

Mientras caminaban por el patio, los dos hombres entablaron una conversación bilingüe: el polaco en su inglés con marcado acento extranjero y el estadounidense en su pobre italiano. Wojtyla parecía completamente relajado. Wuerl pensaba en una críptica observación que había hecho el cardenal Wright: "En este cónclave vamos a elegir al sucesor de Juan Pablo i, no al sucesor de Pablo vi" ¿Qué quería decir eso? Pablo vi había sido elegido para llevar a buen término el concilio ecuménico del papa Juan xxiii. Juan Pablo i había sido elegido para preservar la línea doctrinal de la Iglesia y, al mismo tiempo, presentarle al mundo la cara humana del catolicismo. ¿Tendría su sucesor que desarrollar este programa tácito?

Al día siguiente, el domingo 15 de octubre, comenzó la batalla. En la mañana, Siri y Bennelli tuvieron una pelea de dos asaltos. En la primera votación, según se estableció algún tiempo después, ambos obtuvieron cerca de treinta votos. En la segunda, aumentó el número de sus adeptos. Sin embargo, en la tarde ambos rivales empezaron a perder terreno. El cardenal Ugo Poletti, presidente de la Conferencia Episcopal italiana tuvo una votación de cerca de treinta votos. En la cuarta votación apareció en escena un nuevo candidato de la curia: el cardenal Pericle Felici. Wojtyla obtuvo cinco votos, lo que era una especie de advertencia. Al enterarse de ello, se dibujó en su rostro un gesto de incomodidad.

La dureza de la competencia en la urna de votación contrastaba con la atmósfera de silencio sepulcral que caracterizaba al cónclave. "La gente se imagina que en el cónclave se producen las discusiones más encarnizadas –dice el cardenal König–, pero eso no es verdad. Todo se desarrolla de manera muy calmada. Hablan dos o tres personas entre sí y luego todo el mundo vuelve a su celda".

El silencio era el verdadero protagonista del evento. Wuerl, ya obispo en la actualidad, recuerda: "No era raro ver en la Capilla [Paulina] a muchos cardenales rezando una hora antes de ir a la Capilla Sixtina". Los únicos sonidos que se escuchaban eran pasos en el corredor. Los prelados oraban en silencio, se levantaban en silencio y regresaban a sus celdas en silencio. En la mesa, la conversación era escasa. En la Capilla Sixtina se podía decir que el único ruido era el crujido de los votos, que se doblaban dos veces y se depositaban luego en el cáliz que hacía las veces de urna de votación.

Aun así, la batalla por el futuro de la Iglesia se hallaba en su punto más álgido. Era evidente que los candidatos italianos se bloqueaban unos a otros y que estaban creando un atolladero. La candidatura de Siri parecía no dar paso a nadie, y sus adversarios tampoco estaban dispuestos a admitir una derrota. Los otros posibles candidatos no lograban crear en torno a su nombre un consenso que los acercara a la mayoría.

Había llegado la hora de Franz König. En la noche del 15 de octubre, König estaba preparado para lanzar su ofensiva. Habló con los cardenales alemanes, con los franceses, los españoles, los estadounidenses, siempre de una manera muy ligera e informal, como si este fuera el asunto más normal. Un intercambio de palabras en el corredor, una conversación al salir del comedor, una breve visita a la celda de alguien. Luego, el cónclave se sumió de nuevo en su gran silencio.

Sin embargo, en cierto punto König sintió la necesidad de hablar con la totalidad de los prelados germano-parlantes, los holandeses y algunos de Europa central. Esa sería la última ocasión en la que el arzobispo de Viena abogaría por la causa de Karol Wojtyla. Era cauteloso y convincente. Ahora empezaba a producirse en el cónclave un ambiente de tensión, como si la historia estuviera en juego y los electores hubieran empezado a considerar seriamente la posibilidad de votar por un no italiano.

En la mañana del lunes 16 de octubre, hubo dos votaciones más. Siri comenzó a perder terreno, en tanto que muchos de los otros votos se dividían entre los cardenales Giovanni Colombo, Ugo Poletti y el holandés Johannes Willebrands. Los resultados indicaban que los candidatos italianos ya no tenían nada qué hacer. En la sexta votación, la última antes del almuerzo, aumentó abruptamente la votación a favor del arzobispo de Cracovia.

Durante el almuerzo Wojtyla parecía tan tenso que algunos de sus seguidores temían que pudiera rechazar la elección.

Esa tarde, en la que el silencio poblado de susurros se hacía más denso, Wojtyla fue visto en la celda del cardenal Wyszynski, agitado y llorando. El arzobispo de Cracovia había sucumbido en los brazos del primado de Polonia. Ya no había dudas sobre lo que vendría después.

"Si lo eligen a usted –dijo Wyszynski–, debe aceptar. Por Polonia".

Wojtyla recuperó la compostura. Dos votaciones más adelante anunciaron su nombre. Noventa y nueve cardenales entre ciento ocho le habían dado su voto. Se había logrado hacer algo inimaginable: elegir un Papa de un país satélite de la Unión Soviética, un país cuyo gobierno era ateo y marxista. Era el primer Papa no italiano en 450 años, un Papa joven, de cincuenta y ocho años. Por fuera de Polonia y del Colegio Sagrado, era poco lo que se sabía sobre este eslavo que se había convertido en el pastor de un rebaño de ochocientos millones de católicos. El mismo que en su época de colegial le había dicho al viejo príncipe arzobispo Sapieha que no le interesaba ser sacerdote.

En el silencio se levantó la voz del cardenal presidente que preguntaba: "¿Acepta usted? ¿Qué nombre va a adoptar?"

Wojtyla aceptó. La tensión desapareció de su rostro, y ahora lucía una expresión solemne. No sólo dijo "Sí", como lo exigía la tradición, sino que añadió con voz clara: "Obedeciendo a la fe en Cristo, mi Señor, y confiando en la Madre de Cristo y de la Iglesia, a pesar de las grandes dificultades, acepto". Había escrito estas palabras después de salir de la celda de Wyszynski.

Luego, para expresar su compromiso con el legado de los últimos tres Papas y su afinidad con Albino Luciani, tomó el nombre de Juan Pablo II.

En el cónclave se respiraba un aire de felicidad. Uno a uno, los cardenales se acercaron a él para rendirle honores de rodillas. Al llegar el turno de Wyszynski, Juan Pablo II se levantó de su silla y cuando el primado de Polonia empezó a arrodillarse su compatriota lo tomó de los brazos y lo levantó. El fuerte e imperioso cardenal de Varsovia se agarró del Papa como si fuera un niño. Juan Pablo II lo sostuvo con firmeza. Nunca en su historia había sido Polonia tan honrada como ahora, a través de la persona del leal diputado de Wyszynski, hombre ante quien el viejo primado siempre se había mantenido distante.

Solamente la vena que se veía palpitar en la frente de Wojtyla delataba la tormenta de su corazón en el momento en que se preparaba para abandonar la capilla. Con toda calma, permitió que lo escoltaran hasta la antecámara de paredes escarlata conocida como la *camera lacrimatoria* –el "salón de las lágrimas"– en donde el nuevo Papa permanece solo unos instantes para esperar al sastre pontifical, que le pone una de las tres sotanas blancas –pequeña, mediana o grande– que ya se encuentran esperando en una silla. En ningún lugar hay información en donde se corrobore la leyenda de que el Papa empezó a llorar, bien fuera de tristeza o de alegría. Se sabe, sí, que el Papa se puso la sotana más grande y caminó con paso decidido hacia la gran logia de San Pedro para saludar a los romanos y al mundo.

El día empezaba a declinar y la multitud estaba impaciente. Cuando escucharon al Papa polaco hablando italiano fácilmente ("Es un negro", gritó una voz al oír el anuncio del exótico nombre) la sorpresa se convirtió en un caos absoluto. El nuevo Pontífice exhortó a los romanos: "Si cometo errores al hablar vuestra lengua –o mejor– nuestra lengua, me corregiréis".

La noche había caído. Siguiendo el ejemplo de su predecesor, Albino Luciani, el Papa les pidió a los cardenales que permanecieran en cónclave para cenar juntos. Wojtyla estaba relajado, hablaba con sus colegas de la misma manera amigable de antes y bromeaba con las monjas que servían la cena.

Su secretario polaco, Stanislaw Dziwisz, empezó a llorar en silencio. El Papa lo abrazó como una madre abraza a su hijo asustado para consolarlo.

Orgullo y temor en Varsovia

El oficial abrió la puerta y, olvidando el protocolo y la disciplina, gritó: "Camarada general, ¡le tengo una noticia sensacional! Wojtyla fue elegido Papa".

El hombre que se hallaba sentado detrás del escritorio tenía el rostro pálido. Sus ojos se escondían detrás de unos anteojos oscuros. Con su postura rígida, parecía un maniquí de uniforme verde oliva. Agradeció protocolariamente al ayudante y acusó recibo del mensaje. En dos horas, los miembros del Politburó y otros funcionarios estatales se reunirían en sesión extraordinaria.

A la edad de cincuenta y siete años, Wojciech Jaruzelski, ministro de la Defensa de la República Popular de Polonia, ya se había llevado en la vida una buena dosis de golpes y sorpresas. Había sobrevivido al colapso de Polonia independiente invadida por los nazis y luego por los soviéticos. Durante el breve período del pacto Hitler-Stalin fue deportado a Siberia (en donde su párpados sufrieron un daño severo por causa del sol y por poco se rompe la espalda cortando leña). Luego regresó a su país a luchar con los soldados rusos como miembro del Ejército Popular de Polonia, forjado a instancias de Stalin. Después de la Paz de Yalta había salido milagrosamente ileso de la era estalinista. Ascendió metódicamente en su carrera militar durante el régimen reformista de Wladyslaw Gomulka y la corta "primavera polaca" en la que el país, a pesar de formar parte del Pacto de Varsovia, se abrió a los mercados de Occidente. Ahora la economía socialista de Polonia era endeble y los trabajadores de algunas fábricas empezaban a tratar de formar sindicatos semi-independientes.

Jaruzelski parecía abrumado por la ambigüedad: ¿cómo manejar esta noticia proveniente de Roma? Wojtyla de Papa equivalía a serios problemas. Las relaciones entre el cardenal de Cracovia y las autoridades comunistas habían sido tirantes. Sin embargo, el general se dejó tocar por una oleada de patriotismo. Por primera vez en mil años de historia del catolicismo en Polonia, un hijo de esta tierra accedía al trono más elevado del mundo. Ese día, 16 de octubre de 1978, se le había conferido un premio magnífico a toda la nación. Quizás brillaría sobre el gobierno también un poco de ese esplendor, haciendo olvidar la sensación de derrota e indignidad que marcaba a la nación. Polonia había sido alguna vez una potencia en Europa, sólo que muchos años atrás.

Las calles de Varsovia estaban llenas de gente que se dirigía a la iglesia a rezar y a encender velas votivas. Su alegría parecía cercana al éxtasis, como si se hubieran juntado en un solo día la Pascua, la Navidad y el día de la Independencia. La radio y la televisión polacas, controladas por el Estado, divulgaron la histórica noticia de manera incongruente, en forma de un breve boletín de prensa. Dado que el partido no había promulgado ninguna respuesta oficial, nadie se había atrevido a añadirle detalles al reporte con una pequeña reseña biográfica del nuevo Papa.

Sin embargo, en la capital se escuchaba el fuerte tañir de las campanas. Todas las iglesias celebraban así la noticia. Para Jaruzelski la escogencia de un Papa de Cracovia era un golpe maestro. Desde la gran catedral del monte Wawel y el palacio episcopal, Wojtyla había ignorado, sistemática y abiertamente, la jerarquía del partido. Con un desprecio filosófico, había negado toda legitimidad a la ideología marxista-leninista. Mediante su considerable influencia sobre la intelectualidad católica había conformado un frente de resistencia espiritual contra la dirigencia política del país. Sin lugar a dudas, la elección de Wojtyla *era* peligrosa. A Jaruzelski le preocupaba que la Iglesia polaca se convirtiera en un modelo para los demás países de Europa oriental, y que su influencia, hasta entonces contenida dentro de las fronteras de Polonia, llegara a los cristianos de la URSS.

Jaruzelski estaba terriblemente confundido. Levantó el teléfono para buscar la ayuda –y la conmiseración– del supervisor en jefe de la Iglesia católica en Polonia, Stanislaw Kania, director del departamento administrativo del Partido Comunista.

"Usted ya conoce toda la historia. ¿Cuál es su valoración política?" Como siempre, Jaruzelski, hablando con un tono neutro y burocrático, mantuvo ocultas sus emociones. Tenía la sensación de que este suceso, con todo y su gloria, cubriría con una perturbadora sombra a la República Popular. Veía venir tiempos difíciles con la Unión Soviética.

"Desde el Vaticano la vista es más amplia que desde Wawel", respondió Kania, medio en broma. El papado tendría sobre Wojtyla un efecto suavizante.

Como jefe administrativo, la misión más difícil de Kania era mantener la supremacía del partido por encima del establecimiento episcopal. Kania también se sentía confundido. Tenía registrados en su memoria algunos detalles sobre los obispos polacos que reposaban en los archivos de su Oficina de Asuntos Religiosos después de muchos años de espionaje al clero. Los informes describían a Wojtyla como un hombre de gran talento intelectual, pero cada vez más distante y hostil en sus tratos con el *apparat* comunista. Se mencionaba con frecuencia la "línea de Cracovia" en la Iglesia, bastante difícil de controlar. El cardenal era demasiado cosmopolita, según decían ellos. Tenía demasiados contactos con el mundo exterior y había viajado a Occidente.

Ahora Kania debía redactar un telegrama de felicitaciones al nuevo Pontífice: algo cálido y amable, para celebrar el triunfo de un "hijo de la nación polaca".

Poco después del anochecer, los altos funcionarios del gobierno y los líderes del partido –el Politburó polaco– comenzaron a llegar a la fortaleza del Comité Central, en la Avenida Jerozolimskie. Desde sus limusinas negras habían observado las iglesias iluminadas y llenas de gente. Desde Cracovia hasta Gdansk, desde Wroclaw hasta Lublín la nación entera se había entregado a un rapto de gozo. Por todo el país las líneas telefónicas estaban congestionadas pues la gente llamaba a contarle a parientes, amigos y colegas la historia de cómo Karol Wojtyla se había convertido en Papa. Para los católicos devotos se trataba de un regalo de Dios y de la Santísima Virgen a los fieles de Polonia.

Pero aquellos hombres opinaban de manera distinta: muchos de ellos consideraban que la elección de Wojtyla había sido producto de maniobras por parte de Estados Unidos. Los estadounidenses y los germano occidentales habían conspirado para arreglar la elección en la Capilla Sixtina. El hombre encargado de manejar los hilos de todo este asunto era Zbigniew Brzezinski, el tenaz anticomunista asesor de la seguridad nacional de Jimmy Carter, por entonces presidente de Estados Unidos. Brzezinski también había nacido en Polonia.

"Wojtyla nos va a echar un sermón", se quejó el secretario del Consejo Económico del partido, Stefan Olszowski. Ninguno de sus camaradas respondió.

El primer secretario Edward Gierek abrió la sesión. Todavía parecía perturbado cuando le cedió el podio a Kania.

Kania era un hombre grueso y de gran tamaño, con cara de campesino. Según dijo, lo más importante para Polonia era mantener la política de acercamiento previamente acordada con el Vaticano. El gobierno había autorizado la construcción de nuevas iglesias. Los obispos polacos tenían la libertad de viajar a Occidente. Todo esto debía continuar. El primer secretario había ido personalmente a visitar al papa Pablo VI para allanar el camino de un concordato con la Santa Sede y normalizar completamente las relaciones diplomáticas. El Estado ya estaba negociando un acuerdo con el primado Wyszynski para definir los derechos de la Iglesia polaca. Para el gobierno era fundamental que la Iglesia –y su nuevo Papa– trataran al comunismo con respecto.

"¿Qué más nos queda por agregar?", preguntó Kania tentativamente. Naturalmente, admitía que las pasadas relaciones con el arzobispo de Cracovia dejaban poco espacio para el optimismo. Pero la retórica comunista exigía que toda negación estuviera seguida de una afirmación. La Iglesia romana, según afirmó Kania, había comprendido el valor de la cooperación con las autoridades comunistas. "Podemos aspirar a que la Santa Sede siga el camino de la reconciliación, de la *Ostpolitik*".

Esto no bastaba para calmar a los dirigentes, ahora acuciados por el temor de una gran conspiración. ¿Era un Papa polaco una amenaza para el sistema socialista en Polonia? Esa era la pregunta crucial.

"¿Y si el nuevo Papa decide venir a Polonia?", le preguntó uno de los ministros a Kania. El peso de la pregunta se dejó sentir en todo el salón.

El ministro de Asuntos Interiores advirtió que el gobierno debía concentrarse inmediatamente en el riesgo de una ola de peregrinaciones de los fieles polacos a Roma. "Esos viajes pueden ser un peligro para la estabilidad de Polonia".

Con la elección del primer Papa de un país socialista había surgido el espectro de la desestabilización. De repente, el Vaticano se había convertido en un poder ominoso y desconocido para el mundo comunista.

Al día siguiente, 17 de octubre, el embajador soviético en Varsovia se dirigió a la sede del Comité Central. El hombre de Moscú estaba agitado tras estudiar los informes de su maletín. Una vez dentro del edificio, controló su impaciencia y escuchó las esperanzadoras explicaciones del camarada Kania. Finalmente el ruso habló:

–Si hasta ahora ustedes no tuvieron buenas relaciones con Wojtyla –anotó bruscamente el ruso–, lo único que se puede esperar es que las relaciones con el Vaticano se pongan peores.

Las reservas de optimismo ortodoxo de Kania se habían agotado y no dijo nada.

–...Mucho peores –advirtió el ruso.

Kania recordó el momento en que había telefoneado a Gierek a contarle la noticia.

"¡Virgen Santa!", exclamó el secretario del Partido Comunista polaco.

PARTE IV

Il Papa

El general toma el mando

Pobre Albino Luciani: permanecer una noche más en su celda del cónclave le permitía seguir sintiéndose como un cardenal más, que todavía no había aceptado su trabajo de guía espiritual de ochocientos millones de personas en todo el mundo. Karol Wojtyla no abrigaba pensamientos de esa naturaleza. Su figura de setenta y cinco kilos le daba un aire convincente de solidez, acompañado de una agilidad de atleta. Desde el momento en que el cardenal jefe anunció la elección de Wojtyla en el cónclave, la presencia de ánimo del polaco había sido sorprendente. Se hallaba en perfecto dominio de sí mismo cuando sus colegas se acercaron a felicitarlo. Lucía tranquilo cuando bebió la copa de champaña servida en los apartamentos de los Borgia después de la bendición pública a los romanos. Parecía calmado mientras charlaba con los cardenales y cuando bromeaba con las monjas que lo atendían (también las invitó a tomar una copa). Tenía las condiciones necesarias para desempeñar el trabajo.

Para el papa Wojtyla, pasar la noche con los cardenales equivalía a establecer con ellos un lazo de hermandad y a sellar un pacto que fuera más allá de la obediencia, para enfrentar con valiente solidaridad las arduas tareas que los esperaban. Ahora esos hombres, algo más de cien, de cinco continentes deberían convertirse en un cuerpo cooperativo, lo mismo que sus antiguos colaboradores de Cracovia: un pequeño ejército con el íntimo sentimiento de un destino común, como los amigos que lo acompañaban en sus largas caminatas por los montes Tatras.

Antes de dormirse, el nuevo Papa escribió una homilía para la misa que celebraría la mañana siguiente con los cardenales electores. A su predecesor le había escrito casi completamente el discurso monseñor Giovanni Coppa, un experto latinista del secretariado de Estado. El contenido del texto reflejaba las ideas del Pontífice, pero más aún las ideas del secretario de Estado, Jean Villot, quien esperaba que se produjera una mayor colegiatura en la administración de la Iglesia universal. Karol Wojtyla escribió su propio sermón. El secretario de Estado y los *apparatchiks* de la curia tendrían que acostumbrarse a ello: de ahora en adelante, muchas cosas saldrían directamente de las manos de Wojtyla.

En la mañana del 17 de octubre, de nuevo bajo el Cristo de Miguel

Ángel, el Papa polaco expuso su estrategia hablando en latín: fidelidad al Concilio por encima de todo, y colegiatura. Estos eran los temas que más preocupaban a aquellos que no querían renunciar a la renovación de la Iglesia. Por otra parte, según lo solicitaba la mayoría de cardenales temerosos de los rápidos cambios del período posconciliar, Juan Pablo II insistió en la obediencia al Papa, el respeto por las reglas litúrgicas y la disciplina. Finalmente, subrayó la necesidad de fomentar un diálogo ecuménico y recalcó el compromiso de la Iglesia con la paz y la justicia del mundo. Este era exactamente el programa que lo había elegido Papa.

Cuando apareció en la Plaza de San Pedro, el 22 de octubre, para celebrar la misa que inauguraría su pontificado, parecía totalmente posesionado de la misión que Dios le había confiado. Tenía la serenidad de un actor que conoce de memoria su parlamento. La plaza estaba llena de gente: había unas doscientas mil personas. De Polonia llegaron cerca de cuatro mil peregrinos, y unos setecientos de la diáspora polaca. El presidente de Polonia, Henryk Jablonski, se hallaba presente al igual que el rey Juan Carlos de España. También los presidentes del Líbano, Austria e Irlanda, y montones de delegaciones, incluyendo una de la Unión Soviética, encabezada por el embajador ruso en Italia, Nikolai Ryzhov. Asistieron así mismo los patriarcas y los jefes de otras iglesias cristianas. Pero, sobre todo, asistió la gente, el mundo entero. De camino al altar, Juan Pablo II comprobó que en esta extraordinaria plaza, cuya columnata se extiende como un gran abrazo, el mundo entero tenía puesta su mirada en el Papa.

Observándolo vía satélite, creyentes y no creyentes del mundo entero asistían al solemne ritual mediante el cual la Iglesia romana eleva a un hombre a un cargo de suprema dignidad, transformándolo en un espléndido monarca al estilo de los emperadores de Bizancio. Por primera vez, Wojtyla se sentó en su trono, la *cathedra* papal. A medida que se desvanecían los acordes de las letanías a los santos, en medio de nubes de incienso que envolvían al altar, el primer cardenal diácono, Pericle Felici, se acercó al nuevo Papa para poner sobre sus hombros el palio sagrado, una estola de lana blanca entretejida con pequeñas cruces negras, emblema del poder papal.

Felici era un hombre agudo, tradicionalista, amante por igual del latín y de los más modernos sistemas de video, un romano hasta el tuétano.

Con su voz sonora, realzada por la fuerza de una tradición de siglos, se puso frente al Papa de Cracovia y pronunció la fórmula latina de investidura: "Loado sea Dios, que os ha escogido como Pastor de toda la Iglesia, y os ha encomendado la misión apostólica. Quiera Él que brilléis con gloria durante largos años de vida terrenal hasta cuando, llamado por vuestro Señor, seáis investido de inmortalidad y entréis al Reino de los Cielos. Amén".

"Amén", repitieron los 117 cardenales de la Santa Iglesia romana*. Luego se levantaron de sus sillas y se dirigieron en fila a besar el anillo del Papa, en señal de obediencia. Juan Pablo II les dio a todos un abrazo fraternal. Cuando Stefan Wyszynski se arrodilló para rendirle homenaje, el Papa se inclinó también y le dio al viejo primado un abrazo muy fuerte. Wyszynski era la personificación de la heroica historia de la Iglesia polaca, su resistencia contra los invasores, su lucha contra el ateísmo. Este segundo abrazo, este reconocimiento público a Wyszynski, era una señal, para cualquiera que quisiera leerla, de lo que se avecinaba. En lo sucesivo, Juan Pablo II se convertiría en maestro mundial de los símbolos.

Había en el sermón de Wojtyla sólo un tópico recurrente: Cristo.

"Hermanos y hermanas –exclamó el nuevo Papa–. No temáis darle la bienvenida a Cristo ni aceptar su poder. Ayudad al Papa y a todos aquellos que desean servir a Cristo y, con el poder de Cristo, servir al hombre y a la humanidad entera". Juan Pablo II tenía una determinación que difería de la torturada reserva de Pablo VI y de la timidez sonriente de Juan Pablo I. Era alguien que realmente sí parecía un auténtico heraldo de Dios, alguien que quería que la Iglesia se deshiciera de su complejo de inferioridad respecto al mundo, alguien que quería sacudir los cimientos.

Juan Pablo II hablaba con una entonación profesional, rítmica, midiendo las pausas, deteniéndose en los momentos del aplauso. Esto también contrastaba con el ritmo cantado de Pablo VI y el sencillo estilo de Juan Pablo I.

"¡No temáis! –dijo enfáticamente–. Abrid de par en par vuestras puertas a Cristo. Abrid a su poder de salvación los confines del Estado, abrid

---

* Los cardenales de más de ochenta años no pueden participar en el cónclave. Por esta razón sólo había 111 en la Capilla Sixtina.

los sistemas económicos y políticos, los vastos imperios de la cultura, la civilización y el desarrollo". Entre las personalidades importantes lo mismo que entre la gente que se abarrotaba en la plaza y en las calles adyacentes, las palabras del Pontífice tenían el fulgor de una descarga eléctrica. El auditorio se sentía en presencia de un Papa dispuesto a conquistar el mundo.

En Polonia todo el mundo estaba pegado a sus televisores. La nación entera había detenido sus actividades. Varsovia parecía una ciudad fantasma. Hasta los buses habían dejado de circular. Los obispos habían pospuesto las misas hasta la noche, para permitir que la gente viera a su Pontífice polaco.

En la Plaza de San Pedro, la voz del Papa se escuchaba cada vez más emocionada. "¡No temáis! Sólo Cristo conoce nuestro interior. Sólo Él lo conoce". Esto no era tanto una misa como un llamado a las armas. Juan Pablo II hablaba italiano, polaco, francés, inglés, alemán, español, portugués y –de los idiomas de los países más al oriente– ruso, eslovaco, ucraniano y lituano. En su boca las palabras en lenguas extranjeras no sonaban como pequeños discursos sin cuerpo; cual saetas, se dirigían a cada rincón del planeta.

Cuando acabaron de sonar las últimas notas del "Te Deum", Karol Wojtyla, el Sumo Pontífice, no pudo quedarse quieto. Con grandes pasos, sus vestiduras verdes ondeando al viento y tomando el báculo como un cayado de peregrino, empezó a caminar rápidamente por la columnata; los cardenales lo miraban sorprendidos. No eran los pasos de un seminarista acostumbrado a pasearse por los corredores de un seminario: él caminaba como un montañista. No se sometía a la multitud: la dominaba. Se acercó a abrazar a un grupo de minusválidos en sus sillas de ruedas. Habló con los peregrinos polacos, estrechó manos, besó bebés, acarició los ramos de flores que la gente le ofrecía. Luego, dirigiéndose nuevamente al centro del atrio, fijó su mirada en la multitud delirante. Tomando el báculo con ambas manos como si fuese una espada, trazó en el aire una poderosa bendición.

En los primeros cien días de su pontificado, Juan Pablo II señaló el camino que iría a tomar. Su nueva agenda se llenó de audiencias y reuniones. Exhortó al clero romano a no diluir su carisma en un exagerado interés por los problemas sociales. Hizo campaña por la causa del celibato. Invitó a los obispos estadounidenses a mantenerse atentos a la doctrina cristiana y a la disciplina de la Iglesia. En una conferencia con las monjas, insistió en la necesidad de seguir vistiendo los hábitos religiosos: era un importante signo externo, subrayó, "para recordaros vuestro compromiso, que contrasta tan marcadamente con el espíritu del mundo". Habló con los obispos canadienses sobre la necesidad de la confesión individual. Les recordó a los miembros del Secretariado del Vaticano para la Unidad de los Cristianos que el movimiento ecuménico no podía avanzar comprometiendo la verdad.

Encomiaba a las madres que se negaban a practicarse abortos cuando sus vidas se hallaban en peligro. Reafirmó la indisolubilidad del matrimonio y criticó al gobierno italiano que había aceptado poco tiempo antes el aborto legal. Cuando una periodista le preguntó sobre la ordenación de mujeres, él respondió tajantemente: "La Virgen prefirió mantenerse a los pies de la Cruz".

En una reunión con la juventud, esbozó su ideal del católico: "Por encima de todo, hay que tener claridad sobre las verdades en las que se va a creer y que se van a practicar. Si estáis inseguros, dudosos, confundidos y sóis contradictorios, será imposible construir algo".

Preparó para los periodistas acreditados ante la Santa Sede una rueda de prensa que pasaba por alto todas las normas del protocolo. Los recibió el 21 de octubre en el Palacio Apostólico, antes de la misa inaugural. Se levantó de su trono papal y se mezcló con todos ellos, dio entrevistas en varias lenguas, trató varios temas (marxismo, ecumenismo, Polonia, el Líbano, el esquí y su vida en el Vaticano). "Han pasado cinco días –bromeó–, y si las cosas siguen así, creo que podré soportarlo". Poco antes de llegar al final, alguien le preguntó que si una conferencia de prensa como esa se volvería a repetir. "Ya veremos cómo me tratan ustedes", respondió. Esta era una muestra de cómo iba *él* a tratar a la prensa a lo largo de su pontificado. La prensa era un gremio que sería hipnotizado por su encanto personal, un instrumento que utilizaría en beneficio propio. Con escasas excepciones, los periodistas no le interesaban como seres humanos.

El 5 de noviembre realizó su primer viaje oficial fuera del Vaticano: se dirigió a Asís, la ciudad de san Francisco, el santo patrono de Italia. Para el Papa polaco era una manera de ganarse la simpatía de los italianos. La respuesta superó todas las expectativas. El entusiasmo era desbordante. Todos sentían que Wojtyla era *su Papa*, y le daban la bienvenida como tal. Las plazas y las calles de la ciudad medieval estaban atestadas de gente. Con el fin de ver y aplaudir su llegada, algunos pobladores, incluidas monjas, se subieron a los techos (aun a riesgo de caerse, debido a la fuerza del viento producido por las aspas del helicóptero del Papa).

Las multitudes amaban a Juan Pablo II porque se veía como un hombre de carne y hueso, piadoso pero viril. No tenía un rostro clerical. Hablaba de manera espontánea. No afirmaba que Cristo fuera la cosa más importante del mundo. Presentaba el Evangelio como un medio para afrontar las dificultades de la vida contemporánea, desde el terrorismo hasta la inestabilidad política. En el año de 1978 las Brigadas Rojas asesinaron al líder demócrata-cristiano Aldo Moro, acto amenazante para la estabilidad del Estado. Los diplomáticos de los países occidentales temían que el país se sumiera en el caos de un conflicto armado entre bandos agresivos de extremistas. En medio de esta tormenta, Karol Wojtyla se erigía como un Papa dispuesto a salir de su palacio para actuar con determinación y anunciar públicamente su fe en un lenguaje directo y sencillo. En Italia la gente empezó a referirse al Papa por su apellido, Wojtyla, como si fuera uno de los grandes personajes de la Historia: Washington o Garibaldi, Churchill o de Gaulle, Gandhi o Lenin.

En Asís, los fieles escuchaban a Juan Pablo II hablar con san Francisco casi como si fuera su igual. El Papa pidió por la resolución de todos los problemas sociales y políticos por medio del Evangelio: todos los sufrimientos de la humanidad, sus dudas, sus negaciones, sus confusiones, sus tensiones, sus complejos, sus ansiedades. El Papa habló así al santo: "Ayúdanos para que el propio Cristo sea el Camino, la Verdad y la Vida para los hombres y las mujeres de nuestro tiempo. Santo hijo de la tierra de Italia, el papa Juan Pablo II, un hijo de Polonia, pide esto de ti. Espero que no se lo niegues". Luego, en medio del júbilo de la multitud, Juan Pablo escuchó el grito: "¡No olvides la Iglesia del Silencio!" Sin perder un segundo, Juan Pablo II respondió de inmediato: "Ya no es una Iglesia del Silencio, pues habla con mi voz".

El Papa polaco

En boca del Papa, la frase "la Iglesia del Silencio" (la Iglesia oprimida de los países de la cortina de hierro) recuperó toda su significación. Durante el largo pontificado de Pablo VI la Iglesia del Silencio dejó de ser un término descriptivo. La frase era usada por pequeños grupos tradicionalistas, nostálgicos de la época preconciliar. Para referirse a la situación de los países del bloque comunista, la Santa Sede prefería hablar de "medidas conducentes a normalizar las relaciones" o, cuando mucho, de "obstáculos".

Ahora, un Papa formado en Polonia estaba preparado para recordarles a los regímenes comunistas que había cristianos que no tenían libertad de expresión ni libertad de culto. Si hubiera seguido siendo cardenal de Cracovia, durante esas mismas semanas se habría reunido con Adam Michnik, uno de los disidentes más activos en Polonia, cofundador del Comité para la Defensa de los Trabajadores (KOR). La reunión ya había sido programada para octubre, y parecía apuntar a un salto en la carrera político-pastoral del arzobispo de Cracovia. Aunque la elección papal se había interpuesto en sus planes, Wojtyla simplemente había pasado a un terreno más importante. De ahora en adelante lanzaría sus rayos contra la ideología comunista desde el trono de San Pedro.

En opinión del nuevo Pontífice, el trabajo de mejorar las condiciones de la Iglesia en los países comunistas no se le podía dejar únicamente a los diplomáticos del Vaticano. El cambio debía provenir desde arriba *y* desde abajo. Juan Pablo II puso rápidamente manos a la obra, y empezó por la jerarquía católica de los países de Europa oriental. El arzobispo de Praga, Frantisek Tomásek, fue el primer prelado de Europa oriental en ser recibido en audiencia por el Papa el día de su misa inaugural. El cardenal trataba de sobrevivir en medio de la represiva lobreguez del régimen de Gustav Husak, jefe del partido. El Papa deseaba darle al arzobispo una decidida voz de aliento. También prometió apoyo para los obispos de Letonia y Lituania, que habían ido a Roma para la celebración. A los obispos de Hungría, conformes bajo las concesiones del régimen de János Kádár, el Papa les envió una carta en donde los aguijoneaba sutilmente para que adoptaran iniciativas más atrevidas: "Que la espiritualidad de la Iglesia católica ilumine a Hungría". La iluminación espiritual de Hungría suponía un cambio considerable en el *statu quo*.

Esta también era una manera de hacer que el Kremlin y los países comunistas se fijaran en la nueva versión de la *Ostpolitik* de Karol Wojtyla, y para recordarles que el Papa era y seguía sintiéndose polaco. Desde el primer día, Juan Pablo II demostró públicamente el amor que sentía por su identidad étnica. Le pidió al presidente de Polonia, Henryk Jablonski, que le permitiera conservar el pasaporte. Por su parte, las autoridades polacas nunca retiraron el nombre de Karol Wojtyla del registro electoral en Cracovia. El Papa consideraba que sus orígenes eran una señal de la Providencia.

El 21 de octubre, a manera de agradecimiento por los buenos deseos de las autoridades de Varsovia, el Papa le envió un telegrama al líder comunista polaco Edward Gierek, donde resaltaba que la historia de Polonia "ha estado estrechamente ligada, durante mil años, a la misión y el servicio de Iglesia católica". El día 23, en un mensaje a sus compatriotas, exaltó el papel especial que había desempeñado la Iglesia de Polonia en la Iglesia universal y en la historia de la cristiandad. Añadió que la Iglesia polaca se había convertido en el símbolo de un testimonio especial "que los ojos del mundo entero miran". Sin esperar llevar a cabo negociaciones con el gobierno polaco, el Papa anotó: "Tengo muchos deseos de estar con vosotros en el noveno centenario del martirio de san Estanislao". Este sería el 8 de mayo de 1979.

Ese mismo día recibió a los cuatro mil peregrinos polacos que habían ido a Roma. En la reunión mencionó a su predecesor en Cracovia, Eugeniusz Baziak, a quien llamó "el gran arzobispo exiliado", con lo cual mostraba que el Papa no había olvidado que Baziak había presidido en 1944 la diócesis, en su nativa Ucrania occidental, que por entonces formaba parte de Polonia. Ese puesto estaba vacante porque el gobierno soviético no permitía que nadie lo ocupara. Durante la reunión con sus compatriotas, (que envolvió a todos en un manto de lágrimas y alegría) los peregrinos vieron a Juan Pablo II y al primado Wyszynski abrazarse una vez más. "Este Papa polaco no estaría en el trono de San Pedro –le dijo Juan Pablo II al primado– de no ser por la fe de usted, que no flaqueó en prisión ni ante el sufrimiento; de no ser por su esperanza heroica y su confianza ilimitada en la Madre de la Iglesia". La emoción obligó al

Pontífice a interrumpir su discurso. Se le quebró la voz cuando sus pensamientos regresaron a la patria. "No es fácil renunciar a volver –dijo–, pero si esa es la voluntad de Cristo, hay que aceptarla, y yo lo hago. Rezaré para que la distancia nos una aún más. No me olvide en sus oraciones".

Sin embargo, aun cuando sus sentimientos se desbordaban, el Papa no dejaba de enviar señales políticas: "El amor a la patria nos une por encima y más allá de las diferencias", predicaba. Por lo tanto, la fe y las creencias de todos debían ser respetadas. Con palabras de apoyo sutil a la resistencia, dijo: "Oponéos a todo aquello que atenta contra la dignidad humana y que degrada las costumbres de una sociedad sana".

Desde el principio el ser polaco de Juan Pablo II se convirtió en parte central de su política, para gran sorpresa, maravilla e irritación de algunos de los miembros de la curia. El secretario de Estado, Jean Villot, veía con intriga y consternación que el Papa, en el primer día después de la misa inaugural, en lugar de empezar a trabajar en los asuntos de la curia, le había dedicado la mayor parte de su tiempo a sus compatriotas.

Lo que algunos monseñores del Vaticano consideraban un folclor sentimental –la atención del Papa a Polonia– resultó ser una estrategia llevada a cabo con una tremenda tenacidad. El 4 de noviembre el Papa se reunió con una delegación de la Universidad Católica de Lublín y aprovechó la ocasión para reafirmar que su elección era un regalo de Dios a Polonia. El 6 de diciembre, en compañía de un grupo de sacerdotes polacos, entonó los cantos tradicionales de la fiesta de San Nicolás. El 7 de enero de 1979 celebró una misa para sus compatriotas polacos que vivían en Roma. Ensalzó el sacrificio y el martirio de san Estanislao, a quien consideraba la fuente de la unidad espiritual de Polonia.

Los sensibles hombres de la curia y los observadores externos del Vaticano aguzaron el oído al escuchar esta repetición persistente: Polonia... Polonia... Polonia. Comprendieron que cuando el Pontífice hablaba de su patria pensaba en *todos* los países de Europa oriental. En una recepción para el cuerpo diplomático, después de su elección, Juan Pablo II defendió el derecho a la libertad religiosa y al tratamiento igualitario para los creyentes. En nombre de la gente de todas partes, invocó el respeto por los derechos humanos y por la apertura a los valores espirituales. Unas semanas más tarde concedió una audiencia al ministro de Relaciones Exteriores de Bulgaria, Petar Mladenov, y le dijo: "Usted sabe que la Iglesia católica no quiere un tratamiento privilegiado. En Bulgaria, como en todas partes, necesita un espacio para vivir y llevar a cabo su misión religiosa".

Muy pocas veces desperdiciaba la oportunidad de insistir en la libertad religiosa como la base de todas las demás libertades. El 11 de diciembre de 1978, año del trigésimo aniversario de la Declaración de los Derechos Humanos de las Naciones Unidas, dijo que "la libertad religiosa de todos los individuos y todos los pueblos deber ser respetada por todos, en todo el mundo". En una audiencia general hacia el final del año, denunció el ateísmo, que "obstruye brutalmente la búsqueda de Dios en la vida social, pública y cultural". Esto era un retrato de la vida en Europa oriental, en donde la religión debía soportar una fuerte coacción ideológica y, cuando la toleraban, era eliminada de los circuitos de poder. "Tal actitud es contraria a los derechos humanos", afirmó el Papa ante Kurt Waldheim, secretario general de las Naciones Unidas por aquel entonces.

En la curia, la actitud de Juan Pablo II sacudiría una política que, de otro modo, se habría mantenido igual por mucho tiempo. Un joven monseñor, en los inicios de su carrera, pensaba: "Este Papa no se limita a decir, como lo hemos hecho siempre, 'tratemos de llevar una buena relación con los comunistas'. No. Este Papa estaba aquí para sacrificar al comunismo en el altar". Todo el mundo empezó a tener la impresión de que el Papa estaba preparándose para una batalla ideológica, y el Vaticano no tendría más remedio que unirse a este propósito.

Monseñor Achille Silvestrini, quien trabajaba para el Consejo de Asuntos Públicos –el departamento de política exterior del Vaticano– recuerda claramente que la prioridad del Papa "era afirmar los derechos de la conciencia religiosa. La diplomacia era una buena herramienta, pero su propósito debía ser abrir las puertas a Cristo".

Cuando murió Pablo VI, el ministro polaco para asuntos religiosos,

Kazimierz Kakol, fue al funeral y posteriormente se reunió con el arzobispo Agostino Casaroli, ministro de Relaciones Exteriores del Vaticano. Según el informe que les presentó Kakol a los dirigentes polacos, Casaroli le había asegurado: "No vamos a cambiar nuestra política respecto a los países socialistas". Y luego explicó por qué. Los papas no gobiernan la Iglesia directamente, dijo. Simplemente hacen las políticas. "La toma de decisiones se hace mediante un trabajo colegiado en los departamentos del Vaticano. Proviene del análisis y el estudio de los temas. De allí sale la línea política que adoptamos. El Papa sencillamente le da el toque final".

Todo esto sería letra muerta en el pontificado de Wojtyla. Juan Pablo II dio instrucciones a sus representantes para que –de allí en adelante– en las negociaciones con los Estados comunistas no minimizaran la irreconciliabilidad del marxismo con la verdad, sino que la realzaran. Silvestrini comprendió que la naturaleza de esta postura era más ética y religiosa que sencillamente política. Para el Pontífice había una enorme diferencia entre *ellos* y *nosotros*. En opinión de Silvestrini, Juan Pablo II buscaban resaltar, con su manera de hablar y de actuar, el hecho de que para *ellos* la verdad no existe. Lo único que contaba para *ellos* eran las cosas que sirven a los intereses del poder, a los intereses del partido. Pero la Iglesia debía responder: "No. La verdad existe en la conciencia de hombres y mujeres, existe en la sociedad, que debe tener libertad para la verdad". Las rígidas distinciones filosóficas del Papa buscaban un impacto real en el mundo de la política.

Entre tanto, en Moscú, *ellos* se daban a la tarea de calibrar al nuevo Papa. Inmediatamente después de la elección de Wojtyla, el Politburó ordenó hacer una detallada descripción del sucesor de Juan Pablo I. Le encomendaron este trabajo al Instituto para el Sistema Socialista Mundial, que tenía vínculos con la Academia Soviética de la Ciencia.

Durante los primeros días del nuevo pontificado, el 4 de noviembre de 1978, Oleg Bogomolov, director del instituto, le pasó al secretario del Comité Central un informe que aún hoy resulta sorprendente, por la manera como prevé muchas de las acciones de Juan Pablo II. "Según altos funcionarios de la Iglesia católica –escribió Bogomolov–, la elección de un cardenal polaco hará que se promueva la *universalización* de la Iglesia, es decir, sus actividades en todos los sistemas sociopolíticos,

principalmente en el sistema socialista... Es probable que este diálogo
[con los países socialistas] tenga, de parte del Vaticano, un carácter más
agresivo y sistemático que el que tuvo bajo Pablo VI. Wojtyla estará menos dispuesto a llegar a arreglos con los dirigentes de los países socialistas, especialmente en lo tocante al nombramiento [de obispos] de las
iglesias locales".

En el informe se afirmaba que Juan Pablo II podía hacerle contrapeso
a su insistencia en los derechos humanos en Europa oriental con denun-
cias de represión en el hemisferio occidental, especialmente en países
latinoamericanos como Nicaragua y Chile. Bogomolov puso mucho énfasis sobre el hecho de que la Unión Soviética debía prepararse para una
"nueva agresividad" en la política del Vaticano hacia los países socialistas
y el surgimiento de una conexión entre el tema de la coexistencia con la
Iglesia y los derechos humanos. Bogomolov afirmaba que el Vaticano
debía enfrentar en Latinoamérica un problema difícil: cómo detener la
radicalización de las iglesias nacionales y la inclinación de algunos sacerdotes en esos países por cooperar con fuerzas de izquierda, especialmente comunistas. Dado que Juan Pablo II había sido trabajador
durante un breve tiempo y los problemas de los trabajadores le preocupaban de manera especial, el reporte predecía que Wojtyla "trataría de
expandir la influencia de la Iglesia no sólo a los países socialistas sino
también a las clases trabajadoras de los países del mundo capitalista".

El reporte describía personalmente a Wojtyla como un cardenal que
siempre había adoptado posturas de corte derechista, pero que también
había pedido a la Iglesia evitar ataques frontales contra el socialismo. En
su lugar, prefería una transformación gradual de las sociedades socialistas en sistemas pluralistas liberales-burgueses. Inicialmente, "el nuevo
Papa será dependiente de la curia que, sin duda alguna, tratará de man-
tenerlo sujeto a su influencia. Pero la energía y el carácter independiente
de Juan Pablo II hacen suponer que rápidamente tomará el control de las
cosas y se liberará de los guardianes de la ortodoxia de la curia".

El informe aconsejaba a la Unión Soviética apoyar las iniciativas de
paz de Juan Pablo II y la posición del Vaticano respecto a la "inter-
nacionalización" de Jerusalén. Además, sugería hacer un esfuerzo para
mejorar las relaciones entre el gobierno soviético y el clero católico en
Lituania y en las regiones occidentales de Ucarnia y Bielorrusia.

Finalmente, los miembros del Politburó leyeron una última recomendación destinada especialmente a ellos: no olvidarse de poner más atención a las necesidades espirituales y morales de los individuos. "Con bastante frecuencia –subrayaba el informe–, una actitud mecánica y extremadamente simplista respecto a la esfera espiritual de la vida humana... da pie a un refuerzo de la postura de la Iglesia". El consejo resultó profético, pero era demasiado refinado para los dirigentes de la época de Brezhnev. Para el Politburó de aquel entonces era más lógico hablar (tal como empezó a hacerlo diligentemente Bogomolov) sobre un aumento de la propaganda atea y una coordinación más estrecha de las políticas religiosas con otros países socialistas.

Una de las cosas que Bogomolov no pudo predecir fue la rapidez con que Juan Pablo II le plantearía un reto a los líderes comunistas con un viaje a Polonia. Cuando Leonid Brezhnev, el dirigente soviético, se enteró de que la cúpula polaca estaba negociando los términos de la visita, telefoneó furioso al secretario general Gierek en Varsovia. Gierek describió así la conversación en sus memorias:

> Brezhnev dijo que había escuchado que la Iglesia había invitado al Papa a Polonia.
>
> –¿Y cuál es su reacción? –preguntó–. Yo contesté:
>
> –Le daremos la recepción que merece.
>
> –Siga mi consejo: no le hagan ninguna recepción –dijo Brezhnev–. Eso sólo les causará problemas.
>
> –¿Cómo voy a dejar de recibir a un Papa polaco? –contesté–. Si la mayoría de mis compatriotas son católicos. Ellos ven su elección como un gran logro. Además, ¿cómo le explico al pueblo que vamos a cerrarle la frontera?
>
> –Dígale al Papa (él es un hombre prudente) que puede declarar públicamente que no puede ir por causa de una enfermedad.
>
> –Lo siento, camarada Leonid –dije–. No puedo hacer eso. Tengo que darle la bienvenida a Juan Pablo II.
>
> Luego, Brezhnev me dijo:
>
> –Gomulka era mejor comunista [que usted], porque no recibió a Pablo VI en Polonia, y no pasó nada malo. Los polacos ya sobrevivieron una vez al rechazo de un Papa. Podrán sobrevivir una segunda vez.

–Pero las razones políticas me obligan a recibirlo –afirmé.

–Bueno, haga lo que quiera –dijo Brezhnev–, pero tenga mucho cuidado, para que no tenga que lamentarse más tarde.

Dicho esto, terminó la conversación.

"El Papa tiene un estilo muy personal", le comentó el secretario de Estado Jean Villot a un amigo cuando el Pontífice empezaba a adoptar sus primeras medidas en el Vaticano. El cardenal añadió proféticamente: "Sin duda tendremos un gran pontificado. El nuevo Papa es un hombre que se atreve a confrontar los problemas y las personas. Terminaremos dando algunas batallas importantes".

Francés hasta el tuétano, especialmente en su forma refinada, calmada y lúcida de administrar los asuntos de la Iglesia, el cardenal Jean Villot había sido confidente de Pablo VI. Su equilibrio compensaba la atormentada inteligencia del papa Montini. Para ventaja suya se sentía radicalmente desligado de las disputas políticas italianas en las cuales se habían visto envueltos de manera apasionada todos los papas del siglo XX.

Villot comprendería muy pronto cuán distantes eran su noción y la de Juan Pablo II sobre la manera de conducir la Iglesia de Roma. Al igual que Wojtyla, Villot había participado en el Concilio Vaticano II. Sin embargo, a diferencia de su colega polaco, él provenía de una cultura católica francesa que, junto con la alemana, le había hecho al concilio el aporte de una elite teológica y había ejercido una gran influencia sobre sus resultados.

Uno de los conceptos más apremiantes que surgirían del concilio era la *colegialidad*. "La Iglesia le fue encomendada a Pedro y a los apóstoles, no a la curia", fue la protesta del patriarca de Oriente, Máximo IV, ante los Padres del Concilio.

Pablo VI había dado un pequeño paso adelante, instaurando el sínodo de obispos. Pero su función era estrictamente de consulta y, en todo caso, se reunía obligatoriamente sólo cada tres años para tratar un solo asunto, o a lo sumo dos, escogidos de antemano por el Papa. Al estructurar el sínodo de esta manera, Pablo VI había reforzado su supremacía y se había limitado a darle una aprobación nominal a la colegialidad. Por esa razón los cardenales electores habían vuelto a hablar de la colegialidad durante las primeras reuniones del cónclave.

El cardenal Villot quería conocer las intenciones del Papa a este respecto: "¿Su Santidad ha pensado en darle una representación permanente al sínodo?", preguntó. En la jerga eclesiástica hablar de "representación permanente" equivalía a tomar medidas para preparar la elección de un grupo de obispos de las conferencias episcopales de todo el mundo, que pudieran trabajar junto al Papa, como una especie de gabinete para gobernar la Iglesia.

Juan Pablo II rechazó la idea sin ningún asomo de duda. "No. Eso sería un sínodo al estilo de las iglesias de Oriente". Dicho de otro modo, sería un organismo democrático, como el de las iglesias ortodoxas, en las cuales el sínodo es un verdadero parlamento de obispos que aprueba leyes y toma decisiones. "El Papa seguirá siendo el legislador único y supremo, con el concilio ecuménico" –la reunión de todos los obispos que puede convocarse solamente por voluntad expresa del Papa. Juan Pablo II aseguró que consultaría con más frecuencia al sínodo sobre problemas específicos. Pero, añadió, "no hay necesidad de hacer que esta consulta se vuelva obligatoria".

Así, se perdió el juego de la democracia eclesiástica incluso antes de empezar. Las esperanzas de muchos de los fervientes seguidores de Wojtyla durante el cónclave, como los cardenales Lorcheider y König, quedaron irrevocablemente defraudadas. No se sabe con certeza si el nuevo Papa se daba cuenta de que defraudaría cruelmente a muchas personas. Nunca había vivido en una democracia. Para él, la palabra *colegialidad* significaba poco más que un sentimiento de unión clerical, una solidaridad de hermanos que, de todas maneras, están subordinados a un mismo padre, un hombre con toda la disciplina y la perentoriedad de un monarca.

En cuanto a la *Ostpolitik*, Villot no pensaba que el plan del Papa de viajar a Polonia para el aniversario de san Estanislao fuera "urgente", pero Juan Pablo II no prestaba la menor atención a esos reparos. En verdad el Papa estaba actuando de una manera "extremadamente personal". Villot le comentó a su amigo, el sacerdote francés Antoine Wenger: "El nuevo Papa tiene una voluntad y una firmeza tremendas. En el curso de la primera semana de su pontificado ha tomado decisiones en las que no le habría sentado mal una asesoría cuidadosa".

Incluso desde el punto de vista físico, Wojtyla no se dejaba cercar. Un día después del cónclave inició la práctica de salir de los muros del Vaticano y fue en automóvil a visitar a su viejo amigo Andrzej Deskur a la Clínica Gemelli. Una semana más tarde fue en helicóptero al santuario de La Mentorella, a cincuenta kilómetros de Roma. Allí había ido a rezar días antes de su elección.

Los monseñores de la curia tuvieron que hacerse a la idea de que Juan Pablo II hacía las cosas solo y en su estilo personal. Cuando iba a tomar posesión de la basílica papal de San Juan Lateran el Papa abrazó sin ningún reparo al alcalde de Roma, Giulio Argan, experto en historia del arte... y también comunista. Recibió al obispo francés Marcel Lefebvre, a quien Pablo VI había suspendido de sus funciones religiosas por rebelarse contra el concilio y a quien se le había prohibido ordenar sacerdotes formados según las reglas preconciliares. También recibió al obispo mexicano Méndez Arceo, un izquierdista destacado.

–Santísimo Padre –murmuró Villot desalentado–, él es miembro de Cristianos por el Socialismo.

–El socialismo es algo con lo cual estoy bastante familiarizado –respondió Juan Pablo II con una sonrisa.

Nadie le había dicho al secretario de Estado, según lo anunció *L'Osservatore Romano* el 5 de noviembre, que el Papa iría a Puebla, México, para la Conferencia Episcopal Latinoamericana, por invitación del cardenal Salazar López, arzobispo de Guadalajara. México tenía una constitución anticlerical. A los sacerdotes ni siquiera se les permitía vestir la sotana en la calle, y el país no tenía relaciones diplomáticas con el Vaticano. El gobierno no demostró ningún interés oficial por la visita del Papa.

El cardenal tenía sus dudas, y así se lo expresó al Papa. Temía que el Papa no fuese recibido con los honores que correspondían a su rango. Esperaba que al menos un representante del alto gobierno fuera a darle la bienvenida en el aeropuerto. Pero Juan Pablo II no estaba interesado en los escrúpulos de su secretario de Estado ni en las delicadezas del protocolo. Lo que tenía en mente era algo que ningún *curiale* había soñado, algo tan revolucionario como el concilio mismo: la reconstrucción del papado para el tercer milenio de la cristiandad.

Por el mundo

Veinticuatro horas antes de partir hacia Ciudad de México, Wojtyla tuvo una audiencia de dos horas con el ministro soviético de Relaciones Exteriores, Andrei Gromyko. Gromyko era un visitante regular del Vaticano, pues había estado allí en 1967, en 1974 y en 1975; pero esta era la primera vez que Juan Pablo II se encontraba cara a cara con uno de los más antiguos miembros del Politburó del Kremlin. Gromyko era un hombre rígido y glacial, muy inteligente y acostumbrado a ocultar sus pensamientos tras una máscara de burocracia impersonal. Cualquier observación u objeción lo dejaba impávido y no despertaba en él la más mínima reacción, a no ser la de formular unos cuantos clichés propagandísticos.

Wojtyla comprendió que su encanto no tendría aquí ninguna utilidad y adoptó una actitud muy formal, al tiempo que estudiaba al hombre de Moscú. Wojtyla también se sabía observado. Gromyko quedó sorprendido, en primer lugar, por el físico robusto del Papa. "Este hombre –anotaría más tarde–, debe saber de deportes".

Juan Pablo II comenzó con una fórmula política genérica, y puso énfasis en la importancia del contacto con la Unión Soviética para consolidar la paz. Habló en ruso y luego en inglés. Gromyko afirmó que era necesario hacer todos los esfuerzos posibles para evitarle al mundo la amenaza de un conflicto armado, especialmente de tipo nuclear. Enumeró algunas iniciativas de la Unión Soviética y alabó los esfuerzos de la Iglesia "en favor de la paz, el desarme y la eliminación de armamentos de destrucción masiva. Apreciamos profundamente todo esto". Seguidamente, Gromyko pasó a hacer una enumeración de las áreas de conflicto más críticas del planeta. "En cuanto a ideología –dijo–, las convicciones religiosas y los problemas generales de percepción diferente del mundo no deben convertirse en obstáculos para la cooperación" entre la URSS y el Vaticano.

"Comparto la opinión de que no hay una preocupación más grande en la política mundial del momento que la tarea de eliminar la amenaza de la guerra –respondió Wojtyla–. La Iglesia católica actúa por el bien de la paz mundial".

Con gran cautela, el Papa indagó sobre el asunto que le preocupaba más íntimamente: "Es posible –empezó– que los factores que limitan la libertad de practicar la propia religión no se hayan eliminado en todas partes. Según algunas fuentes –continuó diciendo el Papa, que medía cada una de sus palabras–, algo de esto ocurre en la Unión Soviética".

Gromyko respondió de manera fría: "Esos falsos informes pululan en Occidente... [y] convierten a los criminales comunes y corrientes en mártires. No hay un ápice de verdad en los rumores sobre restricciones en materia de libertad religiosa. Desde los comienzos del Estado soviético se ha garantizado, y se sigue garantizando, la libertad religiosa". Gromyko repetía sin vergüenza aquellas viejas y desacreditadas fórmulas de propaganda soviética. No era de extrañar que en Washington le hubieran puesto el apodo de "Mister Nyet". Sin embargo, decirle al Sumo Pontífice de la Iglesia católica que había una auténtica libertad religiosa en la Unión Soviética era una tarea difícil, incluso para Gromyko. "En los días difíciles de la Segunda Guerra Mundial la Iglesia rusa ortodoxa se mantuvo firme al lado del Estado soviético –continuó Gromyko–, y dio su propia lucha contra el fascismo. ¿Hubiera sido esto posible si la Iglesia de nuestro país se hubiera hallado en condiciones anormales?"

El rostro del Papa se mantuvo impasible.

"Tenemos un pueblo religioso –dijo–, pero esto no es motivo de problemas, ni para ellos, ni para nuestro gobierno ni para la vida de la sociedad soviética".

Como decía siempre Wojtyla, *ellos* mentían, *ellos* no tenían respeto por la verdad: en la URSS cualquiera que admitiera abiertamente ser creyente no podía convertirse en profesor, hacer carrera militar o ser miembro del Partido Comunista. Sin embargo, el Papa se reservó por el momento sus comentarios.

A las siete y veinte de la mañana del 25 de enero, Juan Pablo II salió del Vaticano para dirigirse al aeropuerto de Fiumicino con la expresión feliz de alguien que va a emprender una larga excursión. Durante sus primeros cien días de papado, la atmósfera de crisis que se había cernido sobre la Iglesia en los últimos años de Pablo VI había desaparecido. El papado recuperaba su relevancia, se volvía un factor dinámico en la escena mundial. La figura de Juan Pablo II había atrapado al imaginario colectivo. La gente gustaba de este Papa. Cuanto más física se hacía la presencia de Wojtyla, más se convertía en un símbolo carismático. La gente pasaba las páginas de las revistas viejas con fotos del Papa remando, caminando por las montañas o sencillamente afeitándose. Decían que este era el primer Pontífice a quien habían podido verle los zapatos: parecían grandes zapatos de campesino o de pescador.

En las audiencias, las monjas se enloquecían. Decían que era más apuesto que Jesús, y se le abalanzaban con la esperanza de tocarlo. Las personas ideológicamente distantes de él quedaban cautivadas. Carlo Benedetti, un reportero en el Vaticano del *Paese Sera*, periódico procomunista, tuvo un sueño muy extraño que hubiera valido la pena relatarle al doctor Freud: estaba caminando por un apartamento muy grande y, cuando entró en la última habitación, vio a una mujer. "Me estaba dando la espalda. Estaba de pie frente a un espejo, peinando su larga cabellera. Se parecía a Rita Hayworth. De repente se dio la vuelta y vi el rostro de Wojtyla. Diablos, pensé. Él puede serlo todo, ¡hasta mujer!"

El nuevo Papa daba una apariencia de omnipotencia.

En su avión especial (el *Dante Alighieri*), 140 periodistas, técnicos y empleados de Alitalia esperaban al Papa y a su comitiva de veinticinco cardenales, monseñores y guardias suizos vestidos de civiles. En el equipaje del Papa había baúles con los discursos de Juan Pablo II ya impresos en diferentes lenguas. Salvo por los cambios de última hora, todas las observaciones, todas las exclamaciones habían sido planeadas en el Vaticano, después de un ir y venir de borradores entre el despacho del Papa y las oficinas de la curia. Sólo había un discurso en el cual todavía seguía trabajando el Papa, él más importante de todos: el discurso a los obispos de Latinoamérica, reunidos para la conferencia en Puebla.

En la víspera de su partida, Juan Pablo II se enteró por intermedio de su oficina de asuntos exteriores que Chile y Argentina habían aceptado oficialmente la mediación de la Santa Sede en su disputa por el Canal de Beagle. Los dos gobiernos, bajo el mando de dictadores militares, habían pedido al Vaticano que interviniera "con el propósito de guiarlos y asistirlos en la búsqueda de una solución pacífica de la disputa". Muchos católicos en Italia y en Latinoamérica se sorprendieron de ver que *L'Osservatore Romano* publicaba una gran fotografía del general Pinochet de Chile. Para ellos, Pinochet era un dictador brutal, líder de un sangriento golpe de Estado, responsable de la tortura, la muerte y la desaparición de miles de miembros de la oposición chilena. El arzobispo de Santiago, el cardenal Raúl Silva Henríquez, era un opositor de Pinochet. Había propiciado la fundación, cerca del palacio arzobispal, del Vicariato de la Solidaridad para ayudar a las víctimas del régimen y defender los derechos humanos.

Juan Pablo II apoyaba las acciones humanitarias del cardenal, pero opinaba que si la Santa Sede iba a participar en iniciativas de paz y justicia tenía que tratar hasta con los regímenes más detestables. La cuestión del Canal de Beagle, sobre la cual chilenos y argentinos casi habían llegado a las armas algunas semanas antes, era importante para el Vaticano porque, después de un siglo de insignificancia diplomática, se acudía al papado nuevamente para que desempeñara un papel en las negociaciones internacionales. Sin duda, este era un asunto de poca monta comparado con el Tratado de Tordesillas (1494), mediante el cual el papa Alejandro VI repartió el mapa del mundo entre España y Portugal, trazando una línea en el Océano Atlántico y asignando todas las tierras al oeste de la línea (exceptuando Brasil) a los monarcas españoles Fernando e Isabel, y las tierras al este de la misma –desde las Azores hasta Ceilán y más allá– al rey de Portugal. La disputa territorial del canal de Beagle era un asunto secundario. Lo que le interesaba a Juan Pablo II era el mensaje subyacente: la Iglesia debía hacerse oír en la escena internacional.

En los preparativos de su viaje, el Papa sabía que desde Washington hasta Moscú y desde Londres hasta Río de Janeiro, todo el mundo estaba pendiente de él. Latinoamérica era un punto delicado en las relaciones entre Estados Unidos y la Unión Soviética, y también tenía –y sigue teniendo– una gran importancia para la Iglesia. Para el año 2000, prácticamente la mitad de católicos del mundo serán latinoamericanos. Adicionalmente, esa región era el escenario de una batalla entre las dictaduras militares y la democracia, entre el marxismo y el capitalismo. Desde Cuba, Fidel Castro había intensificado su apoyo a los movimientos guerrilleros en América Central. La Iglesia debía decidirse entre continuar apoyando a los regímenes brutales y antidemocráticos o aceptar la aventura de la revolución. Juan Pablo II habría preferido presenciar la formación de alianzas políticas reformistas, pero eso requería una base social que no se encontraba en los países de América Latina, tan supremamente polarizados.

Nicaragua era un ejemplo típico. En ese país, las guerrillas sandinistas (algunas de las cuales eran miembros de movimientos católicos) luchaban contra el gobierno dictatorial de la familia Somoza, que durante decenios había sido respaldada por Estados Unidos. No parecía haber una manera distinta de acabar con el sistema oligárquico de ese país. La jerarquía católica de Nicaragua, dirigida por el arzobispo Obando Bravo de Managua, quien durante años había seguido un camino cauteloso entre el régimen y la oposición, empezaba ahora a apoyar a los sandinistas. Todos, hasta el viejo amigo del Papa, el padre Mieczyslaw Malinski, de Cracovia, se preguntaban: "¿A favor de quién se pondrá el Papa? ¿A favor de los regímenes militares o de quienes luchan contra ellos?" Las líneas de batalla se formaban dentro y fuera de la Iglesia. Los progresistas esperaban que el Papa se pronunciara contra las dictaduras y comprometiera a la Iglesia con la acción contra las "injusticias estructurales perpetuadas por las clases dominantes". Diez años antes, la Conferencia Episcopal Latinoamericana (CELAM), reunida en Medellín, Colombia, había dicho que una de las tareas de la Iglesia era apoyar la "liberación" de los pueblos oprimidos. La palabra misma estaba llena de ambigüedades.

En Latinoamérica, Juan Pablo II debía habérselas con una "Iglesia del pueblo", organizada en torno a las llamadas comunidades de base, innovadoras, comprometidas políticamente con el cambio social (mediante las armas, de ser necesario), impulsadas por los vientos de la teología de la liberación. En estas comunidades, grupos de católicos laicos se reunían como una Iglesia viviente, bastante independiente de las estructuras establecidas de la Iglesia: rezaban juntos, se administraban los sacramentos unos a otros y trataban de aliviar las condiciones opresivas a favor de los pobres. Ahora, el Papa poeta se hallaba frente a otros sacerdotes poetas que se inspiraban en Cristo trabajador y no en san Juan de la Cruz. Las comunidades de base de Nicaragua celebraban una misa campesina compuesta por Carlos Mejía Godoy, cuyo credo era:

"Creo firmemente, Señor, que toda la creación nació de tu mente prodigiosa, que de tu mano de artista surgió toda la belleza: las estrellas y la luna, las casitas, los lagos, los pequeños barcos que navegan en los ríos y que van al mar, los inmensos cultivos de café, las blancas plantaciones de algodón, y las selvas masacradas por las hachas criminales...

"Creo en ti, Cristo trabajador, único engendrado de Dios, creo en ti, compañero, el Cristo humano, conquistador de la muerte... Tú naces de la muerte en cada mano que se levanta para defender al pueblo de la dominación y la explotación".

Los progresistas de la Iglesia esperaban, en último término, que el nuevo Papa estimulara a la gente a seguir "el camino de Medellín", con una invitación a los católicos a romper toda complicidad con las clases dominantes. Aquellos que eran considerados "conservadores" en la Iglesia latinoamericana y en Roma esperaban exactamente lo contrario. Sabían que la Iglesia debía distanciarse de los regímenes militares, pero deseaban que prevaleciera el orden. Estaban a favor de las reformas, de ser posibles, pero rechazaban la idea de derrocar el establecimiento. Creían firmemente que la Iglesia debía defenderse de la "infiltración marxista", que debería concentrarse en dispensar los sacramentos y mantener la doctrina tradicional.

Al interior de la jerarquía eclesiástica se desarrollaba un verdadero enfrentamiento político y, por esta vez, las etiquetas de "progresista" y "conservador" sí designaban una realidad. El arzobispo colombiano Alfonso López Trujillo, secretario del CELAM, era acérrimo enemigo de la teología de la liberación. Después de la elección del Papa, fue al Vaticano a ejercer presión sobre Juan Pablo II para que luchara contra el liderazgo de los obispos brasileños, cercanos a las comunidades de base y a los teólogos progresistas. El cardenal brasileño Aloísio Lorcheider, uno de los principales entusiastas de la candidatura papal de Wojtyla, era el presidente del CELAM, lo que hacía aún más complicada la lucha interna de la Iglesia.

Incluso antes del viaje del Papa, el arzobispo López Trujillo comenzó a hacer sus maniobras con miras a la elección de los directores del CELAM, a realizarse en marzo. López Trujillo tenía una mentalidad militar. "Prepare sus aviones y sus bombarderos –le escribió a un obispo que compartía sus opiniones–. Hoy lo necesitamos más que nunca. Usted debe estar en las mejores condiciones posibles. Creo que debe entrenarse de la misma manera que se entrenan los boxeadores antes de entrar en el *ring* para un campeonato mundial. Ojalá sus golpes sean evangélicos y certeros".

En 1976, López Trujillo había presidido en Roma una conferencia de cincuenta teólogos que querían analizar y combatir "la expansión mundial de la teología de la liberación latinoamericana". López Trujillo había acusado a los católicos franceses, alemanes y estadounidenses de izquierda de dar "apoyo logístico" a los Cristianos por el Socialismo. "El peligro va más allá de las fronteras de América del Sur –afirmaba–. Ya se cierne sobre el mundo católico entero".

Análisis como este y otros más mesurados se enviaban directamente al Vaticano. El Papa también sabía que algunos obispos alemanes habían sido movilizados para ayudar a la jerarquía latinoamericana contraria a la teología de la liberación. De una manera u otra, los católicos de varios continentes se vieron envueltos en la lucha. Todos ellos estaban a la espera de una postura decisiva por parte de Juan Pablo II.

En Francia, el escritor Michel de Saint Pierre, líder del grupo tradicionalista Credo y amigo personal de Marcel Lefebvre, el obispo rebelde que rechazó el Vaticano II, anunció: "Este nuevo Papa, con sus ojos de santo, es el leñador de Dios. Está preparándose para cortar las ramas secas en la Iglesia de hoy. No va a permitir que la verdad dogmática y doctrinal sea pisoteada de nuevo. La nueva Iglesia del Papa será una Iglesia de disciplina. Asistiremos al renacer de una milicia de Cristo".

Tal era la atmósfera que existía cuando Juan Pablo II salió para México. "No temo hacerle frente a la situación en Latinoamérica", le dijo el Papa a un periodista. Antes de subirse a las escalerillas del avión, se encomendó a la Virgen de Guadalupe. *Totus tuus sum ego"* (soy todo tuyo), proclamó en presencia de las autoridades italianas y del Vaticano que fueron a despedirlo.

No bien hubo alcanzado el avión la altura de crucero cuando el Papa apareció en el compartimiento de los periodistas. Su presencia fue una sorpresa para todos. La idea de una conferencia de prensa en pleno vuelo era totalmente desconocida. Para poder verlo de más cerca, los periodistas se subieron a sus asientos o se arremolinaron cerca de las primeras sillas. Pero no había necesidad de hacerlo. Cortés y paciente,

Juan Pablo II empezó a caminar lentamente por un pasillo y luego por el otro, hasta el fondo de la cabina, recogiendo las preguntas al pasar.

El Papa trató inmediatamente su tema central: la fe y la revolución. Cuando le preguntaron si era legítimo que los católicos latinoamericanos escogieran el socialismo, respondió: "Debemos empezar por estudiar qué es el socialismo y qué versiones de socialismo existen. Por ejemplo, un socialismo ateo, incompatible con los principios cristianos, con la visión cristiana del mundo y con los derechos del hombre, no sería una solución aceptable".

Alguien preguntó: ¿Y si hubiera un tipo de socialismo que reconociera la dimensión religiosa y la garantizara en la vida del Estado?

Juan Pablo II inclinó un poco la cabeza, como lo hace en momentos de reflexión. "Habría mucho que hablar sobre las garantías, pero estas sólo aparecen más tarde". El tono de su voz era calmado y tenía un toque de ironía: "Sí, sí... las garantías sólo se ven después de los hechos".

Sobre el tema de la teología de la liberación, comentó: "No es una verdadera teología. Distorsiona el verdadero sentido del Evangelio. Aleja a aquellos que se han consagrado al servicio de Dios del verdadero papel que la Iglesia les ha asignado. Cuando empiezan a usar medios políticos dejan de ser teólogos. Si se trata de un programa social, entonces es un asunto de sociología. Si se refiere a la salvación del hombre, entonces es la teología de siempre, que ya tiene dos mil años de existencia".

Cuando hablaba con los periodistas, el Papa reflexionaba con mucha frecuencia sobre su madre patria. "Polacos y mexicanos amamos a la Virgen de la misma manera, pues ellos han sufrido mucho". Cuando le preguntaron sobre el papel de la Iglesia contestó: "Busca el bien común. La Iglesia es una realidad que vive en el mundo real. Si es honesta consigo misma, debe servir a todo el mundo, lo mismo en Italia que en Polonia, que en México".

¿Qué le llevaba a Latinoamérica? "Traigo la fe. ¿No es eso suficiente?", replicó, con su característica seguridad en sí mismo. Giusi Serena, una auxiliar de vuelo que seis años antes había acompañado a Pablo VI en su viaje a Australia, estaba fascinada. "Es realmente amistoso –dijo–. Se entiende bien con todo el mundo. No es como el otro Papa. Ese siempre estaba como subido en un pedestal".

Karol Wojtyla parecía un hombre feliz con su trabajo. Eso también era una novedad para los sucesores de San Pedro. "Me siento feliz de trabajar", les dijo a los periodistas. "Me siento feliz con este trabajo. Me siento feliz de realizar mi misión".

El 26 de enero, después de hacer una escala en Santo Domingo para pasar la noche, Juan Pablo II llegó a Ciudad de México. A la una y cinco de la tarde, cuando salió del avión, con una gran sonrisa, vio una multitud de diez mil personas. La costumbre de poner la bandera anfitriona junto a la bandera del Vaticano no se había observado en esta ocasión. No hubo guardia de honor, ni miembros del cuerpo diplomático, ni salvas de cañón. En un rincón del aeropuerto solamente había una pancarta surrealista que decía: "Bienvenido". ¿Bienvenido quién? No lo decía.

El México oficial y anticlerical no quería dar reconocimiento a la visita. Un día antes, los periódicos hablaron desdeñosamente de "la visita del Papa católico". Se quejaban de las intenciones políticas del clero. Aprobaron la actitud de recibir al Papa como un ciudadano común y corriente en la residencia presidencial. El gobierno había decidido que no se pondrían banderas en los edificios públicos. El arzobispo de Ciudad de México, Ernesto Corripio Ahumada, se sintió obligado a negar que la llegada del Papa estuviera pensada como un cuestionamiento más a la Constitución mexicana y a la falta de *status* público de la Iglesia. "El Santo Padre no viene a levantar dudas que pertenecen a épocas pasadas", declaró. Los obispos también aseguraron que el Papa no abogaría por el restablecimiento de las relaciones diplomáticas entre México y la Santa Sede.

Sin embargo, los medios masivos de comunicación acusaban a la jerarquía de la Iglesia de querer poner fin a la separación de la Iglesia y el Estado que databa de la segunda mitad del siglo XIX. Algunos periódicos, con aire condescendiente, describían al Papa como "un polaco de cincuenta y ocho años".

Si todo esto le preocupaba, Juan Pablo II lo ocultaba muy bien. Bajó por la escalerilla, se agachó en el pavimento y besó con fervor el suelo de México. Cuando se levantó, halló delante de sí al presidente de la República, José López Portillo, y a su esposa, Carmela, disfrazados de ciudadanos comunes y corrientes. "Bienvenido a México, señor", dijo el presidente mientras le daba la mano al Papa. "Espero que su misión de paz y armonía y sus esfuerzos en nombre de la justicia tengan éxito. Lo dejo en manos de la jerarquía y los fieles de su Iglesia, y espero que todo esto redunde en bien para la humanidad". El Papa respondió: "Esa es mi misión y mi ministerio. Estoy muy feliz de estar en México". Eso fue todo. Como en una película de Buñuel, el presidente López Portillo volteó la espalda y se fue.

El pueblo mexicano no reparó en estas barreras políticas. Su alma profundamente católica pasó por alto el asunto del no reconocimiento. Todas las campanas de las iglesias de la ciudad empezaron a repicar. En el aeropuerto, cuando la pequeña orquesta empezó a tocar "Cielito lindo", la muchedumbre pasó por encima del acordonamiento de la policía para arremolinarse cerca del Papa. Un niño corrió para poder abrazarlo, un hombre de contextura gruesa abrió su poncho frente al Papa y sacó una cascada de rosas. Docenas de manos le pasaron un sombrero mexicano. Juan Pablo II se lo puso y con ese pequeño gesto conquistó a México... y a gran parte del mundo.

Su automóvil tardó dos horas para llegar al Zócalo, la gran plaza central de Ciudad de México, a catorce kilómetros del aeropuerto. La multitud estaba delirante. Millones de mexicanos se abarrotaban en las calles y agitaban cientos de miles de banderitas amarillo con blanco. Por donde quiera que pasara la caravana papal, las oficinas quedaban vacías y el personal femenino salía a gritar por las ventanas: "Viva el Papa, viva México". Un rugido ensordecedor acompañaba al papamóvil. Sorprendido e intoxicado, el Papa veía por doquier miles de afiches con su imagen. Los edificios estaban cubiertos de banderas del Vaticano. La gente pegaba fotos de Wojtyla en el tricolor nacional. Cada vez que el Papa levantaba la mano para dar una bendición, el entusiasmo de la muchedumbre crecía aún más.

Durante seis días hubo una atmósfera de total exaltación. Los periódicos, tan críticos en la víspera de la visita, ahora se llenaban de titulares triunfalistas: "Vino y conquistó", proclamaba un diario de Ciudad de México. En montones de páginas de insertos especiales, los directores y los empleados de compañías y corporaciones gritaban "Hosanna" al Papa.

El ritmo de los espacios televisivos dedicados al Papa no se detenía. Los presentadores de televisión y los personajes famosos que animaban los programas soltaban hipérboles exageradas: Juan Pablo II era uno de "los grandes gobernantes de la humanidad" y "la encarnación de Cristo entre nosotros". De él decían que ejercía "el poder más grande en el mundo".

Rodeado por una adoración que iba más allá de lo que hubiera podido imaginar, Juan Pablo II no olvidaba el tema que había hecho tan controversial este viaje. Al entrar a la catedral de Ciudad de México, el Papa se refirió severamente a los alcances de su Iglesia: "Los fieles de la Iglesia no son quienes se aferran a aquellos aspectos accidentales que eran válidos en el pasado pero que ahora son anacrónicos. Los fieles no son tampoco aquellos que se han lanzado a la construcción aventurera y utópica de la llamada Iglesia del futuro".

La gira de México se convertiría en el paradigma de los subsiguientes viajes papales. En seis días el Papa pronunció veintiséis discursos y homilías. Se reunió con sacerdotes, diplomáticos, obispos, monjas, seminaristas, campesinos, trabajadores, indígenas, familias, médicos, pacientes, militantes de organizaciones católicas, monjes, estudiantes, habitantes de tugurios, voceros del gobierno y reporteros. Cada una de ellas eran reuniones diferentes. Esta ronda de reuniones sin pausa era bastante impresionante. El secretario del Papa, monseñor Stanislaw Dziwisz, se la pasaba abriendo y cerrando el maletín de cuero rojo en donde se hallaban los discursos del Papa. Juan Pablo II entraba y salía de numerosos edificios, entraba y salía del helicóptero o del automóvil, se recogía y oraba, y luego volvía sumergirse en el calderón hirviente de otra multitud alborozada. Celebraba misa y presenciaba las elegantes maniobras de los charros mexicanos. El programa era exactamente lo que él deseaba, pues estaba diseñado para que el romano Pontífice tuviera un encuentro con todos los grupos eclesiástico y sociales. El propósito del viaje era permitir que diversos grupos vivieran directamente las palabras y la autoridad del Papa, presentarlo en diferentes situaciones para que todos pudieran regresar a su casa, a su convento o a su trabajo habiendo tenido un contacto personal con el jefe de la Iglesia católica, que les proporcionaba una guía sobre cómo vivir o actuar en sociedad.

No existe otra institución en el mundo, ahora que desaparecieron los partidos comunistas de corte soviético, en donde la palabra del líder sea tan radicalmente importante y comprometedora como la Iglesia católica. Desde el principio de su pontificado Juan Pablo II ha sido consciente de la necesidad de llevar "la palabra del Papa" al mayor número de gente posible, señalar la línea de conducta para seguir, reforzar el poder espiritual del centro de la Iglesia católica: Roma.

Hacia el final de su pontificado, el papa Pablo VI expresó su preocupación sobre el paulatino distanciamiento de los episcopados nacionales del Vaticano. Parafraseando la expresión despectiva de *banana republics* (repúblicas bananeras), el Papa dijo: "Terminaremos teniendo 'Iglesias bananeras'". La actitud de Karol Wojtyla ante este tema era llevar el papado directamente a todos los rincones del mundo, reafirmar la autoridad de Pedro y comprometer a los obispos con el trono romano.

Juan Pablo II introdujo otra novedad durante su primer viaje al extranjero, que se convertiría en un hábito regular: reuniones con los representantes de la comunidad polaca. Cuando, en el año de 1964, Pablo VI visitó Uganda se negó a darle audiencia a un grupo de italianos que trabajaban allí. "Vine por los africanos", dijo fríamente.

Juan Pablo II adoptó una actitud totalmente diferente. A donde quiera que iba destacaba la presencia de sus compatriotas para reafirmar ante el mundo su lazo con su patria y su destino. En Ecuador, en medio de una multitud de cien mil indígenas de piel morena, alzó y abrazó a un bebé polaco, blanco y rubio. En todos su viajes al extranjero, las voces y las banderas polacas harían parte del paisaje. Con frecuencia, en muchas de esas banderas habría una imagen del águila polaca coronada de la época anterior al régimen comunista.

Un día después de llegar a México, Juan Pablo II le concedió su primera audiencia, a las 9 a.m., a la comunidad polaca. Les recordó que todos los polacos repartidos a lo largo y ancho del mundo conservaban su lazos de unión con la patria a través de la Iglesia y de la Virgen Negra de Czestochowa. Luego, Juan Pablo II invitó a sus compatriotas a orar por el "Papa polaco", para que pudiera pasar la prueba como un verdadero Papa católico (es decir, universal).

El 27 de enero, día en que debía inaugurarse la Conferencia Episcopal Latinoamericana en la basílica de Nuestra Señora de Guadalupe, en Puebla, el Papa fue despertado con *las mañanitas*, una breve serenata que tocaron en su honor. Un tercio de la población de Ciudad de México, de trece millones de habitantes, salió a las calles para saludar al Papa a su paso. Quizás eran cuatro millones, o quizás cinco. Un ejército de cien mil policías, en una tarea de titanes, trataba de proteger a su huésped. Las campanas de la capital repicaban al tiempo que el papamóvil amarillo y blanco se abría paso por las calles. Juan Pablo II hacía detener el auto de vez en cuando para darle la mano y saludar a la gente. El culto a la personalidad, con el cual se alimentaba Juan Pablo II, había nacido en ese viaje triunfal a México.

Nuestra Señora de Guadalupe es una Virgen negra. Los mexicanos la llaman la Morenita. El nombre viene de una pintura que conmemora la aparición de la Virgen a un pastor indígena llamado Juan Diego, en 1531. La Virgen que se le apareció tenía un brillo muy intenso pero su piel era oscura e iba vestida como una indígena noble. Juan Diego le contó la historia a su obispo pero él no le creyó. Luego, la Virgen hizo florecer unas rosas en un pedregal. El pastor recogió las rosas y las escondió debajo de su tilma para mostrárselas al escéptico obispo. Cuando Juan Diego desdobló su tilma las rosas ya no estaban pero, en su lugar, apareció la imagen de la Virgen impresa en la tela. Esta imagen misteriosa es el mayor tesoro de la basílica.

Al Papa le gustaba la historia porque demostraba que la gente común y corriente puede tener una visión espiritual más fuerte que un obispo intelectual. Muchos años más tarde, cuando se produjo una racha de apariciones marianas en Medjugorie, Yugoslavia, que produjo divisiones en la Iglesia local (los franciscanos a favor y el obispo en contra), Juan Pablo II apoyaría tácitamente a los entusiastas de la aparición. Su fe en la Madre de Dios es inquebrantable, lo mismo que su apoyo a la fe de la gente común y corriente. Después de su viaje a México, el Papa siempre trataría de hacer una visita a un santuario mariano cuando fuera al extranjero. Era su manera de poner énfasis en la frescura y la vitalidad de la devoción popular, en contraste con el escepticismo de las sociedades industrializadas y los católicos influidos por el protestantismo.

Juan Pablo II compuso una plegaria para la Virgen de Guadalupe, que también era un poema: "¡Yo te saludo, María! Con inmenso amor y profundo respeto pronuncio estas palabras, a la vez tan simples y tan maravillosas. *Ave Maria, gratia plena, Dominus tecum.* [Dios te salve, María, llena eres de gracia, el Señor es contigo.] Repito estas palabras tan preciadas para tantos corazones y que tantos labios pronuncian en todo el mundo. ¡Yo te saludo, Madre de Dios!"

En una nueva basílica de concreto reforzado, con piso de mármol, butacas de terciopelo rojo alrededor del altar y arañas con el brillo de cien bombillos, Juan Pablo II hizo una serie de advertencias a manera de prólogo a la conferencia episcopal latinoamericana. Subrayó que en los diez años transcurridos desde la conferencia en Medellín "se han escuchado interpretaciones que son a la vez contradictorias, no siempre correctas y no siempre bien intencionadas con la Iglesia". El Papa citó uno de los conceptos centrales enunciados por la conferencia de Medellín: el "amor preferencial por los pobres", pero añadió inmediatamente que este amor no debía excluir ninguna clase social. Esta sentencia papal, repetida sin cesar en el siguiente decenio, se usaría para bloquear cualquier interpretación marxista del compromiso de la Iglesia con "la completa liberación de las personas y los pueblos".

Esa tarde, en una recepción ofrecida en la misma basílica para diez mil personas entre sacerdotes y miembros de órdenes religiosas de México y del resto de Latinoamérica, Juan Pablo II volvió a insistir en el asunto, y les insistió a sus oyentes no ceder al influjo seductor del compromiso político. "Vosotros sois guías espirituales –exclamó–, no líderes sociales, ni políticos ni funcionarios de un orden secular". Los sacerdotes y otras personas con votos monásticos debían obedecer a sus obispos. No debían inventarse sus propias doctrinas. Debían observar el celibato y la castidad. Debían practicar la confesión frecuente, la meditación diaria y la devoción a la Virgen a través del rosario.

Para todos era una clarísima orden y, en el contexto de América Latina, una amonestación al clero para que se mantuviera alejado de los movimientos de izquierda. En su mente llevaba su propio modelo polaco de la Iglesia, y se valió de este viaje a México para predicárselo al mundo.

Al día siguiente, el 28 de enero, comenzaron en Puebla las sesiones inaugurales de la conferencia episcopal. En teoría era un verdadero parlamento de la Iglesia latinoamericana. Allí se encontraban 32 cardenales, 66 arzobispos, 131 obispos, 45 sacerdotes, 51 miembros de órdenes religiosas, 4 diáconos permanentes y 33 laicos. Los tres presidentes de la asamblea, los cardenales Sebastiano Baggio y Ernesto Corripio Ahumada, ambos contrarios a la teología de la liberación, y Aloísio Lorcheider, a favor, habían sido escogidos personalmente por el Papa y no por los obispos. La baraja ya estaba arreglada.

Antes de llegar a México, Juan Pablo II había leído atentamente los libros del jesuita peruano Gustavo Gutiérrez, creador de la teoría de la teología de la liberación. Su tesis central era que la proclamación del Evangelio no debía ser incorpórea, ajena a las condiciones reales de la gente. La fe en Cristo debía ser una fuerza activa que ayudase a liberar a millones de latinoamericanos de las condiciones de opresión en que viven. Los teólogos de la liberación argüían que, para eliminar las estructuras de injusticia, el método del análisis social marxista podía aplicarse sin aceptar el materialismo de la ideología comunista.

Para el Vaticano todo esto era una herejía y los jesuitas latinoamericanos que simpatizaban con la teología de la liberación y su contexto histórico eran considerados sospechosos. Juan Pablo II no miraba con buenos ojos esta contaminación de la fe con la política.

Sobre el tema del marxismo siempre había un abismo de incomprensión entre los intelectuales de Europa oriental, que fueron claves en la formación de Karol Wojtyla, y los intelectuales liberales de Occidente. Los intelectuales disidentes de los países del bloque soviético no podían comprender que el marxismo significara tanto para hombres y mujeres de los países industrializados o del Tercer Mundo, es decir, democracia social de izquierda, reformismo radical, utopía y esperanza, revolución natural, una palanca para sacar a los pobres de sus condiciones sociales opresivas. Para los intelectuales de Europa oriental el fenómeno del marxismo en Occidente generalmente se reducía a una conspiración de la Unión Soviética o a las ilusiones ingenuas de románticos sin remedio, al servicio del Kremlin.

Por su parte, decenio tras decenio, muchos intelectuales pro-marxistas de Occidente se negaban a reconocer la naturaleza profundamente opresora de los llamados regímenes socialistas de Europa oriental. Cerraban los ojos a la violencia diaria de esos sistemas en los que cualquier torpe burócrata o policía ejercía un poder absoluto, un poder que los intelectuales de izquierda jamás hubieran tolerado en sus propios países. Con la elección de Karol Wojtyla, la divergencia entre las dos visiones se extendió a los más altos niveles del Vaticano. Al llegar a Puebla, el Papa estaba menos alentado por el deseo de entender que por la intención de luchar contra un enemigo en emboscada.

Todas las facciones del CELAM tenían sus grupos de cabildeo que ejercían presión sobre la opinión pública. La Confederación Anticomunista Latinoamericana le envió al Papa un telegrama en donde pedía expulsar de la Iglesia a los "obispos marxistas y los sacerdotes guerrilleros". El clero progresista era acusado de llevar el continente hacia una "tiranía comunista". En el telegrama, que también apareció como publicidad pagada en los periódicos, había una lista de los obispos considerados más peligrosos: Casaldiga (Brasil), Méndez Arceo (México), Obando y Bravo (Nicaragua) y Proana (Ecuador). La lista negra contenía también algunos nombres de fama internacional, como los del cardenal Silva Henríquez, de Chile y Dom Helder Camara, obispo de Recife, en Brasil.

Por el otro lado, los Cristianos por el Cambio, en Colombia, criticaban el documento preparatorio de la conferencia de Puebla por "cerrar los ojos a la historia actual de persecución y martirio, la muerte lenta de la democracia en América Latina". Amnistía Internacional preparó un informe sobre los diecisiete mil presos políticos de Latinoamérica y los treinta mil "desaparecidos".

Todo el mundo quería que el Papa diera un fallo. Juan Pablo II había llegado a México para cortar el nudo gordiano.

Su discurso en el viejo Seminario de Palafox, ante un auditorio sumiso de cardenales, sacerdotes, miembros de órdenes religiosas y laicos, marcó un momento crucial en la relación del Vaticano con América Latina. La cordialidad y la sonrisa que vieron millones de mexicanos desaparecieron del rostro de Juan Pablo II cuando les dijo a los obispos: "Debemos mantener la pureza de la doctrina". Eso equivalía a evitar falsas interpretaciones de Cristo o teorías que pasaran por alto su divinidad en silencio. El Papa era casi feroz en su denuncia de cualquier revisión del Evangelio que se desviara de la doctrina de la Iglesia. "Ellos se esfuerzan por mostrar a un Jesús políticamente comprometido, como alguien que luchaba contra la dominación romana y contra los poderosos, como alguien implicado en la lucha de clases". No, afirmó el Papa, atacando con una autoridad y una determinación inquebrantables. No. El romano Pontífice no permitiría estas corrientes en la Iglesia. "Esta noción de un Jesús político, revolucionario, el subversivo de Nazareth –proclamó– no está en armonía con las enseñanzas de la Iglesia".

Su voz se alzaba con orgullo y su mirada era firme al decir: "La Iglesia no necesita acudir a los sistemas ni a las ideologías para amar, defender y hacer su trabajo en la liberación del hombre". La Iglesia encuentra en su propio mensaje la inspiración para trabajar por la fraternidad, la justicia y la paz "contra todas las formas de dominación, esclavitud y discriminación, contra la violencia, el ataque a la libertad religiosa y los actos de agresión sobre el hombre y la vida humana".

Era un mensaje inequívoco para todos los presentes, tensos y ansiosos, en el auditorio. Una señal muy clara que inmediatamente llegó al Kremlin y a la Casa Blanca. El Papa de Cracovia jamás permitiría que los católicos se unieran a movimientos marxistas en una batalla por la justicia social y la democracia. El Papa polaco nunca estaría de acuerdo con lo que Pablo VI declaró permisible en casos extremos en su encíclica *Populorum Progressio* (progreso de los pueblos): revolución contra las dictaduras profundamente arraigadas. El joven polaco que bajo la ocupación nazi en Cracovia había orado por la liberación pero que jamás se había unido a la resistencia, le imponía ahora su método al clero de América Latina.

Aloísio Lorcheider, quien había desempeñado un papel importante en la elección de Karol Wojtyla como Papa, al conseguir muchos votos del Tercer Mundo para él, ahora escuchaba y medía cada palabra. En medio de la pila de papeles que tenía Lorcheider en la mano se encontraba el texto del discurso que daría en la conferencia, al día siguiente, como introducción a las sesiones. Su énfasis era diferente, más a tono con las condiciones existentes y los sentimientos de los pobres. "Proclamar el Evangelio hoy y mañana a nuestros hermanos latinoamericanos –diría–, a quienes los alimenta la esperanza pero al mismo tiempo son torturados en lo profundo de su alma por la ofensa a su dignidad, no es simplemente una tarea noble y fraternal para realizar. Es nuestra misión, nuestro deber: es nuestra vida".

El Papa habló durante una hora en la conferencia. La primera parte de su discurso había sido escrita para evitar que la Iglesia diera un giro hacia la izquierda. En la segunda parte mostraba su pasión por la justicia. En Puebla, Juan Pablo II usó la palabra *liberación* doce veces. No olvidó decir que la propiedad privada tiene una dimensión social y que debe haber una distribución más justa y equitativa de los bienes, no sólo dentro de las naciones sino también a nivel internacional, para evitar que los países más fuertes opriman a los más débiles. "La Iglesia tiene el deber de proclamar la liberación de millones de seres humanos", declaró. Pero, para evitar ser malinterpretado, añadió que la liberación significaba principalmente estar libre de pecado y del espíritu del mal.

Los teólogos de la liberación presentes en Puebla buscaban la manera de darle un giro al discurso del Papa, lo cual no era fácil. El franciscano brasileño Leonardo Boff observó que en la primera parte los rasgos predominantes eran "la reserva y la sospecha", mientras que en la segunda parte se percibía "una explícita visión liberal". Gustavo Gutiérrez, autor de *Teología de la liberación,* había escuchado con atención las observaciones del Papa en México. "Me parece importante –afirmó–, que el Papa hubiera anunciado el valor evangélico de la defensa de los derechos humanos, no como una operación temporal sino como una misión intrínseca de la Iglesia".

En el decenio siguiente, la Iglesia en América Latina se convertiría en un factor importante en la transición de esa región hacia la democracia. Sin embargo, por mantenerse fiel a las directrices de Wojtyla, la jerarquía de la Iglesia en casi todos los países se hallaría sistemáticamente en desventaja frente a los movimientos de izquierda.

Juan Pablo II había hablado con los amos de la Iglesia: los obispos. Ahora lo esperaba un auditorio diferente: un pueblo antiguo, golpeado durante mucho tiempo por el sufrimiento, víctima de los *conquistadores* cristianos. Los organizadores del viaje habían programado expresamente un encuentro con los indios nativos de México. El lugar escogido fue Cuilapán, en el estado de Oaxaca, en donde las tradiciones indígenas eran todavía muy fuertes.

El Papa hizo su aparición desde las alturas, en un helicóptero, y se ubicó en un pequeño trono al aire libre, cubierto por un baldaquino. En los campos agostados de Cuilapán, con la cadena de montañas resecas como telón de fondo, se hallaban reunidas veinticinco mil personas. Los indios de piel oscura estaban silenciosos, tímidos, dignos. Habían llegado al amanecer y habían esperado con paciencia durante horas. La mujeres estaban en cuclillas sobre el suelo, con sus hijos amarrados a las espaldas. Los hombres caminaban por los tenderetes de un mercado improvisado en donde, bajo unos toldos de telas raídas, los vendedores voceaban sus tortillas y sus dulces.

Al mediodía, el arzobispo Bartolomé Carrasco presentó a Juan Pablo II ante el auditorio. "Su Santidad –dijo–, quería reunirse con los pobres, los enfermos, los excluidos, en quienes la Iglesia, como parte de su tarea evangelizadora, descubre el sufrimiento de Cristo. A partir de esta realidad material, que da origen a una gran riqueza espiritual, damos nuestro saludo alborozado al Padre y Pastor de la Iglesia universal".

El hombre escogido para dar su "saludo alborozado" a Juan Pablo II era un campesino zapoteca llamado Esteban Fernández. Era un hombre macizo, cuya cara parecía un pedazo de madera ahuecado por el viento y la lluvia. Tenía cuarenta y ocho años, una esposa y siete hijos. *"Datu ganibanu eneuda"*, dijo en su lengua gutural: Le damos la bienvenida con alegría. Luego miró al Papa y soltó las siguientes palabras: "Nosotros sufrimos mucho. El ganado vive mejor que nosotros. No nos podemos expresar y tenemos que guardarnos el sufrimiento en nuestros corazones. No tenemos trabajo y nadie nos ayuda. Pero estamos poniendo la poca energía que tenemos a su servicio. Santo Padre, pídale al Espíritu Santo que les dé algo a sus pobres hijos".

La multitud, acordonada a alguna distancia del Papa escuchó en silencio la respuesta del Pontífice. No todos entendían su español y algunas personas empezaron a irse.

"Queridos hermanos –contestó–: mi presencia entre vosotros busca ser un signo vivo de la preocupación de la Iglesia universal. El Papa y la Iglesia están con vosotros y os aman. Amamos vuestras personas, vuestra cultura, vuestras tradiciones. Admiramos vuestro maravilloso pasado, os animamos en el presente y tenemos grandes esperanzas por vuestro futuro". Sólo cuando se dieron cuenta de que el Papa estaba abogando por que les devolvieran sus tierras, los indígenas empezaron a aplaudir. Juan Pablo II hablaba suavemente, con mucho sentimiento. "El Papa desea ser vuestra voz –dijo–, la voz de los que no pueden hablar o de aquellos que han sido silenciados. Los campesinos que riegan con su sudor hasta su propio abatimiento no pueden seguir esperando. Tienen derecho a que los respeten. Tienen derecho a que no los priven de sus pequeñas posesiones mediante proyectos que en ocasiones se reducen a un simple saqueo. Tienen derecho a ver caer las barreras de la explotación, barreras hechas frecuentemente con el egoísmo más intolerable".

El Papa tenía puesto un sombrero mexicano para protegerse del fuerte sol del sur. Hablaba de reformas que debían ser vigorosas, sólidas, urgentes. Dijo que no debía dárseles más espera. Afirmó apasionadamente que "la Iglesia defiende el derecho legítimo a la propiedad privada. Pero también enseña, con la misma claridad, que existe una hipoteca social sobre toda propiedad privada. Y, si el bien común lo exige, no hay que tener miedo cuando sea necesaria una expropiación, llevada a cabo correctamente". Luego, el Papa alzó la voz: "Hago un llamado a aquellos de vosotros que controláis las vidas de las personas, a las clases poderosas que tienen tierras sin producir, negándole el pan a tantas familias necesitadas. Conciencia de la humanidad, conciencia de las naciones, grito de todos aquellos que habéis sido abandonados y, sobre todo, voz de Dios, voz de la Iglesia, repetid todos conmigo: No es justo, no es humano, no es cristiano seguir manteniendo situaciones que a todas luces son injustas".

Durante muchos años, Juan Pablo II siempre tuvo un amor especial por los indígenas de América, así como por muchos pueblos aborígenes, a quienes consideraba hijos indefensos, necesitados de ayuda y protección.

El primer viaje al extranjero de Juan Pablo II fue un éxito. En México, un país constitucionalmente anticlerical, los policías uniformados se arrodillaban ante el Papa y le besaban la mano. Cuando Juan Pablo II se fue de Ciudad de México, millones de personas que se hallaban debajo de su ruta aérea elevaron al cielo pequeños espejos para reflejar la luz y saludar a su avión.

Pero había muchas personas al interior de su propia Iglesia que pensaban que los llamados del Papa polaco al cambio a través de la fe, sin ningún compromiso político por parte de la Iglesia, nunca tendrían en América Latina el mismo efecto transformador que tendría en la propia patria del Pontífice.

Tras su viaje a México, el papa Wojtyla se embarcó en un tren de actividad que la curia no había experimentado jamás. Siguió viajando por el mundo y tomando decisiones a un ritmo visto más en el presidente de una compañía multinacional que en un romano Pontífice reinante.

En 1979 fue a Polonia, Irlanda, Estados Unidos y Turquía. Escribió su primera encíclica y promulgó documentos sobre la reorganización de las universidades católicas pontificias y la formación de catequistas. Transformó las audiencias papales del miércoles en una serie de conferencias sobre el destino de la humanidad, el pecado original, la sexualidad y la teología del cuerpo. Salió al extranjero nuevamente en 1980: visitó África, Francia y Brasil. Convocó una reunión del colegio cardenalicio para tratar a escala mundial el tema de la reducción del enorme déficit del Vaticano. También convocó dos sínodos especiales, sobre la Iglesia holandesa y sobre la Iglesia Uniata ucraniana (católicos que aceptan la autoridad del Papa pero que practican el rito bizantino, es decir, la liturgia ortodoxa de Oriente).

Se valió del primer sínodo para bloquear cualquier nueva experimentación posconciliar de la Iglesia en los Países Bajos, que había introducido cambios radicales en la liturgia y promovía la participación de laicos en funciones reservadas al clero. El sínodo sobre el catolicismo ucraniano, al cual asistieron principalmente ucranianos exiliados en Canadá y Estados Unidos, le dio una señal enfática a Moscú que daba a entender que el papa Wojtyla jamás aceptaría la devastación de la Iglesia Uniata, disuelta a la fuerza por Stalin en Lvov, en 1946, y anexada al patriarcado ortodoxo de Moscú, más fácil de dominar. Aquellos sacerdotes de la Iglesia Uniata que protestaron fueron encarcelados.

La piedra angular de la primera fase del pontificado de Juan Pablo II fue su encíclica *Redemptor Hominis* (Redentor del hombre), publicada cinco meses después de su elección. Empezando por el título, el papa

Wojtyla mostraba su determinación de poner nuevamente a Cristo y su mensaje de liberación en el centro de la historia del mundo.

Cuando dio inicio a la escritura de esta encíclica, la situación mundial no pintaba bien para el catolicismo. En los países de Europa oriental –con la única excepción de Polonia– los regímenes comunistas habían logrado marginar a los creyentes de la vida pública. Entretanto, en Occidente, las preocupaciones de la jerarquía eran la reducción de las vocaciones sacerdotales y el aumento sistemático de la hostilidad o la indiferencia hacia la Iglesia y las prácticas religiosas.

Tanto en Occidente como en el Oriente comunista se vivía un profundo malestar espiritual, que afectaba por igual a las instituciones religiosas y a la sociedad secular. En el Tercer Mundo aumentaba sin tregua la miseria. Con su encíclica, expresamente dirigida a toda la humanidad y no sólo a los católicos creyentes, Juan Pablo II buscaba afrontar el tema del dolor y la angustia de todos. El Papa preguntaba si el progreso realmente hacía más humana la vida, si de manera paralela se estaba dando un desarrollo igualmente vigoroso en el campo moral y espiritual.

El Papa describía la condición humana en el mundo contemporáneo como "muy alejada de las exigencias objetivas del orden moral, alejada de las exigencias de la justicia y más alejada aún de la caridad". Culpó a *todos* los sistemas económicos de causar daños ambientales y de aumentar las áreas de pobreza en el mundo.

La originalidad de la encíclica estaba en recalcar la extraordinaria importancia de cada individuo en particular, su propia dignidad y su propia grandeza. En opinión del Papa, los sistemas políticos debían reformarse continuamente tanto en Oriente como en Occidente. "Si no es así –subrayó–, incluso en tiempos de paz la vida humana estará condenada al sufrimiento, pues inevitablemente surgirán diferentes formas de dominación, totalitarismo, neocolonialismo e imperialismo".

Escribía como un hombre que había venido a curar al planeta en nombre de Cristo. Se presentaba a sí mismo como el heraldo del amor supremo de Dios. "El hombre no puede vivir sin amor. Sin amor –escribía el Papa– se vuelve incomprensible para sí mismo. Su vida carece de sentido a menos que el amor le sea revelado, a menos que encuentre el amor, a menos que lo experimente y se lo apropie, a menos que tenga un vivo sentido de participación en este".

En el plano religioso, *Redemptor Hominis* introdujo un elemento nuevo en la Iglesia católica. Por primera vez, Juan Pablo II se presentó como defensor de *todas* las religiones. Si en algún lugar del mundo había hombres o mujeres que sufrían en el nombre de Dios, los tormentos de la discriminación y la persecución, el romano Pontífice estaba dispuesto a intervenir: "En virtud de mi cargo deseo, en nombre de todos los creyentes del mundo entero, hablar a aquellos sobre quienes recae de alguna manera la organización de la vida pública y social. Les pido encarecidamente que respeten los derechos de la religión y de la actividad de la Iglesia".

Con la publicación de este manifiesto sobre los derechos humanos, el papa Wojtyla se preparaba para traspasar la cortina de hierro.

Yalta

El primer día del regreso triunfal de Juan Pablo II a su patria, el 2 de junio de 1979, afectó mucho a las autoridades de Varsovia y de Moscú. En las primeras horas de su visita, más de un millón de polacos habían acudido a la vía que conduce al aeropuerto, a la Plaza de la Victoria y a la Ciudad Vieja. Los estudiantes habían adoptado el crucifijo como símbolo de resistencia contra el régimen. Igualmente preocupantes fueron las palabras que le dijo en privado el Papa al primer secretario Edward Gierek. Durante el curso de la reunión en el Palacio de Belvedere, Juan Pablo II expresó su esperanza por el tipo de acuerdo entre la Iglesia y el Estado que el propio Gierek deseaba intensamente. Sin embargo, el Papa exigía una serie de condiciones cuyo propósito era convencer al poder comunista de que tenía que hacer concesiones sin precedentes si deseaba tener una coexistencia pacífica con la Iglesia.

Gierek mencionó el tema de la distensión internacional. El Papa respondió que "la paz y el acercamiento entre los pueblos debe basarse en el principio del respeto por los valores objetivos de la nación", derechos entre los cuales se incluía el de "moldear su propia cultura y civilización".

Gierek habló de las obligaciones en materia de seguridad de Polonia y de su posición en la comunidad internacional, lo que era una clara alusión a las alianzas del Consejo de Asistencia Económica Mutua,

COMECOM, y el Pacto de Varsovia, ambas totalmente dominadas y administradas por la Unión Soviética. Juan Pablo II respondió que "todas las formas de imperialismo político, económico o cultural contradicen las necesidades del orden internacional". Los únicos pactos válidos podrían ser aquellos "basados en el respeto mutuo y en el reconocimiento del bienestar de todas las naciones". La determinación tomó al líder comunista por sorpresa. Gierek estaba dispuesto a llegar a un acuerdo generoso sobre el tema de cuál era el lugar que podía asignársele a la Iglesia en la sociedad polaca. El Papa quería obtener el reconocimiento de que la Iglesia "sirve al hombre y a la mujer en la dimensión temporal de sus vidas", es decir, en las esferas política y social. Todo esto era profundamente peocupante para la jerarquía del partido polaco y –más significativo aún– para los hombres del Kremlin.

Al día siguiente, el 3 de junio, día de Pentecostés, Juan Pablo II llegó a la ciudad de Gniezno, como una encarnación moderna del Espíritu, en helicóptero. El millón de gente que apareció en Varsovia no fue un acontecimiento excepcional, sino un preludio. Enormes cantidades de gente lo esperaban en el campo en donde aterrizó el helicóptero. "Queremos a Dios", cantaban, repitiendo las mismas palabras de la multitud en Varsovia el día anterior.

Gniezno es el lugar de entierro de san Adalberto, mártir como san Estanislao y, al igual que él, santo patrono de Polonia. El tema del martirio religioso se estaba volviendo, para los comunistas doctrinarios del Kremlin y de Varsovia, un asunto cada vez más problemático. Unas semanas antes de la visita del Papa, se organizó una exposición histórica en donde se mostraba una radiografía del cráneo de san Estanislao. La radiografía era un inquietante testimonio de una tradición religiosa: en la parte superior del cráneo se podía ver claramente la herida que le hizo la espada asesina.

Tribuna, la revista ideológica de los comunistas checoslovacos que con frecuencia reflejaba la opinión del Kremlin, con una severidad aún mayor, acusó a Juan Pablo II de ir a Polonia a rendirle honores a san Estanislao, quien había dedicado su vida a "ejecutar los principios de la total dominación del mundo por parte del Papa y de la Iglesia, tal como lo formulaba en la Edad Media el papa Gregorio VII".

No era Occidental que, en las negociaciones preparatorias de la visita, las autoridades polacas hubieran logrado evitar que el viaje papal co-incidiera con el aniversario (el 8 de mayo) del martirio de san Estanislao, quien murió luchando por los derechos del pueblo. Pero Juan Pablo II no tenía la intención de propiciar una confrontación directa con las fuerzas del gobierno, como había hecho san Estanislao contra un despótico rey polaco (quien se arrepentiría posteriormente). El Papa había ido a dar una voz de esperanza a las masas frustradas e insatisfechas, a llevarles un nuevo mensaje. En Roma había pensado cuidadosamente el discurso para cada etapa de su viaje, y había escogido un tema diferente para cada lugar.

En la catedral de San Adalberto, en Gniezno, Juan Pablo II dio a entender que Dios había escogido a un Papa eslavo –suavizando su comentario con un "quizás"– para que la Iglesia, acostumbrada a "las voces romanas, germánicas, anglosajonas y celtas", pudiera ahora escuchar las lenguas que resonaban en los templos de este rincón del mundo.

"¿No será la voluntad de Cristo, no será una disposición del Espíritu Santo, el que este Papa polaco, este Papa eslavo, esté manifestando en este preciso momento la unidad espiritual de la Europa cristiana? Aunque existen dos grandes tradiciones, la Oriental y la Occidental, a las cuales se debe Europa, cree a través de ambas en una sola fe, un bautismo, un Dios y un Padre para todos, el Padre de nuestro Señor Jesucristo".

Mediante este lenguaje el Papa buscaba borrar, en las narices del faraón soviético, las fronteras entre las Iglesias católica y ortodoxa. Aunque el Kremlin lo hubiera considerado exageradamente presuntuoso, Juan Pablo II se había presentado a sí mismo como la voz de cien millones de creyentes ortodoxos, desde Bucarest hasta Vladivostok, que hasta el momento no habían tenido nadie que abogara por ellos y que los defendiera de una dictadura sofocante.

Eslavos y cristianos: como respuesta a la unidad impuesta por el socialismo, el Pontífice ofrecía tácitamente otro tipo de unidad, basada en la sangre, la lengua, la cultura y la religión. En cada una de sus homilías recordó el bautismo de los pueblos de Oriente: polacos, croatas, eslovenos, búlgaros, moravos, eslovacos, checos, serbios y los antiguos rusos de Kiev, antes de concluir con Lituania. "El papa Juan Pablo II, eslavo, hijo de la nación polaca –concluyó–, se siente profundamente arraigado a su historia. Ha venido aquí para hablar ante toda la Iglesia, ante Europa y el mundo, sobre esas naciones y esos pueblos con frecuencia olvidados. Ha venido aquí para 'gritar con voz fuerte'... Ha venido aquí para abrazar a todos esos pueblos, junto con su propia nación, y tenerlos a todos cerca del corazón de la Iglesia".

Los oyentes estaba extasiados.

Luego vino a su mente otro pensamiento. Al pasar por las calles de Gniezno había visto una pancarta que decía "Santo Padre, no olvide a sus hijos checoslovacos".

"¿Cómo podría olvidarlos? –expresó–. Esta señal confirma la inmensa hermandad histórica y cultural que une a nuestros dos pueblos. Los hermanos no se pueden olvidar". La Iglesia de Checoslovaquia había sido una de las más perseguidas en Europa. El régimen de Husak todavía sometía al clero a unos controles severos y onerosos. En muchas diócesis no había obispo titular. El gobierno de Praga temía la reacción que podría producirse por el contacto entre los obispos checoslovacos y el Papa durante su visita a Polonia. Aunque el cardenal Tomásek tenía una invitación de la Iglesia polaca para la totalidad de la visita papal, las autoridades checoslovacas no lo dejaron ir sino hasta el 6 de junio. Los laicos comunes y corrientes tuvieron que soportar restricciones de tráfico en la frontera entre Polonia y Checoslovaquia, que en circunstancias normales estaba siempre abierta. La única condición que solía ponerse para cruzar la frontera era poseer cierta cantidad de moneda polaca. Durante la visita del Papa a Polonia los bancos checoslovacos anunciaron que estaban escasos de *zlotych*.

Sólo se necesitó una pancarta ("Santo Padre, no olvide") para que Juan Pablo II improvisara, con la aptitud de un gran actor y un gran político, ante el mundo entero y produjera un efecto devastador. La muchedumbre fue de gran ayuda. En Gniezno los fieles eran mucho más espontáneos y apasionados que los ciudadanos de Varsovia, quienes siguieron las instrucciones de la Iglesia y se mostraron reservados. En Gniezno gritaban con frecuencia: "¡Viva el Papa!" Las pancartas eran incontables, grupos de muchachos se quitaban la camisa y corrían alegremente por las calles junto a la procesión papal. Esa tarde, después de la misa, grupos de jóvenes empezaron a gritar llenos de emoción: "Karol, ven con nosotros. Karol, Dios te ha nombrado capitán de la barca de San Pedro. No te abandonaremos. Puedes contar con nosotros".

Il Papa

En medio de esta multitud jubilosa, la presencia de Juan Pablo II personificaba varios siglos de mesianismo polaco. El Pontífice indicó nuevamente que su elección era una señal de la Divina Providencia. Dio a entender que su elección ponía fin a la división de Europa simbolizada por la Conferencia de Yalta y reafirmada en Helsinki, en 1975[*]. A su manera astuta, el Papa daba una visión de Europa cristiana unida que trascendía los bloques político-militares. Con su aptitud teatral, Juan Pablo II propuso un pacto para todos los pueblos de Europa oriental, un tratado que prometía un éxodo del mundo aburrido y gris en el que vivían. El Moisés moderno tenía embelesados a sus oyentes: "Así, mis queridos compatriotas, este Papa, sangre de vuestra sangre, carne de vuestra carne, cantará con vosotros y con vosotros exclamará: 'Que la gloria del Señor perdure para siempre'. No regresaremos al pasado. Iremos siempre hacia el futuro".

En la tarde del domingo 3 de junio, Juan Pablo II ya había logrado, a través de la vehemencia profética de sus discursos, poner en tela de juicio la ideología del régimen, el papel del Estado, la naturaleza de la alianza de Polonia con la Unión Soviética, y los acuerdos geopolíticos en Europa posteriores a la Segunda Guerra Mundial. El general Jaruzelski, quien seguía cada uno de los movimientos del Papa desde un comando en el Ministerio de Defensa, observó que sus camaradas del Politburó polaco estaban muy preocupados, incluso temerosos, con las reacciones que hacía surgir el Papa entre la gente y con la actitud que tomaría el Kremlin. A la jerarquía del partido no le gustaban las actitudes de la multitud, pues les parecían "fuera de lo normal", casi de adoración. Pero resultaban aun peores muchos de los pasajes de los discursos del Papa, que iban más allá de las habitualmente mansas fórmulas religiosas. Gierek, el secretario del partido, y el primer ministro Piotr Jaroszewicz empezaron a expresar sus preocupaciones sobre una "desestabilización". Stanislaw Kania, responsable de la ideología del partido y de las ne-

---

[*] Ambos acuerdos de Helsinki ratificaban las fronteras existentes en Europa oriental y comprometían a los firmantes, incluyendo a la URSS, a respetar los derechos humanos, incluidos los derechos a la libertad de expresión, prensa y conciencia.

gociaciones con la Iglesia, estaba alarmado con la siguiente fase del viaje. Kazimierz Barcikowski, jefe del partido en Cracovia, temía por lo que pudiera decir el Papa en la ciudad donde Wojtyla había sido arzobispo. El discurso en la Plaza de la Victoria de Varsovia, donde el Papa invocó el descenso del Espíritu Santo, era para Jaruzelski una especie de "discurso programático" que los puso en alerta. "Temíamos que este fuera el inicio de una rebelión".

Gierek era el más nervioso de todos. Para el ala reformista tecnocrática de la cúpula polaca, de la que él era el máximo representante, estaba en juego la política de cooperación (aunque limitada) con la Iglesia católica. Gierek consideraba que esa política era la base de la unidad nacional y la salvaguardia de la peculiar identidad polaca respecto a los soviéticos. Por una parte, Gierek había sostenido ante sus colegas que su conversación con Juan Pablo II en el Palacio de Belvedere fue una suerte de bendición papal al régimen polaco y a la política personal de Gierek de distensión entre la Iglesia y el Estado. Por otro lado, al igual que los demás líderes del partido, era consciente de que la Iglesia estaba haciendo un extraordinario despliegue de su poder y de sus habilidades organizacionales. "Cuanto más fuerte era la Iglesia –recuerda Jaruzelski–, más temían los miembros del Politburó que esto pudiera socavar la estabilidad de los círculos de poder".

Para empeorar las cosas, cada gesto, cada alusión del Papa era inmediatamente transmitida al mundo por más de mil periodistas que habían ido a Polonia a cubrir la historia. Al mismo tiempo, las noticias del viaje obtenidas del mundo exterior tenían reverberaciones negativas en la URSS, Checoslovaquia y Alemania Oriental, cuyos dirigentes observaban atentamente, con sospecha y escepticismo, cada movimiento en Varsovia.

Gierek reunió a los miembros de su Politburó y el balance fue unánime: había sido un fin de semana demoledor para el gobierno polaco. Los problemas que había creado el Papa y sus mensajes, con una estadía de tan sólo dos días en su patria, eran inaceptables. Alguien debía intervenir.

Stanislaw Kania, quien durante años había manejado las relaciones con la Iglesia, estaba encargado de hacerle saber al Papa sobre el descontento de los líderes del partido. Kania decidió valerse del nuevo arzobispo de Cracovia, el cardenal Fraciszek Macharski, para que hiciera de intermediario. Macharski era una persona en quien el Papa confiaba. De hecho, era el sucesor que Wojtyla había designado. Moderando las críticas del Politburó, Kania comenzó a enumerar (lo más diplomáticamente posible) algunas de las razones de su descontento: el Papa no había señalado claramente la responsabilidad que tenían los nazis en la ocupación y la ruina de Polonia. Nunca mencionó los 600 000 soldados soviéticos que perecieron en la liberación de Polonia. No se expresó de ninguna manera respecto a los logros de la Polonia socialista, comenzando por la reconstrucción del país después de la guerra.

Dada la crisis por la cual atravesaba Polonia, era crucial para el gobierno polaco y para el camino de la modernización que la visita del Papa no se convirtiera en un factor de desestabilización y una causa de tensión con Moscú. Esto era lo que debía entender el Papa. Al fin y al cabo había sido el Papa quien le dijo a Gierek, en el Palacio de Belvedere: "Seguiré preocupándome por todo aquello que pueda ser una amenaza para Polonia, todo lo que pueda hacerle daño, lo que pueda ir en su perjuicio, lo que pueda equivaler a un estancamiento o a una crisis... El hombre que está hablando con usted es un hijo de su misma patria".

Kania resumió sus argumentos en una carta. Para recalcar su naturaleza confidencial, la escribió con su puño y letra y se la entregó personalmente al cardenal Macharski, seguro de que llegaría a manos del Papa. Allí comenzó un período de espera angustiosa.

La llegada de Juan Pablo II al santuario nacional de Czestochowa, donde permanecería tres días, coincidió con un cambio en el tono de sus discursos. Los temas religiosos pasaron a ocupar una posición más importante que los políticos, aunque continuaba haciendo alusiones críticas al sistema comunista. La comitiva papal observó que, después de los dos ataques lanzados en Varsovia y Gniezno, Juan Pablo II había escogido hablar en un tono más calmado, convirtiendo sus numerosos encuentros con todo tipo de ciudadanos en un "catecismo vivo". Muy pocos colaboradores del Papa sabían de la carta que le había entregado el cardenal Macharski al llegar a Czestochowa.

A partir del tercer día, el viaje comenzó a parecerse más y más a una peregrinación triunfal del Pontífice entre su gente, una marcha entusiasta de millones de polacos hacia el Papa, su compatriota. Todas las precauciones del régimen para limitar el impacto de la visita resultaron inútiles. Por el contrario, cada restricción se convertía en una formidable contra-propaganda para el régimen. Los controles de carretera que instaló la policía a unos treinta kilómetros de Czestochowa para vigilar a los peregrinos sólo sirvieron para recordarles a los polacos las vejaciones que les infligía el sistema totalitario. Las restricciones impuestas a los programas de televisión (la gente de Varsovia o de Poznan no podía ver lo que todos veían en Czestochowa) no hacía más que aumentar el deseo de que fluyera libremente la información. Los trucos de las cámaras que cubrían los eventos, que durante las celebraciones religiosas tendían a mostrar sólo al Papa y a las personas que lo rodeaban en el altar, servían para incrementar la fuerza de unas palabras que producían como respuesta gritos por parte de las masas invisibles.

Las autoridades estatales habían discutido con Wyszynski acerca de los lugares que se incluirían en la visita papal, con la esperanza de reducir el número de personas que pudiera ver al Pontífice en persona. Pero la Iglesia polaca se encargó de burlar esta maniobra organizando caravanas de peregrinos de todo el país. Un punto en discusión era Silesia, que alguna vez había sido feudo político de Gierek. El gobierno se había negado a permitir que Juan Pablo II fuera a Katowice, un gran centro industrial y minero de Silesia. Sin embargo, los obispos respondieron con el enorme esfuerzo de llevarle al Papa a miles de trabajadores y mineros de Silesia, las tropas de asalto de la clase trabajadora polaca. Muchos mineros llegaron a Czestochowa inmediatamente después de trabajar en el turno de la noche. En medio del océano de pancartas había una que decía: "Estamos con Cristo, a pesar de todo".

El Papa le habló a esta inmensa multitud sobre la justicia y los "derechos y deberes de todos los miembros de la nación, para evitar que se les concedan privilegios a algunos y que otros padezcan discriminaciones". En el momento en que se escucharon voces que gritaban con afecto "Dios lo ayude", el Papa respondió: "Quisiera que la gente de Silesia, distante a mil cuatrocientos kilómetros, me hiciera llegar ese saludo de 'Dios lo ayude'... Si gritan con la suficiente fuerza, el Papa podrá escucharlos y responderá 'Que Dios se los pague' ". Luego, como si les hubiera tomado un juramento, la gente empezó a gritar: "¡Dios lo ayude! ¡Dios lo ayude! ¡Dios lo ayude!"

Desde el 4 hasta el 6 de junio Czestochowa se convirtió en algo parecido a las capitales móviles de los emperadores medievales. El santuario de María se convirtió virtualmente en el centro del país. Juan Pablo II le dio la bienvenida a todo el mundo –trabajadores, estudiantes, campesinos, intelectuales, trabajadores de cuello blanco, monjas, sacerdotes, seminaristas, viejos y niños–, a través de un sistema de reuniones bien programadas y de celebraciones litúrgicas. Cuando el Papa no estaba hablando o no se lo podía ver, la ininterrumpida celebración de misas para las ingentes masas de peregrinos ayudaban a fortalecer su pacto con la Iglesia y la nación.

En Jasna Góra, la fortaleza-santuario de Czestochowa, los obispos de Polonia dispusieron un escenario imperial para Juan Pablo II. Jasna Góra, lugar en donde es venerada la Virgen Negra, es el corazón de la nación católica polaca y el símbolo de su resistencia contra los invasores extranjeros. Cuando los suecos, tal como lo narra Sienkiewicz en *El diluvio*, invadieron Polonia a mediados del siglo XVII, las imponentes murallas de la fortaleza resistieron el embate. Hasta la propia Virgen era, a su manera, una guerrera. Dos golpes de sable de un soldado enemigo le hicieron un corte en la mejilla derecha, pero la marca contribuía a resaltar su carácter invencible.

La primera misa papal celebrada aquí casi parecía una coronación en medio de una exaltación nacional y religiosa. Miles de fieles se habían aglomerado en el campo aledaño a las murallas, en una explosión jubilosa de banderas religiosas, carteles e imágenes. En los bastiones de la fortaleza se había instalado un altar; se había construido una gran escalera de madera para comunicar al altar con la muchedumbre que estaba abajo. El Papa celebró misa debajo de un baldaquino: era una figura blanca a la cual sólo se podía llegar por medio de una escalera que, como en las leyendas medievales, parecía unir el cielo con la tierra. Por la noche se veían largas filas de gente, bajo la luz de la luna, que se dirigía a pie hasta el santuario. Muchos de ellos dormían junto a las murallas o se apretujaban como mejor podían en los bosques aledaños.

Una enorme valla, que los estudiantes católicos de Lublín habían colgado en la muralla, resumía el sentimiento de todos: "Santo Padre, queremos estar con usted, queremos vivir una vida mejor con usted, queremos orar con usted". Cuando el Papa se reunió con los mineros de Silesia, la revista mensual clandestina *Glos* comentó: "Los millones de trabajadores que se reunieron con el Papa parecen demostrar que la tesis oficial del ateísmo natural de las clases trabajadoras y su progresiva descristianización es totalmente falsa". El periódico disidente añadía luego en forma profética: "Ahora las autoridades temen que el Papa, quien fuera él mismo un trabajador y cuya sensibilidad hacia la explotación es bien conocida, actúe como vocero de la clase trabajadora polaca".

Ante las intensas expectativas que había en torno a su persona, Juan Pablo II actuaba con cautela, calma y equilibrio, y evitaba usar tonos beligerantes. En una charla a puerta cerrada con un grupo de mil estudiantes universitarios de Lublín, el Papa dijo: "La causa de Cristo también se puede fomentar o atacar escogiendo una visión del mundo diametralmente opuesta a la cristiandad. Todo aquel que tome esta decisión estando profundamente convencido es merecedor de nuestro respeto". Algunos estudiantes quedaron perplejos con estas reflexiones. Luego, para explicar sus pensamientos, el Papa añadió: "Existe un peligro para ambas partes, para la Iglesia y para los otros, con la actitud de la persona que no opta por absolutamente nada". Así, sin abandonar su vocación filosófica, Juan Pablo II empezaba predicar su compromiso personal y su respeto por aquellos que piensan de manera diferente.

Sus conversaciones con los obispos fueron igualmente calmadas y deliberadas. En Jasna Góra Juan Pablo II quería rendir tributo públicamente al primado Wyszynski *y* al nuevo secretario de Estado del Vaticano, Agostino Casaroli. Se trataba de un gesto político destinado a poner fin a la guerra de guerrillas eclesiástica, que durante muchos años había enfrentado a los intransigentes obispos polacos con el artífice de la *Ostpolitik* de Pablo VI. Era una manera de decirles a propios y ajenos que desde ahora el Papa se encargaría personalmente de esos asuntos.

Durante la estadía del Papa en Czestochowa, la gente del resto del país, especialmente los campesinos, buscaban la manera de mostrarle su lealtad a él y a la Iglesia, de ofrecerle una prueba visible de su devoción militante. A lo largo de miles de kilómetros, en el campo, en provincias por donde nunca pasaría la procesión papal, las capillas, los kioscos de periódico, las señales de carretera se adornaban con ramos de flores.

Pueblos enteros estaban cubiertos con pequeñas banderas del Vaticano, y las ventanas de las casas se engalanaban con la imagen de la Virgen Negra, una foto de Wojtyla, o una gran M (de María) rodeada de azucenas y con una corona encima.

Esta manifestación silenciosa de los polacos católicos, tanto más sorprendente por la alegría que implicaba y por la ausencia de un símbolo de la ideología comunista que le hiciera contrapeso, molestó mucho a los dirigentes de la nación.

Mientras se preparaba para trasladarse a Cracovia, el Papa podía reflexionar con satisfacción sobre el hecho de que hasta el momento había llevado las cosas de tal manera que había logrado mantener un difícil equilibrio entre dos necesidades opuestas: despertar la conciencia de la gente y evitar que los fieles se lanzaran a acciones precipitadas. El límite entre ambas era sutil y el entusiasmo popular siempre amenazaba desbordarse. En la tarde del 6 de junio, el helicóptero blanco del Papa aterrizó en la pradera de Blonie, en Cracovia. A pesar de la lluvia, otra multitud lo aguardaba. Juan Pablo II llegó a la catedral de Wawel en un automóvil destapado. Más tarde cuando se dirigió a su antigua residencia, el camino estaba iluminado por cientos de antorchas.

Auschwitz

El obispo de Roma se arrodilló y observó el piso de cemento de la celda. Llevaba consigo un pequeño ramo de claveles rojos y blancos, que puso delicadamente en el suelo. Luego se inclinó para besar el áspero cemento donde el padre franciscano Maximilian Kolbe había padecido tanto.

Ese beso era quizás el resumen de muchas cosas: la muerte del mártir, que representa la auténtica vocación de una sacerdote católico; la fe en el amor del prójimo, más fuerte que la crueldad humana; el horror ante la exterminación metódica de seres humanos; el eco siniestro que Auschwitz (Oswiecim en polaco) dejó en la mente de los amigos de Karol Wojtyla y sus conciudadanos de Cracovia durante los años de la guerra; el recuerdo de sus amigos judíos de Wadowice, quienes vieron a sus familias destruirse en el Holocausto. Ginka Beer, su amiga de infancia, había logrado escapar a tiempo, pero su madre pereció en Auschwitz. Jurek Kluger, su compañero de clases, había salido ileso junto con su padre, pero su madre, su abuela y su hermana murieron en las cámaras de gas.

Karol Wojtyla había ido a Auschwitz, siendo arzobispo y cardenal, varias veces. En ese mismo lugar había orado y meditado. Pero ahora su nombre era Juan Pablo II, y debía hablarle al mundo en calidad de Papa. Tres ministros habían ido desde Varsovia en representación del gobierno: el de Asuntos Religiosos, el de Veteranos y el de Relaciones Exteriores. Para los líderes del Estado polaco, Auschwitz era un lugar propicio para reafirmar el espíritu de la unidad nacional que animó a los polacos durante la ocupación y la resistencia.

Pablo VI había beatificado a Kolbe, a instancias del arzobispo Wojtyla. Pero Juan Pablo II estaba convencido de que el fraile debía ser canonizado lo más pronto posible. No era sólo que el Papa estuviese fascinado por la figura de este "mártir de la caridad", el prisionero número 16670, quien el 30 de julio de 1941 le pidió al comandante del campo que le permitiera morir en lugar de un pobre padre de familia, Franciszek Gajowniczek. Más allá de eso, el Papa creía firmemente que un lugar tan abominable como Auschwitz debía ser redimido simbólicamante por el sacrificio de un cristiano. Era importante que dondequiera que se manifestara el mal en la historia de la humanidad, la Iglesia pudiera señalar a uno o más cristianos auténticos que hubieran luchado por el bien, el amor y la fe. Sin embargo, Kolbe era una figura compleja cuyo extremo nacionalismo era considerado por muchos judíos como parte de una tradición antisemita de la Iglesia polaca.

El Papa salió de la celda, pobremente iluminada por una ventana con rejillas, demasiado alta para que los prisioneros pudieran ver hacia afuera. Allí, encerrado junto con otras nueve personas condenadas a morir de hambre, Kolbe pasó dieciséis días antes de que lo remataran con una inyección letal. Su destino, su deseo de predicar el Evangelio que lo había llevado hasta el Japón y su fe en la Virgen María, siempre habían cautivado al cardenal Wojtyla.

El Papa pasó por los caminos aledaños a los galpones de ladrillo en donde se amontonaba a miles de seres humanos. Luego llegó al Muro de la Muerte, una pared de cemento cubierta de brea en donde golpeaban a los prisioneros y les disparaban. Una vez más el Papa se arrodilló.

Evidentemente sentía que este campo, producto de una ideología inhumana, debía santificarse mediante la oración constante. Quería que el cardenal Macharski construyera en los terrenos de Auschwitz un pequeño convento para las hermanas carmelitas. Sería un lugar de súplica, de silencio y redención. No tenía intenciones de anunciar eso ni aquel día, el 7 de junio, ni en los años próximos. Pero no era una idea surgida de repente. Era un proyecto que había madurado durante sus años como arzobispo de Cracovia, y esperaba que su sucesor en Cracovia lo llevara a cabo.

A diferencia del santuario de la Virgen Negra en Czestochowa, Auschwitz y su vecina Birkenau, adonde se dirigió luego el Papa, eran lugares de importancia mundial, terreno sagrado tanto para creyentes como para no creyentes. Aquí, lugar de tortura y exterminio, se habían cruzado los caminos de dos destinos: el de los judíos, que vivieron en carne propia el Holocausto –*Shoah*–, resultado de varios siglos de persecución bestial y odio antisemita (por parte de la Iglesia entre otros), y el de Polonia. Con la ocupación nazi, Polonia sufrió una invasión terrible, que no sólo borró las fronteras nacionales sino que pretendió aniquilar la identidad de todo un pueblo. El Papa se fue a poner sus vestiduras en uno de los galpones en donde mantenían a los prisioneros. Doscientos sacerdotes, antiguos prisioneros del campo, estaban listos para concelebrar con él. Tenían puestas unas casullas rojas bordadas con frondosas ramas de olivos, retorcidas como un alambre de púas. El Papa se dirigió con los otros sacerdotes en procesión hacia al altar, construido en los rieles en donde se detenían los vagones. Más de un millón (posiblemente cuatro millones) de hombres, mujeres y niños fueron masacrados en este campo. Por primera vez un Pontífice romano iba a rendir honores a las víctimas del Holocausto, a todas las víctimas de la persecución nazi, y entraba al lugar ante el que el Papa reinante durante la guerra –Pío XII– cerró los ojos.

La tarde era cálida y soleada; los prados del campo de muerte estaban verdes y florecidos. El Papa miró el altar de madera verde, coronado por una cruz, también de madera. Como en tiempos de los romanos, este símbolo cristiano volvía a adquirir su significado como instrumento de tortura. En la parte superior de la cruz había una corona de alambre de púas, y de los brazos de la cruz colgaba una tela de rayas grises y blancas igual a la de los uniformes de los prisioneros. En la tela se alcanzaba a ver el número del padre Kolbe, el 16670.

"Mea culpa, mea culpa, mea maxima culpa", dijo el Papa en voz baja, y la multitud repitió también en un murmullo el Yo pecador. A los pies de la plataforma se hallaban varios ex prisioneros con uniformes a rayas. También había una delegación de mujeres, de cabello cano y ojos cansados, ex prisioneras del campo de concentración de Ravensbrück.

"He venido aquí como un peregrino –dijo Juan Pablo II en su homilía–. He ido muchas veces a la celda de muerte de Maximilan Kolbe. Me he detenido en el muro del exterminio y he caminado por los escombros de los hornos crematorios de Brzezinka [Birkenau]. Como Papa mi deber era venir aquí. Ahora que me he convertido en el sucesor de san Pedro, Cristo quiere que yo dé testimonio ante el mundo de la grandeza –y la desdicha– de la humanidad de nuestro tiempo. Para dar testimonio de la derrota del hombre y de su victoria. Aquí estoy, y me arrodillo en este Gólgota del mundo contemporáneo, ante estas tumbas, muchas de ellas sin nombre, como la gran tumba del Soldado Desconocido. Me arrodillo ante todas las lápidas alineadas una tras otra. El mensaje grabado en ellas recuerda a las víctimas de Auschwitz en los siguientes idiomas: polaco, inglés, búlgaro, romaní, checo, danés, francés, griego, hebreo, yídish, español, flamenco, serbo-croata, alemán, noruego, rumano, húngaro e italiano".

Una vez más el Papa mencionó el sacrificio del padre Kolbe. Luego habló de sí mismo y de cómo entendía su papel como Pontífice. Recordó su primera encíclica, *Redemptor Hominis,* dedicada a "la causa de la humanidad, a la dignidad del hombre y, finalmente, a sus derechos inalienables, que sus semejantes pisotean o aniquilan tan fácilmente". En este punto alzó ligeramente la voz: "¿Acaso basta con ponerle al hombre un uniforme diferente? ¿Armarlo con la parafernalia de la violencia? ¿Acaso basta con imponerle una ideología en la cual los derechos humanos están subordinados, completamente subordinados, a las exigencias del sistema, de tal manera que en la práctica estos no existen en absoluto?" La muchedumbre, que hasta el momento se había mantenido en silencio, prorrumpió en aplausos. Muchos empezaron a llorar, y algunos traductores fueron incapaces de continuar.

Cuando el Papa comenzó a hablar sobre las lápidas de las víctimas volvió a reinar nuevamente un silencio absoluto. "En particular deseo detenerme con vosotros ante la inscripción en hebreo. Esta inscripción despierta el recuerdo del pueblo cuyos hijos e hijas fueron condenados al exterminio total. Los orígenes de este pueblo se remontan a Abraham, nuestro padre en la fe. Fue este mismo pueblo el que recibió el mandamiento de Dios: 'No matarás', y que experimentó en su propia piel lo que significa matar. Nadie puede pasar indiferente ante esta inscripción".

Los asistentes prorrumpieron en un largo aplauso. Algunas de las personas que se encontraban allí eran dolorosamente conscientes de la larga historia de antisemitismo de Polonia.

"Una vez más –continuó el Papa–, decidí detenerme en otra lápida conmemorativa: la que está en ruso. No añadiré ningún comentario. Sabemos a qué país se refiere. Sabemos el papel que desempeñó este país en la guerra para la liberación de las naciones. Nadie puede pasar ante esta lápida sin sentirse afectado". Ese era el gesto que el gobierno de Varsovia estaba esperando, el signo conciliador para Moscú. Pero el Pontífice medía cada una de sus palabras. Al igual que de Gaulle, no hablaba de los "soviéticos" sino de los "rusos", y se refería a los méritos y los sufrimientos del país, no del Estado.

Una vez hubo pagado su tributo a la historia, Juan Pablo II podía dedicarse a la lápida polaca. Seis millones de personas (la mitad de ellas judías), una quinta parte de la nación, había perdido la vida durante la guerra: "Esta es una etapa más de la lucha de siglos de este país, mi país, por sus derechos fundamentales entre las naciones de Europa, otro grito por el derecho a nuestro propio lugar en el mapa de Europa". Una vieja canción de independencia empezó a escucharse entre la gente. "Dios bendiga a nuestra patria libre". El pasado y el presente se daban la mano. Una vez más el Papa buscaba tocar la fibra política correcta.

"El sucesor de Juan XXIII y de Pablo VI habla en nombre de todas aquellas naciones cuyos derechos han sido violados y olvidados", dijo el Papa, al tiempo que miraba más allá de los alambres de púas.

El discurso de Auschwitz fue transmitido en todo el mundo. La imagen de Juan Pablo II arrodillándose en la penumbra de las cámaras de gas era un fuerte incentivo –tal como se vería en los años siguientes– para una reflexión por parte de los católicos sobre el Holocausto y la responsabilidad compartida de la Iglesia en el crimen del antisemitismo.

Sin embargo, algunos observadores se sorprendían por el hecho de que Juan Pablo II no pudiera resistir la tentación de bautizar prácticamente todo, virtualmente cualquier realidad contemporánea o evento dramático, incorporándolo a su visión cristiana polaca. "He venido a este santuario especial –dijo el Papa–, al lugar de nacimiento, podría decirse, del patrono [una referencia a Kolbe] de nuestro difícil siglo, así como nueve siglos atrás Skalka [en Cracovia] fue el lugar de nacimiento, a golpe de espada, de san Estanislao, patrono de Polonia". También habló sobre Edith Stein, la estudiante judía del filósofo Edmund Husserl quien se convirtió en monja y luego fue asesinada en Auschwitz, y a quien también había beatificado.

¿Podía la complejidad de la experiencia trágica de Auschwitz, podía su papel único en el Holocausto judío reducirse a ser el lugar del nacimiento de la santidad de un católico? ¿Equivalía Auschwitz a la conversión de una judía al catolicismo? ¿La evocación de un nacionalismo religioso sugerido por el nombre de san Estanislao no equivalía a apropiarse de un lugar que le pertenecía a la conciencia del mundo entero? Esta ambigüedad provocaría varios desagradables malentendidos y un marcado conflicto con la comunidad judía mundial cuando la jerarquía polaca, dando curso a los planes iniciados por el arzobispo Karol Wojtyla, instaló el convento carmelita en Auschwitz. Finalmente el Papa decidió pedirles a las monjas que se fueran.

El regreso de Juan Pablo II a Cracovia fue apoteósico, y sus implicaciones, históricas. Por la noche los jóvenes organizaban serenatas continuas de canciones patrióticas bajo las ventanas del palacio arzobispal. En la Plaza del Mercado, la estatua de Adam Mickiewicz, el poeta de la independencia, permanecía cubierta de flores. Durante toda la noche hubo una continua sucesión de celebraciones y protestas contra el régimen. Una tarde, en una ceremonia al aire libre frente a la iglesia de Skalka, el lugar del martirio de san Estanislao, otra vez los jóvenes empezaron a agitar su nuevo símbolo de resistencia: un pequeño crucifijo de madera.

El penúltimo día de su viaje, el Papa tuvo un encuentro con trabajadores cerca del monasterio de Mogila, en el distrito de Nowa Huta, para tomar posesión de un terreno tradicionalmente reivindicado por los comunistas y para darle un golpe directo a la ideología comunista. "La cristiandad y la Iglesia no le temen al mundo del trabajo –proclamó–. No tienen miedo de ningún sistema basado en el trabajo. El Papa no les teme a los trabajadores". Por supuesto que muchas veces los papas *sí* habían tenido miedo de los movimientos de trabajadores. Juan Pablo II rememoró su experiencia personal como trabajador de la cantera y la fábrica de Solvay. Ensalzó al Evangelio como una guía para los problemas del trabajo en el mundo contemporáneo. En medio de una multitud arrobada, con miles de pancartas y banderas, y flanqueado por ocho cardenales (Poletti, de Roma; Höffner, de Colonia; König, de Viena; Tomásek, de Praga; Bengsh, de Berlín; Jubany Arnau, de Barcelona; Gray, de Edimburgo; Macharski, de Cracovia) y por Casaroli, el secretario de Estado, el Pontífice declaró de manera desafiante que el pueblo no podía ser rebajado a ser un simple medio de producción. "Cristo jamás lo aceptaría –exclamó–. Tanto el trabajador como el empleador deben recordar esto; tanto el sistema de trabajo como el sistema de remuneración deben recordarlo. Todos, el Estado, la nación y la Iglesia deben recordar esto".

El público lo vitoreó y lo aplaudió con frenesí. Para los trabajadores esto era como echar sal en la herida. Ya estaban bastante indignados con la última alza del precios del gobierno, y deseaban recibir mayores salarios; también recordaban la violencia del régimen contra la protesta de los trabajadores de 1976, en Ursus y Radom. Ahora, los dirigentes polacos recibían el golpe, incapaces de defenderse. Al fin de cuentas, las peticiones que le hizo el gobierno al Papa no tuvieron absolutamente ningún efecto. Ni sobre Juan Pablo II ni sobre el pueblo. El general Jaruzelski, quien había seguido con atención cada uno de los discursos del Papa, notó la fuerza de sus palabras y la sutileza de su táctica: Juan Pablo II no sólo se refería al actual estado de cosas sino que "estaba consolidando la esperanza y el valor" para luchas futuras, en el largo plazo.

Algo parecido a esto pensaba Wiktor Kulerski, quien se uniría a las filas de Solidaridad un año más tarde. "Vivimos en un país diferente –se decía a sí mismo mientras el Papa viajaba por Polonia–. El comunismo ya no importa, porque nadie se somete a él". Kulerski sentía que la estadía del Papa en Polonia era un momento de alivio, un momento para reunir fuerzas: "El Papa está aquí y es inalcanzable para los comunistas. Él puede decir y hacer cosas que nosotros no podemos. No le pueden hacer nada. La gente repite las palabras del Papa, y saben que él es su baluarte".

Durante la visita del Papa, el historiador Bronislaw Geremek, un intelectual que habría de convertirse en el principal asesor de Solidaridad, llegó a la conclusión de que "la gente libre se puede organizar sola", que "la sociedad puede habérselas sin el partido y sin el Estado".

A todo lo largo de la visita, los miembros del Politburó se sintieron como ramitas arrastradas por la corriente. Hablar del "papel preponderante del partido" era absurdo. Kazimierz Barcikowski, primer secretario de la organización del partido en Cracovia, sabía que sus funciones durante la visita del Papa se habían limitado a asegurarse de que la Iglesia fuera capaz de mantener el orden y ver que el transporte fuera apropiado, encargarse de las comidas, los primeros auxilios y los baños.

El 10 de junio, más de un millón de fieles llegaron a la pradera de Blonie, en las afueras de la ciudad. Algunos decían que en total eran un millón y medio de personas, o quizás dos millones. Una publicación católica llegó a decir que eran tres millones, un anticipo de las leyendas que aflorarían en torno a los viajes papales en todos los continentes, especialmente en el Tercer Mundo.

En todo caso, no más convocar a un millón de personas era increíble, incluso revolucionario, para ser un país del bloque socialista. Juan Pablo II pasó casi tres cuartos de hora paseándose en el papamóvil por los espacios que separaban a las secciones en las que se había subdividido a la multitud.

Los cardenales y los obispos, que ahora eran más numerosos que en Nowa Huta –pues había dos cardenales húngaros, uno yugoslavo y tres más provenientes de Occidente– estaban asombrados con la enorme muchedumbre que aclamaba al Papa. Y también estaban conmovidos: al parecer la Iglesia realmente no iba en picada. El Pontífice romano todavía tenía mucho que decirle al mundo. Era como una revelación.

Aquel día, el 10 de junio, fue escogido para honrar la memoria de san Estanislao durante el viaje papal. Aquello se convirtió en la celebración del nuevo poder de Juan Pablo II cuando, al blandir a Cristo como un pendón de batalla, anunció que el noveno centésimo aniversario de la muerte de san Estanislao sería un momento crucial para la nación y la Iglesia.

Eso era lo que la multitud necesitaba; todos lo comprendieron perfectamente. Al partir, el Papa podía darle una nueva bendición a su pueblo y encomendarle un nueva misión. "¡Debéis ser fuertes, queridos hermanos y hermanas! –exclamó–. ¡Debéis ser fuertes, con la fuerza que nace de la fe! ¡Debéis ser fuertes con la fuerza de la fe!"

Por última vez se refirió –sin mencionarlos, pero de una manera obvia para todo el mundo– a los pueblos de la cortina de hierro. "No hay que temer. Las fronteras deben abrirse. No existe imperialismo en la Iglesia, sólo servicio". Cuando vio a un grupo de peregrinos de Checoslovaquia, dijo: "¡Cuánto me gustaría que nuestros hermanos y hermanas, unidos a nosotros por la lengua y las vicisitudes de la historia, hubieran podido estar presentes también durante la peregrinación de este Papa eslavo. Aunque no están aquí, aunque no están en este enorme terreno, sin lugar a dudas están en nuestros corazones".

Eran el Papa y las naciones eslavas contra el imperio soviético. Las líneas de batalla ya estaban definidas. En su tierra natal, prácticamente uno de cada tres habitantes lo había visto en persona. Ni siquiera el mariscal Pilsudski, en sus días de héroe triunfante, se había visto rodeado de tal manera por su pueblo. Cuando el Papa se dirigía al altar, dos globos se elevaron en el aire con el símbolo de la resistencia polaca durante la Segunda Guerra Mundial: una *P* con dos *W* encima. Eso significaba "Polonia sigue en la lucha".

PARTE V

El imperio se tambalea

Todas las grandes huelgas de la era comunista en Polonia habían terminado violentamente, en 1956, en 1970 y en 1976. En cada ocasión, las autoridades suprimían las manifestaciones y las huelgas mediante el ejercicio brutal de la fuerza, y luego prometían reformas económicas y sociales. Pero las promesas nunca se cumplían y el nivel de vida en Polonia seguía en descenso. Polonia seguía tambaleándose y sus trabajadores se indignaban cada vez más.

A principios de los años ochenta, con la deuda externa por las nubes y el país afrontando graves escaseces que dejaron a varios millones de habitantes sin carbón para calentar sus hogares, el gobierno volvió a recurrir a su conocida fórmula de congelar los salarios y aumentar los precios para resolver sus problemas económicos. Así pues, no era de sorprenderse que en julio los trabajadores del ferrocarril hubieran entrado en huelga en la ciudad de Lublín, o que se produjera una ola de huelgas en las fábricas de todo el país. En su casa de vacaciones en Crimea, el primer secretario Edward Gierek recibió con calma las noticias y decidió que no era necesario un pronto retorno a su país.

Desde el comienzo, los soviéticos estaban contrariados. El secretario general soviético Leonid Brezhnev citó a Gierek a su propia casa de campo en Crimea para expresarle su preocupación por la huelga de los ferrocarriles en particular: la URSS mantenía un ejército de medio millón de hombres en Alemania Oriental que dependían totalmente del corredor férreo a través de Polonia para obtener sus suministros. Gierek le aseguró a Brezhnev que las huelgas ya estaban terminando. Sin embargo, a diferencia de sus predecesores, él y su ministro de defensa, Wojciech Jaruzelski, no querían usar las fuerzas militares para obligar a los huelguistas a volver a sus trabajos.

El jueves 14 de agosto, el papa Juan Pablo II pasó el día en la villa papal de Castel Gandolfo, a 30 kilómetros de Roma. El aire en los montes Albán era más respirable que en las sofocantes calles de Roma. Desde el siglo XVII la villa había sido un refugio para los papas durante los meses más calientes del año.

Ese jueves, el ritmo en Castel Gandolfo era más lánguido que siempre. Era la víspera de la Asunción, *ferragosto*, la fiesta sagrada más importante para los italianos en el verano, en donde todo se detiene, hasta los buses.

Mientras el Papa trabajaba en su despacho, Lech Walesa, electricista desempleado, individuo de hombros anchos y de bigote frondoso, estaba subido en una excavadora mecánica en el astillero Lenin en Gdansk, Polonia. Durante todo el verano los trabajadores del astillero se habían abstenido de unirse a las huelgas que azotaban al país. Pero aquella mañana algunos trabajadores formaron una desordenada procesión al interior del astillero y exigían aumento de salarios y la reincorporación al trabajo del operador de la grúa, un rebelde crítico de la administración que había sido transferido a un trabajo fuera de Gdansk.

La economía de Polonia estaba por el suelo. Millones de trabajadores fabriles en toda Polonia estaban sumamente descontentos. Las huelgas espontáneas que comenzaron en julio se extendieron a más de 150 empresas. El gobierno respondía con las promesas de siempre: cambio y aumento de salarios, hasta ahora sin usar la violencia. Esta vez las protestas continuaron. Gierek ya empezaba a gobernar con el sol a sus espaldas. Ahora el país se hallaba anegado en deudas; la productividad iba en picada; los productos básicos como repuestos para equipos industriales escaseaban. La bancarrota rondaba por todas partes.

Los trabajadores del astillero, el más importante de Polonia, en donde la policía había matado en 1970 a cuarenta y cinco huelguistas, habían mostrado poco entusiasmo por tener un nuevo enfrentamiento. El director del astillero de Gdansk, Klemens Giech, prometía un aumento de salario si los trabajadores regresaban a sus trabajos, y había muchos que estaban dispuestos a aceptar. Sin embargo, Walesa, quien esa mañana se había trepado por la valla de tela metálica de tres metros y medio de altura, ahora se hallaba cerca del administrador del astillero y denunciaba aquellas ofertas.

Walesa era un personaje popular. Había participado en los levantamientos de 1970 que produjeron la caída de Gomulka. Después de la sangrienta represión de las manifestaciones en Radom y Ursus en 1976, se dedicó a crear un sindicato independiente, y con frecuencia fue arrestado por causa de esas actividades. Ahora quería convocar una huelga de brazos caídos: para protegerse de las fuerzas de seguridad, los trabajadores debían encerrarse dentro de la fábrica. Los trabajadores escucharon su llamado.

Al día siguiente, el 15 de agosto, el Papa despachó a su secretario, el padre Stanislaw Dziwisz, a Polonia, para un discreto "período de descanso" que duró una semana.

La verdad es que las huelgas que azotaban a Polonia en el verano de 1980 no eran unas simples huelgas. Eran insurrecciones políticas, "contrarrevoluciones", como decía Brezhnev acertadamente. Este movimiento, al igual que todas las revoluciones históricas, congregaba una constelación de grandes fuerzas políticas: los trabajadores, los intelectuales y la Iglesia. Nunca antes se habían juntado en un momento tan crucial.

En las anteriores crisis económicas, que habían terminado con violencia, los trabajadores estaban desorganizados y carecían de un foro nacional para expresar sus quejas. En 1980, aunque no había un oposición política organizada centralmente, *sí* existía una alianza informal de fuerzas para hacerle frente a los caprichos de un Estado imperioso. Se trataba de los Comités de Defensa de los Trabajadores (conocidos por la sigla KOR), formados por intelectuales para atender a los trabajadores arrestados o despedidos tras la violenta ofensiva de 1976. Los Clubes Intelectuales Católicos (KIK), y los obispos quienes, respaldados por el Papa polaco, ahora predicaban con vacilación un Evangelio de derechos humanos así como de salvación.

En el verano de 1980, la organización más agresiva de todas era KOR, dirigida por su carismático fundador Jacek Kuron, antiguo miembro del partido cuyos escritos habían propiciado la oposición a principios de los años setenta, y Adam Michnik, un joven historiador judío y alumno de Kuron. El programa de KOR buscaba crear un movimiento independiente de trabajadores y la liberación de la custodia opresiva de un sistema unipartidista. El comité tenía su propio periódico, el *Robotnik Wybrzeza* (Trabajador de la costa), que había inspirado la aparición de otras publicaciones antigubernamentales en círculos intelectuales, en universidades e incluso entre campesinos. El KOR tenía el potencial para convertirse en un auténtico movimiento de oposición, entre otros motivos por sus relaciones cercanas con la Iglesia católica.

Los intelectuales activistas del KOR, que le habían tomado aprecio al arzobispo Karol Wojtyla en Cracovia, eran sólo unos cientos, pero viajaban por el país con un entusiasmo febril, organizando mítines y dando conferencias. A partir de las semillas que sembraron, comenzó a organizarse un movimiento sindical obrero independiente en las grandes ciudades, durante 1978. En abril de ese año los voluntarios sacaron el primer boletín de un movimiento unido llamado Sindicatos Libres de la Costa Báltica.

En agosto de 1980, cuando las huelgas en todo el país llegaron a su sexta semana, Jacek Kuron dijo "La lucha continuará hasta que haya sindicatos libres y organizaciones sociales verdaderamente representativas. No hay otra alternativa. El gobierno no tiene el consenso necesario para salir de esta crisis". A comienzos del mes había llegado a Gdansk para discutir con los líderes de los Sindicatos Libres de la Costa Báltica sobre la posibilidad de organizar una huelga en el astillero Lenin. Sin embargo, a pesar del descontento generalizado entre los trabajadores de allí, los activistas habían tenido muchas dificultades para encontrar una plataforma con la que todos estuviesen de acuerdo.

En ese momento, Walesa se hizo cargo del asunto. El sábado 16 de agosto los trabajadores parecían inclinarse de nuevo hacia la suspensión de la huelga, a cambio de una promesa de recibir un aumento de 1 500 zlotych y la garantía de que se construiría un monumento en el astillero, para honrar la memoria de las víctimas de 1970.

Walesa, animado por estas concesiones, sacó un pliego de peticiones de dieciséis puntos, entre los cuales el más importante era el reconocimiento de los sindicatos libres por parte del gobierno. Su propuesta no tuvo especial acogida y, un día después, cuando la administración ofreció un aumento salarial más sustancioso, muchos trabajadores viejos se salieron del astillero y levantaron la huelga. Quizás este fue el mejor momento de Walesa: recorriendo el astillero en una pequeña motocicleta, hizo que los trabajadores volvieran a luchar por la causa. Cuando la huelga finalmente se reanudó con toda su fuerza el día 18, Walesa sacó un nuevo pliego, más radical, con veintiuna peticiones, incluyendo la terminación de la censura y la liberación de prisioneros políticos. Eso fue un logro para los consejeros de KOR que habían infiltrado el astillero.

Las negociaciones se escuchaban por altoparlantes en todo el astillero, y las noticias sobre la huelga y las demandas de los audaces trabajadores se difundieron rápidamente por la costa del Báltico. Ese día se interrumpió el trabajo en más de 180 industrias desde Gdynia, Gdansk y Sopot hasta la costa de Tarnów (cerca de Cracovia) y Katowice en Silesia. La avalancha se había desatado.

En Castel Gandolfo, Juan Pablo II recibía informes confidenciales sobre los acontecimientos en Polonia, a través de Dziwisz y de su Secretaría de Estado, que se mantenía en contacto con el episcopado polaco. Rompiendo su costumbre, Wojtyla siguió con interés los informes televisados sobre los sensacionales acontecimientos que ocurrían en su patria. Con él estaba la hermana Zofia Zdybicka, una ex alumna suya quien se hallaba como huésped en la residencia de verano del Papa. La hermana Zdybicka, al igual que el Papa, era filósofa, y en sus tiempos de estudiante, de profesora y luego como amiga, hablaba con Karol Wojtyla sobre temas tales como la naturaleza del marxismo y el destino de la humanidad. "Esto –declaró la mujer mientras veía las noticias en la televisión–, es una lección para todo el mundo. Observe la contradicción: los *trabajadores* están contra el comunismo".

El Papa estaba de acuerdo, pero al principio parecía menos confiado, menos entusiasta. "Tan malo es que el mundo no entiende nada –contestó–. El mundo no lo entiende". Había dicho tres veces lo mismo. No parecía muy sorprendido con los notables acontecimientos de Polonia. La hermana Zdybicka recuerda que se hallaba con el Papa en otra ocasión en la que le dijo a un profesor de la Universidad Católica de Lublín: "Tiene que prepararse". ¿Prepararse para qué? Ni ella ni el profesor lo sabían. Pero ahora ella creía entender. Esto era lo que el Papa estaba esperando.

El Papa decía que Walesa había sido enviado por Dios, por la Providencia. En la pantalla veían orar a Walesa y a los trabajadores. "Tan jóvenes, tan serios, con esos rostros tan profundos", observó la hermana. En su solapa, Walesa llevaba un broche con la imagen de la Virgen Negra de Czestochowa. El domingo y el lunes los trabajadores asistieron, en el astillero, a una misa celebrada por el párroco de Walesa, el padre Henryk Jankowski, de Santa Brígida, en Gdansk.

En las puertas del astillero había fotos del Papa y grandes reproducciones de la Virgen Negra. Juan Pablo observó con irónica satisfacción que los políticos occidentales, especialmente los de izquierda, estaban sorprendidos con la multitud de trabajadores que acudía en masa a arrodillarse en los confesionarios improvisados al aire libre, sorprendidos de que los trabajadores hubieran escogido símbolos religiosos como estandartes de batalla. La hermana Zdybicka sentía que el Papa veía la mano de Dios levantada contra los comunistas, pues los trabajadores combatían a sus gobernantes con sus propias armas.

A todo lo largo de la costa empezaban a surgir manifestaciones espontáneas, bajo el liderazgo del Comité de Huelga Inter-Fábricas, en solidaridad con los huelguistas del Astillero Lenin. Los trabajadores del país entero, inducidos a la acción por KOR, juntaban sus fuerzas con los intelectuales católicos, mientras que los intelectuales seculares hacían causa común con la Iglesia.

Los huelguistas manifestaban su oposición al régimen cantando himnos y canciones patrióticas, e izando la bandera nacional polaca en las fábricas que se hallaban en huelga. Los comités huelguistas autónomos proliferaban.

La revuelta de los trabajadores parecía desarrollarse según el mismo modelo de todas las revoluciones marxistas, sólo que aquí Marx no aparecía por ninguna parte. Un caricaturista italiano, Giorgio Forattini, resumió la situación con unos trazos de su pluma: un Karol Wojtyla fornido, en overol de mecánico, soltaba sus herramientas y se negaba a trabajar.

El obispo Kazimierz Majdanski de Szczecin, una de las ciudades en donde el movimiento huelguista era más fuerte, le dijo a un monseñor de la curia: "La semilla que sembró el Santo Padre ha comenzado a florecer".

El 18 de agosto, en un discurso televisado, Gierek prometió reformas y dejó entrever algunas amenazas: "El destino del país está atado al sistema socialista... Grupos anárquicos y antisocialistas están tratando de sacar partido de la situación, pero nosotros no toleraremos ninguna acción o petición cuyo propósito sea destruir el orden social en Polonia".

Unidades militares y columnas de vehículos de la policía comenzaron a desplazarse hacia la costa del Báltico, pero los puertos de Gdynia y Gdansk seguían paralizados. El número de huelguistas ya era de 300 000. Las huelgas se extendieron hasta Lódz, Wroclaw e incluso Nowa Huta.

Juan Pablo II guardó silencio durante una semana. Al igual que los jefes de la comunidad europea, que advirtieron a Gierek y al gobierno polaco no adoptar medidas represivas; al igual que el presidente de los Estados Unidos, Jimmy Carter, y al igual que Moscú, que trataba de imaginar cómo haría el Partido Comunista polaco para mantener el control del país, el Papa era prudente.

Cuando aumentó la tensión, Juan Pablo II dejó que fuera el primado Wyszynski quien estableciera la posición de la Iglesia. El viejo primado intervino de la misma manera en que lo había hecho muchas veces antes en momentos de crisis nacional: actuaba cautelosamente, contenido por su constante preocupación de que la crisis pudiera provocar una intervención soviética. El 16 de agosto, aniversario de la victoria final de Pilsudski sobre el Ejército Rojo, el primado expresó su gratitud a la Virgen María. Gracias a ella, sesenta años atrás se habían preservado las fronteras de Polonia. Oró por la libertad, la paz y la autodeterminación de Polonia: una pequeña indirecta para el Partido Comunista y para Moscú.

Pero la situación no podía manejarse con el método que el primado venía usando desde hacía treinta años. La huelga en Gdansk no era simplemente una revuelta de los trabajadores contra unas condiciones económicas deplorables. El Partido Comunista de Polonia y de la URSS estaban preparados para ese tipo de problemas. Lo que sucedía ahora es que la plataforma que Walesa les había hecho adoptar a los trabajadores cuestionaba radicalmente a la totalidad de la estructura del régimen. La exigencia de sindicatos independientes le quitaba al Partido Comunista la pretensión de ser el único representante legítimo de las clases trabajadoras. La petición en lo referente a la censura y al acceso a los medios de comunicación por parte de los sindicatos y de la Iglesia le negaba al partido su herramienta más eficaz (después del ejército y la policía) para ejercer el monopolio del poder.

Los trabajadores polacos ya no querían simplemente, como en ocasiones anteriores, una "humanización" del régimen comunista. Insistían en una auténtica democratización a través de un poder autónomo, libre de limitaciones por parte del Partido Comunista.

Precisamente por esto las autoridades de Varsovia se habían negado rotundamente, durante varios días, a ir al astillero Lenin a negociar directamente con el Comité de Huelgas Inter-Fábricas (que ahora contaba en su consejo administrativo con los representantes de 281 empresas de propiedad del Estado).

El miércoles 20 de agosto, cuando el movimiento huelguístico amenazaba con provocar una parálisis política de largo alcance, el Papa dijo dos breves oraciones ante un grupo de peregrinos polacos en la Plaza de San Pedro: "Dios, permite que María interceda para que la religión siempre goce de libertad y que nuestra patria pueda gozar de la seguridad... Señor, ayúdale a este pueblo, y cuídalo siempre del peligro y del mal". Abundaban rumores diciendo que el Papa le había enviado una carta personal a Brezhnev, asegurándole que los acontecimientos en Polonia no buscaban socavar los intereses de la URSS, pero el Vaticano negó la existencia de dicha carta.

"Estas dos oraciones, –dijo el Papa–, muestran que todos aquí en Roma estamos unidos con nuestros compatriotas de Polonia, con la Iglesia de Polonia, cuyos problemas nos afectan tan de cerca".

De esa manera, el Papa hizo algo que el cardenal Wyszynski no podía ni quería hacer: bendecir públicamente a la huelga. Era un momento crucial. Ahora, el obispo de Gdansk, Lech Kaczmarek, les regaló a Walesa y a los otros catorce miembros del comité huelguista unas medallas del papa Juan Pablo II.

Walesa, a su vez, le envió un mensaje tranquilizador a Moscú y a los comunistas polacos: "La nuestra es una lucha por los sindicatos; no es un batalla política... No tenemos la intención de cuestionar las alianzas internacionales de Polonia".

El mundo tenía puesta su atención en los acontecimientos extraordinarios de Polonia. El presidente Carter le escribió una carta privada al Papa en donde decía que Estados Unidos compartía las aspiraciones de los trabajadores polacos y que usaría sus canales diplomáticos para lograr moderación por parte de los soviéticos.

El 23 de agosto se desató una amarga disputa al interior del Partido

Comunista, entre los ortodoxos pro-moscovitas, que querían decretar un estado de emergencia –una ley marcial– y los reformistas a favor de Gierek, respaldados por Stanislaw Kania y Wojciech Jaruzelski, que se mostraban a favor de un acuerdo y en contra del uso de la fuerza militar.

Ese día, el Papa le envió al primado una carta delicadamente matizada: "Le escribo estas breves palabras para manifestarle cuán especialmente cerca me he sentido de usted en el curso de estos días difíciles". Luego, después de unas afectuosas florituras e invocaciones a la Virgen, la carta daba una orden política precisa: "Ruego con todo mi corazón que los obispos de Polonia... puedan ayudarle a esta nación en su difícil lucha por el pan de cada día, por la justicia social y la salvaguardia de sus derechos inviolables a la vida y al desarrollo".

Pan, justicia social, desarrollo independiente. Con estas palabras el Papa le daba su apoyo total a las metas de los huelguistas. La Iglesia, según observaba el escritor católico Stefan Kisielewski, con algo de simplificación, estaba manejando la primera huelga democrática en la historia de Polonia.

Esa tarde, el gobierno hizo una concesión histórica, pues accedió a negociar directamente con los comités huelguistas de Gdansk, Gdynia y Szczecin.

Cuando comenzaron las negociaciones, que se convirtieron en una dramática prueba de fuerza de una semana de duración, apareció junto a Lech Walesa un grupo de asesores. En el grupo había intelectuales, profesores y miembros de la Academia Polaca de Ciencias. Dos de sus líderes tenían una relación cercana con Wojtyla: Tadeusz Mazowiecki, editor de *Wiez*, el periódico católico de Varsovia, y el historiador Bronislaw Geremek. Con la llegada de este grupo, el liderazgo estratégico del movimiento –que más adelante sería conocido con el nombre de Solidaridad– pasaba en buena medida a manos de la Iglesia. Ahora, la Virgen Negra en la solapa de Walesa era una señal de que Solidaridad se había inspirado directamente en Karol Wojtyla.

En los momentos más intensos de la crisis (entre el 24 y el 25 de agosto, cuando el partido estaba dispuesto a permitir el derecho a las huelgas pero no la creación de un sindicato independiente), el primer secretario Gierek logró sacar del Politburó polaco a la mayoría de estalinistas de la línea dura. Luego apareció en televisión para dar un discurso autocrítico, que no sirvió para crear ningún consenso y poner fin a las huelgas. Temiendo que la situación pudiera salirse de las manos del gobierno y que Moscú abandonara su actitud de espera, Gierek acudió al primado Wyszynski. Pidió "la ayuda de la Iglesia" para evitar "incalculables consecuencias para el país". Gierek dio su palabra de no usar la fuerza contra los huelguistas, y Wyszynski accedió a intervenir.

Las partes más importantes del discurso que dio el primado el 26 de agosto en el santuario de Czestochowa (y las partes más favorables al gobierno) se reprodujeron en la televisión estatal. "No se puede pedir todo a la vez", dijo el primado. "Lo mejor es establecer una agenda. Nadie debe poner a la nación en riesgo". Wyszynski dijo que todos los implicados debían hacer un examen de conciencia: "No nos limitemos a señalar a los demás. Todos cometemos faltas y pecados que necesitan ser perdonados". En su prédica decía que todos debían mostrar sentido de la responsabilidad y del respeto por sus tareas diarias en la vida cívica y social, "manteniendo la calma, el aplomo y la circunspección".

Aunque su discurso contenía un ataque al ateísmo patrocinado por el Estado y defendía el principio de la "libre asociación", los huelguistas tomaron las observaciones del primado tal como eran: una invitación a no insistir en la creación inmediata de un sindicato independiente de trabajadores. Pero otros polacos se mostraban reacios. Los intelectuales católicos de Znak mostraron su desaprobación mediante un incómodo silencio público; Walesa no prestó atención; muchos obispos criticaron abiertamente la posición del primado. El Papa estaba molesto e irritado: "Oh, este hombre viejo... este hombre viejo", se quejó el Papa ante dos sacerdotes polacos que pasaban por Castel Gandolfo. El primado había perdido contacto con el pueblo.

Juan Pablo II no quería apaciguar a los comunistas. Sentía que los trabajadores, al confirmarle a Moscú su creencia de que Polonia debía permanecer en el Pacto de Varsovia, se habían ganado el derecho de organizar un sindicato independiente. ¿Acaso el Papa no había exigido lo mismo un mes antes en Brasil, en donde 150 000 trabajadores, muchos de ellos en huelga, se reunieron en el estadio de São Paulo y estallaron en una ovación de quince minutos gritando *"Libertade, libertade"*? Los trabajadores de la industria metalúrgica habían mantenido la huelga

más larga contra el régimen militar –cuarenta y dos días de resistencia–
con el apoyo del cardenal Paulo Evaristo Arns.

Allí, en el corazón de la dictadura militar brasileña, el Papa se puso
del lado de los trabajadores y proclamó "el derecho de los trabajadores a
conformar asociaciones libres, con el propósito de hacerse escuchar, defender sus intereses y contribuir de manera responsable a la creación del
bien común".

¿Podía acaso hacer menos por Polonia?

La firme actitud adoptada por Juan Pablo II resolvió la crisis de Polonia. El 27 de agosto, a instancias del Papa, los obispos polacos aprobaron
un documento que explícitamente exigía "el derecho a la independencia
de organizaciones representativas de los trabajadores y de organizaciones autónomas". La voluntad del Papa se había convertido en voluntad
nacional. Ahora el gobierno no tenía una opción distinta que la de ceder.
Walesa sabía que contaba con el respaldo del Papa.

El 31 de agosto se firmaron los históricos acuerdos de Gdansk, en
donde se ratificaba el establecimiento del primer sindicato independiente de un país de la cortina de hierro. Los acuerdos establecieron la pauta
para futuras negociaciones que se harían en Polonia, a medida que el
movimiento de Solidaridad ganaba adeptos en el país. Sindicatos libres,
aumentos de salarios, mejoramiento de los servicios de salud, reducción
de la censura, liberación de los prisioneros políticos: prácticamente todo
era negociable.

En la ceremonia de firma de los acuerdos, Walesa se sacó del bolsillo
un enorme bolígrafo de colores. Las cámaras de televisión registraron el
momento: el bolígrafo era un recuerdo de la visita de Juan Pablo II a Polonia, y tenía estampada una imagen del Papa.

El 5 de septiembre, Edward Gierek perdió su trabajo como secretario
y fue reemplazado por Stanislaw Kania. Esa misma semana, en Roma, el
Papa le dio instrucciones al cardenal Casaroli para que lo representara
en una reunión extraordinaria convocada por los soviéticos a través de
uno de sus diplomáticos. El mensaje transmitido a Casaroli era ambi-
guo: por una parte, los dirigentes soviéticos del Kremlin pedían que el
Papa ayudara a refrenar las exigencias de Solidaridad para aliviar así las
tensiones; por otra parte, advertían que intervendrían con tropas si el
sindicato ponía en peligro los intereses vitales de la URSS. A lo largo de la

crisis polaca que dominaría el primer decenio de su papado, el Papa procuró mantener un equilibrio delicado: cómo hacer para, de manera simultánea, apoyar a los trabajadores y mantener alejados a los soviéticos, para evitar un baño de sangre, que era la más terrible de todas las posibles consecuencias; prevalecer sobre las autoridades polacas para negociar de buena fe con Solidaridad; y evitar que el sindicato se extralimitara en sus exigencias y provocaciones. Hasta el momento, los soviéticos parecían satisfechos con sus garantías, según percibía Juan Pablo II, y tanto el Vaticano como la URSS estaban de acuerdo en mantener abierto el "canal Casaroli-Kremlin". Gran parte del éxito dependía de su habilidad para ejercer un influjo sobre los trabajadores.

TOP SECRET

SÓLO UNA COPIA

NO DESTINADO A PUBLICACIÓN

COMITÉ CENTRAL, PARTIDO COMUNISTA DE LA UNIÓN SOVIÉTICA

SESIÓN DEL POLITBURÓ DEL 29 DE OCTUBRE DE 1980

Presidente: Camarada BREZHNEV L.I.

Participantes: Camaradas Andropov I.V., Gorbachov M.S., Grishin V.V., Gromyko A.A., Kirilenko A.P., Pelshe A.Ia., Suslov M.A., Tikhonov N.A., Ustinov D.F., Chernenko K.U., Demichev P.N., Kuznetsov V.V., Ponomarev B.N., Solomenstev M.S., Dolghikh VI., Zimianian M.V., Rusakov K.V.

En tono grave, el presidente Brezhnev abrió la sesión. "De hecho, la contrarrevolución en Polonia se halla en el cenit... Ya están empezando a asumir el control del Sejm [parlamento] y afirman que el ejército está de su lado. Walesa viaja de un lado del país al otro, de pueblo en pueblo, y en todas partes le rinden tributo. Los líderes polacos guardan silencio, al igual que la prensa. Tampoco la televisión apoya a esos elementos antisocialistas... Quizás sea necesario introducir la ley marcial".

"Creo, y los hechos me dan la razón, –dijo Yuri Andropov, director de la KGB–, que los gobernantes polacos no han entendido cabalmente la gravedad de la situación que ha surgido".

"Nuestros amigos polacos hablan mucho pero dicen disparates", se quejó el ministro de Defensa Ustinov. "Las cosas han llegado hasta este punto: Walesa y sus secuaces han ocupado la emisora en Wroclaw".

"Hubo una pequeña huelga en Yugoslavia –dijo Brezhnev–. Pero aunque era pequeña, allá se tomaron las cosas en serio: trescientas personas fueron arrestadas y encarceladas".

"A menos que se declare una ley marcial –advirtió Ustinov–, las cosas se pondrán más y más complejas. Hay un poco de indecisión en el ejército. Pero nuestras Fuerzas Armadas del Norte están preparadas y listas para el combate".

Finalmente, el ministro de Relaciones Exteriores Gromyko expresó su temor más grande: "¡No podemos perder a Polonia! La Unión Soviética perdió seiscientos mil soldados y oficiales en la lucha por liberar a Polonia de los nazis. No podemos permitir una contrarrevolución..."

¿Pero cómo hacer para *no* perder a Polonia?

"Debemos hablar fuerte con nuestros amigos polacos" –continuó Gromyko. Naturalmente el camarada Jaruzelski es un hombre de confiar; pero por alguna razón está empezando a sonar poco entusiasta. Incluso está diciendo que el ejército no iba a atacar a los trabajadores. Creo que es necesario enviarles a los polacos un mensaje fuerte e inequívoco".

Gorbachev, elegido en el Politburó un año atrás, estaba de acuerdo. "Debemos hablar abierta y fuertemente con nuestros amigos polacos. Hasta ahora no han tomado las medidas necesarias. Se hallan en una especie de posición defensiva que no pueden mantener por mucho tiempo... podrían terminar derrocados por sí mismos".

Top secret

...[T]ransmisiones radiales que llegan hasta la Unión Soviética sobre los acontecimientos en Polonia muestran que dichos acontecimientos están siendo explotados con el propósito de poner en duda los principios del socialismo y, sobre todo, para cuestionar el papel preponderante del partido en la construcción del socialismo y el comunismo, para derrocar el sistema político del socialismo y su estructura socioeconómica.

Con el argumento de que cada país socialista tiene un carácter específico [estas transmisiones] apoyan fuertemente la adopción de la experiencia polaca de desarrollo y, en particular, la creación de "sindicatos independientes", la limitación de la censura, el refuerzo del papel de la Iglesia, etc.

Varias semanas después, se consideró que el peligro que ofrecían los periódicos, las revistas y otros "materiales indeseables" polacos para los soviéticos era muy grande y todo el correo de Polonia a la urss sería interceptado de ahí en adelante. Muchas de las publicaciones "indeseables" tenían alguna relación con la Iglesia. Se le iba a prestar especial vigilancia a la correspondencia que pasara a través de las oficinas de correo de ciudades como Leningrado, Kiev, Minsk, Vilnius, Riga, Kishinev, Lvov y Brest: todas ellas ciudades-puerta con gran número de creyentes o con poblaciones de fuertes tendencias nacionalistas.

En el otoño de 1980, los camaradas de Berlín, Budapest y Praga estaban horrorizados por lo que sucedía en Polonia y se quejaban regularmente ante Moscú. En Alemania Oriental, el jefe del partido y presidente Erich Honecker públicamente amenazó con una acción militar conjunta de los países del Pacto de Varsovia; el 28 de octubre, su gobierno impuso severas restricciones a los viajes desde y hacia Polonia, después de nueve años de tránsito sin visa entre las dos naciones.

"Esta extraña inactividad de Kania se vuelve cada vez más incomprensible para los dirigentes de los países socialistas –le dijo Andrei Kirilenko a sus compañeros miembros del Politburó soviético en la difícil sesión del 29 de octubre–. Por ejemplo, cuando hablé con Husak y otros camaradas checos, vi que estaban sorprendidos con esa conducta. Citaron el ejemplo de la vez que actuaron con firmeza ante los agitadores de una huelga en una de sus empresas. Eso dio resultados".

Al día siguiente, el 30 de octubre, los dos principales comunistas polacos, el primer ministro Józef Pinowski y el secretario Stanislaw Kania fueron citados a Moscú para discutir ciertos asuntos con la Comisión de Emergencia para Polonia del Politburó.

"Los elementos antisocialistas están fuera de control", rugió Brezhnev en la reunión del politburó. "En cuanto a la declaración de un estado de emergencia –aconsejó Gromyko–, debemos considerarla como una medida para salvaguardar los logros de la revolución. Naturalmente, quizás no sea prudente que esto se haga de inmediato, especialmente no debe ser apenas regresen Kania y Pinkowski de Moscú". Era mejor "esperar un poco. Pero debían saberlo. Era necesario para fortalecerlos".

Los soviéticos estaban tan preocupados que el 29 de octubre, tan solo diez semanas después del nacimiento de Solidaridad, los líderes del Kremlin estaban decididos a hacer que sus "amigos polacos" comenzaran los preparativos para la declaración de la ley marcial e iniciar una ofensiva contra Solidaridad y sus simpatizantes.

Al día siguiente, Kania y Pinkowzski estuvieron muy activos, aduciendo las especiales circunstancias de su dilema, pidiendo más tiempo, pero prometiendo una nueva y más endurecida resistencia contra las provocaciones de Solidaridad.

Sin embargo, cuatro semanas más tarde las autoridades polacas todavía no habían cumplido sus promesas y el país se hallaba en una crisis aún más profunda, con una economía en ruinas. Solidaridad convocó otra ronda de huelgas.

El 5 de diciembre se convocó en Moscú una reunión extraordinaria de los dirigentes de los países del Pacto de Varsovia para discutir sobre la siguiente medida a tomar. Una vez más, Kania fue llamado y escuchó las fuertes críticas que de sus políticas hacían Brezhnev, los checos, los húngaros y los alemanes del este. Todos insistían en que debía tomar medidas enérgicas tanto con Solidaridad como con la Iglesia. De otro modo, y así lo expresaron claramente, acudirían a la fuerzas conjuntas del Pacto de Varsovia para resolver el problema polaco. Ya estaban preparadas dieciocho divisiones en la frontera; los líderes polacos fueron enterados de los planes militares para la intervención y la ocupación de pueblos y ciudades polacas.

Kania habló durante una hora entera. Luego él y Brezhnev tuvieron una reunión en privado. Allí le dijo al dirigente ruso que una intervención mancharía por siempre de sangre la imagen de la URSS.

"Está bien, no entraremos en Polonia por ahora –dijo finalmente Brezhnev–, pero si la situación empeora, entraremos". Luego se fue a la India.

Por una vez, las palabras de Kania sobre los gobernantes de los países socialistas habían tenido el efecto deseado. Habían sido satisfactorias incluso para el jefe soviético de ideología, Mijaíl Suslov, lo cual no era fácil. En la sesión del Politburó que Suslov presidió el 11 de diciembre, percibió un cambio: "Lo principal es que los camaradas polacos sí entienden cuál es el peligro que se cierne sobre Polonia, y que han reconocido el gran daño que les han hecho las actividades de los elementos antisocialistas, y que representan una gran amenaza para los logros socialistas del pueblo Polaco. El camarada Kania ahora está hablando de manera más razonable sobre la situación económica de Polonia, sobre su endeudamiento con los países capitalistas y sobre su necesidad de ayuda".

Kania tenía fama entre los comunistas polacos por su habilidad para hacer pelear a facciones contrarias y lograr sus propósitos, para decir las palabras correctas, en el momento correcto, a la persona correcta. Esta había sido la clave de su crecimiento en las filas del partido y de su supervivencia política. Podía levantar el teléfono y hablar sobre una situación dada con, pongamos por caso, Brezhnev, el primado, un miembro reaccionario de su propio partido o con alguien de Solidaridad. Siempre encontraba algo con lo cual podía estar de acuerdo, y siempre podía aducir las dificultades de su propia posición. Podía incluso admitir sus propios errores y luego explicar con detalle los pasos que iba a tomar para preservar la supremacía del partido, de la nación, del socialismo... de lo que exigiera la ocasión. Lo que fuera necesario. Sus manos no habían hecho otra cosa que acariciar teléfonos, barajar papeles y dar palmaditas en las espaldas de la gente. Así se salió con la suya. Esta vez había dicho las palabras correctas.

Debemos anotar [continuó Suslov] que en su discurso el camarada Kania nos dio informes sobre una ofensiva más vigorosa contra los elementos antisocialistas. Observó que no habrá más complicidad ni habrá más concesiones con los elementos antisocialistas. Al mismo tiempo, dijo que el Partido de los Trabajadores Polacos Unidos, el pueblo polaco y el ejército, los servicios de seguridad y la milicia que apoyan a PUWP [el Partido Comunista polaco] pueden hacerse cargo de la situación y normalizarla utilizando sus propios medios.

El imperio se tambalea

Los camaradas de Moscú, Praga y Berlín se sentían comprensiblemente aliviados al oír esto de labios de Kania. La palabra clave había
sido dicha no sólo ante Brezhnev y Suslov, sino también ante Husak,
Honecker, Kádár y el resto. La palabra era "normalizar", que en el léxico
comunista se refería al periodo posterior a la aplicación de medidas militares represivas, época de restauración de la condiciones existentes antes
del surgimiento de la oposición política. Una "normalización" era lo que
había ocurrido en Hungría después de 1956 y en Checoslovaquia después de la primavera de 1968, es decir, un retorno al *status quo* anterior.

Para lograr esta meta, el 5 de diciembre los más experimentados le
ofrecieron a Kania, en Moscú, montones de sugerencias. Suslov anotó:

> El camarada Husak, por ejemplo, citó muchos ejemplos de su expe-
> riencia en 1968, cuando el Partido Comunista de Checoslovaquia tuvo
> que enfrentarse con valentía contra los elementos derechistas. También
> el camarada Kádár habló sobre las actividades de los elementos contra-
> rrevolucionarios en Hungría en 1956, año en que debió adoptar severas
> medidas administrativas para aplastar la contrarrevolución.

La sesión del Politburó del 11 de diciembre terminó en una poco
usual nota de optimismo respecto a Polonia: "En mi opinión –observó el
ministro de Relaciones Exteriores Gromyko–, los camaradas polacos, al
igual que otros participantes en la reunión, se fueron altamente satisfechos con los resultados obtenidos en esta. Obtuvieron la renovación de
energía que necesitaban y las directrices adecuadas sobre todos los asuntos atinentes a la situación en Polonia".

El optimismo del Kremlin tendría una corta duración. Cinco semanas más tarde, Lech Walesa se dirigía a Roma para reunirse con
el Papa; allí sería tratado como un héroe internacional.

El resto de ese diciembre de 1980, la Iglesia, el partido en Polonia y
Solidaridad usaron el respiro que les dio Moscú para fusionarse a nombre de la unidad nacional. En una celebración solemne, miles y miles de
personas se reunieron en las afueras del astillero de Gdansk, el 16 de diciembre, para dedicar un enorme monumento –tres cruces de hierro y

tres anclas, que ocupaban un espacio de 42 metros– a la memoria de los trabajadores que habían sido asesinados en los disturbios contra el gobierno, diez años atrás. El presidente de la República Polaca se hallaba presente, junto con los jefes del partido y los jerarcas de la Iglesia polaca.

La ceremonia marcó un momento crucial para el movimiento de trabajadores que llevaba cinco meses de existencia. Las observaciones de Lech Walesa tuvieron eco a través de los voceros del partido y de la Iglesia.

Esto no era ciertamente lo que los dirigentes del Pacto de Varsovia tenían en mente.

"Les hago un llamado para que mantengan la paz, el orden y el respeto –dijo Walesa–. Les pido que muestren inteligencia y sentido común en todas las tareas que persigan el bien para nuestra patria. Les pido que sean vigilantes en la defensa de nuestra seguridad y que mantengan la soberanía de nuestra patria".

Se leyó un telegrama del Papa, dando gracias a Dios por que las huelgas de agosto habían terminado en paz. El antiguo arzobispo de Cracovia no necesitaba mencionar que las huelgas habían transformado el equilibrio del poder político en Polonia: eso saltaba a la vista. El sucesor de Wojtyla como arzobispo, Franciszek Macharski, bendijo el enorme monumento de hierro, símbolo de la presencia de Cristo en el astillero ("un monumento de reconstrucción y un símbolo de la victoria de la esperanza y el amor sobre el odio"). Luego, el obispo de Gdansk celebró una misa y concluyó con las palabras: "Que el sol de la justicia brille sobre nosotros".

Top secret

Enero 13 de 1981
Decisión del Secretariado del Comité Central del Partido Comunista de la Unión Soviética: camaradas Suslov, Kirilenko, Chernenko, Gorbachev, Ponomarev, Kapitonov, Zimianian, Rusakov "a favor".

Sobre las instrucciones dadas al embajador soviético en Italia respecto al viaje a Italia de L. Walesa...

Por favor reunirse con el camarada Berlinger [jefe del Partido Comunista italiano, que se había opuesto públicamente, en diciembre, a la intervención soviética en Polonia] o a su sustituto y decirle lo siguiente:

"...Los líderes de *'Solidarnosc'* y aquellos que los apoyan desean agravar aún más la situación político-social de Polonia [y]... debilitar la posición del partido en su papel preponderante en el país...

"Este sindicato constituye una fuerza real...

"A pesar de los encuentros [programados de Walesa] con el Papa en el Vaticano... [y] de la decisión original del Partido Comunista italiano de negarse a tener un encuentro con L. Walesa, los líderes han mantenido una posición vacilante y no excluyen la posibilidad de tener algún contacto con él.

"Consideramos aconsejable hacer un llamado a los líderes del Partido Comunista italiano... dada la necesidad de tomar todas las medidas posibles para evitar que parezca que la visita de Lech Walesa, cuya política es de tendencia antisocialista, recibe apoyo".

El llamado no sirvió de nada: Walesa, igual que si fuera una estrella de cine, cautivó a Roma, a los medios y a muchos comunistas italianos. Wojtyla celebró una misa privada para los catorce miembros de la delegación de Solidaridad que habían ido al Vaticano. Él y Walesa se reunieron dos veces.

"El hijo ha venido a visitar a su padre", dijo Walesa cuando fue recibido por Juan Pablo II, el 15 de junio. Luego tuvieron una conversación privada en el despacho del Papa.

El Papa estaba particularmente feliz y comunicativo, consciente de que buena parte del mundo lo consideraba el auténtico líder de la nación polaca. A la hora de la ceremonia oficial de saludo en el Salón Consistorial, pronunció un largo discurso sobre los derechos de los trabajadores.

Unos treinta años atrás había escrito sobre el trabajo en el primer artículo que le publicaron. Ahora estaba escribiendo su primera encíclica sobre el tema, *Laborem Excercens* (Del trabajo humano), en la cual incorporaría muchas de las ideas expresadas en su vehemente defensa de los derechos de los trabajadores ante Walesa y sus colegas, incluida Anna Walentynowicz, la operadora de grúa cuyo despido había desatado espontáneamente la huelga, y Henryk Jankowski, el sacerdote que había celebrado misa en el astillero a lo largo de toda la huelga.

"Creo que la piedra angular de su operación, que comenzó en agosto de 1980 en la región costera y en otros grandes centros industriales polacos, fue un esfuerzo conjunto por impulsar el bien moral de la sociedad", les dijo el Papa a sus visitantes. Parte de la genialidad de Wojtyla consistía en su exquisito sentido del equilibrio, que en ese momento se ponía en evidencia: les indicó a las autoridades polacas que no había "contradicción entre este tipo de iniciativa social autónoma de los trabajadores y la estructura de un sistema que considera al trabajo humano como un valor fundamental en la vida nacional y social". Sin mencionarlos directamente, les dijo a los comunistas en Moscú:

> después de lo que sufrió Polonia en la Segunda Guerra Mundial y en otras grandes pruebas de nuestra historia... tiene derecho a progresar de la misma manera que cualquier otro país.
>
> Lo que aquí está en juego fue, es y será un asunto estrictamente interno del pueblo de Polonia. Los enormes esfuerzos que se hicieron durante el otoño, y que deben continuar, no estaban dirigidos contra nadie. Estaban dirigidos *hacia*, no contra, el bien común. Todos los países tienen el derecho (que en realidad es un deber) de hacer esfuerzos similares. Es un derecho reconocido y confirmado por la ley de las naciones.

Con estas palabras, manifestaba claramente que sería el principal abanderado de la causa de Solidaridad, y también su filósofo. Para poner énfasis a su determinación, invitó a Walesa, a su esposa y a sus colegas a la misa de la mañana, tres días más tarde, en su capilla privada.

En Roma, Walesa también tuvo una entrevista con la periodista italiana Oriana Fallaci, en la cual dijo que "sin la Iglesia nada hubiera ocurrido" en el movimiento de resistencia polaco. Calificó el trabajo de la Iglesia de "continuo", "obstinado" e "inteligente". Las primeras planas de los periódicos del mundo entero tenían fotos e historias sobre el electricista de Gdansk y sobre el Papa de Wadowice.

El 22 de enero, en medio de este ambiente, el camarada Mijaíl Zimianian regresó a Moscú tras una misión de investigación en Polonia. Le dio al Politburó su sorprendente evaluación en la que afirmaba que se había cruzado un umbral sin precedentes: Solidaridad se estaba convirtiendo en el poder dominante en Polonia. Había una nueva entidad en el corazón del mundo comunista, "una gran fuerza... representada por el grupo de Walesa y respaldada por el episcopado". El camarada Zimianian agregaba:

> La complejidad de la situación en Polonia se deriva no sólo del hecho de que tenemos un enemigo activo, sino que también se debe a que, por errores cometidos en el pasado, el partido ha perdido un lazo creativo con el pueblo. La clase trabajadora tiene muchas razones para estar descontenta... Este hecho ha sido cuidadosamente explotado por *Solidarnosc*... En opinión de Walesa, hay unos diez millones de personas en *Solidarnosc*.

Esto equivalía a cuatro veces el número de miembros del Partido Comunista, y muchos de los miembros del partido eran católicos. Más de 750 000 miembros del partido eran también miembros de Solidaridad.

En el momento en que la delegación de Walesa se reunía con el Papa en el Vaticano, en Varsovia Solidaridad exigía negociar con el gobierno para discutir el tema de la semana laboral de cinco días. Los trabajadores se negaban a laborar los sábados, y se estaba preparando otra gran huelga para apoyar a los granjeros privados que querían formar su propio sindicato de "Solidaridad rural".

El análisis de Zimianian se volvía aún más pesimista:

> Cada vez más aumenta la sensación de que, si el partido pierde el control sobre los medios de comunicación, la lucha por la opinión pública estará perdida... La mayoría de periódicos no están bajo el control del partido. La situación es particularmente mala en la televisión... El problema es que, incluso después de que cambió la administración, la principal fuerza de trabajo, es decir, la gente que directamente prepara el material informativo, es simpatizante de *Solidarnosc*.

El Politburó, que ahora trataba cada suceso en Polonia como una crisis, actuaba con más frecuencia a la manera de muchos comunistas ortodoxos. Varias veces, a fines de 1980 y comienzos de 1981 los líderes del Kremlin pusieron todas su esperanzas en el debilitamiento de Solidaridad a través de campañas de propaganda ("Debemos hacerles comprender a nuestros amigos polacos cómo se manejan los medios de comunicación; es su punto más flaco, y debemos ayudarlos"); enviando a las fábricas polacas copias de los escritos de Lenin sobre cómo organizar sindicatos; ordenándole al Consejo Soviético de Asuntos Religiosos que produjera más estudios sobre las bases científicas del ateísmo (para hacerle contrapeso al Papa); barajando las cartas de los *apparatchiks* en el partido polaco, con la esperanza de hallar la mezcla correcta de atractivo popular y disciplina (la cantinela de siempre); enviando cuadros de Juventudes Komsomol desde Rusia para adoctrinar a los adolescentes polacos; manteniendo a los conscriptos jóvenes alejados del ejército polaco (casi todos eran simpatizantes de Solidaridad); y exigiéndoles a los reclutas viejos permanecer en las filas para trabajos adicionales.

Los registros del Politburó, muchos de ellos secretos hasta la fecha, también revelan que en 1981 el Kremlin era consciente del deterioro de la economía de la URSS y de sus países vecinos, y del descalabro que significaba la guerra en Afganistán para los recursos del bloque, pues causaba escaseces de combustible, alimentos, y materias primas para bienes de consumo. La situación en Polonia exigía la movilización de las fuerzas soviéticas a un segundo frente, la frontera polaca, con lo cual se diezmaban aún más los recursos.

Brezhnev estaba furioso con Kania.

"Hay que decir –anotaba Konstantin Rusakov, el 22 de enero– que Leonid Ilich [Brezhnev] habla con el camarada Kania todas las semanas". Trata de "hacerle entender cómo debe actuar".

Washington

Cuando Ronald Reagan se posesionó, el 20 de enero de 1981, los primeros contactos estratégicos entre el gobierno de los Estados Unidos y el Papa de Roma ya se habían hecho. Zbigniew Brzezinski, el consejero de seguridad nacional, nacido en Polonia, al servicio del presidente Jimmy Carter, había representado a los Estados Unidos en el ascenso de Wojtyla al trono de San Pedro.

En 1976, Brzezinski, por entonces profesor universitario, asistió a la conferencia que dio Wojtyla en Harvard, y quedó impresionado. "Lo invito a usted a tomar el té", le dijo después. Brzezinski recuerda que sostuvieron una "maravillosa conversación" sobre Polonia y sobre otros asuntos mundiales; más adelante mantendrían correspondencia (en cartas escritas a mano) e intercambiarían opiniones con el conocimiento y la soltura de dos hombres que habían vivido la misma historia y que conocían intuitivamente los matices de la vida polaca.

A finales de 1980, Brzezinski, católico, inició un diálogo oficial con un importante emisario papal, el obispo checo Józef Tomko, con quien Polonia y el recién nacido movimiento de Solidaridad contaban fuertemente. Brzezinski quería que Juan Pablo II supiera que había recursos financieros, de equipos y apoyo organizacional en los Estados Unidos –provenientes en particular del Movimiento Laboral Estadounidense– que se podían destinar a la causa de Solidaridad. Esta era una señal clave para el nuevo Papa, que ahora sabía que la frágil fuerza de Solidaridad podía pedir el apoyo de Occidente y contar con Estados Unidos si el movimiento se convertía en una amenaza para la ortodoxia comunista.

Sin revelar muchos datos específicos, Brzezinski informó a Tomko sobre una operación secreta de la CIA, autorizada por Carter, para entrar de contrabando literatura anticomunista a los países de Europa oriental y a ciertas partes de la URSS, como Ucrania y los estados bálticos, en donde estaba aumentando el nacionalismo disidente.

Brzezinski y Tomko hablaron sobre las diversas maneras como los Estados Unidos y el Vaticano podrían usar la propaganda y presionar para fomentar los derechos humanos básicos –económicos, políticos y religiosos– en Polonia, sin provocar la represión soviética. Este también fue el tema de interés en la reunión que tuvo el Papa con el presidente Carter, el 21 de junio de 1980, en el Vaticano (si bien Solidaridad todavía no había sido creado); aquella fue una sesión a la que Brzezinski se refirió jocosamente así: "Para mí era claro que Wojtyla debía ser elegido presidente y Carter debía ser elegido Papa".

Luego, en la primera semana de diciembre de 1980, Brzezinski telefoneó al Papa para advertirlo sobre la amenaza de una inminente invasión soviética a Polonia. Hablando en polaco, puso énfasis en el tamaño de la vasta concentración que se estaba formando en las fronteras de Polonia.

El Papa estaba contrariado con las conclusiones de Brzezinski y le preguntó sobre la fiabilidad de la información. El Pontífice ya le había enviado de manera secreta una carta a Brezhnev, haciendo valer el derecho de Polonia a la no intervención en sus asuntos internos. Más aún: pensaba que los diálogos que se mantenían a través del canal Casaroli–Kremlin ya habían hecho lo suyo para impedir tal intervención.

Sin adentrarse en una explicación detallada, Brzezinski le dijo que había inteligencia por satélite e información precisa proveniente de "fuentes de Europa oriental", buenas fuentes: "Tenemos diferentes formas para saber con detalle qué está haciendo el alto comando soviético". Mientras hablaba, Brzezinski miraba las fotos tomadas por satélite en donde se veían tiendas desplegadas cerca de hospitales a campo abierto en la frontera con Polonia. Lo que hacía tan urgente la gestión de Brzezinski era la certeza de la información: durante once años, el coronel Ryszard Kuklinski, un alto oficial del ejército polaco, les proporcionaba a los Estados Unidos información valiosa sobre los movimientos del gobierno y el ejército polacos y, por consiguiente, sobre los planes de seguridad interna del régimen y, últimamente, sus reacciones ante Solidaridad. La información de Kuklinski incluía las órdenes de Moscú a las fuerzas del Pacto de Varsovia y al Ejército Rojo.

Brzezinski le pidió al Papa que se valiera de sus obispos para que los gobiernos de Europa occidental con mayorías católicas apoyaran un ultimátum amenazando a los soviéticos con un aislamiento económico, político y cultural si intervenían en Polonia. El Papa accedió sin dudarlo un instante. Ninguno de los dos hombres se detuvo a pensar en las objeciones que tendría la mayoría de naciones de Europa occidental para confrontar a los soviéticos por acontecimientos ocurridos en la "esfera de influencia" de la URSS, o en el hecho de que pondrían en peligro su lucrativo comercio con los rusos.

Entre tanto, los soviéticos comenzaban a recibir alarmantes advertencias del presidente Carter y del futuro presidente Reagan, en caso de que pensaran que el interregno de la elección y la posesión de Reagan podía explotarse en Polonia. Brzezinski también estaba en contacto con la primera ministra de la India, Indira Gandhi (a quien Brezhnev visitaría pronto) y le pedía que le "hiciera conocer claramente las preocupaciones de los Estados Unidos" al líder soviético. Estados Unidos estaba preparado para venderle armamento sofisticado a China si los soviéticos invadían Polonia.

"¿Cómo hago para comunicarme directamente con usted si lo necesito de nuevo?", le preguntó Brzezinski al Papa. Enseguida escuchó que el Papa hablaba con alguien que estaba por ahí. "¿Cuál es mi número privado?"

Brzezinski no tuvo necesidad de volver a telefonearlo, por razones que hasta ahora empiezan a aclararse. Para tranquilizar al Papa, el Politburó soviético envió al camarada Vadim Zagladin a Roma para decirle que, por el momento, no habría intervención.

"Una vez los soviéticos decidieron no invadir –relató Brzezinski un decenio más tarde–, hubo un segundo período [fase] después de que Reagan subió al poder. Se empezaron a hacer esfuerzos para apoyar a Solidaridad, para apoyar a un gran movimiento de resistencia, y las cosas adquirieron un sentido diferente. Significaba que si los rusos estaban decididos a persistir, podría producirse una acción política destinada a desestabilizar el régimen. Y eso fue lo que hicimos; la administración de Reagan lo hizo".

Después de posesionarse en enero de 1981, Reagan pidió que lo mantuvieran al tanto de todo lo que ocurría en Polonia, especialmente en lo tocante a Solidaridad. En la primera semana de la nueva presidencia, Richard Allen, el asesor de seguridad nacional, y el director de la CIA, William Casey idearon una fórmula para mantener el asunto en primer lugar en el despacho del presidente: rediseñaron el informe presidencial diario de inteligencia (PDB, por sus siglas en inglés *president's daily intelligence brief*) y le insertaron una sección aparte, con lujo de detalles, con exhaustivos reportajes sobre Polonia. Los informes de Kuklinski y, cada vez más, los informes del Vaticano y de su delegado apostólico en Washington eran una parte esencial de este. Brzezinski había conservado sus credenciales y siguió trabajando como consultor para la administración Reagan, oficio que, por su naturaleza, implicaba tener tratos con Juan Pablo II. Más tarde diría:

> Implicamos al Papa directamente; y no quiero hablar sobre ello. No puedo entrar en detalles mientras él viva. Casey era el administrador... Yo me entendí muy bien con Casey. Él continuó con todo lo que hicimos

[en la administración Carter] y lo amplió... y lo dirigió. Él era muy flexible
y muy imaginativo, y muy poco burocrático. Si había que hacer algo, se
hacía; para mantener una resistencia se necesita mucho esfuerzo en
términos de suministros, redes, etc. Por eso no aplastaron a Solidaridad...
Era la primera vez que una política comunista de represión no funcionaba.

Bill Casey resumió su filosofía en las primeras semanas de la administración Reagan, en un discurso ante los Hijos de San Patricio (y él era
ciertamente uno de ellos): "Algunas son buenas y otras son malas, eternamente buenas y eternamente malas". La Iglesia, que lo había formado,
era eternamente buena. El comunismo, al cual había combatido desde
sus días como orador en la secundaria, era eternamente malo.

La visión de base que tenía Reagan sobre el Vaticano y el catolicismo
era bastante diferente de la que tuvieron todos los presidentes estadounidenses del siglo xx, incluyendo a John F. Kennedy, el único presidente católico en la historia de ese país. Desde sus inicios, Estados Unidos
había sido un "país protestante", en donde, hasta los últimos decenios
del siglo xx, la Iglesia católica era vista con recelo por muchos estadounidenses. La llamada "elite de la política externa", que hasta la administración de Nixon conformaba los gabinetes y las consejerías de la
presidencia estadounidense, incluía relativamente pocos católicos. Los
anteriores presidentes, incluido Kennedy, ponían una distancia considerable entre el gobierno y la Iglesia, no sólo por respeto a la Constitución
sino también por el sentimiento anticatólico que, hasta los años 60,
floreció en Estados Unidos.

Pero a Reagan, hijo de un irlandés católico de la clase trabajadora y
de madre protestante, no lo preocupaban esos tabúes históricos. Su votación católica había sido alta. Se sentía muy cómodo con hombres en
cuyas historias familiares había católicos de la clase trabajadora; con
hombres superados como Casey, con quien compartía muchos valores.
Casi invariablemente eran, como Reagan, los primeros de la familia en ir
a la universidad, y no pertenecían al grupo de las ocho universidades
más prestigiosas de los Estados Unidos. Por estas cosas en común y en
parte por coincidencia también, casi todos los hombres nombrados por
Reagan en los puestos más visibles de política internacional en las pri-

meras etapas de su gobierno eran católicos: Casey; el secretario de Estado Alexander Haig (cuyo hermano era sacerdote); el general retirado Vernon Walters, embajador extraordinario del presidente; Richard Allen y su sucesor como asesor de seguridad nacional; el juez William Clark (que alguna vez pensó en ser sacerdote). Todos ellos veían a su Iglesia como el crisol de una convicción anticomunista.

Al igual que Reagan, su visión básica del canon marxista-leninista era teológica: el comunismo era espiritualmente malo. Mientras que Kennedy había hecho todo lo posible por aislarse de la Iglesia, Reagan buscaba, abierta y secretamente, crear lazos más cercanos con el Papa y el Vaticano. "Yo quería que fueran nuestros aliados", explicó años más tarde. Para lograr ese propósito cambió la legislación para establecer relaciones diplomáticas con la Santa Sede, algo que ninguno de sus predecesores había querido hacer.

"En su relación con el Papa había un gran nivel de cuidadoso cultivo de la cortesía –dijo Jeanne Kirkpatrick, embajadora de Reagan ante las Naciones Unidas–, y esta es una de las razones por las cuales es importante tener en cuenta el carácter católico de Casey y Walters; ellos iban a misa todos los días. A mi modo de ver, y creo que también al modo de ver de Reagan y Cap Weinberger [Caspar Weinberger, secretario de Defensa], este Papa era una fuerza espiritual con muchas encarnaciones humanas, con quien teníamos muchos intereses en común y compartíamos una misma perspectiva respecto a algunos asuntos estrictamente temporales. Es significativo que Casey, Clark, Walters y otros fueran fervientes católicos, pero es igualmente significativo que Reagan, Cap, yo y otros no lo fuéramos... No había un conciliábulo católico".

Era claro que Solidaridad representaba una amenaza interna sin precedentes para Moscú, una infección que ya empezaba a propagar la inconformidad en el sistema comunista, especialmente en las repúblicas bálticas. La idea de un sindicato independiente en un país comunista era el anatema para los líderes de los países vecinos a Polonia. Los soviéticos harían cualquier cosa que estuviera a su alcance para aplastar a Solidaridad, según había advertido Brzezinski, en tanto que el nuevo gobierno estadounidense haría todo lo que estuviera a su alcance para garantizar la supervivencia de Solidaridad. "Si podíamos conmocionar a Polonia, las ondas de choque podrían extenderse en muchas direcciones: a

Ucrania, los Balcanes, Latvia, Lituania, Estonia y Checoslovaquia", decía Richard Allen. Reagan entendió la situación en Polonia como una prueba de su propia creencia de que una revolución al interior del sistema comunista era inevitable.

El 30 de enero de 1981, tan solo diez días después de su posesión, Reagan se reunió con los miembros más importantes de su equipo de seguridad nacional: el vicepresidente George Bush, Allen, Casey, Haig y Weinberger. Según dice Weinberger, "allí se decidió que era necesario apoyar a Polonia, no sólo para evitar una invasión sino para buscar la manera de socavar el poder [comunista] en Polonia".

"Gracias a un hombre llamado Walesa y a Solidaridad, yo saqué partido de los sucesos de Polonia –dijo Reagan muy satisfecho de sí mismo en 1991–. Él era literalmente un trabajador común y corriente que de repente se encontró liderando una gran mayoría de ciudadanos polacos. En este movimiento que crearon llamado Solidaridad estaban haciendo lo que yo decía que debíamos buscar: que el pueblo produjera el cambio en su propio país".

Aunque Reagan, Casey y Clark hablaron más adelante sobre "sacar a Polonia de la órbita soviética", Reagan dijo: "No nos veíamos interviniendo en un país y derrocando el gobierno en nombre del pueblo. No. Eso lo tenían que hacer ellos mismos... Nosotros sólo podíamos tratar de serles útiles. Naturalmente que Solidaridad era el arma para lograr que esto se produjera, pues era obra de los trabajadores, una organización de la clase trabajadora polaca. Esto era muy diferente de lo que ocurría en casi todos los otros países [del bloque soviético]; y ciertamente iba en contravía de todo lo que los soviéticos, los comunistas, podrían desear".

En una reunión en la Casa Blanca, el 30 de enero, Reagan y sus asesores hablaron sobre las metas generales de su política internacional: reducir la ventaja soviética (que ellos consideraban abrumadora) en armamento nuclear y en sistemas de lanzamiento; hacer frente, de manera encubierta, al apoyo de los soviéticos a las insurgencias izquierdistas y comunistas en todo el mundo, e intensificar la ayuda clandestina, iniciada en la administración Carter, a los rebeldes que luchaban contra las fuerzas de invasión soviéticas en Afganistán; luchar contra el terrorismo; buscar un control de armamentos desde la posición de una mayor fuerza estadounidense; fomentar el inseparable "lazo" entre los derechos humanos y la política estadounidense hacia la Unión Soviética y los países de Europa oriental, principio que también había sido establecido durante el gobierno de Carter.

La atmósfera de la reunión se volvió más animada –"electrizante", según dijo un participante– cuando el presidente habló del Papa y de las aspiraciones del pueblo polaco, más evidentes cuanto que el país estaba amenazado por las tropas del Pacto de Varsovia. Reagan quería saber qué se estaba haciendo para ayudar a Walesa y a Solidaridad, y qué de nuevo podía hacerse.

Reagan habló luego, cosa que haría con frecuencia, de los nazis. Estableció paralelos entre los años treinta y los años ochenta. "Él sentía que si la democracia hubiera apoyado a Hitler, no habría habido guerra –anotó Clark posteriormente–. Sentía que le correspondía hacer algo. Sus ideas políticas nacieron en los años treinta. Y para él los soviéticos eran una prolongación de los nazis".

En la reunión del 30 de enero se discutieron tanto las posibilidades de una represión interna por parte de las autoridades polacas (que los últimos informes de Kuklinski resaltaban) como una gran invasión soviética. Además de las acciones políticas y económicas contra la URSS, establecidas en diciembre, ahora se acordaba llevar a cabo una retaliación contra el régimen polaco, si reprimía al movimiento de Solidaridad. Las medidas más drásticas incluirían sanciones económicas en forma de severos términos para la refinanciación de la enorme deuda de Polonia con los Estados Unidos, recortar créditos agrícolas y hacer virtualmente imposible para Polonia obtener nuevos préstamos en Occidente.

Tras la reunión se llegó a la decisión de garantizar que Solidaridad siguiera recibiendo ayuda, sin importar si los soviéticos o el régimen polaco trataban de impedirlo. La meta era darle estímulo al sindicato proporcionando ayuda y apoyo organizacional a periódicos clandestinos, propaganda, transmisiones radiales y consejería a la fuerzas de oposición en Polonia. "Todas las cosas que se hacen en países donde se quiere desestabilizar a un gobierno comunista y fortalecer la resistencia", comentaba el congresista Henry Hyde (una de las pocas personas externas a la administración que sabía lo que ocurría).

Desde el nacimiento de Solidaridad, su principal apoyo financiero en

los Estados Unidos provenía de AFL-CIO. El movimiento obrero estadounidense trabajaba con organizaciones laborales europeas y partidos
social-demócratas para canalizar fondos, equipos y consejería hacia el
nuevo sindicato. Haig, Casey, Brzezinski, Clark y los miembros del Consejo de Seguridad Nacional comenzaron a tener reuniones frecuentes
con Lane Kirkland, presidente de AFL-CIO (un demócrata que se oponía
categóricamente a las políticas internas del gobierno) e Irving Brown, director del Departamento Internacional de la federación. Brown había
sido representante de AFL en Europa oriental durante los primeros días
de la guerra fría y había ayudado a canalizar secretamente patrocinio
estadounidense para los partidos no comunistas en las elecciones italianas de 1948.

Al principio, "con Solidaridad no se iba a proceder como en una clásica operación encubierta –decía el almirante Bobby Inman, quien se
convertiría en el subdirector de la CIA, al mando de Casey–. Se vio muy
pronto que la relación del sindicato con Solidaridad era tan buena que
las cosas que resultaran instructivas o útiles podían hacérsele llegar a
Solidaridad a través de ese canal. Lo que necesitaban inicialmente no era
un fuerte apoyo económico. Necesitaban apoyo organizacional, apoyo
logístico, buena información, equipos de comunicación". Casi todas esas
cosas podían canalizarse a través del movimiento sindical, en llave con
el gobierno, o a través de la comunidad polaca-estadounidense, que a su
turno trabajaba en llave con la Iglesia polaca.

Entre tanto, Richard Pipes, director de Asuntos Soviéticos y de Europa oriental en el Consejo Nacional de Seguridad, nombró a Jan Nowak,
jefe del Congreso Polaco-Estadounidense, como consultor especial para
asesorar al gobierno sobre asuntos relacionados son Solidaridad, la Iglesia polaca, y la política general de Estados Unidos respecto a Polonia.
"Yo no tenía nada que ver con la organización de los canales secretos
–dice Nowak–. Eso le correspondía a Casey y a otros. Yo conseguía dinero para prensa secreta, medios ilegales de comunicación, imprentas y
máquinas fotocopiadoras". Gran parte de la recolección de fondos de
Nowak se hacía a través de iglesias polacas-estadounidenses. Nowak
comenzó a reunirse con Reagan en los primeros días de su gobierno;
encontró al presidente "muy receptivo; era un extremista, anticomunista

hasta el extremo. Sin la política de Reagan Solidaridad no habría podido tener éxito".

"Casey en particular comprendía la oportunidad de separar a Polonia del Pacto de Varsovia", dice Richard Perle, secretario asistente de defensa del gobierno de Reagan. Radio Europa Libre y La Voz de América se convirtieron en los principales conductos de dicha política. Sus transmisiones hacia y sobre Polonia garantizaba que polacos, alemanes, checos, húngaros, latvios, lituanos –todos los habitantes de Europa central y oriental bajo el régimen comunista– supieran que en Polonia estaba echando raíces un fuerte cuestionamiento a la ortodoxia comunista. "La profunda animadversión entre polacos y soviéticos, y entre alemanes orientales y soviéticos era muy clara –anotaba Perle–. Sin embargo, nosotros teníamos planes que obligaban a los polacos a asumir un rol combativo, quisieran o no. Pensábamos que sería bueno encontrar formas para estimularlos a no ponerse del lado de los soviéticos", sino de amotinarse o incluso luchar contra una fuerza invasora. Este fue el origen de las operaciones psicológicas: transmisiones radiales, divulgación de panfletos, desinformación, dirigidas al ejército polaco y a las fuerzas de seguridad, y desarrolladas por la CIA y el Pentágono.

El primer año de la presidencia de Reagan, según decían prácticamente todos lo que hicieron parte del gobierno, fue un desastre en lo atinente al establecimiento de una política externa coherente y funcional, salvo en el caso de Polonia. Aparte de eso, algunos de los ideales más fuertes de Reagan se truncaban por contiendas internas entre los suyos, y por una creencia, rayana en el desprecio, de algunos de los asesores del presidente que consideraban que era necesario salvarlo de su propio fervor e ignorancia, especialmente en lo tocante a la Unión Soviética.

En esta atmósfera, dos hombres, ambos con opiniones generales y estilos de trabajo del gusto de Reagan, alcanzaron una preeminencia que intrigaba a Haig y a los demás: se trataba de Bill Casey y William P. Clark. Más que cualquier otra persona en el gobierno, Clark comprendía los procesos y comprendía al presidente. En Sacramento (California) había sido jefe de personal del gobernador Reagan. Ahora había sido

nombrado por el presidente como su mediador personal en el departamento de Estado, suplente de Haig, con el título de consejero del
secretario.

Los dos temas a los que Clark y Casey les dedicaban más tiempo y
atención (aparte de las conversaciones con el presidente) –Polonia y la
cruzada anticomunista en Centroamérica– cada vez implicaban más al
Papa. En la primavera de 1981 Casey y Clark se pasaban con frecuencia
por la residencia del delegado apostólico del Papa en Washington, el arzobispo Pio Laghi, para desayunar, tomar el café y hacerle consultas;
Laghi entraba a la Casa Blanca por la "puerta negra" para reunirse secretamente con Casey, Clark y, más adelante, con el presidente.

"A ellos les gustaba el buen capuccino –decía Laghi refiriéndose a
Casey y Clark–. Ocasionalmente hablábamos sobre Centroamérica o
sobre la posición de la Iglesia respecto al control de la natalidad. Pero
por lo general el tema era Polonia. Con este contacto tan cercano, no
hubo nunca malentendidos".

"Reagan quería informes especiales sobre aspectos de inteligencia en
Polonia. Él tenía la sensación de que esta era una fisura temprana en la
cortina de hierro: un levantamiento popular –decía Clark–. Casey comprendía eso. Entonces le pedí al departamento de Estado, al Consejo de
Seguridad Nacional y a la CIA que la información fuera diaria, no sólo sobre lo que ocurría en Gdansk sino en toda Polonia y Europa oriental. Especialmente en lo que tenía que ver con Solidaridad y la reacción [en el
bloque comunista]".

Clark veía que Reagan estaba abrumado por asuntos que nunca habían aparecido en su horizonte mental antes de entrar a la Casa Blanca.
Era cierto que no sabía distinguir un misil de otro. Sus conversaciones
con Reagan sobre Polonia eran extremadamente cortas. "Creo que nunca tuve con él una conversación profunda, cara a cara, privada, por más
de tres minutos, sobre ningún tema –dijo–. Esto podría ser chocante. Teníamos nuestro propio código de comunicación. Yo sabía qué quería él
con Polonia. Y había que trabajar fuerte en ello. El presidente, Casey y
yo hablábamos sobre Polonia constantemente: operaciones encubiertas;
asignación de los trabajos, por qué y cómo; y sobre las posibilidades de
éxito". Y también sobre el papel del Vaticano.

Allen, Casey y el presidente comenzaron a reunirse regularmente con el miembro de la jerarquía católica en Estados Unidos más cercano a Juan Pablo II: el cardenal John Krol de Filadelfia. Más que cualquier otro clérigo, Krol mantenía informada a la Casa Blanca sobre la situación general de Solidaridad, sus necesidades y su relación con el episcopado polaco. Hacía de intermediario entre la Casa Blanca, Polonia y el Vaticano; quizás lo más importante era que él y el presidente desarrollaron una fuerte relación personal.

Allen llamaba a Krol, de manera poco elegante pero totalmente exacta, "el amigote del Papa". Edward Derwinski, congresista polaco-estadounidense por el estado de Illinois (enviado por la Casa Blanca a Polonia en 1981 para dar un vistazo a la situación) estaba maravillado de la rapidez con que progresaba la relación entre Reagan y Krol: "Desde el principio le cayó en gracia al presidente; allí había empatía. Ambos tenían la misma edad. Y él realmente comprendía la situación en Polonia: tenía la habilidad de interpretar correctamente la situación en Polonia. No solamente era consultado por el presidente sino por el departamento de Estado, el Consejo de Seguridad Nacional y la CIA". También elevó plegarias públicas en dos convenciones nacionales republicanas.

Derwinski sentía que Reagan se relacionaba con Krol de una manera muy similar a como lo hacía con sus viejos amigos del mundo de los negocios en California; eran hombres afables, poderosos y exitosos a quienes les gustaba bromear y se sentían muy bien en compañía de otros hombres. (Pocas cosas le gustaban a Krol más que un día en el campo de golf y un buen cigarro).

Krol era un hombre alto y atlético; la primera vez que se había visto con Karol Wojtyla fue en el Vaticano II, en donde cumplía la misión de subsecretario del concilio, y pasó muchos de sus ratos libres conversando –en polaco– y caminando con el obispo de Cracovia. En el cónclave que eligió a Juan Pablo II, Krol se aseguró desde el principio de que la Iglesia norteamericana fuera sólida en su apoyo a Wojtyla.

Gracias a esta amistad, desde el primer día del pontificado de Wojtyla pudo Krol tener un papel de extraordinaria importancia en la jerarquía de la Iglesia estadounidense, lo cual aumentaba su presencia ya dominante entre los cardenales norteamericanos. Sus lazos con la Santa Sede eran intensamente personales, y tenían profundas raíces en tierra polaca: el padre de Krol había nacido en Siekierczna, cerca de Wadowice; él y

Wojtyla habían sido elevados a la dignidad de cardenales juntos, el 21 de junio de 1967. En su discurso de aceptación del capelo rojo, Wojtyla había pedido que se dijeran también oraciones especiales por el otro nuevo cardenal polaco: Krol. Seis meses más tarde, Wojtyla viajó a la parroquia del padre de Krol para dar una homilía y recordar que "hace muchos, muchos años, los ancestros, los padres del cardenal Jan Krol partieron de este país hacia el Nuevo Mundo, llevando a su nueva patria... estos valores nacidos en Polonia".

Krol era diez años mayor que el Papa y también amaba la tradición de los "hermanos mayores", que ocupaba un lugar preponderante en la vida de Wojtyla. Siendo cardenal y luego en el Vaticano, Wojtyla experimentaba un placer especial e inocente con la compañía de Krol. Cantaban canciones polacas, bailaban, intercambiaban historias del folclor polaco, bromeaban en la mesa hablando en un dialecto polaco que ambos conocían.

Así, Krol se hallaba en una posición que le permitía hacer lo que no podía hacer ningún jerarca de la Iglesia y mucho menos otro estadounidense: convencer a Wojtyla de que los intereses de Polonia, el Vaticano y los Estados Unidos eran paralelos, y superar cualquier incomodidad que pudiera sentir Wojtyla respecto al hecho de establecer una relación tan cercana con una presidencia de los Estados Unidos.

Esta relación histórica, basada en una creencia antimarxista, que se desarrolló entre los Estados Unidos y el Vaticano, entre unas superpotencias temporal y espiritual, ofrecía la posibilidad de grandes beneficios para ambas partes, especialmente en relación con Polonia y Centroamérica. Desde la primavera de 1981, el gobierno de Reagan mantuvo un puente de inteligencia de alto nivel entre la Casa Blanca y el Papa, que regularmente recibía informes de Casey y Vernon Walters, el anterior subdirector de la CIA. Walters y Casey visitaron secretamente al Papa unas quince veces en un período de seis años, para hablar sobre asuntos de interés mutuo.

Los juicios del Papa, especialmente en lo que se refería a Polonia y Centroamérica, llegaron a tener un peso muy importante para la Casa Blanca, la CIA, el Consejo de Seguridad Nacional y, sobre todo, para el propio Ronald Reagan. Esperaba con impaciencia los informes de Walters y de Casey cuando viajaban al Vaticano. Otros presidentes esperaban ansiosamente que regresaran los bombarderos de sus misiones: Reagan esperaba los informes del Papa.

Entre tanto, el Papa era el depositario de algunos de los secretos mejor guardados de los Estados Unidos y de sofisticados análisis políticos: información de satélites, de agentes de inteligencia, de escuchas electrónicas, de discusiones políticas en la Casa Blanca, el departamento de Estado y la CIA. Entre 1981 y 1988, el general Walters se reunía con el Papa, según decía, a intervalos aproximados de seis meses e informaba a Wojtyla sobre prácticamente todos los aspectos de la política estadounidense y le daba evaluaciones de inteligencia –en el aspecto militar, político y económico– sobre cualquier tema de interés para el Vaticano.

El espectro de temas que trataban Walters y el Papa, tal como lo indican los cables confidenciales que le enviaba a la Casa Blanca, al departamento de Estado y a la CIA después de cada visita, era bastante amplio: Polonia, Centroamérica, terrorismo, política interna en Chile, poder militar chino, teología de la liberación, Argentina, la salud de Leonid Brezhnev ("creemos que ya está un poco gagá", le dijo Walters al Papa en 1982), las ambiciones nucleares de Pakistán, niveles convencionales de fuerza en Europa, disidencia en Ucrania, negociaciones en Medio Oriente, violencia en Sri Lanka, armamento nuclear estadounidense y soviético, guerra submarina, Lituania, armamento químico, "nueva tecnología soviética", Libia, Líbano, la hambruna en África, Chad, la política internacional del gobierno francés... para citar sólo una parte de los más de setenta y cinco temas mencionados en los cables confidenciales.

Al mismo tiempo, desde los primeros meses de la presidencia de Reagan, William Casey y el Papa se embarcaban secretamente en lo que el director de la CIA llamaba un continuo "diálogo geoestratégico", centrado en Polonia, la URSS y América Latina.

Desde la perspectiva de los objetivos del gobierno, cuanta más información recibiera el Papa de la inteligencia estadounidense, mejor. "Reagan tenía la profunda y férrea convicción de que este Papa contribuiría a cambiar el mundo", dice Richard Allen. De hecho, era Allen quien definía la relación Reagan-Vaticano como "una de las más grandes alianzas secretas de todos los tiempos". Pasando por alto la hipérbole, la descripción era precisa pues ambos poderes buscaban cumplir sus metas individuales recorriendo caminos paralelos: manteniendo al otro informado, siempre tomando en cuenta la sensibilidad de la otra parte, consultando, buscando terrenos morales y políticos comunes, intercambiando las enormes capacidades de inteligencia de ambos, pero nunca desarrollando formalmente actividades clandestinas conjuntas.

"Una de las cosas que se aprende sobre la Iglesia católica es que está organizada para obtener información de los fieles", le explicaba Allen al candidato Reagan. "Es una información excelente. Una agencia de inteligencia ideal debería organizarse de manera similar al Vaticano. En una inteligencia de primera línea".

Durante este extraordinario período de colaboración mutua entre el Vaticano y los Estados Unidos, la intransigente posición del Papa respecto al aborto fue reforzada por el gobierno de Reagan de la manera más elocuente: por orden del presidente se bloqueó la entrega de millones de dólares para programas de planificación familiar en todo el mundo; este era una acto de deferencia con el Papa, según el embajador estadounidense ante el Vaticano de ese tiempo. El recorte se mantuvo en el gobierno de Bush. Casey, Walters y el embajador hablaban frecuentemente con el Papa sobre moral y sobre cuestiones políticas.

Entre tanto, respecto al tema más importante de control de armamentos del siglo –la introducción por parte de la OTAN de una nueva generación de misiles cruceros en Europa occidental– el Papa, a través de su significativo silencio, parecía apoyar la política de los Estados Unidos. A pesar de la oposición pública de sus obispos estadounidenses, el Pontífice adoptó esta postura después de largos informes de Walters y Casey, y de los llamados de propio presidente al arzobispo Laghi, al cardenal Krol y al Papa.

El Vaticano también obtuvo de Walters y de Casey datos definitivos de inteligencia –algunos de ellos basados en comunicaciones telefónicas interceptadas– sobre sacerdotes y obispos en Nicaragua y El Salvador, quienes defendían la teología de la liberación y se oponían activamente a las fuerzas patrocinadas allí por los Estados Unidos. Por orden de Casey, el coronel Oliver North, del Consejo de Seguridad Nacional y otros, les hacían pagos secretos a los sacerdotes del "establecimiento" en Centroamérica leales al Papa, aunque no hay pruebas que indiquen que el Papa sabía de esos pagos. El presidente Reagan, sin embargo, sí sabía.

Varsovia

Desde su posición en Varsovia, el general Jaruzelski percibía un problema incluso peor que Solidaridad: Moscú. Los miembros del Politburó no entendían a Polonia, su historia, o la situación en la cual se encontraban Jaruzelski y los dirigentes del país. Sobre todo, le preocupaba el hecho de que no entendieran a la Iglesia y su función en la sociedad. Es posible que Solidaridad representara una calamidad para el socialismo; sin embargo, estaba convencido de que el Kremlin podía acarrear una catástrofe para Polonia y el mundo.

El 4 de marzo de 1981, él y Kania habían sido convocados al Kremlin, en donde habían tenido que soportar las recriminaciones de Brezhnev y los altos miembros del Politburó: Gromyko, Andropov, Suslov, Ustinov, Rusakov y Tikhonov. La sesión había sido bastante brutal. ¿Cuándo –les preguntaron– iban a imponer la ley marcial? ¿Por qué no arrestaban a los revoltosos? ¿Acaso no entendían que el partido estaba perdiendo toda su autoridad ante el pueblo? ¿Que sus aliados estaban alborotados? ¿Cómo podían hundir a la Iglesia? ¿Acaso no se daban cuenta de que el Papa era un instrumento de las potencias occidentales, que el Papa *era* la oposición?

Después de la sesión, se expidió un comunicado para la prensa polaca y rusa en el que se anunciaba el acuerdo unánime según el cual la defensa del comunismo en un país determinado –como Polonia– era un asunto que no sólo competía a dicho país, sino a "toda la comunidad socialista. ... La comunidad socialista es indisoluble". Jaruzelski comprendió que se trataba de una reafirmación implícita de la doctrina Brezhnev, un eco de la fórmula que se había utilizado para justificar la invasión de Checoslovaquia en la primavera de 1968.

En prácticamente todas las conversaciones que había sostenido Jaruzelski con Brezhnev desde el nacimiento de Solidaridad, el presidente soviético se había quejado del papel desempeñado por la Iglesia y del Papa.

"Brezhnev, Gromyko, Ustinov y el establecimiento soviético veían nexos ideológicos entre el Vaticano y Occidente, y ese siempre fue el contexto de nuestras conversaciones –diría Jaruzelski más tarde–. Su percepción era muy primitiva". Cada vez que levantaba el auricular del teléfono, o así le parecía, uno de los "aliados hermanos" o alguien de Moscú estaba en la línea preguntando perentoriamente el porqué había hecho esta o aquella concesión a la Iglesia. ¿Por qué se permitía la transmisión radial de los servicios religiosos? (El gobierno había aceptado esto como parte del acuerdo para poner fin a las huelgas de agosto). ¿Por qué había sacerdotes en las fábricas? Peor aún, Jaruzelski tenía ahora a una sucesión interminable de políticos, generales y otros representantes del Pacto de Varsovia mirando por encima de su hombro en todo momento. Invariablemente veían a la Iglesia como un enigma inexplicable: si se sabía que la Iglesia estaba aliada con Solidaridad, ¿por qué dejarla florecer? Controlen a los obispos, restrínjanles la autoridad, saquen a los sacerdotes de las fábricas, no dialoguen con la Iglesia, cierren los seminarios.

Jaruzelski sabía que las cosas no eran así de simples, pero en Moscú, en Berlín, en Praga y en Budapest los camaradas parecían estar presionándolo para que adoptara una solución simplista que terminaría en un baño de sangre: polacos combatiendo contra polacos, una guerra civil en el seno del ejército polaco o, peor aún, soldados rusos y tropas del Pacto de Varsovia luchando contra polacos en las calles. Los notables soviéticos parecían no saber que, sin la Iglesia, era imposible mantener la paz en esas condiciones.

Jaruzelski y Kania habían intentado explicar todo esto a Brezhnev, Gromyko y las delegaciones que el Politburó enviaba incesantemente a Varsovia. Ahora, al llegar la primavera de 1981 a Polonia, estallaron nuevas manifestaciones y Solidaridad incluso convocó a una huelga general. Nunca antes había tenido Solidaridad un apoyo popular tan fuerte. Las tropas soviéticas nuevamente estaban realizando "maniobras". Unidades del Pacto de Varsovia estaban efectuando aterrizajes en la costa báltica de Polonia, y realizando juegos de guerra en varios otros lugares del territorio polaco. Los países occidentales estaban amenazando una vez más a la URSS con las consecuencias de una intervención. Jaruzelski creía que él y Kania debían reunirse nuevamente con el Politburó para contener a los soviéticos y explicarles las últimas acciones del gobierno de Varsovia, sobre todo en lo concerniente a la Iglesia, que en las dos últimas semanas había asumido un papel más destacado en las negociaciones entre el Estado y el sindicato.

Como era apenas lógico, Jaruzelski había reflexionado bastante acerca de los miembros individuales del Politburó y su antipatía particular con respecto a la Iglesia. Ustinov (quien llamaba a Jaruzelski el "general liberal"), Suslov, Chernenko y Ligachov eran especialmente agresivos en sus críticas contra el Papa y la Iglesia. Era la política occidental, y no el Espíritu Santo, la que había instado a los obispos a votar por Wojtyla: ese era un artículo de fe en Moscú, y los cuatro dirigentes no cesaban de recordárselo a Jaruzelski. Creían que Zbigniew Brzczinski había orquestado la elección de Juan Pablo II con ayuda del cardenal Krol.

En cuanto a Brezhnev, señaló Jaruzelski,

> de muchacho había participado en la revolución. De modo que, en su juventud, fue una de las personas comprometidas en las pugnas más tenaces y más marcadamente ideológicas contra la Iglesia; y habían sido muy brutales. También combatió a la Iglesia en Ucrania, en donde trabajó muchos años. De manera que era uno de esos bolcheviques que absorben ateísmo y actitudes antieclesiásticas en la leche materna. Si hablaba de la Iglesia, se refería a ella como a un enemigo ... no sólo un enemigo ideológico, sino también político.

Los "camaradas hermanos" tampoco entendían la posición especial del catolicismo polaco.

> No estaban conscientes de la fuerza subyacente de la Iglesia en Polonia. La Iglesia en Rusia había sido prácticamente destruida. En Checoslovaquia era débil y estaba dividida; ... En Hungría había sido, podría decirse, pacificada. ... En Bulgaria no había ningún problema, y mucho menos en Rumania. Los obispos rumanos se inclinaban ante Ceausescu. De modo que, a este respecto, Polonia era una excepción; y por tanto, nuestros aliados en Moscú y en otros lugares no nos entendían. Preguntaban incesantemente, "¿cómo es posible que todos los demás puedan tratar con la Iglesia y ustedes no?"

Jaruzelski recordaba sobre todo una de las declaraciones de Brezhnev en este contexto:

> Dijo que la Iglesia estaba expandiendo su influencia y dificultando las cosas en Polonia, pese a lo cual estábamos concediendo tal cantidad de licencias de construcción de iglesias que nos estábamos rindiendo ante ella. Y la Iglesia, al fin y al cabo, era nuestra enemiga, dijo Brezhnev; tarde o temprano nos iba a *amordazar, nos iba a asfixiar.*

El 30 de marzo, Ronald Reagan tenía muy presentes a Polonia y el Papa. En su reunión de las nueve de la mañana en la Oficina Oval, repasó los últimos informes de inteligencia en la sección especial de la información diaria sobre Polonia que se entregaba al presidente: el espacio aéreo polaco había sido cerrado dos días antes para facilitar nuevas maniobras del Pacto de Varsovia. En Alemania Oriental, todos los vagones plataforma de los trenes habían sido requeridos por los militares. A lo largo de las fronteras de Polonia, ciento cincuenta mil soldados de la URSS, Alemania Oriental y las demás naciones del bloque comunista habían vuelto a tomar posiciones que auguraban invasión. El secretario de Defensa Weinberger había declarado públicamente que Estados Unidos no descartaba el recurso a la fuerza militar si Polonia era invadida, afirmación que había molestado considerablemente al secretario de Estado Haig porque la retaliación armada estadounidense no era una posibilidad real.

Esa tarde Reagan debía hablar ante una audiencia del Departamento de los Gremios de Construcción del AFL-CIO, una de las funciones políticas rutinarias de los presidentes. Dado el papel desempeñado por el AFL-CIO en brindar ayuda estadounidense al movimiento de trabajadores polacos, tenía especial interés en utilizar su comparecencia para decir algunas palabras sobre Polonia y sus trabajadores. En ese momento Polonia era un polvorín, pues se encontraba en una situación sin precedentes: decenas de millones de trabajadores y trabajadoras polacos habían participado en una huelga nacional de cuatro horas el 27 de marzo, la protesta organizada más grande contra un gobierno comunista desde la Segunda Guerra Mundial. El país había quedado paralizado. La profunda convicción de Reagan sobre el colapso interno del comunismo parecía estarse convirtiendo en realidad en Polonia.

A través del canal de comunicación reservado entre la Casa Blanca y los apartamentos papales, Reagan sabía que el 23 de febrero el Papa le había escrito una carta a Brezhnev, pidiéndole que respetara la soberanía de Polonia y los derechos de Solidaridad. Corrían rumores (probablemente infundados, pero creídos por muchos en Polonia y alentados por algunos en el Vaticano) de que si las tropas soviéticas intervenían, el Papa se apresuraría a viajar a su patria y se interpondría en persona entre el pueblo y los tanques rusos.

Esa tarde, cuando el presidente estaba por concluir su discurso ante la reunión de trabajadores de los gremios de la construcción en el Washington Hilton, pidió apoyo para sus planes de reconstruir el estamento militar estadounidense. Luego hizo una pausa y envió un saludo a los trabajadores de Polonia. "Su coraje nos recuerda no sólo la preciosa libertad que tenemos y que debemos nutrir y proteger, sino también el espíritu en cada uno de nosotros, en todas partes". Hubo vítores y un ruidoso aplauso. "Los trabajadores polacos se yerguen como centinelas en nombre de principios humanos universales y nos recuerdan que en esta buena Tierra, las personas siempre prevalecerán", prosiguió.

Unos minutos después, cuando se disponía a entrar en su limusina afuera del hotel, el presidente fue críticamente herido en el costado por un disparo hecho por John Hinckley Jr. Introducido de inmediato en el auto por agentes del servicio secreto, Ronald Reagan fue llevado velozmente al George Washington University Hospital.

En Roma, tan pronto escuchó la noticia, el Papa se detuvo para orar por la recuperación de Reagan y casi de inmediato le envió un mensaje personal con sus oraciones y esperanzas.

En el hospital, Reagan fue sometido a cirugía para la remoción de una bala que le había penetrado el pulmón y se había alojado a dos centímetros y medio de su corazón y de la aorta, salvándose por escasos milímetros de una muerte segura.

Fue un "milagro" que sobreviviera, dijeron los médicos.

Moscú

El presidente Brezhnev inauguró la reunión del Politburó del 2 de abril con una crítica.

"Todos nos preocupamos grandemente por el resultado de los sucesos en Polonia –dijo–. Lo peor es que nuestros amigos escuchan nuestras recomendaciones y están de acuerdo con ellas, pero en la práctica no hacen nada. Y una contrarrevolución está tomando la ofensiva en todos los frentes".

El último acuerdo entre el gobierno y el sindicato, pactado tres días antes por presión del Papa y con los obispos como intermediarios, estaba muy presente en la mente de Brezhnev. "Nuestros amigos lograron evitar una [segunda] huelga general –observó Brezhnev–. Pero ¿a qué precio? Al precio de capitular una vez más ante la oposición". El gobierno había aceptado reconocer un nuevo sindicato agrícola bajo la bandera de Solidaridad Rural e investigar y castigar a los policías que habían atacado a los trabajadores en la ciudad de Bydgoszcz durante una manifestación de protesta. Con todo, muchos miembros del sindicato se sentían molestos con la dirigencia por haber aceptado poner fin a la huelga general en el cenit del poder de Solidaridad y por haber renunciado a otras demandas, entre ellas la liberación de prisioneros arrestados por actividades antigubernamentales entre 1976 y 1980.

Ahora Brezhnev informó furioso a sus camaradas sobre su última conversación telefónica con Kania, quien se sentía herido porque el 26° Congreso del Partido Soviético, celebrado hacía poco, había criticado duramente las políticas de su gobierno y su constante cesión de terreno a Solidaridad.

> Le dije inmediatamente [contó Brezhnev], "hicieron bien. Usted ha debido recibir más que críticas, le han debido propinar una buena golpiza. Quizás así habría entendido". Estas fueron mis palabras literales. El camarada Kania admitió que habían actuado con debilidad, que tenían que ser más duros.
>
> A ese respecto, le dije: "Pero cuántas veces le hemos dicho que tiene que tomar medidas decisivas, que no debe estar siempre cediendo ante 'Solidaridad'. Ustedes todos insisten en la vía pacífica, sin entender o sin

querer entender que el tipo de 'vía pacífica' que propugnan puede provocar un baño de sangre".

La evaluación que hizo el ministro de Defensa Ustinov ante los demás miembros del Politburó fue escalofriante:

> Creo que el derramamiento de sangre es inevitable: va a suceder. Y si lo tememos, entonces desde luego nos veremos forzados a renunciar a una posición tras otra. *Pero, de esta manera, podríamos perder todos los logros del socialismo.*

Así las cosas, el 2 de abril de 1981, sesenta y cuatro años después de la revolución bolchevique y transcurridos apenas ocho meses desde que los trabajadores de Gdansk se apoderaron del astillero Vladimir Lenin, los hombres del Kremlin comenzaban a discutir lo impensable: que todos los logros del socialismo, de la revolución de Lenin, podrían perderse.

Esto era mucho peor que cualquier otra revuelta u oposición que hubieran tenido que afrontar los soviéticos en la era de la posguerra. A diferencia de lo ocurrido en 1956 y 1968, los soviéticos tenían ahora opciones limitadas: por Afganistán; por la forma en que el mundo entero, incluida la izquierda, había acogido la causa de Solidaridad; por la pérdida de cualquier elemento de sorpresa en caso de una intervención militar; por las condiciones económicas y sociales en deterioro en la URSS. Los países occidentales estaban dispuestos a invocar sanciones verdaderamente draconianas contra los soviéticos si intervenían: habría castigos económicos, políticos, sociales y morales. Durante semanas, la primera ministra británica Margaret Thatcher había conversado por teléfono con otros líderes occidentales, diciéndoles que tenían que tener un plan coordinado. Estados Unidos había advertido a los soviéticos que no se aprovecharan de Polonia mientras Reagan se recuperaba. El Papa era otro factor que debía tenerse en cuenta, un enorme factor, comenzando por el interrogante de si realmente se atrevería a viajar a Polonia e interponerse de cuerpo entero ante un ejército invasor.

El 28 de marzo, el embajador soviético en Roma se había reunido de urgencia con el Papa durante dos horas. Luego, Juan Pablo II le dijo al cardenal Casaroli que la URSS había prometido no intervenir en los siguientes seis meses si el Vaticano mantenía el control sobre los sucesos en Polonia, presumiblemente encontrando la manera de disuadir a Solidaridad de convocar nuevas huelgas paralizantes. El Papa ya estaba avanzando en esa dirección, pues le había escrito una carta al cardenal Wyszynski que se publicó esa mañana en *L'Osservatore Romano:* "La opinión generalizada de las naciones amantes de la paz se pone de manifiesto en su convicción de que los polacos tienen el derecho inalienable de resolver sus problemas por sí solos y con sus propios recursos". La referencia a los soviéticos era muy clara.

Las "vastas masas" de trabajadores polacos, declaró el Papa, "están conscientes de la necesidad de dedicarse por completo a su trabajo a fin de superar las dificultades económicas del país. Desean trabajar y no entrar en huelga". Urgió "un acuerdo ... entre las autoridades estatales y representantes de los trabajadores para fortalecer la paz interna y renovar los principios convenidos entre todos el pasado otoño".

El acuerdo pactado pocos días después, ese que tanto había enfurecido a Brezhnev, satisfacía los criterios del Papa al reafirmar los acuerdos de Gdansk y otorgar aún más poder a Solidaridad. A cambio, el sindicato había renunciado a sus planes de convocar una huelga general y a la posibilidad de otro choque violento.

Esos "principios" mencionados por el Papa, como todos en el Politburó sabían, significaban reconocer la legitimidad de Solidaridad como representante de las clases trabajadoras: una alianza anticomunista de trabajadores en un Estado de los trabajadores. Yuri Andropov, que quizás era el miembro del Politburó que tenía información más precisa sobre la situación interna de Polonia –debido tanto a su participación en la comisión de emergencia polaca como a su cargo como jefe de la KGB– enunció el problema en la reunión del 2 de abril:

> Solidaridad comienza ahora a apoderarse de una posición tras otra. Si se convoca una sesión extraordinaria [del Parlamento polaco], no puede excluirse la posibilidad de que quede por completo en manos de los representantes de Solidaridad, y en ese momento, en un golpe de Estado incruento, se tomarán el poder.

Entre tanto, según informó Ustinov, la situación en el ejército polaco "se ha ido deteriorado. El hecho es que han reemplazado a un número significativo de reclutas antiguos por nuevos, la mayor parte de las cuales simpatiza con Solidaridad, y de esa forma se debilita el ejército. Nos parece que debemos mantener a los reclutas antiguos en el ejército polaco y no permitir que sean dados de baja. Sin embargo, lo polacos no quieren esto".

–Tendremos que decirles lo que significa introducir la ley marcial y explicárselos todo –dijo Brezhnev.

–Así es –enfatizó Andropov, sometiéndose como siempre al hombre de rostro ceroso que detentaba el mando, el hombre a quien sucedería el año siguiente–. Tenemos que decirles que la ley marcial significa toque de queda, restricción de desplazamientos en las calles de las ciudades, fortalecimiento de la seguridad estatal en las instituciones del partido, las fábricas, etc. La presión de los líderes de Solidaridad ha dejado a Jaruzelski en condiciones terribles, mientras que Kania últimamente ha comenzado a beber más y más. Es un asunto muy triste.

Al propio tiempo, continuó,

> Quiero señalar que los sucesos en Polonia también están ejerciendo influencia sobre las áreas occidentales de nuestro país. En particular, en muchos pueblos bielorrusos en donde se escucha claramente la señal de radio y la televisión en idioma polaco. ... [En] otras áreas, sobre todo en Georgia, hay manifestaciones espontáneas, grupos que gritan consignas antisoviéticas en las calles, como sucedió no hace mucho en Tbilisi [en Georgia]. Aquí también tendremos que tomar medidas internas severas.

Desde su nombramiento como primer ministro en febrero, por petición de los soviéticos, Jaruzelski pasaba prácticamente todos los días y las noches en el edificio del Consejo de Ministros en Varsovia. Esta costumbre se había acentuado durante la crisis de las últimas dos semanas. Había hecho acondicionar un pequeño dormitorio cerca de su oficina, y llevaba días sin ver a su esposa y a su hija.

La presión de las críticas comunistas incesantes contra la dirigencia polaca comenzaba a reflejarse: incluso detrás de las gafas oscuras que ocultaban los ojos de Jaruzelski, la fatiga era evidente. Las últimas críticas de Moscú, Praga, Berlín y los partidarios de línea dura del partido polaco habían sido las más severas hasta el momento. La fuerza y la posición de Solidaridad no sólo tenían arraigo en Polonia: el movimiento había seducido la imaginación del mundo. Jaruzelski intuía que también esto le parecía intolerable al Kremlin. Kania le había dicho que unos días antes Brezhnev lo había llamado por teléfono y le había exigido que tomaran medidas contra Solidaridad, sugiriendo que el gobierno "descubriera" unos depósitos de municiones secretos pertenecientes a los sindicatos.

Esto le recordaba a Jaruzelski el escenario checoslovaco de 1968, cuando los soviéticos habían invadido con un pretexto similar, lo que "probablemente explica la condición anímica en la que me encontraba ese 3 de abril", diría después. Esa tarde Kania le informó que en pocas horas debían reunirse con "uno de los adjuntos de Brezhnev: una reunión absolutamente secreta, cuyo lugar y hora serían anunciados en el último instante".

Recordando la experiencia del presidente checoslovaco Alexander Dubcek, quien había sido convocado a Moscú y arrestado, Jaruzelski llamó a su amigo el general Michal Janiszewski y le pidió que cuidara de su esposa y de su hija de ser necesario.

> No le podía decir más, pero creo que entendió el significado de mi petición, porque cuando nos despedimos –después de haber él intentado en vano convencerme de que lo llevara conmigo–, se permitió un gesto inusual: me abrazó sin musitar palabra.

Acompañado sólo por un colaborador, a quien Jaruzelski confió una pistola y una granada de mano que contenía gas venenoso, Jaruzelski fue a la oficina de Kania y juntos se dirigieron al aeropuerto militar de Okecie.

Eran aproximadamente las siete de la noche. Sólo había un avión en la pista, un Tupolev 134 sin marcas de identificación: ni la estrella roja de los aviones del Ejército Rojo ni la inscripción de "Aeroflot" de los aviones usualmente utilizados por el gobierno soviético. Un solo oficial del estado mayor del Pacto de Varsovia aguardaba al pie de la escalerilla.

El vuelo, que duró un poco menos de una hora, tomó un rumbo evasivo para preservar el secreto antes de dirigirse a la región Brest-Litovsk, sobre la frontera soviética.

Cuando el avión aterrizó [recordó Jaruzelski] sólo observé que estábamos bastante lejos de los edificios del aeropuerto, cuyas luces apenas se distinguían. Nos aguardaban tres automóviles, tres Volgas, con cortinas pero sin placas. No había nadie de uniforme; eran civiles que no necesitaban sacar sus documentos de identificación para demostrar que pertenecían a la KGB. Nos subimos al primer automóvil (mi colaborador se negó a dejarnos), y partimos de inmediato. Yo no tenía idea de dónde estábamos. La ausencia de señales en la carretera sólo acentuaba la sensación de que viajaba hacia algún planeta desconocido. En cierto momento, nuestros autos tomaron por una pequeña carretera sin pavimentar que nos llevó hasta un enorme edificio de ladrillo rojo, mitad fortaleza, mitad prisión. En ese momento me dije: este podría ser un viaje sin regreso. Sin pronunciar palabra miré a Kania, quien evidentemente estaba pensando lo mismo.

A la luz de los faros del vehículo, Jaruzelski pudo distinguir tres vagones de tren soviéticos. La caravana de automóviles estacionó cerca y, cuando les abrieron las puertas a Kania y a Jaruzelski, dos hombres salieron del primer vagón para darles la bienvenida.

Eran Andropov y Ustinov, el jefe de la KGB y el ministro de Defensa. "En un sistema en el que todos los elementos del cuadro tienen su propio significado, el mensaje era claro", reflexionó Jaruzelski. Él y Kania siguieron a sus "anfitriones" hasta el vagón de tren.

La ubicación misma de la vía muerta del ferrocarril, cerca de la ciudad de Brest y cruzando apenas la frontera soviética, no habría podido simbolizar mejor su predicamento: Polonia no sólo era el más grande de los países cedidos a los soviéticos en Yalta, tanto en términos de población (37 millones en 1981) como de tamaño (312 677 km²); también era el corredor occidental que comunicaba a los soviéticos con Alemania Oriental y, más allá, con Europa occidental. Cuando Gromyko insistió con tanto apremio, "no podemos perder a Polonia", implícitamente estaba diciendo lo obvio: sin Polonia, y los miles de soldados soviéticos allí acantonados, la hegemonía incuestionable de la URSS sobre los países comunistas de Europa oriental y central no podía existir.

Los cuatro participantes en la sesión secreta de esa noche –Kania, Jaruzelski, Ustinov y Andropov– estaban muy conscientes del otro rasgo distintivo de Polonia: el Partido Comunista más débil del bloque oriental (como observó un historiador) estaba siendo aplastado por la Iglesia más fuerte de Europa.

Los dos altos oficiales polacos siguieron entonces a sus anfitriones al interior de un vagón de tren muy lujoso, especialmente diseñado para reuniones importantes, con una gran mesa rectangular cubierta con una bayeta verde. Había sillones y sofás y, como la sesión iba a ser larga, un *buffet* suntuoso.

"Pilas de sánduches, té, café y cerveza, sánduches con caviar, pescado y algo de carne –diría más tarde Jaruzelski–. Había buena comida y la atmósfera era muy agradable".

La conversación fue mucho menos placentera.

Durante seis horas –hasta las tres de la mañana–, Ustinov y Andropov recitaron una letanía de pecados cometidos por las autoridades polacas e insistieron en que sólo existía una forma de obtener la absolución: imponiendo la ley marcial en Polonia.

Por más resistencia que él y Kania oponían, los rusos permanecían inflexibles. ¿Acaso no comprendían los camaradas polacos que las fuerzas antisocialistas, respaldadas por el Papa y por los países occidentales, se estaban en realidad preparando para tomarse el poder? Solidaridad debía ser declarada ilegal; era preciso movilizar a los militares contra los enemigos del socialismo; había que proscribir las huelgas y las protestas; el partido tenía que ser rejuvenecido; la Iglesia tenía que retomar su función original, servir a los fieles, y no inmiscuirse en política. "Dijeron que habíamos incumplido nuestros compromisos y promesas, y que casi no habíamos hecho nada para frenar la contrarrevolución ... [que] habíamos permitido que la Iglesia asumiera un papel cada vez más importante", diría más tarde Jaruzelski.

"En muchos países –les dijo Ustinov–, tan pronto estalla un levantamiento o se percibe algún tipo de confusión, se toman medidas extraordinarias o se introduce la ley marcial. Tómese el caso de Yugoslavia: hubo una manifestación en Kosovo, implantaron la ley marcial y nadie dijo nada al respecto. No entendemos por qué los polacos temen introducir la ley marcial".

Una y otra vez, los dirigentes polacos intentaron explicar el porqué. Kania convino en que los sucesos recientes, sobre todo la huelga general y lo ocurrido en Bydgoszcz, habían demostrado que la contrarrevolución era en ese momento más fuerte que las fuerzas del partido. Pero tanto él como Jaruzelski pidieron tiempo, aduciendo que la intervención por parte de tropas del Pacto de Varsovia era "absolutamente imposible" y que era igualmente impensable que el gobierno polaco impusiera la ley marcial a su propio pueblo. El gobierno sería "mal interpretado" y acabaría "sin poder". "Sí, era cierto que la Iglesia tenía una gran cantidad de influencia –recuerda haber admitido Jaruzelski–, pero en calidad de pacificadora: no tenía deseo alguno de impugnar los poderes socialistas. Les pedimos a nuestros interlocutores que nos dieran tiempo para resolver nosotros mismos nuestros problemas, con nuestros propios medios".

Andropov y Ustinov dejaron hablar a los camaradas polacos, escuchando con paciencia mientras Jaruzelski y Kania explicaban sus circunstancias especiales. El tono de los rusos –sobre todo al dirigirse a Jaruzelski, a quien llamaban "general" en comparación con el "Stanislaw" más familiar con que se dirigían a Kania– era respetuoso, así el mensaje fuera desagradable. Sin embargo, recordó Jaruzelski,

> estos hombres viejos no se daban cuenta de que la llama sagrada comenzaba a chisporrotear. No podían entender que el pueblo polaco, u otras naciones, habían comenzado a cuestionar los dogmas del sistema. El concepto según el cual los sindicatos ya no eran tan sólo un eslabón de transmisión del partido era una herejía para ellos. Nosotros –y cuando digo nosotros me refiero a los líderes que se habían comprometido a insuflarle vida a los acuerdos de Gdansk y a la nueva línea política del partido– intentamos explicar a los soviéticos la situación particular de Polonia. Pero no querían entender.

Ahora, en el vagón de tren profusamente amoblado, Jaruzelski escuchó con sumo cuidado mientras Ustinov y Andropov volvían a amenazar con una intervención militar. El tono era uniforme, las palabras precisas.

"Las palabras claves fueron 'preparando la intervención' –recordó Jaruzelski–. Yo había pasado por una experiencia propia, el anterior diciembre, que estudié con mucho cuidado, [así como] la intervención soviética en Hungría y Checoslovaquia. Sabía que las decisiones se toman en los últimos cinco minutos, y que nadie las prevé. Sentía que lo más importante ahora era juzgar correctamente la situación, las circunstancias, la lógica de los acontecimientos. 'No podemos aceptar el desmantelamiento de un Estado que formara parte del Tratado de Varsovia', dijeron".

Entre tanto, el sentido estratégico de Jaruzelski, sus instintos como general, no como primer ministro, se concentraban en un detalle ominoso: como en diciembre, "los hospitales rusos cercanos a nuestras fronteras fueron desocupados para alojar a reservistas del ejército que hablaban polaco; había dos sedes del Pacto de Varsovia en donde se ubicaban tropas especiales como esas, tropas especiales de reconocimiento": una guardia de avanzada que allanaría el camino para que otras fuerzas que no hablaban polaco invadieran el país. "Es preciso recordar que no teníamos fronteras con países occidentales –prosiguió–. Estábamos rodeados de naciones socialistas. Hay que recordar que Checoslovaquia y Hungría lindaban con estados miembros de la OTAN...".

Se dio cuenta de que "si en ese momento yo fuera un general ruso y estuviera estudiando el mapa de Europa y el mundo, estaría a favor de la intervención". Finalmente, entre grandes porciones de caviar, pescado y sánduches, luego de seis horas de argumentaciones tortuosas de lado y lado, Andropov y Ustinov

repitieron la observación de Brezhnev que sus representantes en Polonia siempre repetían y que este pronunció por primera vez en diciembre de 1980: "No vamos a ingresar a Polonia ahora, pero si es necesario, si la situación empeora, entraremos". Repitieron otra importante observación de Brezhnev: "Un amigo nunca dejaría a nuestros amigos polacos solos en la estacada".

Al culminar la reunión, "estábamos agotados–escribió Jaruzelski en sus memorias–. Pero nos mantuvimos firmes y quedamos convencidos de haber obtenido una prórroga". Ni él ni Kania informaron al Politburó polaco acerca de la reunión.

Seis días después, Andropov y Ustinov informaron al Politburó soviético sobre su reunión con los dirigentes polacos. Según dijeron, Jaruzelski y Kania habían aceptado en Brest firmar documentos que eventualmente se utilizarían para decretar la ley marcial. Jaruzelski, agregaron, buscó repetidamente la aprobación soviética durante la reunión para presentar su renuncia.

"El borrador del documento para la implantación de la ley marcial se preparó con la ayuda de nuestros camaradas y estos documentos deben ser firmados", fue la explicación que, según dijo Andropov, él y Ustinov habían dado en el vagón de tren. "Los camaradas polacos dijeron, '¿cómo podemos firmar esos documentos cuando los tiene que aprobar el Sejm, etc.?' "

Según las actas del Politburó, finalmente aceptaron firmar los documentos más tarde ese mismo mes, después de haber levantado las sesiones el Sejm.

Dijimos que no era necesario que pasaran por el Sejm, que "este es el documento con base en el cual actuarán cuando implanten la ley marcial. Pero ahora ustedes personalmente, camarada Kania y camarada Jaruzelski, tienen que firmar para que sepamos que están de acuerdo con el documento y que sabrán lo que hay que hacer cuando se imponga la ley marcial"*.

"La impresión general que nos quedó de la reunión con nuestros camaradas es que se sentían tensos y nerviosos y constatamos cuán agotados estaban –informó Andropov–. El camarada Kania dijo francamente que les resultaba muy difícil continuar, que 'Solidaridad' y otras fuerzas antisocialistas los estaban presionando. ... El camarada Jaruzelski volvió a manifestar su deseo de ser descargado de su responsabilidad como primer ministro. Le explicamos muy sencillamente que tenía que continuar

---

* Más tarde Jaruzelski diría que en realidad nunca firmó los documentos.

en el cargo y cumplir dignamente con las obligaciones inherentes a él. Hicimos énfasis en que el enemigo estaba preparando sus fuerzas para tomarse el poder".

A los rusos les interesaba tanto como a los polacos mantener en secreto la reunión.

–Quizás debamos preparar algo de información para los "partidos hermanos" –sugirió Suslov en la reunión subsiguiente del Politburó.

–Pero de ninguna manera debemos aludir a la reunión realizada –interpuso Gromyko.

Andropov cerró la puerta.

–Cualquier discusión sobre esta reunión queda totalmente prohibida.

El 7 de abril, cuatro días después de la reunión de Brest, Brezhnev anunció la terminación de los "ejercicios militares" alrededor de Polonia y manifestó que los polacos eran capaces de solucionar sus propios problemas.

"Por una parte, no debemos molestarlos innecesariamente", advirtió Brezhnev. De lo contrario, podrían "sentirse desanimados. Por otra parte, debemos mantener una presión constante".

El 23 de abril, en momentos en que Suslov llegaba a Varsovia para recordar a los camaradas polacos su deber, la comisión polaca del Politburó expidió otro informe implacable:

¡Proletarios de todos los países... uníos!

TOP SECRET
ARCHIVO ESPECIAL

... Solidaridad, como grupo y como facciones separadas, se está preparando para chantajear una vez más a las autoridades planteando diversas exigencias de naturaleza política. ... Walesa y los extremistas del KOR-KOS [el Comité de Defensa Social], el mismo Walesa y el clero católico que lo respalda, no tienen intención alguna de aflojar la presión sobre el PUWP. Así mismo, no debemos ignorar el hecho de que los extremistas pueden asumir el control de "Solidaridad" con todas las consecuencias obvias.

A la sombra

Desde hacía mucho tiempo el director de la Oficina Central de Inteligencia se había convertido en una figura importante en la presidencia estadounidense moderna, pero William Casey le confirió a su cargo un poder sin precedentes, pues contribuía a configurar las políticas de Estados Unidos tanto como los secretarios de Estado y de Defensa y el asesor de seguridad nacional del presidente. En esa extraña época que fue el gobierno de Reagan, Casey tenía dos carteras: ministro clandestino de Estado y de Guerra, según la frase no exagerada de un biógrafo.

Después de casi todas sus visitas al Papa –probablemente unas seis o siete en total–, Casey por lo general resumía la esencia de sus conversaciones en cartas confidenciales dirigidas al presidente. Casi siempre ocupaban dos o tres páginas y se referían principalmente a Polonia, la Unión Soviética, Europa oriental y Centroamérica. Algunos momentos de las visitas de Casey eran intensamente privados: él y el Papa hablaban sobre asuntos religiosos, entablando una conversación íntima y espiritual. Según los colegas de Casey, este no compartía con nadie los detalles de estos coloquios, salvo quizás con su familia. Su viuda, Sophia, confirma que el Papa y el director de la CIA se pidieron uno al otro orar por diversos asuntos de interés individual y mutuo.

Cuando realizaba sus giras mundiales en misiones de inteligencia estadounidenses, viajando en un avión camuflado de la fuerza aérea, Casey muchas veces se creía en la obligación de pasar primero por Roma... y por el Vaticano. También se reunía con altos miembros de la curia romana –por lo general el secretario de Estado, el cardenal Casaroli– antes o después de ver al Papa. Fue en sus diversas condiciones –ministro clandestino, anticomunista y practicante católico– como llegó Casey al Vaticano el 23 de abril de 1981.

"Yo describiría el punto central de sus conversaciones sobre Polonia como las medidas que se podrían tomar para preservar vivos a Solidaridad y el movimiento clandestino y mantener alejados a los soviéticos, de forma tal que las fuerzas políticas y económicas naturales pudieran salir a la palestra, y crear eventualmente la 'salida' de la que hablaban Reagan, Casey y otros –dijo Robert Gates, adjunto y sucesor de Casey–. Se trataba de un proceso evolucionario, no de uno revolucionario: un proceso que permitiría a Polonia distanciarse cada vez más de la Unión Soviética".

Los logros alcanzados por Solidaridad eran enormes, le dijo el Papa a Casey ese día; habían transformado la naturaleza misma de la sociedad polaca. La pregunta esencial era, ¿qué podían hacer el Vaticano y Estados Unidos para protegerlos?

Esa semana Juan Pablo II, acompañado por Casaroli, también se iba a reunir con el embajador soviético –fueron tres reuniones, entre el 19 y el 25 de abril–, y Casey fue informado sobre la esencia de estas conversaciones. Los soviéticos creían que la situación en Polonia había mejorado desde su punto de vista –no había huelgas en ese momento– y el Papa prometió seguir urgiendo moderación a Solidaridad.

A Wojtyla y a Casey les preocupaba sobremanera los cuadros más radicales del movimiento, y sobre eso hablaron enseguida. Luego el Papa y Casey conversaron sobre un asunto sumamente inquietante... y sensacionalista. A comienzos de abril, estos "elementos extremistas" de Solidaridad habían iniciado los preparativos para lanzar una violenta campaña contra el régimen. Estaban almacenando cocteles Molotov y planeaban ocupar y destruir oficinas del Partido Comunista y edificios gubernamentales en distintas partes de Polonia. Temiendo un desastre, Kania y Jaruzelski habían acudido al cardenal Wyszynski en busca de ayuda. Este alertó al Papa, y al propio tiempo intentó convencer a Walesa de cancelar una huelga general programada.

Cuando Walesa y otros dirigentes de Solidaridad se negaron, el cardenal, que estaba muriendo de cáncer, cayó de rodillas frente a Walesa, agarró el abrigo del líder de Solidaridad, y amenazó con permanecer arrodillado en oración hasta su muerte. El gesto –"este chantaje emocional", dijo supuestamente Walesa– tuvo éxito y Walesa aceptó cancelar la huelga general. Esto, a su vez, había permitido a Kania y a Jaruzelski asegurarles a los soviéticos que tenían la situación bajo control y que la intervención soviética que creían inminente era innecesaria.

Luego el Papa le dijo a Casey que estaba seguro de que Moscú no podía tolerar mucha más presión de Solidaridad. Así, a comienzos de abril, la Iglesia había instado al sindicato a "replegarse": a iniciar una "retirada táctica" que preservaría los logros obtenidos y quizás mantendría a raya a los soviéticos.

La discusión se volcó entonces sobre la Unión Soviética y el deterioro del comunismo. La conversación fue en parte espiritual y en parte mundana. Según le informó Casey al presidente, al hablar con el Santo Padre a veces era difícil decir en dónde comenzaba la una y terminaba la otra, porque el Papa se refería a la ausencia de la *verdad* en la sociedad comunista, no sólo la verdad de Dios, sino la verdad de la naturaleza humana. Por eso era que Solidaridad se había arraigado con tanta fuerza en Polonia: era una forma en que los trabajadores podían expresar la verdad de sus vidas y sus convicciones. También pertenecían a Solidaridad judíos, ateos y muchos comunistas; no todos sus miembros eran católicos.

Según le dijo el Papa a Casey, las autoridades comunistas en Polonia estaban afrontando una presión implacable de Moscú. Juan Pablo II creía probable algún tipo de respuesta represiva por parte de las autoridades. Lo importante era cómo se iba a imponer la represión en caso de que se impusiera: quién lo haría, en qué términos y cuán preparados estarían la Iglesia y Solidaridad.

La cautela del Papa se derivaba del temor de que todo lo que se había ganado hasta ese momento se perdiera si los soviéticos y sus aliados invadían. Los alimentos comenzaban a escasear, y eso probablemente propiciaría nuevas huelgas.

La CIA había interpretado el nombramiento de Jaruzelski como primer ministro en febrero como un reconocimiento de la quiebra del Partido Comunista polaco. Luego de toda la retórica comunista sobre los peligros del "bonapartismo" y demás, los soviéticos se habían visto obligados a recurrir a un militar para someter a Polonia: un líder en quien los soviéticos esperaban poder confiar para que mantuviera la situación bajo control, porque el pueblo todavía respetaba al ejército.

Casey creía que, a menos que los soviéticos estuvieran dispuestos a utilizar soldados en Europa oriental, no iban a poder conservar la región indefinidamente. Sin embargo, tan sólo dieciséis meses antes, los soviéticos habían tomado la decisión de invadir Afganistán. Allí, observó, la dirigencia había puesto de manifiesto su disposición a utilizar la fuerza. El director de la CIA no contemplaba la inminente defunción del imperio soviético. Sólo el presidente hablaba en esos términos, y la certidumbre de Reagan parecía basarse menos en hechos que en el deseo, la convicción y una fe considerable. Sin embargo, Casey no descartaba la posibilidad de que, quizás más temprano que tarde, Polonia pudiera salirse de la esfera de influencia soviética. Para todos era claro que Polonia era el Estado comunista más vulnerable de Europa; y Juan Pablo II era una fuerza que los comunistas no sabían cómo combatir. Casey pensaba que Moscú no se sentiría tan intimidado por Solidaridad o por la situación en el interior de Polonia si no existieran la protección y el estímulo del Papa.

Casey comprendía que el Papa era la única persona que tenía acceso a todos los lados de la ecuación en Polonia: lo que hacía Solidaridad, lo que pensaban Jaruzelski y Kania y las posibles intenciones de la URSS. Lo cierto es que estaba bastante impresionado. Estados Unidos tenía excelente información sobre la planeación *militar* soviética y polaca a través de Kuklinski, pero entendía poco sobre las relaciones del gobierno polaco con los soviéticos, y sobre lo que los hombres del Kremlin aparentemente decían.

Como resultado de su experiencia como oficial de la OSS en la Segunda Guerra Mundial, Casey sabía algo sobre Polonia. Había organizado dieciséis equipos de exiliados polacos que saltaban en paracaídas por la noche sobre Alemania para organizar misiones de sabotaje detrás de las líneas enemigas. Luego, en febrero de 1945 en Yalta, los aliados habían, en efecto, cedido Polonia a la URSS. En lugar de apoyar al gobierno democrático polaco en el exilio en Londres, el acuerdo le había conferido poder al gobierno provisional de Lublín, compuesto por fichas soviéticas. "El estado de ánimo de los polacos se fue a los suelos –recordaría Casey–. Lo vi suceder ante mis propios ojos. Después de eso, se limitaron a actuar mecánicamente. No importaban para nada. Nunca olvidaré lo que la entrega a los rusos les hizo a esas personas".

Cuatro decenios después de Yalta, al presentar sus informes al presidente Reagan, Casey no ocultó la fuerte emoción que sentía en presencia del Papa. Él y Juan Pablo II compartían una intensa devoción por la Virgen. Cuando era estudiante en la Universidad de Fordham a comienzos de los años treinta, a Casey le habían pedido dictar una charla sobre uno de los títulos de la letanía de Loreto. Escogió "María, madre purísima". Su esposa, Sophia, coleccionaba estatuas de la Virgen, que exhibía con orgullo en nichos y estantes en Mayknoll, su residencia de Long Island.

De los jesuitas que lo habían educado, Casey había escrito cuando joven: "Son brillantes; estoy plenamente convencido de que tienen la información correcta sobre este mundo". En la guerra civil española, apoyó al generalísimo Francisco Franco y sus falangistas. Aunque los falangistas eran fascistas, eran católicos y anticomunistas. Esta misma lógica, unida a su experiencia de trabajo con la oss durante la guerra y con el Plan Marshall en la Europa de la posguerra, explica su entusiasmo por el senador católico Joseph McCarthy en los primeros años de la posguerra. "No estamos jugando con los rusos –decía–. Se necesita un McCarthy para acabar con el enemigo". Parte de esta experiencia se filtró en las conversaciones del director de la cia con Juan Pablo ii.

Casey también era portador de algunos mensajes específicos que tanto él como el presidente querían hacer saber al Papa. El más obvio era el compromiso absoluto de Estados Unidos con Solidaridad. Pero él y el presidente también esperaban que el Papa se mostrara más comprensivo con respecto a las posiciones adoptadas por Estados Unidos ante la amenaza planteada por las actividades soviéticas en el planeta. En particular, el director de la cia se refirió a Centroamérica, en donde, según dijo, quinientos cubanos estaban ayudando a entrenar a los militares nicaragüenses y asesorando a los sandinistas con su servicio de inteligencia y sus sistemas de comunicación. Nicaragua era un asilo para los rebeldes del vecino El Salvador. Los soviéticos, los alemanes orientales, los búlgaros y los norcoreanos estaban todos involucrados allí. Tanto en El Salvador como en Nicaragua, la Iglesia estaba siendo atacada por la izquierda, incluidas las críticas de sacerdotes que propugnaban la teología de la liberación. Estados Unidos esperaba que el Vaticano desaprobara públicamente los objetivos de estos disidentes, sobre todo en Nicaragua, en donde la jerarquía eclesiástica parecía a veces casi dispuesta a acoger el movimiento sandinista. De seguro el Papa no deseaba que su pontificado apoyara al régimen marxista, o que permitiera que sus sacerdotes dieran implícitamente por hecho la aprobación de Roma.

Antes de salir rumbo al Vaticano en automóvil desde la embajada de Estados Unidos, Casey había recibido un informe sobre terrorismo de la oficina de la cia en Roma, y un trozo curioso –y quizás importante– de información que transmitió a la Santa Sede: cuando Lech Walesa había visitado al Papa en enero, su anfitrión había sido Luigi Scricciolo, de la Confederación Italiana de Trabajadores. Scricciolo había viajado a Polonia en 1980 cuando apenas se estaba estructurando Solidaridad para asesorar a Walesa y a otros sobre temas organizacionales. También había ayudado a conseguir equipos –impresoras, fotocopiadoras, máquinas de escribir– para Solidaridad. Sin embargo, los funcionarios de contrainteligencia italianos le habían dicho a la CIA que, de hecho, Scricciolo trabajaba para Bulgaria. Esto podría significar que los planes de Solidaridad estaban en entredicho, o que Walesa corría peligro físico.

El Papa le dijo a Casey que volviera cuando quisiera. Y bendijo al director de la CIA.

La segunda mano

En opinión de los italianos de la curia, el personaje más fastidioso del séquito del nuevo Papa polaco era su chambelán y secretario privado, monseñor Stanislaw Dziwisz.

Los cardenales y monseñores de la curia se preguntaban hasta dónde se extendía su poder y si esta figura pequeña y juvenil –conocida para los más allegados al Papa como "Stas"– era el Svengali del Papa (no lo era), su mensajero (sí lo era), su confidente (sí lo era), su contrapunto intelectual (no lo era), o simplemente un hombre joven que era como un hijo para el Santo Padre (sí lo era).

Desde los inicios de su pontificado, Wojtyla se sintió incómodo con los secretarios personales que heredó de sus predecesores. Así, Don Stanislaw, como le decían en el Vaticano, rápidamente asumió muchas de sus funciones más importantes.

"En el *appartamento* están el Papa y Don Stanislaw, y luego todos los demás –explica un monseñor de la curia acostumbrado a tratar con ambos–. Sólo el cardenal Deskur lo conoce igual de bien y disfruta del mismo grado de confianza".

Sin embargo, mientras Deskur acabaría convirtiéndose en la única persona que podía calificarse de verdadero asesor del Papa, la influencia de Dziwisz era de naturaleza diferente. Estaba en todas partes.

Este monseñor oriundo de Rabka, un pueblo situado en las montañas polacas al sur de Cracovia, había estado al lado de Wojtyla desde 1966, tres años después de su ordenación, cuando el arzobispo lo detectó trabajando en la biblioteca del seminario. Se convirtió en chambelán del obispo. Sencillo, modesto, taciturno, se ganó su afecto y su confianza precisamente por esas cualidades y por su habilidad para controlar la tardanza habitual de Wojtyla y su cronograma sobrecargado. Más que cualquier otra persona, llegó a conocer la mente y los hábitos de Karol Wojtyla, y los anticipaba sin equivocarse casi nunca. Salvo por las reuniones personales con visitantes importantes, Dziwisz permanecía al lado del Papa todo el día. Siempre era Dziwisz quien golpeaba a la puerta para recordarle al Papa su siguiente cita, sin importar cuán destacado fuera el visitante.

Sus funciones, mucho más importantes que las de cualquier asesor o colaborador de la curia, incluido el secretario de Estado (cuyas funciones tradicionales de toma de decisiones asumía en gran parte el propio Wojtyla), comprendían la de ujier (todas las citas con el Papa se hacían a través de este), la de transmisor de las órdenes papales ("el Papa desea...", decía Don Stanislaw cada vez que llamaba a los jefes de las congregaciones curiales), y la de juez de carácter, capacidades y lealtad al Papa.

"He visto casos en los que luego de hablar con Dziwisz, el Papa ha cambiado decisiones tomadas por el secretario de Estado –dice un cercano colaborador de Juan Pablo II–. Y monseñor Stanislaw es quien anuncia las decisiones. Está muy consciente del poder que tiene".

Dziwisz también tiene un agudo sentido del humor, cosa que el Papa aprecia, y una memoria retentiva. Junto con las religiosas polacas que se ocupan de la comida y los asuntos domésticos del Papa, Dziwisz constituye la familia de Wojtyla. Además de programar los ires y venires de cardenales, embajadores y presidentes, organiza visitas frecuentes de los viejos amigos polacos de Wojtyla, quienes ingresan por la escalera de atrás de los apartamentos papales.

Es tan fiel y atento que Mieczyslaw Malinski, el amigo del Papa, lo describe así: "leal como un perro guardián". El amor y la preocupación paternal que siente el Papa por Staszek, como lo llama, son uno de los elementos cotidianos de la vida del Vaticano en el pontificado de Wojtyla.

"El 13 de mayo [1981], el Santo Padre almorzó con el profesor Lejeune, su esposa y otro invitado", recuerda monseñor Dziwisz. El doctor Jérôme Lejeune, un físico francés, estaba colaborando estrechamente con el Papa en la promoción del ritmo como método de planificación familiar "natural", el único tipo de control de natalidad aprobado por la Iglesia.

A las cinco de la tarde, el Papa salió del Palacio Apostólico para su audiencia general de los miércoles en la Plaza de San Pedro, que iba a incluir un paseo en auto alrededor de la plaza para saludar a la multitud, seguido por unas palabras desde el trono. La audiencia, recuerda Dziwisz, "comenzó puntualmente a las cinco, tal como estaba programada. Nada presagiaba lo que iba a ocurrir" cuando Wojtyla se subió a su papamóvil descapotado.

Mientras el automóvil avanzaba alrededor de la columnata, el Papa lucía tranquilo, con "el rostro rosado y sonriente", recuerda Dziwisz. "Cómo se ve de joven", pensó una religiosa polaca cuando el Papa pasó frente a ella. Dio la vuelta al obelisco egipcio una vez, y luego una segunda. Como siempre, Don Stanislaw estaba justamente detrás del Papa, quien iba de pie.

De repente Dziwisz escuchó un ruido ensordecedor y se echó para atrás al tiempo que las palomas de la plaza alzaron el vuelo. "No entendí de inmediato lo que había ocurrido, porque hasta ese momento nadie pensaba que algo así fuera posible"... que alguien intentaría asesinar al Papa.

Pero el Papa mismo y su equipo de seguridad sí debieron haber sabido que estaba jugando con fuego. En Karachi, el 16 de febrero de ese mismo año, una hora antes de la visita programada del Papa al estadio municipal, estalló una bomba que mató al hombre que la transportaba. El 26 de noviembre de 1979, Mehmet Ali Agca, un terrorista turco, había jurado públicamente matar al Papa durante su visita a Turquía. En enero de 1980, Alexandre De Marenches, jefe del servicio secreto francés, había enviado a un emisario para advertir al Papa sobre un complot comunista contra su vida. "A mí me habían avisado –reveló De Marenches–. La información era importante porque [en el contexto de Europa oriental] era verosímil".

"El Santo Padre contestó que su destino estaba en las manos de Dios

–escribió el jefe de inteligencia en sus memorias–. Nunca volvimos a hablar sobre eso. Uno pensaría que, dadas las relaciones estrechas entre Italia y el Vaticano, el servicio secreto del Vaticano tendría a Roma informada sobre la situación". Sin embargo, aparentemente eso jamás ocurrió.

Y, de hecho, el pistolero que disparó varias balas –dos de las cuales alcanzaron al Papa– era el mismo Mehmet Ali Agca, cuya pistola automática Browning de 9 mm estaba a menos de seis metros de Juan Pablo II cuando accionó el gatillo.

La detonación, dijo Dziwisz, fue ensordecedora. La religiosa que hace las veces de ama de llaves del Papa estaba mirando hacia la plaza desde un piso alto del Palacio Apostólico, y también la escuchó. El Papa, vestido con su sotana blanca, se desplomó contra su chambelán.

"Vi que le habían dado al Santo Padre. Se tambaleaba, pero no percibí señales de sangre o de herida alguna. Entonces le pregunté, '¿dónde?' Él contestó, 'en el estómago'. Le pregunté de nuevo, '¿duele?' El contestó, 'sí'. Yo estaba de pie detrás del Santo Padre y lo sostenía para que no se cayera. Estaba medio sentado, medio recostado contra mí en el automóvil".

El Papa había sido herido en el estómago, el codo derecho y el dedo índice de la mano izquierda.

Tan pronto como el conductor del papamóvil se dio cuenta de lo ocurrido, se dirigió a toda marcha hacia la ambulancia más cercana, que estaba estacionada al lado de la Puerta de Bronce que da acceso al Vaticano. Sin embargo, como carecía de equipo de oxígeno, el Papa fue transferido a una segunda ambulancia que sí lo tenía.

"El Santo Padre no nos miraba –recuerda Dziwisz–. '¡María, madre mía! ¡María, madre mía!', repetía. Tenía los ojos cerrados y lo aquejaba un fuerte dolor".

El viaje hasta la Clínica Gemelli tardó ocho minutos. Dziwisz no sabía si Wojtyla todavía estaba plenamente consciente. "No pronunció palabra alguna de desesperación o resentimiento; sólo palabras de oración profunda que emanaban de un gran sufrimiento –recuerda su asistente–. Más tarde, el Santo Padre me dijo que había estado consciente hasta cuando llegamos al hospital, que sólo allí había perdido el conocimiento, y que todo el tiempo había estado convencido de que sus heridas no eran fatales".

"En el instante mismo en que caí en la Plaza de San Pedro –confió el Papa al periodista André Frossard–, tuve el vívido presentimiento de que sería salvado, y esta certidumbre jamás me abandonó, ni siquiera en los peores momentos".

Con la presión sanguínea cada vez más débil y el pulso casi imperceptible, Juan Pablo II fue llevado primero a una habitación del undécimo piso reservada para una emergencia papal y luego a la sala de cirugía del hospital. Don Stanislaw entró con él y le administró los últimos sacramentos: "Había que darle la extremaunción ... justo antes de la operación. Pero el Santo Padre ya no estaba consciente".

La cirugía tardó cinco horas y veinte minutos. Wojtyla había perdido sesenta por ciento de su sangre por hemorragia interna.

"La esperanza retornó gradualmente durante la operación –dijo Dziwisz–. Al comienzo fue agonizante. Luego poco a poco se fue viendo que no se había afectado ningún órgano vital y que quizás sobreviviría".

Una bala de 9 mm es un proyectil sumamente destructivo, pero esta había seguido una trayectoria excepcional en cuanto no ocasionó daños irreparables al cuerpo del Papa. A semejanza de la bala que casi mata a Ronald Reagan, pasó a escasos milímetros de la aorta central.

"Si la hubiera tocado, hubiera muerto instantáneamente –observó Dziwisz–. No tocó la espina dorsal ni ningún punto vital. ... Fue verdaderamente milagroso". El Papa y sus médicos estuvieron de acuerdo.

De hecho, el Papa llegó a creer que su vida había sido salvada gracias a un milagro realizado por la Virgen de Fátima, cuya primera aparición y fiesta, el día 13 de mayo, fue la fecha en que atentaron contra su vida. El santuario de la Virgen de Fátima –su nombre formal es Nuestra Señora del Rosario– en Portugal, al norte de Lisboa, es uno de los más venerados en el mundo católico. Allí, en 1917, se dice que la Virgen se apareció por primera vez a tres pequeños pastores, una de seis apariciones semejantes ante niños. En las apariciones, María lanzó tres profecías: que Rusia sería "reconvertida" después de sembrar "errores" en todo el mundo; y, como en efecto sucedió, que dos de los tres pastorcitos morirían jóvenes. Su profecía final fue descrita como un secreto terrible, mantenido desde entonces en un sobre sellado en el Vaticano y sólo conocido por los Pontífices romanos.

"Una mano disparó y otra mano guió la bala", diría luego el Papa.

El personal médico que estuvo presente en la operación, durante la cual le quitaron a Juan Pablo II cincuenta y cinco centímetros de intestino, incluía a tres cirujanos, un anestesiólogo (que le rompió un diente al Papa al insertar un tubo respiratorio), un cardiólogo y el médico del Vaticano. Fue necesario limpiar el abdomen, detener la hemorragia, coser el colon en varios lugares e insertar un sistema de drenaje temporal: una colostomía.

Luego el Papa fue llevado a cuidados intensivos, y comenzó la espera.

El intento de asesinato del Papa sigue siendo uno de los grandes misterios de este siglo. La reacción de Juan Pablo II ante el atentado y sus secuelas tan sólo ha ahondado el misterio.

"Es el último gran secreto de nuestro tiempo", dice Robert Gates, ex director de la CIA. William Casey, quien era jefe de Gates cuando ocurrió el atentado, estaba convencido (y trató de probarlo) de que los soviéticos estaban detrás del intento de asesinato de Wojtyla.

Para respaldar su idea, Casey (como los fiscales italiano de los presuntos asesinos fallidos del Papa y como muchos en el Vaticano) mencionó la denominada conexión búlgara, una serie de evidencias tentadora pero controvertida según la cual Agca fue contratado y protegido por el servicio secreto búlgaro, una organización notoriamente subordinada a la KGB soviética.

Sin embargo, por razones que no son del todo claras, el Papa le dijo a Deskur, su amigo más cercano en el Vaticano: "Desde el comienzo siempre estuve convencido de que los búlgaros eran completamente inocentes, ellos no tuvieron nada que ver con esto". Nunca ha explicado los fundamentos de su afirmación, ni ha mencionado ninguna fuente de información independiente que pudo haber tenido.

Quien quiera que fuera el responsable estaba realizando el trabajo del diablo, le dijo Wojtyla a Deskur.

"Le pregunté, '¿por qué no está siguiendo los juicios [de Agca y de sus presuntos coconspiradores]?' –recuerda Deskur–. Y el Papa dijo, 'no me interesa, porque esto fue obra del diablo. Y el diablo puede conspirar de mil maneras, ninguna de las cuales me interesa' ".

Una fuente de información del Papa pudo haber sido Giulio Andreotti, el poderoso líder del Partido Demócrata Cristiano italiano, un hombre con excelentes conexiones en el servicio secreto italiano. (Andreotti había sido anteriormente ministro del Interior, de Defensa y de Relaciones Exteriores, así como primer ministro de Italia).

Luego de que se divulgó la información sobre la conexión búlgara, Andreotti se reunió con el Papa y expresó "reservas" sobre la teoría según la cual los búlgaros –ya sea expresamente por mandato de los soviéticos o no– estaban involucrados. "Le dije que la evidencia que yo tenía excluía una conexión búlgara, por lo cual teníamos que buscar la verdad en otro lugar", dice Andreotti. Sin embargo, se niega a revelar cuál es esa evidencia. El Papa respondió que "debemos ser muy prudentes y aguardar alguna evidencia", dice Andreotti.

En todo caso, pocos días antes del inicio del juicio de los presuntos coconspiradores búlgaros y turcos de Agca, el Papa se reunió con el vicepresidente de Bulgaria con ocasión de la fiesta de san Cirilo, el santo patrón de Bulgaria. En esa audiencia, el Papa dijo que esperaba que el resultado del juicio fuera uno que no "pesara sobre un país eslavo o sobre personas eslavas".

No obstante, muchos de los colaboradores y allegados más cercanos del Papa (incluido Deskur) estaban convencidos de que los soviéticos o sus aliados se ocultaban detrás del atentado. Un grupo informal que se reunió en el Vaticano, entre quienes estaba el secretario de Estado Casaroli, argumentó secretamente que los soviéticos querían ver muerto al Papa porque esa parecía ser la única forma de decapitar a Solidaridad. Muerto el Papa, razonaban, Solidaridad podría ser aplastada por las autoridades polacas sin que los soviéticos se ganaran el oprobio internacional prolongado que habría acarreado la intervención militar por parte del Pacto de Varsovia.

"De seguro el intento de asesinato no fue un ataque aislado", afirmó públicamente Casaroli en 1995.

El cardenal Achille Silvestrini, adjunto de Casaroli en ese momento, dice: "Para nosotros era evidente que no se trató de un accidente fortuito

... no era simplemente el acto de un loco. Era algo orientado hacia una meta, había algo detrás del asesino. ... Tenemos que recordar cuál era la situación en Polonia y en Europa oriental en ese momento. Si el intento de asesinato hubiera tenido éxito, habría significado la lápida para Polonia y para todos los que estaban impugnando el control del sistema [soviético]". Sin embargo, Silvestrini se muestra escéptico con respecto al escenario búlgaro y cree que el rastro conduce a otro lugar en el Oriente ex comunista.

Las actas del Politburó de la URSS, obtenidas por los autores de este libro, demuestran la creciente preocupación soviética frente al Papa y la Iglesia –y la frustración de los dirigentes soviéticos con las autoridades polacas por no someter a la Iglesia– en las semanas y meses anteriores al intento de asesinato. El jefe de la KGB en el momento del atentado era Yuri Andropov, el funcionario soviético más familiarizado con la situación interna de Polonia y con la amenaza nefasta que Solidaridad representaba para el comunismo.

Sin embargo, este supuesto motivo difícilmente prueba que los soviéticos –ya sea a través de los búlgaros o de alguna otra manera– estaban detrás del intento de asesinato. El argumento más poderoso contra la participación soviética es el factor riesgo: de haberse descubierto una mano soviética en el intento de asesinato, el aislamiento diplomático y la condena moral de la URSS habrían sido abrumadores. Por otra parte, cuando se produjo el atentado contra la vida de Juan Pablo II, los soviéticos estaban dialogando con el Papa con miras a que éste contuviera a Solidaridad. No se ha encontrado ningún documento revelador relacionado con el intento de asesinato en Bulgaria o Moscú desde el desplome del comunismo, aunque los profesionales de inteligencia occidentales se ríen ante la sola idea de que pueda existir de un rastro de papel que conduzca hasta el Kremlin.

Deskur y otros plantean que, cuando decidió visitar a su asesino fallido en prisión el 23 de diciembre de 1983, el Papa estaba enviando a los soviéticos una señal de "perdón" e indicando que no deseaba que se indagara más sobre el asunto. Algunos en el entorno papal aseguran que si Juan Pablo II hubiera expresado la creencia de que los soviéticos estaban detrás del atentado, ello habría retrasado seriamente los esfuerzos por conseguir la paz mundial y habría colocado a la URSS en una posición internacional de peligroso aislamiento.

Si bien Casaroli y otros se reunieron informalmente en el Vaticano para discutir la evidencia, Deskur dice que el Papa no quiso que se realizara ninguna investigación interna o análisis formal. Por su parte, Deskur cree que los soviéticos de alguna manera infiltraron el servicio secreto italiano (en momentos en que este estaba obsesionado con la actividad terrorista en Italia), el cual falló espectacularmente al no detectar la presencia de Agca –un terrorista conocido que ya había amenazado con asesinar al Papa– en su país.

Cuando visitó la celda de su asesino fallido en una cárcel romana, el Papa conversó con Agca durante veinte minutos. Al finalizar la audiencia, Agca se arrodilló y besó la mano de Juan Pablo II. Luego, Agca dijo en entrevistas que "el Papa lo sabe todo". Pocos profesionales de inteligencia creen que en el momento del intento de asesinato Agca hubiera sabido la magnitud total de cualquier conspiración de la que hubiera podido formar parte, incluidas las identidades reales de algunos de sus presuntos coconspiradores, que trabajaban en la embajada de Bulgaria en Roma.

"Ali Agca sólo sabe hasta un cierto nivel –dice el portavoz del Papa, Joaquín Navarro-Valls–. A un nivel más alto no sabe nada. Si hubo una conspiración, la organizaron profesionales, y los profesionales no dejan rastro. Nunca se encontrará nada".

Aunque a los colaboradores del Papa no les gusta discutir este asunto, es posible que Juan Pablo II abrigue la profunda sospecha de que radicales musulmanes fueron responsables del atentado, o por lo menos que Agca actuó en nombre de una causa islámica. En privado, a Wojtyla no le gustan ciertos aspectos del islam, sobre todo en cuanto a la interpretación que le dan quienes él considera musulmanes radicales. Parte de su desagrado se deriva de su convicción de que el Corán condona la violencia. El atentado contra el Papa, dicen algunos allegados, le dejó una marca. Además de un legado de dolor puramente físico y mental, durante muchos meses continuó reflexionando sobre el misterio del acto cometido con la intención de matarlo, consciente de que nuevamente podría convertirse en blanco.

En varias ocasiones, las confesiones contradictorias y los desvaríos de Agca han inculpado tanto al gobierno búlgaro como a una conspiración islámica. (También ha asegurado ser Jesucristo). Sin embargo, los investigadores italianos insisten en que sus acciones han sido lúcidas y racionales todo el tiempo y en que sus diversas declaraciones y actitudes, por extrañas que parezcan, con frecuencia han tenido motivaciones ulteriores. Entre otras cosas, pueden ser intentos de enviar diferentes señales a sus posibles coconspiradores.

Una teoría intrigante sobre el intento de asesinato que muchos profesionales de inteligencia de Occidente toman en serio es el denominado escenario Becket: los dirigentes de la Unión Soviética y del bloque oriental repetían constantemente el equivalente del "¿nadie me librará de este sacerdote entrometido?" de Enrique II, hasta que finalmente "alguien" –el servicio secreto búlgaro o el de otro país de Europa oriental– actuó, pero sin órdenes específicas de nadie.

Una de las razones de la incertidumbre persistente en torno al intento de asesinato fue la renuncia inicial de los organismos de inteligenica occidentales –en particular la CIA– a comprometer sus recursos en una investigación a fondo del atentado. Esto puede o no estar relacionado con (1) el conocimiento previo de la CIA sobre un agente que actuaba para Bulgaria –el mismo funcionario sindical italiano de cuyo nombre Casey informó al Vaticano cuando visitó al Papa en 1981– utilizado por los sindicatos italianos como contacto con Solidaridad, y la vergüenza que pasaría la CIA si se revelaba este conocimiento; (2) el deseo de restarle importancia al hecho de que ni la CIA ni otros organismos de inteligencia detectaron las actividades de Agca y sus cómplices y, por tanto, no pudieron impedir el intento de asesinato; o (3) el temor de algunos dirigentes occidentales de que los soviéticos fueran en efecto responsables, pero que si se les confrontaba a ellos (y al mundo) con evidencia de su complicidad, la URSS se vería aislada y las relaciones internacionales se sumirían en una crisis desesperada. Si bien Casey estaba convencido de que los soviéticos eran responsables y debían ser señalados como tales, muchos expertos del Departamento de Estado y del Consejo de Seguridad Nacional se sentían aterrorizados ante la posibilidad de una complicidad soviética.

Entre tanto, cuando la prensa occidental y luego los fiscales italianos dijeron abiertamente que los búlgaros y/o los soviéticos habían ordenado el asesinato del Papa, los soviéticos respondieron con una campaña masiva de desinformación. Adujeron, entre otras cosas, que Estados Unidos había estado detrás del complot para asesinar a Wojtyla (para demonizar a la URSS y detener la campaña del Vaticano en favor de una coexistencia pacífica con el Kremlin). Los soviéticos también dijeron que la CIA y otros servicios de inteligencia occidentales habían instado a las Brigadas Rojas a aterrorizar a Italia como una manera de marginar al Partido Comunista italiano: un supuesto absurdo en opinión de los dirigentes no italianos y de los gobiernos occidentales.

El 6 de mayo, una semana antes del atentado, el Papa se dirigió a un nuevo cuerpo de guardias suizos, los soldados de trajes vistosos que han protegido a los papas desde 1471: "Roguemos al Señor para que la violencia y el fanatismo se mantengan lejos de los muros del Vaticano".

Sus palabras tenían una lógica sustentada en sucesos recientes. El terrorismo político tenía asediada a Europa occidental, y en ninguna parte era más amenazante que en Italia, en donde las Brigadas Rojas habían protagonizado su golpe más espectacular en 1978: el secuestro y asesinato en Roma de Aldo Moro, el presidente del Partido Demócrata Cristiano.

Tras el arresto de Ali Agca en la Plaza de San Pedro, pronto emergió la imagen de un matón fascista que actuó solo, o en nombre del grupo neonazi turco Lobos Grises (una banda terrorista relacionada con el Partido de Acción Nacional, de extrema derecha), o quizás un fundamentalista islámico solitario, aunque había poco en sus antecedentes que hiciera pensar en una fe intensa. Oriundo de un pueblo del este de Turquía dividido por grupos musulmanes rivales, Agca tenía un largo historial de asociación con la "mafia turca". Le habían pagado grandes sumas de dinero para introducir armas, cigarrillos y narcóticos de contrabando por la frontera de Turquía con Bulgaria.

Descrito en los archivos de la policía como inteligente y articulado, también hacía gala de una confianza en sí mismo que lindaba con la arrogancia. Aunque en un principio les dijo a los investigadores italianos que fue idea suya asesinar al Papa, también alardeó de la ayuda recibida de diversos terroristas en el exterior: "búlgaros, ingleses e iraníes".

"No establezco distinciones entre terroristas fascistas y comunistas –les dijo a sus interrogadores–. Mi terrorismo no es rojo *o* negro". En vez de ello, se describió a sí mismo como un "terrorista internacional" consagrado a un ideal anárquico en un decenio de violencia terrorista a escala mundial. A los investigadores italianos esta descripción les pareció plausible. En Turquía, puesto fronterizo oriental de la OTAN y una de las pocas democracias islámicas, este "terrorismo no alineado" asumió la forma de atentados para desmembrar el Estado mediante violencia urbana, secuestros y asesinatos.

El 1º de febrero de 1979, Agca formó parte de una banda de terroristas que participó en el asesinato de Abdi Ipekci, el comentarista liberal más influyente de Turquía y director del periódico principal de Estambul, *Milliyet*. Arrestado cinco meses después, Agca confesó rápidamente y luego escapó el 25 de noviembre de 1979; salió tranquilamente a pie de una prisión militar, vestido con uniforme del ejército y tras atravesar ocho puertas severamente vigiladas. Esto parece imposible sin ayuda de personal de alto nivel.

Al día siguiente de su fuga, envió una carta a *Milliyet* sobre la inminente visita del Papa a Turquía, programada para el 28 de noviembre:

> Los imperialistas occidentales, temerosos de que Turquía y sus naciones hermanas islámicas puedan convertirse en una potencia política, militar y económica en el Medio Oriente, están enviando a Turquía en este momento delicado al Comandante de las Cruzadas, Juan Pablo, disfrazado de líder religioso. Si no se cancela esta visita, definitivamente asesinaré al Comandante-Papa.

A primera vista, esta amenaza parecería complicar las explicaciones conspiratorias del intento subsiguiente de Agca de asesinar al Papa como una manera de menoscabar a Solidaridad. En noviembre de 1979, Solidaridad ni siquiera existía. Se creía que los comunistas soviéticos y polacos todavía estaban debatiendo entre ellos la clase de Papa que sería Karol Wojtyla, aunque su viaje a Polonia en junio de ese año presagiaba malos augurios para ellos. La explicación que dio Agca a las autoridades italianas fue que la carta tenía como propósito despistar a la policía turca tras su fuga y forzarla a concentrarse en proteger al Papa. Entre tanto, la visita del Juan Pablo II a Turquía procedió sin complicaciones.

Sin embargo, la carta de Agca sólo ha hecho que algunos partidarios de la teoría sobre la conexión búlgara se convenzan aún más de la complicidad soviética: aducen que Agca fue reclutado por los comunistas por su habilidad probada como asesino, por sus conexiones derechistas y por el hecho de que su amenaza de matar al Papa, por razones no relacionadas con Polonia, ya estaba en los archivos.

Agca confesó su crimen tan pronto fue arrestado, y dijo que había actuado solo. El 22 de julio de 1981 fue condenado a cadena perpetua. En mayo de 1982, cuando (según dice) se dio cuenta de que no iba a ser rescatado de la cárcel como sus "instructores" supuestamente le habían prometido, Agca identificó a tres miembros del personal de la embajada búlgara en Roma y a cuatro turcos como sus coconspiradores. (Sus abogados aseguraron que el servicio secreto italiano le suministró esta información a Agca en la cárcel). Agca también les dijo a las autoridades italianas que había existido un complot para asesinar a Lech Walesa cuando viajó a Roma a visitar al Papa en enero de 1981, aunque fue preciso renunciar al plan –detonar un carrobomba cerca de su hotel– porque los dispositivos de seguridad eran demasiado severos.

Luigi Scricciolo, el funcionario sindical italiano arrestado por sus presuntas actividades de espionaje en beneficio de los búlgaros, aparentemente confirmó la existencia de dicho complot. Según los archivos, su abogado dijo: "Puedo decirles con seguridad que [también] hubo una conexión búlgara en el complot de asesinato contra el Papa, aunque mi cliente no tuvo nada que ver en el asunto". Tanto Scricciolo como Agca identificaron a los mismos tres búlgaros –acusados de intento de asesinato del Papa– como participantes en el complot para matar a Walesa.

Aproximadamente en la misma época en que Agca comenzó a hablar sobre una conexión búlgara, el ministro de Defensa italiano reveló que las transmisiones radiales cifradas entre Bulgaria e Italia habían aumentado bruscamente semanas antes del atentado contra el Papa. La Oficina de Seguridad Nacional (NSA) de Estados Unidos –la mejor oficina de inteligencia del mundo desde el punto de vista técnico, con capacidad para monitorear señales cifradas y no cifradas de radio, teléfono, télex y microondas en todo el planeta–, hizo un "barrido" de todas las comunicaciones entre las embajadas comunistas y sus países de origen en los meses cercanos al intento de asesinato. Según determinó la NSA, en marzo y abril de 1981 aumentaron conspicuamente los mensajes de cable cifrados entre la embajada de Bulgaria en Roma y la sede del servicio secreto búlgaro –el Durzhavna Sigurnost– en Sofía. Luego, en las dos semanas anteriores al atentado, la comunicación entre la embajada en Roma y la sede búlgara se interrumpió súbitamente.

Agca les dijo a los investigadores italianos que, según los planes, él debía ser sacado en automóvil de la Plaza de San Pedro inmediatamente después de disparar contra el Papa, y luego debía ser llevado clandestinamente de Italia a Yugoslavia en un camión con permiso de paso diplomático en las fronteras europeas. Según los fiscales italianos, este camión, cargado de muebles y en donde se cree que viajaba el cómplice turco más cercano de Agca, sí salió de la embajada búlgara esa noche. Agca también aseguró haber viajado a Sofía en julio de 1980, donde un líder/empresario del hampa turca y un cómplice lo contrataron para asesinar al Papa por cuatrocientos mil dólares. Esto también habría sucedido antes de las huelgas de Gdansk y la constitución de Solidaridad a mediados de agosto, pero durante el período de huelgas generalizadas que comenzó el 1 de julio con motivo de las alzas de precios de los alimentos en Polonia. Agca dijo haberse enterado luego de que los dos hombres actuaban bajo órdenes del servicio de inteligencia búlgaro.

Los registros de hotel confirman que Agca –y los hombres que describió– se alojaron en hoteles costosos de Sofía ese mes de julio. En los siguientes nueve meses, Agca viajó con relativo lujo por Europa occidental, gastando por lo menos cincuenta mil dólares, con paradas en Viena, Zurich y Palma de Mallorca. Gran parte de su tiempo lo pasó en Roma y luego, justo antes del asesinato, en Milán, en donde dice que un miembro de los Lobos Grises le entregó la pistola Browning de 9 mm.

En la tarde del 13 de mayo, afirma Agca, dos búlgaros y un socio turco fueron con él hasta San Pedro para ver cómo estaría dispuesta y vigilada la multitud en la plaza; un hombre debía quedarse atrás y crear una distracción para facilitar su fuga. Con el hombre que presuntamente era su principal cómplice, el turco Oral Celik, permaneció en la plaza aguardando al Papa. Agca disparó su pistola a las 5:17 de la tarde, tras lo cual fue agarrado por una religiosa y arrojado al suelo por la multitud.

Con su captura inmediata, las posibilidades de ser sacado por sus cómplices –y quizás asesinado para callarlo– se evaporaron.

Muchos de los datos en torno al atentado contra la vida del Papa son contradictorios o están abiertos a la interpretación, y el hecho de que los servicios de inteligencia del mundo entero no hubieran abordado el caso de inmediato y unido sus conocimientos contribuye a la imposibilidad de armar todo el rompecabezas.

"En los primeros años de investigación estábamos muy constreñidos debido al temor que se tenía, de Casey para abajo, de inmiscuirnos en el asunto y estropear el caso italiano", dice Robert Gates. El servicio secreto italiano es famoso por molestarse cuando interfieren con su trabajo. "Me preocupaba el que pudiéramos hacer algo torpe que dañara por completo la relación con los italianos. Tanto Casey como sus subalternos pensaban que debíamos tener sumo cuidado con esto; nuestras pesquisas podrían echar al traste la investigación criminal que ellos estaban realizando".

Algunas de las partes más importantes del archivo que sugieren un complot de inspiración soviética a través de los búlgaros se divulgaron por primera vez en un artículo publicado en septiembre de 1982 en el *Reader's Digest*, escrito por la hoy fallecida Claire Sterling, una periodista que contó con la cooperación de los fiscales italianos y autora de un libro controvertido sobre el terrorismo en Europa y el Medio Oriente, en el cual incluía a Bulgaria[*]. Tres meses antes de que apareciera el artículo de Sterling en el *Reader's Digest,* Agca señaló fotografías de tres funcionarios de la embajada de Bulgaria en un álbum de fotografías donde figu-

---

[*] Sin que Sterling aparentemente lo supiera, algunas de las afirmaciones contenidas en el libro se basaban en desinformación de la CIA.

raban cincuenta y seis nacionales búlgaros que trabajaban en Roma, y dijo que le habían ayudado a perpetrar el crimen.

Luego se publicaron varios libros y artículos extensos que impugnaron la teoría de la conexión búlgara, algunos escritos por periodistas independientes, otros encargados o fomentados por los gobiernos búlgaro y soviético.

El jefe de la CIA en Roma concluyó que no había evidencia suficiente que contradijera la declaración de Agca al ser arrestado, según la cual era un pistolero solitario. Luego de un examen superficial de la evidencia, casi todos los profesionales de la CIA en Washington llegaron a la conclusión de que Agca era un "loco" que había actuado solo, incluso después de que comenzó a hablar sobre una conspiración. El atentado, en su opinión, no tenía la apariencia de una clásica operación soviética de asesinato.

"Después del intento de asesinato –especificó más tarde un informe interno de la CIA–, los analistas [de la CIA] tendieron a concluir que el papel de Juan Pablo II como una fuerza agravante en la crisis polaca quedaba fuertemente contrarrestado por su papel moderador, y que Moscú ganaba muy poco eliminándolo, sobre todo si se tenía en cuenta el riesgo de detección. Matar al Papa no habría resuelto el problema polaco de Moscú, pero en cambio lo podría haber exacerbado al provocar nuevos malestares". Los documentos del Politburó de ese mismo período, que en ningún momento mencionan el diálogo entre los soviéticos y el Papa por los días del atentado, parecería contradecir esta idea.

Al contrario de sus colegas profesionales, Casey, el director de la CIA, quedó impresionado por el relato de Sterling. En 1984 se reunió con ella en Nueva York, en donde se quejó de la renuencia de la CIA a acoger sus conclusiones y la información suministrada por los fiscales italianos.

Otros que creían que los soviéticos probablemente estaban detrás del intento de asesinato eran Zbigniew Brzezinski y Henry Kissinger, quien en esa época era miembro de la Junta Asesora de Inteligencia Extranjera del presidente. Dicha junta también había examinado brevemente el caso por su cuenta y había concluido que la preponderancia de evidencia circunstancial sugería que los soviéticos –a través de los búlgaros– probablemente eran responsables.

Todo esto condujo a Casey a hacer caso omiso a sus propios analistas. "De modo que hicimos una operación de barrido por toda Europa, sin precedentes en mi experiencia, pero no encontramos nada definitivo, aunque sí sugerente", dice Gates.

"Mientras más investigaban, más coincidía todo –dice Herb Meyer, confidente y adjunto de Casey–. Los profesionales de Langley [sede de la CIA] estaban iracundos porque un grupo especial nombrado por Casey, presidido por dos analistas mujeres, no los estaba teniendo en cuenta. Y en ese punto los sucesos comenzaron a precipitarse; los italianos estaban actuando muy rápidamente y estaban divulgando la información que tenían".

Luego, en el invierno de 1984-85, la CIA comenzó a recibir información de una fuente clandestina en Europa oriental, según la cual no existía duda alguna sobre la participación búlgara. Incluso del denominados agnósticos de la CIA llegaron a pensar que, si en efecto existía una participación búlgara, entonces los soviéticos debían haber estado detrás del atentado. Esta sospecha se debía a que la KGB solía utilizar el servicio secreto búlgaro para realizar trabajos sucios con los cuales los rusos no querían que los relacionaran. Sin embargo, la nueva fuente de la CIA, aunque considerada de fiar, no era una persona con conocimiento de primera mano sobre el presunto complot.

En este punto, Gates sugirió que se escribiera un documento "evaluando el posible papel soviético en el intento de asesinato a la luz de las últimas informaciones de los agentes en Europa oriental".

Según diría Gates más tarde, este documento, titulado "El intento de Agca de asesinar al Papa: el caso en favor de la participación soviética", "era un estudio convincente, aunque identificaba claramente la fragilidad de nuestras fuentes, las brechas informativas y la naturaleza circunstancial de la información". Argumentaba que, desde el viaje que realizó el Papa a Polonia, los soviéticos comprendieron que iba a avivar las llamas del nacionalismo polaco y temieron –incluso antes del surgimiento de Solidaridad– que esto llegara a provocar reacciones populares en otros lugares de Europa oriental, e incluso en la URSS. La opinión contraria, basada en gran parte en el hecho de que la CIA sabía del diálogo secreto del Papa con los soviéticos, aducía que Juan Pablo II representaba una influencia estabilizadora en la situación en Polonia. Sólo siete personas ajenas a la CIA recibieron el documento: el presidente, el vicepresidente, los secretarios de Estado y de Defensa, el jefe del Estado Mayor Conjunto, el asesor de seguridad nacional del presidente y el presidente de la Junta Asesora de Inteligencia Extranjera.

En julio de 1981, el agregado comercial adjunto de la embajada búlgara en París desertó y les aseguró a agentes de inteligencia franceses que el complot para asesinar al Papa había sido organizado por el servicio secreto búlgaro a instancias de la KGB. El desertor, Iordan Mantarov, les dijo a los franceses que había sabido sobre el complot por un amigo cercano, Dimiter Savov, un oficial de alto rango en la división de contrainteligencia del Durzhavna Sigurnost, el servicio de inteligencia búlgaro.

Lo que le confiere particular importancia a los detalles sobre un motivo para el crimen suministrados por Mantarov en 1981 es su consistencia con documentos que sólo salieron a la luz en Occidente después del desplome del comunismo en la URSS y en Europa oriental.

En 1979, Savov supuestamente le contó a Mantarov que la KGB pensaba que la elección de Wojtyla como Papa había sido orquestada por Zbigniew Brzezinski: los soviéticos creían que la elección de un Papa polaco tenía como objetivo explotar el creciente malestar en Polonia en torno a la corrupción y el mal manejo, y atacar el sistema comunista como un todo. A "los organismos de inteligencia de Europa oriental" les comenzó a preocupar la posibilidad de que los temores iniciales de la KGB estuvieran justificados. De modo que la KGB –o uno de los servicios de Europa oriental– inició conversaciones con el servicio de inteligencia búlgaro sobre la manera de eliminar a Juan Pablo II.

Mantarov citó a Savov, quien supuestamente dijo que Agca fue elegido como asesino porque se le conocía como derechista por su papel en el asesinato del director de periódico liberal turco, y porque no tenía lazos con ningún país comunista.

Aunque este relato provino de una fuente de segunda mano, los agentes de inteligencia franceses lo creyeron porque otras informaciones que Mantarov había obtenido de Savov resultaron correctas. En ese momento, ni los italianos ni los franceses (ni el Papa, para el caso) sabían cuánta hostilidad y temor había inspirado en el Kremlin el nombramiento de Wojtyla como Pontífice, incluso desde su primer año en el Vaticano.

La primera evidencia que se tiene de esto se encuentra en un documento ultrasecreto fechado el 13 de noviembre de 1979, cuando el secretariado en pleno del Comité Central del Partido Comunista soviético aprobó una multifacética "Decisión de trabajar contra las políticas del Vaticano con relación a estados socialistas". La "Decisión" constaba de seis puntos redactados el 5 de noviembre por un subcomité del secretariado que incluía a Andropov y a Viktor Chebrikov, por entonces director adjunto de la KGB. El documento ordenaba a todos los departamentos y organizaciones políticas soviéticos, desde la KGB hasta los órganos estatales de propaganda, asumir tareas específicas en una campaña contra Wojtyla, sobre todo en el área de propaganda.

A todos los líderes de los partidos comunistas y los servicios de seguridad del bloque oriental se les enviaron resúmenes del memorando de "Decisión".

Un documento relacionado de ese mismo período definió "el problema": el Vaticano "ahora utiliza la religión en la pugna ideológica contra las tierras socialistas" y busca "acentuar el fanatismo religioso contra los principios políticos e ideológicos de las sociedades socialistas. El Vaticano, ante todo, difunde esta nueva propaganda, que constituye un cambio en su política".

Con la elección del papa Wojtyla, continuaba el documento, "las características de las políticas del Vaticano y de la Iglesia católica en diferentes regiones de la Unión Soviética se han vuelto más agresivas, sobre todo en Lituania, Letonia, Ucrania occidental y Bielorrusia".

Todo esto ocurrió antes de la explosión de acontecimientos en Polonia.

Cuatro días después del atentado contra Wojtyla, el 17 de mayo, el presidente Reagan, que apenas había recuperado parcialmente sus fuerzas pero parecía estar recobrándose vigorosamente, hizo su primer viaje desde el atentado en su contra: debía pronunciar un discurso de inauguración, programado desde hacía mucho tiempo, en la Universidad de Notre Dame –*Nuestra Señora*– en South Bend, Indiana.

Para entonces, los redactores de los discursos de Reagan conocían sus prioridades: como el día en que atentaron contra su vida, Reagan nuevamente dirigió sus pensamientos al Papa y al Imperio del Mal. Vestido con una túnica académica negra y un birrete negro con borla amarilla, el presidente miró hacia la vasta audiencia; podía distinguir entre la multitud a un pequeño número de estudiantes con brazaletes y birretes blancos en señal de protesta contra las políticas del gobierno en El Salvador y contra los recortes presupuestales que afectaban a los pobres. Luego el presidente de Estados Unidos lanzó su propia profecía:

> Los años que vienen serán grandes para nuestro país, para la causa de la libertad y para la difusión de la civilización. Occidente no contenderá el comunismo: trascenderá el comunismo. No nos tomaremos el trabajo de denunciarlo, lo haremos de lado como un capítulo triste y extraño de la historia de la humanidad, cuyas últimas páginas se están escribiendo ahora.

Hablaba muy en serio, aunque los periodistas que viajaban con él malinterpretaron sus palabras, creyéndolas simple retórica y esperanza ciega. Pero el presidente le había confiado a su esposa y a sus más cercanos colaboradores que estaba seguro de que era por ello que él y el Papa se habían salvado.

El día anterior, en Cracovia, trescientas mil personas habían asistido a una misa al aire libre para orar por su antiguo arzobispo Juan Pablo II y por la recuperación del cardenal Wyszynski, cuya grave enfermedad había sido anunciada por el episcopado el día después del atentado contra el Papa. Reagan prosiguió:

> Fue el papa Juan Pablo II quien advirtió el año pasado, en su encíclica sobre la misericordia y la justicia, contra ciertas teorías económicas que utilizan la retórica de la lucha de clases para justificar la injusticia: que "en nombre de una supuesta justicia el vecino a veces es destruido, asesinado, privado de su libertad o despojado de derechos humanos fundamentales".
>
> Para Occidente, para Estados Unidos, ha llegado el momento de atreverse a mostrarle al mundo que nuestras ideas civilizadas, nuestras tradiciones, nuestros valores no son –como la ideología y la maquinaria de guerra de las sociedades totalitarias– una fachada de fuerza. Es tiempo de

que el mundo sepa que nuestros valores intelectuales y espirituales tienen sus raíces en la fuente de toda fuerza real: la creencia en un ser supremo, en una ley más elevada que la nuestra.

No sólo había citado al Papa, sino que, en las cadencias religiosas de su retórica, Ronald Reagan había comenzado a *sonar* como el Papa.

Poco después, el asesor de seguridad nacional de Reagan, Richard Allen, escribió en papelería de la Casa Blanca una nota a William A. Wilson, el nuevo enviado del presidente al Vaticano, quien hacía poco había presentado sus credenciales al Papa.

> Apreciado Bill:
>
> Sus conversaciones con el Vaticano sobre la situación en Centroamérica son de crucial importancia. Necesitamos la cooperación más estrecha posible con la Iglesia para consolidar la democracia, la estabilidad y la justicia social en la región.
>
> Sería conveniente que les dijera usted al secretario de Estado Casaroli y a otros que el presidente le otorga máxima prioridad al establecimiento de una relación de trabajo con la Iglesia para alcanzar nuestras metas mutuamente compartidas en Centroamérica.

Trabajadores, uníos

Tanto Ronald Reagan como el Papa sufrieron serias complicaciones derivadas de sus heridas de bala y pasaron el final de la primavera y todo el verano en penosa convalecencia... y reflexionando sobre Polonia.

El Papa y Reagan conversaban con sus colaboradores más escépticos como si los comunistas ya hubieran perdido la batalla en Polonia: una conclusión menos sustentada en evidencias tangibles que en sus nociones respectivas de historia, fe y espiritualidad; y, en el caso de Reagan, en su optimismo congénito. Las palabras de Reagan en Notre Dame fueron tan sólo el comienzo.

El 6 de septiembre, con frases muy cargadas (aunque con voz todavía débil), Juan Pablo II dijo a un grupo de peregrinos polacos en Castel

Gandolfo que "el derecho de nuestra nación a la independencia es una condición para la paz mundial", una declaración que sin duda iba a herir susceptibilidades en el Kremlin. Ahora el Papa hablaba menos sobre principios cristianos universales y se comportaba más como el líder laico de su país.

La declaración del Papa se produjo en momentos en que Solidaridad inauguraba su primer congreso nacional, en el cual Lech Walesa, con bastante tacto, urgió cautela y respeto por el Estado. Advirtió que Solidaridad estaba "subestimando seriamente al gobierno" y que el sindicato se había vuelto "demasiado confiado". El movimiento sindical hizo un llamado a otros trabajadores de Europa oriental para que organizaran sus propios sindicatos independientes inspirándose en Solidaridad. Las huelgas en Polonia estaban provocando situaciones de escasez en todo el bloque oriental. Como respuesta, los soviéticos iniciaron un gran ejercicio naval y militar de nueve días en el Báltico y alrededor de Polonia, con seis buques de guerra y más de cien mil soldados.

"Ayer estudié el 'Llamado al Pueblo de Europa oriental' emitido por el congreso del 'Solidaridad' polaco –le dijo Brezhnev al Politburó el 10 de septiembre–. Es un documento peligroso y provocador. No contiene muchas palabras, pero todas insisten en un punto: sus autores quieren propiciar disturbios en los países socialistas e incitar a diversos grupos de renegados".

El congreso de Solidaridad había reelegido a Walesa como presidente del sindicato, con sólo un cincuenta y cinco por ciento de la votación. Los elementos más radicales del movimiento sindical estaban adoptando una orientación cada vez más audaz. No disimularon su deseo de quitarle el control de la deteriorada economía polaca a los comunistas, y de suplantar al partido como fuerza principal en el gobierno.

"Los ciudadanos polacos profanan los monumentos conmemorativos de nuestros soldados, dibujan todo tipo de caricaturas de los líderes de nuestro partido y de nuestro gobierno; ofenden a la Unión Soviética ... se ríen de nosotros –se quejó Tikhonov a sus colegas del Politburó–. A mi modo de ver, es inadmisible no reaccionar".

El 17 de septiembre, el nuevo primado nombrado por el Papa, el obispo Józef Glemp, un profesor de derecho canónico ungido por el agonizante Wyszynski como su sucesor, se reunió en secreto con Kania y Jaruzelski. "Fue un encuentro sin precedentes –observaría más tarde Jaruzelski–. Nos reunimos en una situación que parecía muy peligrosa en ese momento porque fue poco después de terminado el primer congreso de Solidaridad. Ese congreso fue muy beligerante. Hubo una homilía del Papa, leída en nombre suyo, que no tuvo efecto alguno, porque muchos de los participantes en el congreso habían asumido una actitud muy agresiva y prestaron oídos sordos".

La probabilidad de que se adoptara algún tipo de medida enérgica, quizás la imposición de la ley marcial, era una hipótesis real en Washington y Roma. Sin embargo, en las fábricas y calles de Polonia, en donde Solidaridad todavía se sentía lo bastante confiado como para seguir haciendo gala de fuerza política, la gente no manifestaba mucho temor. A comienzos de agosto, mediante una compleja serie de indicios y señales, el coronel Ryszard Kuklinski había revelado a sus contactos norteamericanos los planes para la declaración y aplicación de la ley marcial. La serie de documentos incluía folletos impresos en Moscú –en polaco–, en los que se ordenaba a los ciudadanos conservar la calma y se enunciaba la lista de reglamentos que regiría la vida bajo el régimen militar. Washington había transmitido al Papa la información de Kuklinski.

Según recordaría Jaruzelski, "al final de nuestra reunión el primado preguntó, '¿qué vamos a decirle al Santo Padre?' Porque al día siguiente viajaba a Roma. De modo que le dijimos, 'sólo transmítale nuestra preocupación y al mismo tiempo haga énfasis en que las autoridades están dispuestas a llegar a un arreglo, un entendimiento, un acuerdo; pero que no permitirán la desintegración del Estado'".

El planteamiento del Papa, sustentado en principios pero prudente, encontró expresión el 14 de septiembre en su encíclica *Laborem Exercens* (Sobre el trabajo humano), que consagró a la dignidad del trabajador y fue emitida conjuntamente con el congreso de Solidaridad. La encíclica defendía en términos absolutos el derecho de los trabajadores a organizar sindicatos, pero también mencionaba sus responsabilidades en la vida social y económica de una nación. Los sindicatos, escribió el Papa, tenían que anteponer los intereses nacionales a los de cualquier individuo o grupo. Tenían que tener en cuenta los problemas de la economía de su nación: una alusión obvia a la situación en Polonia.

La versión preliminar de la encíclica en polaco, el cuarto borrador de Wojtyla, estaba lista desde la primavera, cuando Solidaridad disfrutaba de un momento de gran poder. Sin embargo, con el intento de asesinato, la redacción de la versión definitiva se había aplazado.

La encíclica era el ambicioso intento de Juan Pablo II de forjar un manifiesto de los trabajadores inspirado en el cristianismo y no en el marxismo. Era la primera vez que un Papa dedicaba toda una encíclica al trabajo. En ella, Juan Pablo II pedía la imposición de límites radicales a la propiedad privada, de una forma jamás hecha por sus predecesores. "El derecho a la propiedad privada –dijo– se subordina al derecho del uso común. ... El único derecho legítimo a la propiedad de los medios de producción, ya sea bajo la forma de propiedad privada o propiedad pública colectiva, es que sirva para que progrese el trabajo".

Desde el pontificado de León XIII a fines del siglo XIX, los papas habían criticado tanto la economía capitalista de *laissez-faire* como el marxismo, e incluso en Polonia el primado Wyszynski había utilizado palabras duras para condenar el materialismo, tanto en su versión liberal como en la marxista. Sin embargo, Juan Pablo II avanzó un paso más al proclamar la prioridad absoluta del trabajo sobre el capital, ya fuere en sistemas capitalistas o socialistas.

Otros apartes aludían a los sucesos en Polonia, como si el Papa quisiera darle un fundamento teórico al primer sindicato de inspiración católica en la historia que se enfrentaba a una clase dirigente comunista. La palabra *solidaridad* se repetía con bastante frecuencia. Se exaltó el papel de los sindicatos como un "elemento indispensable en la vida social", aunque, como dijo con énfasis el Papa, no se equiparaban a los partidos políticos.

En *Laborem Exercens*, Juan Pablo II procuró, como de costumbre, acomodar todo dentro del marco de una antropología cristiana. El trabajo es arduo; es el castigo por el pecado original –escribió–, pero es, ante todo, la capacidad de crear: "Por medio de su trabajo el hombre participa en el trabajo de su Creador ... Cristo pertenece al mundo del trabajo".

Al mismo tiempo, la encíclica contiene algunos paralelos obvios con el pensamiento de Marx, como el rechazo papal de cualquier doctrina que degrade la dignidad y subjetividad del hombre, o las ideas de Juan Pablo sobre el valor social del trabajo. "El trabajo entraña un signo particular de hombre y de humanidad, un signo de una persona que trabaja en una comunidad de personas –declaró el Papa–. Y este signo determina su carácter interno: constituye, en cierto sentido, su misma naturaleza".

Laborem Exercens pronto llegó a ser conocida como el Evangelio del Trabajo, y en muchos países del Tercer Mundo fortaleció el compromiso social de la Iglesia. En Polonia, Solidaridad tenía ahora un documento papal hecho a la medida de su lucha.

Hacia mediados de octubre, Polonia se encontraba al borde del caos: nadie parecía ejercer control sobre el país. Facciones inflexibles tanto del Partido Comunista como de Solidaridad exigían una acción violenta, casi apocalíptica. Los disturbios y enfrentamientos entre civiles y fuerzas de seguridad se multiplicaban. La economía polaca se había deteriorado seriamente y la crisis se veía agravada por centenares de huelgas en todos los sectores, desde los mineros de carbón hasta los trabajadores del transporte. En los almacenes, incluso la pasta dentífrica y los jabones habían desaparecido de las estanterías.

El 13 de octubre, Jaruzelski despachó rápidamente al ministro de Relaciones Exteriores, Józef Czyrek, encomendándole la misión de entrevistarse con el Papa en Castel Gandolfo. "El Papa todavía estaba débil, pero ... manifestó su deseo de que se produjera una solución de compromiso, un entendimiento –diría luego Jaruzelski–. Pero era obvio que aún no se había recuperado, que ... no tenía la capacidad de influir directamente sobre la situación en Polonia, por ejemplo pidiendo que una delegación de Solidaridad o Lech Walesa lo visitaran, o escribiéndoles una carta. Simplemente no tenía la suficiente fuerza para hacerlo".

Esto parece dudoso, y los colaboradores del Papa describen un panorama distinto: aunque sin duda débil, Wojtyla había podido, algunas semanas antes, recibir a dos cosmonautas soviéticos y conversar animadamente con ellos sobre la ingravidez. Esperaba que Moscú percibiera la visita como un gesto de buena voluntad. Czyrek dijo más tarde que el Papa lo había interrogado extensamente sobre las probabilidades de un colapso total de la economía polaca y los peligros de una intervención soviética.

Antes de visitar al Papa, Czyrek se había reunido con Gromyko, el ministro de Relaciones Exteriores soviético, en las Naciones Unidas, en Nueva York. "Usted es del partido de Lenin, ¿no es cierto? –había vociferado Gromyko–. Polonia está repleta de contrarrevolución. ¿Qué piensan hacer al respecto? ¿Acaso no saben que la contrarrevolución tiene que ser aplastada? Los colgarán de los postes de luz si no arreglan las cosas como hicimos nosotros en 1917. ¿Y ustedes, polacos, qué están haciendo? Dígame, ¿qué están haciendo?"

El 18 de octubre, por mandato de Moscú y de todos los partidos comunistas "hermanos", el partido polaco finalmente destituyó a Kania por su "liberalismo inadmisible", en palabras de Brezhnev, y nombró a Jaruzelski como nuevo secretario del partido, con lo cual entregaba efectivamente a los militares –la institución que gozaba de más confianza en el país después de la Iglesia– el control tanto del partido como del gobierno, que también dirigía Jaruzelski.

Al día siguiente, Brezhnev telefoneó a Jaruzelski:

–¿Cómo está?, Wojciech.

–¿Cómo está?, Leonid Ilych.

No hubo lugar para banalidades.

–Es importante no perder tiempo [retrasando] las acciones firmes que ha planeado contra la contrarrevolución –aconsejó Brezhnev–. ¡Le deseamos buena salud y éxito!

–Haré todo lo posible, como comunista y como soldado, para mejorar las cosas, para darle un vuelco al país y al partido –dijo Jaruzelski–. Voy a diseñar las medidas apropiadas. Involucraremos profundamente al ejército en todas las esferas de la vida del país.

Eso era justamente lo que Brezhnev deseaba escuchar.

Obviamente, Jaruzelski no quería discutir el tema de la ley marcial por teléfono. En pocas palabras le dio a entender a Brezhnev que más tarde ese mismo día se iba a reunir con el embajador soviético, "para discutir algunos asuntos con más detalle, y le solicitaré a su embajador consejo sobre temas que, desde luego, él comentará con usted".

La tarde del 4 de noviembre, Jaruzelski, Walesa y el primado Glemp se reunieron en la residencia oficial del primer ministro para la primera sesión de trabajo realizada entre los tres poderes de la nación polaca: la Iglesia, el Estado y el sindicato. Jaruzelski propuso la formación de un "Frente de Acuerdo Nacional" que pusiera fin al caos e hiciera las veces de foro permanente para el diálogo entre fuerzas políticas y sociales, de conformidad con "los principios constitucionales de Polonia". Aunque no quiso darle al frente autoridad en materia de toma de decisiones, Jaruzelski dijo que tendría un mandato amplio para buscar un consenso entre todos los sectores de la sociedad polaca. Propuso que sus miembros representaran a la Iglesia, el gobierno, Solidaridad, el Partido Comunista y varios otros sindicatos y partidos políticos disidentes, todos aliados con los comunistas.

Jaruzelski ya había sondeado a Glemp, el 21 de octubre. Luego de consultar con el Papa, el primado estaba dispuesto a aceptar. Walesa, sin embargo, dijo que sólo Solidaridad debía representar a los trabajadores polacos. De acuerdo con la fórmula de Jaruzelski, Solidaridad se vería obstruido por los sindicatos oficiales.

Según Jaruzelski, en tres ocasiones, los días 5, 7 y 9 de noviembre, Glemp intentó persuadir a Walesa de participar en el frente. El primado, dijo Jaruzelski, "señaló [repetidamente] la necesidad de que Solidaridad redujera su beligerancia" y se comprometiera con el plan, pero no fue posible convencerlo.

Tras haber recuperado parte de su energía, Juan Pablo II se involucraba directamente en la crisis polaca casi todos los días. En la primera semana de noviembre se reunió con un grupo de intelectuales polacos de visita en Roma, entre quienes figuraban destacados asesores de Solidaridad, importantes escritores católicos que se oponían al régimen y antiguos amigos: Jerzy Turowicz, el editor del Papa, de *Tygodnik*; Tadeusz Mazowiecki, Jerzy Kloczowski, y Bronislaw Geremek, uno de los principales asesores de Walesa.

En el transcurso de su conversación, Juan Pablo II asombró a sus visitantes al predecir llanamente que los comunistas iban a perder la batalla en Polonia. Geremek, quien más tarde sería encarcelado en dos ocasiones, dijo que las palabras del Papa ese día los inspiraron a él y a los otros, confiriéndoles la sensación de que, pese a todas las dificultades, su causa triunfaría:

Finalmente [dijo el Papa] algo ha ocurrido en Polonia que es irreversible. La gente ya no seguirá siendo pasiva. La pasividad es una de las herramientas del autoritarismo. Y ahora esta pasividad terminó; y así su suerte ya está echada. Van a perder.

Los visitantes de Wojtyla también se sorprendieron al escuchar su punto de vista sobre la probabilidad de una invasión soviética: se mostraba mucho menos intimidado que los obispos polacos. Según Geremek, "el Papa dijo, 'debe considerarse como una posibilidad, y tenemos que hacer todo lo que podamos para librar a Polonia de una intervención semejante. Pero no podemos limitarnos a actuar de acuerdo con este sentimiento' ". La amenaza soviética, agregó Wojtyla, no debe conducir al abandono de los logros o principios básicos de Solidaridad.

Los obispos polacos se referían constantemente a límites, a los linderos de las exigencias de dignidad y de derechos fundamentales de los trabajadores. Según había observado Geremek, siempre estaban dispuestos a transigir cuando percibían la amenaza de la represión soviética. "El temor a una intervención rusa siempre fue un argumento decisivo". Sin embargo, el Papa hablaba de principios no negociables, de los derechos inmutables del pueblo polaco.

La propuesta de Jaruzelski de constituir un Frente de Acuerdo Nacional había tomado por sorpresa a Brezhnev, y reaccionó con furia. Estaba tan disgustado por la reunión del general con Glemp y Walesa que el 21 de noviembre envió una carta de cinco páginas a Jaruzelski por conducto del embajador soviético en Polonia, advirtiendo sobre "el consiguiente desmantelamiento del socialismo" si a Solidaridad y a la Iglesia se les asignaban papeles significativos en el frente:

Últimamente en Polonia se ha escrito mucho sobre su reunión con Glemp y Walesa. Algunos lo llaman un encuentro histórico y lo ven como el comienzo de un cambio de dirección del caos al orden social. ... [Pero] los opositores de clase de seguro intentarán dar al "Frente de Acuerdo

Nacional" el tipo de contenido político que, como mínimo, fortalecería su noción de poder compartido entre [el Partido], "Solidaridad" y la Iglesia, con el consiguiente desmantelamiento del socialismo.

Los factores que molestaron a Brezhnev eran justamente las razones por las cuales el Papa se había mostrado dispuesto a apoyar el Frente de Acuerdo Nacional.

"Pues bien –concluyó Brezhnev–, ya ha quedado absolutamente demostrado que no existe forma de salvar el socialismo en Polonia sin una batalla decisiva contra el enemigo de clase. La cuestión, en esencia, no estriba en si habrá una confrontación o no, sino en: ¿quién la iniciará, cómo se desarrollará y por iniciativa de quién?"

A mediados de noviembre, Jaruzelski se dedicó a tratar de contener las huelgas temerarias que brotaban por todo el país. Los paros habían sido convocados para protestar por las condiciones cada vez más deterioradas de trabajo y de vida en Polonia en general. La poca carne que se veía llegaba más que todo de la URSS en furgones sucios que los trabajadores polacos muchas veces se negaban a descargar. En noviembre, según un cálculo, hubo 105 huelgas de duración indefinida, con la participación de millones de trabajadores, y se estaban planeando otras 115. Ninguna contó con la aprobación de la dirigencia de Solidaridad. El 30 de octubre, la comisión nacional de Solidaridad había hecho un llamado para poner fin a todas las huelgas, porque habían asumido un "carácter incontrolable" que "amenazaba con destruir al sindicato".

Jaruzelski ordenó al ejército que ocupara las calles de muchas ciudades. En casi todas podían verse soldados armados patrullando en grupos de tres, interviniendo cada vez que se presentaban actos violentos. El gobierno quería indicarle a Geremek que, si Solidaridad lograba disciplinar a sus elementos revoltosos, podría evitarse una confrontación mayor. Walesa llegó hasta el punto de proponer el castigo para los huelguistas desenfrenados del sindicato.

Jaruzelski dice que por estas fechas él mismo advirtió a los dirigentes de Solidaridad y a la Iglesia sobre la inevitabilidad de la ley marcial si el sindicato no aceptaba tres condiciones: la prohibición efectiva de todas las huelgas durante el invierno, la cancelación de una conmemoración pública el 17 de diciembre, aniversario de la revuelta de Gdansk en 1970, y la reanudación de algún tipo de diálogo estructurado entre el gobierno y la oposición.

Según Jaruzelski, él buscó desesperadamente la ayuda de la Iglesia para que convenciera a Solidaridad de respaldar una ley que prohibía las huelgas durante el invierno y que le otorgaba poderes de emergencia. En lugar de ello, Glemp (previa consulta con el Papa) criticó el proyecto de ley en una carta que envió al Parlamento, advirtiendo que causaría "conmoción".

"Con esta carta –aseguró Jaruzelski sin mucha convicción–, el primado nos ató las manos, para que no pudiéramos hacer nada".

De hecho, el Papa había dicho a los obispos polacos que no apoyaran ninguna medida que revocara las estipulaciones básicas de los acuerdos de 1980 entre Solidaridad y el gobierno. El derecho a la huelga, parecía estar diciendo Wojtyla, era parte de la libertad y dignidad esenciales de los trabajadores, aunque tenían una responsabilidad mayor de no invocarlo contra el interés nacional.

La misión Walters

Antes de viajar a Roma el 28 de noviembre de 1981, Vernon Walters condujo hasta la sede de la CIA en Langely, Virginia, siguiendo el curso del río Potomac por el George Washington Parkway, para reunirse con Bill Casey.

"Hablamos sobre el hecho de que la Iglesia era la clave del surgimiento y la supervivencia de Polonia como país libre –recordaría más tarde Walters–. Lo que hicimos al respecto sigue siendo información reservada".

Si bien los sucesos en Polonia dominaban ahora la política estadounidense con respecto a la Unión Soviética y su imperio europeo, las visitas de Walters al Papa se originaron en otra parte, en la misma serie de decisiones de políticas entrelazadas que llegaron a conocerse como el escándalo Irán-Contras.

Cuando Alexander Haig fue nombrado secretario de Estado, pensó que sería muy útil llevar a cabo varias "conversaciones estratégicas" con ciertos líderes del mundo que podrían apuntalar significativamente las aspiraciones de Estados Unidos: en Israel (donde las "conversaciones" llevaron al Irán-Contras), en Marruecos, en Centroamérica y Suramérica, en Francia, en Pakistán, en China, en Grecia y en el Vaticano.

"Se remonta a comienzos de 1981, con un diálogo continuado muy secreto", explica un asistente de Haig que contribuyó a formular el concepto. El propósito del diálogo era convencer a los líderes escogidos de colaborar más estrechamente con las metas políticas de Estados Unidos, para lo cual compartirían con ellos información que los convenciera de que su propia seguridad se encontraba en entredicho, ya fuera que las amenazas provinieran de comunistas, terroristas, vecinos, oposición interna, fundamentalistas islámicos, movimientos nacionalistas o teólogos de la liberación.

Los israelíes fueron documentados inicialmente por Michael Ledeen, entonces asistente de Haig y cuatro años después agente en la negociación de armas a cambio de rehenes. Ledeen, quien se describía a sí mismo como historiador, con nexos tanto con la inteligencia israelí como con los partidos socialdemócratas europeos, también celebró algunas reuniones iniciales en nombre de Haig con funcionarios del Secretariado de Estado del Vaticano, entre ellos uno de los dos secretarios del Papa, el arzobispo Emery Kabongo. Ledeen describe estas conversaciones como "exploratorias", cuyo propósito era conocer mejor el pensamiento político del Papa, sobre todo en lo concerniente a la fuerza del disenso en Polonia.

Antes de que Walters viajara a Roma por primera vez, Haig había enviado al general retirado a Marruecos (el rey Hassan estaba en deuda con la CIA y tenía excelentes conexiones con la mayor parte de las principales capitales árabes), a Argentina, Chile y México (donde el gobierno se oponía a movimientos de izquierda), a Grecia (cuyo gobierno socialista podría ser instado a temer las maniobras militares soviéticas en la vecina Bulgaria) y a Francia.

Parte del proceso de documentación estaba francamente diseñado para promover lo que el personal de Haig llamaba el "factor *gee-whiz*": deslumbrar a dirigentes extranjeros presuntamente no muy sofisticados con las proezas estadounidenses en materia de recopilación de inteligencia.

Walters –grandilocuente, locuaz (o ampuloso, dependiendo del punto de vista de cada cual)– podía parecerle a algunas personas algo torpe, una persona quizás demasiado pagada de sí misma. "Pero ciertos tipos de audiencias, estadistas, líderes, lo adoraban –señaló un colega suyo–. Tiene un estilo propio, es bueno para los idiomas. Y entre el setenta y cinco y el ochenta por ciento del tiempo fue muy efectivo. Sobre todo con el Papa. Dick Walters es un católico fervoroso. Va a misa todos los días. Y le encantaba la idea de entablar un diálogo estratégico con el Papa". Polonia no era la única razón. Wojtyla, observó el asistente de Haig,

era muy importante en otras regiones, como Centroamérica. Era un tipo que gozaba de gran popularidad en Europa occidental, en países católicos como Italia, España. Recuerden, queríamos emplazar esos nuevos misiles [de crucero y Pershing II] en Europa. Sus obispos norteamericanos estaban en contra de esto, y en contra del énfasis militar de Reagan. Si se hubiera levantado un domingo y hubiera dicho que había decidido que era una mala idea instalar misiles de crucero en Italia, habría acabado con todo el asunto del emplazamiento de FNI [Fuerzas Nucleares Intermedias]. Si no hubiéramos colocado las FNI, jamás habríamos suscrito el tratado de FNI de opción cero, y es posible que ese haya sido el principal logro de Reagan y Gorbachov. Se habría producido un importante revés estratégico. Quién sabe qué hubiera sucedido con el final de la guerra fría. De manera que era un elemento importante, una persona muy influyente, y así era como lo veíamos.

¿Y qué podía ofrecer Estados Unidos al Papa?
"Algo que probablemente deseaba más que cualquier otra cosa", dice el asistente, un hombre ciertamente más cínico en sus opiniones sobre la relación que muchos de sus colegas. "Creo que es un hombre muy político. Lo que esto le dio ... fue sentir que tenía una relación íntima de alto nivel con el país más poderoso del mundo. Era un jugador. Eso fue lo que le dio".

El 30 de noviembre de 1981, como solía hacer casi todos los días cuando estaba en el Vaticano, el Papa se levantó a las cinco de la mañana, se afeitó, se vistió y entró a su capilla privada, ubicada a pocos pasos de su dormitorio. Allí oró durante más de una hora. A veces la intensidad de su oración era tal, que gritaba o gemía. Otras veces, sus asesores entraban a la capilla y encontraban a Juan Pablo II tendido boca abajo sobre el frío piso de mármol, perfectamente quieto, con los brazos extendidos en forma de cruz. Incluso los comunistas polacos señalaban la naturaleza mística del Papa. Sus informes a Moscú decían que con frecuencia pasaba entre seis y ocho horas diarias en oración y meditación.

El perfil psicológico del Papa que preparó la CIA también se refería a la "esencia mística" de Wojtyla.

Vernon Walters había leído el perfil poco antes de su arribo al Vaticano esa mañana, en compañía de William Wilson, jefe de la misión de Estados Unidos ante la Santa Sede. De hecho, a Walters no le gustó mucho el perfil: consideraba que hacía parecer un tanto raro al Santo Padre, como un devoto del culto o un clarividente, un fanático. Walters, nacido en 1917, era tres años mayor que el Papa, un solterón empedernido que con frecuencia se describía a sí mismo como "un católico romano ortodoxo anticuado".

Walters también era muy fervoroso en cuestiones de fe: fe en Dios, en la Iglesia y en el país. Había sido educado, brevemente, por los jesuitas en la ciudad de Nueva York. Le gustaba decir que era el único general del ejército de Estados Unidos que no tenía diploma de bachillerato ni universitario. En todo caso, era el único que hablaba ocho idiomas. Era el más improbable de los diplomáticos o jefes militares: un hijo de la clase trabajadora que había escalado la cadena militar de mando gracias a su facilidad para las lenguas extranjeras. Walters había servido de intérprete para los presidentes Roosevelt, Truman, Eisenhower y, más notoriamente, el vicepresidente Nixon, a quien acompañaba en Venezuela en 1958 cuando una turba antinorteamericana casi mata a Nixon, a su esposa y al propio Walters. Cuando Nixon fue elegido presidente, nombró a Walters subdirector de la CIA. No confiaba en la agencia y quería una presencia leal cerca de la jefatura.

Ronald Reagan, con quien se reunió Walters en la Oficina Oval justo antes de viajar de Washington a Roma, había nombrado a Walters embajador plenipotenciario, a quien se confiaban los secretos más celosamente guardados de la nación y sus misiones más delicadas. Esta era, sin duda, una de ellas.

La visita de Walters era particularmente urgente por una razón muy preocupante: hacía poco, Washington había perdido su mejor fuente de información estratégica con respecto a la situación en Polonia, el coronel Ryszard Kuklinski. El 2 de noviembre, Kuklinski había sido convocado a una reunión en la oficina del segundo jefe de la división del ejército polaco, que había diseñado planes para la imposición de la ley marcial. Había otros tres hombres en el recinto. "Los norteamericanos conocen nuestros planes más recientes", dijo el general polaco. De hecho, Kuklinski había divulgado a Estados Unidos planes detallados sobre la imposición de la ley marcial, aunque sin fecha. Conservó la calma durante la reunión en la oficina del general, pero sintió que sospechaban de él. Poco después, tomando una ruta indirecta, se refugió en la embajada de Canadá en Varsovia, en donde permaneció oculto hasta cuando se le consiguieron papeles de identidad falsos y se presentó la oportunidad de sacarlo del país disfrazado. Pero sus servicios se habían perdido en el peor momento posible, justamente cuando resultaba vital saber con certeza si se iba a imponer la ley marcial y en qué momento.

Al entrar a la biblioteca del Papa con Wilson, Walters se había fijado en los zapatos del Papa –mocasines de color marrón, no las tradicionales zapatillas rojas– que se asomaban por debajo de su sotana. Salvo cuando dijo que le complacía volver a ver al Papa en buen estado de salud, Wilson no abrió la boca.

–Su Santidad, en qué idioma debo hablar –preguntó Walters en inglés. No había ningún intérprete presente.

–Trabajo en italiano todos los días, me siento más cómodo en italiano –respondió Wojtyla, en inglés.

El Papa, al igual que el general, se deleitaba con su facilidad para los idiomas. Entre los dos, podían hablar doce idiomas diferentes, y ambos dominaban el inglés, el alemán, el italiano, el latín, el español, el francés y el ruso.

–Santo Padre –comenzó Walters, en italiano–, le traigo los saludos del presidente de los Estados Unidos.

Walters también había traído un sobre, que ahora colocó sobre la mesa y abrió. En el interior había fotografías tomadas desde satélites.

Empujó la primera a través de la brillante superficie de caoba del escritorio del Papa, sobre la cual sólo había unos pocos libros.

"El presidente cree que usted debe saber qué estamos haciendo y por qué lo hacemos". Acto seguido, Walters agregó con solemnidad: "Les hemos dicho a los soviéticos que no se entrometan, pues de lo contrario se producirá una muy grave crisis en las relaciones soviético-estadounidenses. Esto ha sido informado por nuestro embajador en Moscú y se le ha dicho al embajador soviético en Washington: por si acaso a alguien le da miedo reportar algo".

Mientras hablaba, la mirada de Walters se fijó momentáneamente en el gran anillo de oro del Papa, el anillo del Pescador, en forma de cruz, que fue colocado en el dedo anular de la mano derecha de Wojtyla en el momento de su investidura. Cuando había saludado al Papa, Walters había besado el anillo. En su bolsillo llevaba varios rosarios de parientes y amigos para que el Santo Padre los bendijera.

Ahora, durante lo que pareció un minuto completo, el Papa examinó la fotografía de satélite. Reconoció de inmediato el astillero Lenin de Gdansk, perfectamente claro en la foto, tomada hacía menos de cuarenta y ocho horas desde el espacio. No estaba tan seguro sobre el círculo sólido y oscuro que se veía a cierta distancia del complejo familiar de edificios de ladrillo, con sus enormes chimeneas, que habían sido registradas por las cámaras en momentos en que vomitaban feas columnas grises de humo.

–¿Qué es esto? –preguntó el vicario de Cristo, señalando el círculo.

–Equipo pesado, Santo Padre: vehículos militares, vehículos para transporte de personal, tanques para uso de las fuerzas de seguridad polacas.

El general le pasó al Papa otra fotografía.

Esta fotografía de satélite –y otras que Walters procedió a sacar del sobre– mostraba el despliegue y avance subsiguiente de las fuerzas del Pacto de Varsovia hacia la frontera polaca, decenas de miles de soldados procedentes de los cuarteles de la URSS, Alemania Oriental y Checoslovaquia, en dirección a la tierra natal del Papa.

Otras fotos dejaban ver misiles, programados para alcanzar el corazón de Europa occidental en cuestión de minutos.

El Papa no manifestó emoción alguna, cosa que sorprendió a Walters. "¿Desde qué altura se tomó esta? ... ¿Qué es esto? ... ¿Qué es eso?" Casi todas sus preguntas eran de índole práctica.

"Este es un vehículo de combustible –explicó Walters–. Este es un silo, este es un tractor con travesaño en punta que puede abrirse paso a través de la nieve y el hielo, que se usa para ataques militares, no con fines agrícolas".

Así era como el Papa acostumbraba ocuparse de las cosas, temporales o espirituales (aunque por lo general no hacía distinción entre unas y otras): formular las preguntas y aguardar las respuestas, ya sea que provinieran de Dios o de los hombres. Quería saber lo más posible sobre lo que conocía Estados Unidos, en especial en lo concerniente a las intenciones soviéticas. Sin embargo, se suponía que Walters también debía conseguir información, no sólo suministrarla. Más tarde observó: "Nos interesaba más lo que pudiera decirnos el Papa que lo que nosotros podíamos decirle sobre la situación interna en Polonia". Wojtyla tenía lo que Walters denominaba "el servicio de inteligencia más antiguo del mundo, salvo el de los israelíes, pero el de él jamás había dejado de funcionar en mil años".

Walters le mostró a Juan Pablo II otra fotografía, esta vez de soldados en Polonia, soldados polacos. Polonia tenía un ejército y una fuerza de reserva de ochocientos mil soldados, le dijo Walters, incluidas dos divisiones aéreas. Tres divisiones blindadas estaban equipadas con los mismos tanques que tenían los soviéticos, los T-72, fabricados en Polonia. Walters manifestó su opinión, compartida por la inteligencia de Estados Unidos, de que la mayor parte combatiría contra las fuerzas del Pacto de Varsovia si los soviéticos ordenaban a estas últimas entrar a Polonia. Esto no sería como Checoslovaquia en 1968, ni siquiera como Hungría en 1956. "No pueden aplastar a Polonia en una noche".

El Papa asintió, con una expresión lúgubre en el rostro.

El general prosiguió: "Si los soviéticos invaden habrá guerra. Será una guerra pequeña, una guerra corta, pero será una guerra. Librada por polacos. Y nadie sabe cuáles serían las consecuencias".

El Papa no contradijo la opinión de Walters en el sentido de que los polacos lucharían si las tropas de Moscú invadían su país. Al fin y al cabo, se había requerido un millón de soldados para someter a Checoslovaquia, en donde la resistencia había asumido un carácter no violento.

En pocas palabras, el general informó al Papa sobre cuántas divisiones habían avanzado hacia Polonia, y sobre cómo estaban equipadas. Las fotografías de satélite mostraban en dónde estaban acantonadas. El ejército soviético del norte también tenía una fuerza en Polonia.

"Según las indicaciones que tenemos, a la dirigencia soviética le resultará difícil llegar a un consenso para invadir", dijo Walters. Los soviéticos ya tenían sus fuerzas militares dispersas en demasiados sitios. Estaban siendo lentamente desangradas en Afganistán y varios dirigentes militares claves se opondrían a otra aventura que podría costar muchas vidas soviéticas. Se habían echado para atrás en diciembre último y de nuevo en abril, cuando Solidaridad estaba en la cúspide de su poder. "Saben que esto no será como Checoslovaquia en 1968".

Wojtyla asintió. Conocía a su pueblo, y parecía aliviado con los cálculos de inteligencia: la CIA le concedía mucha importancia a las vacilaciones soviéticas en diciembre y abril, cuando el poder de Solidaridad estaba en su cenit.

A semejanza de Reagan, Casey y Haig en Washington, Walters estaba convencido de que el verdadero poder en Polonia era Wojtyla, incluso estando sentado ante su escritorio detrás de los antiguos muros del Vaticano.

Sin embargo, este Papa también desconfiaba profundamente de Estados Unidos, de sus valores, sus metas, su capitalismo. Ante todo, estaba decidido a defender los intereses de su Iglesia, de su país, y sus ideas sobre el destino cristiano, que diferían bastante de las finalidades políticas más estrechas de Ronald Reagan. Pero esto no se lo dijo a Walters.

La conversación se volcó sobre los jefes en Polonia y su capacidad para controlar la situación. Walesa, dijo el Papa, es un hombre bueno y santo, un católico romano devoto, en quien se puede confiar en que no hará nada imprudente, un hombre de paz. También había otras fuerzas restrictivas, personas a quienes el Papa y los obispos polacos que respaldaban a la dirigencia de Solidaridad conocían. Sin embargo, la situación era muy tensa y ambas partes estaban perdiendo la paciencia.

En cuanto a Jaruzelski, tanto Walters como el Papa se inclinaban a pensar que se consideraba ante todo un patriota polaco. Un comunista devoto, sí, pero un polaco que haría todo lo posible por convencer a sus camaradas en Moscú de no intervenir.

Últimamente, observó el Papa, Jaruzelski había estado conversando con la Iglesia y, de modo indirecto, con los dirigentes de Solidaridad como si la ley marcial fuese inevitable, a menos que el sindicato y el episcopado estuvieran dispuestos a renunciar a algunos de los derechos civiles y religiosos que les habían sido concedidos desde la firma de los acuerdos de Gdansk.

Entre tanto, en el Departamento de Estado, Haig estaba tan concentrado en mantener alejados a los soviéticos (para pesar ulterior de Reagan) que nunca quiso amenazar a las autoridades polacas con represalias por imponer la represión por su cuenta. Según su razonamiento, las amenazas norteamericanas podrían alentar a Solidaridad a oponer resistencia violenta a la ley marcial, como cuando los rebeldes húngaros habían luchado en las calles en 1956 con la presunción equivocada de que Estados Unidos les iba a ayudar.

El Papa hizo énfasis en que su preocupación principal era espiritual: garantizar que la Iglesia católica en Polonia no fuera obligada a soportar el tipo de sometimiento que imperaba en el resto del imperio soviético. Los sacerdotes estaban siendo amenazados por ayudar a Solidaridad. Bajo ninguna circunstancia retornaría la Iglesia a las condiciones en que estaba en épocas de Wyszynski.

Brevemente, Walters le comentó al Papa que el gobierno de Reagan ya estaba tomando algunas medidas para asegurarse de que Solidaridad siguiera recibiendo ayuda financiera y logística de Estados Unidos. Incluso estaba dispuesto a ayudarlo a operar en la clandestinidad, si era necesario. Casey había informado a Walters en términos muy generales sobre estos esfuerzos, y Walters no le había pedido detalles.

"Le dije al Papa que obviamente había una amplia comunidad polaco-estadounidense que nos presionaba para que hiciéramos más por ayudar a Solidaridad –recordaría más tarde Walters–, y desde luego nosotros, el gobierno, procurábamos ser responsables y tomar las medidas apropiadas. No entramos en detalles y él no me preguntó quién, dónde, cuándo. Es un hombre muy sofisticado para ser alguien que creció y pasó la mayor parte de su vida en Cracovia".

Walters explicó el marco más amplio de su misión en términos previamente acordados con el secretario de Estado Haig: Estados Unidos se estaba embarcando en una intensificación histórica de la guerra fría contra la Unión Soviética, empeñado en desafiar la hegemonía comunista y las insurgencias de izquierda donde fuese factible, aunque Walters no lo dijo exactamente con esas palabras. Polonia era una parte importante del cuadro, pero sólo parte de un todo: "Santo Padre, usted tiene derecho de saber por qué Estados Unidos está invirtiendo un monto tan enorme de dinero –trescientos mil millones de dólares– en defensa". Durante el siguiente cuarto de hora, el Papa y el general intercambiaron ideas sobre la naturaleza de la amenaza soviética y sobre las razones que inducían al gobierno a emplazar una nueva generación de misiles de alcance intermedio en Europa occidental. Más tarde, el general volvería con nuevas fotos de satélite, mapas y descripciones del equipo soviético y los niveles de fuerzas, documentando en detalle al Papa durante horas enteras.

Walters le había mencionado al Papa que hacía poco había viajado a Suramérica y a África. Ahora Wojtyla le pidió que le hiciera una evaluación sobre la situación política en Argentina y Chile, países con dictaduras militares y que figuraban en el itinerario futuro de viajes de Wojtyla.

Walters respondió que Estados Unidos deseaba que se produjera una transición pacífica a la democracia en ambos países, pero quería evitar que las fuerzas izquierdistas alineadas con Cuba o la URSS sacaran provecho de la situación. Lo mismo pasaba en El Salvador y Nicaragua.

Walters se refirió a los "esfuerzos [de Estados Unidos] para mejorar la situación de los derechos humanos en el continente americano sin provocar vergüenzas contraproducentes a los gobiernos gritando a voz en cuello sus fallas". Esto era especialmente cierto en El Salvador, dijo. Según aseguró, en los años en que Estados Unidos había condenado públicamente a los gobiernos en un esfuerzo por cambiar su comportamiento –una referencia al gobierno de Carter–, la violencia se había intensificado. "En El Salvador –prosiguió Walters–, tenemos tan sólo cincuenta personas de seguridad militar; los soviéticos tienen más de trescientas sólo en Perú: más de lo que Estados Unidos tiene en toda Latinoamérica, salvo en la base de Panamá".

El momento decisivo iba a ser en Nicaragua, país en donde el gobierno de Estados Unidos pensaba trazar la raya en América Central. "Los nicaragüenses tienen armas de 152 milímetros, tanques de fabricación soviética; sus pilotos reciben entrenamiento en Bulgaria. Buscamos una solución pacífica que no ponga en peligro las vidas y la libertad del pueblo latinoamericano". No le dijo al Papa que, mientras ellos hablaban, el gobierno estaba entrenando una fuerza de "somocistas" –los Contras– en Argentina, ni que se iban a enviar muchos más asesores norteamericanos a El Salvador y Honduras. Casey se encargaría de ello más tarde.

La teología de la liberación corría "rampante" por la región, dijo Walters, y el Papa estuvo de acuerdo. Tanto Estados Unidos como la Santa Sede utilizarían sus poderes respectivos para marginarla.

Los dos hombres habían conversado un poco menos de una hora, y Walters había resistido sus impulsos de hacer preguntas capciosas. Con todo, sentía que Juan Pablo II comenzaba a ver con más simpatía los objetivos de amplio alcance de la política norteamericana y a entender mejor los intereses comunes de la Iglesia y Estados Unidos. Cuando un monseñor se asomó por la puerta para recordarle al Papa que era hora de su siguiente cita, Wojtyla le pidió que se marchara con un gesto de la mano.

Juan Pablo II llevaba puesta una sotana sencilla de lana blanca. Estaba sentado ligeramente encorvado detrás de su escritorio, apuesto pero con aire de fatiga. Tenía la constitución física de un ex atleta. A veces su rostro se encendía de animación, aunque transmitía una serenidad que Walters jamás había visto en otra persona, ni siquiera en los otros tres papas que había conocido en misiones oficiales del gobierno de Estados Unidos. Tenía una cierta gracia en sus gestos, una facilidad de movimiento que combinaba con la cadencia sonora y deliberada de palabras cuidadosamente escogidas. Walters sabía que Wojtyla había sido actor y poeta; sus pálidos ojos azules, que miraban tan profundamente a su interlocutor que al comienzo éste se sintió turbado, parecían ofrecer intimidad. La experiencia de Walters no era única. Por orden de Leonid Brezhnev, el embajador soviético en Italia también se había reunido secretamente con Wojtyla en varias ocasiones. Sus impresiones seguramente sacudieron a los jefes del partido: "Cuando uno lo saluda, lo asombra su mirada: es muy penetrante, pero al mismo tiempo es benevolente y amable. ... Cada una de sus frases transmite un gran sentido de confianza y fascina ... La dulzura de sus palabras ... No se apresura cuando habla. Cada frase es refinada y precisa. Nunca dice palabras vacías".

Walters compartía un momento personal con el Papa. Había estado en la Plaza de San Pedro cuando ascendió el humo blanco y el nombre del cardenal de Cracovia, Wojtyla, fue proclamado como el nuevo sucesor de Pedro. En ese momento, Walters le había comentado a un conocido: "Acabo de escuchar el batir de las alas del Espíritu Santo".

El Papa miró a Walters a los ojos y dijo lentamente: "Necesitamos al Espíritu Santo en estos momentos de dificultades". Sus ojos no se desprendieron ni un sólo instante del general.

"Nuestra Iglesia tiene un guía seguro y estable, Santo Padre", respondió Walters.

La visita de Walters al Papa acentuó su convicción sobre la importancia del Vaticano en los asuntos mundiales.

"En primer lugar –reflexionó Walters en ese momento–, entiende el comunismo hasta un grado nunca alcanzado por sus predecesores. Luego tiene una Iglesia en Polonia relativamente poco afectada por las convulsiones sociales y religiosas que ocurrieron en el mundo occidental después de la guerra". Walters podía prever la utilidad del Papa para Estados Unidos en prácticamente todas las áreas de interés vital para el gobierno de Reagan: Europa oriental, el Medio Oriente, el terrorismo, el control armamentista, temas morales básicos en la esfera pública. El Papa, concluyó Walters, era un "poderoso combustible de jet".

Al concluir la reunión, el Papa le había pedido a Walters que "hablara en detalle" con el secretario de Estado del Vaticano, el cardenal Casaroli. Sin embargo, al conversar con ese príncipe de la Iglesia en particular, el general no sintió la calidez y el estímulo que había recibido del Papa. Tuvo la impresión de que Casaroli tenía una visión del mundo muy distinta de la de Wojtyla, sobre todo en relación con los soviéticos y con la voluntad del Vaticano de desafiarlos. El cardenal utilizó repetidamente la palabra *prudenza*: prudencia. "No estoy seguro de que apruebe todo lo de este papado", concluyó Walters.

Según dedujo Walters, Casaroli aceptaba el control soviético sobre sus satélites en Europa oriental y central como un hecho prácticamente inmutable, en tanto que Wojtyla pensaba que la Iglesia y sus Evangelios tenían el poder de provocar un cambio fundamental, y recibiría gustoso

Misa durante el segundo viaje a Polonia.
Varsovia, Polonia, 17 de junio de 1983.

Juan Pablo II en vuelo hacia Polonia en 1987.

Basílica de Nuestra Señora de Chiquinquirá. Colombia, 3 de julio de 1983.

Misa de canonización de Maximilian Kolbe.
Plaza de San Pedro, Roma, 10 de octubre de 1982.

Yellow Knife, Canadá.
18 de septiembre de 1984.

Tercer viaje a África. Kara, Togo,
9 de agosto de 1985.

Encuentro con aborígenes
Alice Springs, Australia, 29 de noviembre de 1986.

Encuentro con mineros y campesinos.
Oruro, Bolivia, 11 de mayo de 1988.

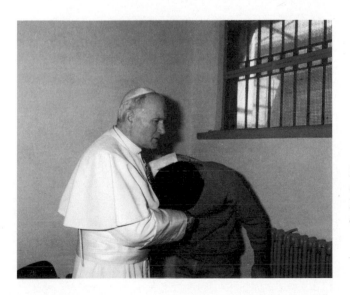

Encuentro con Ali Agca
en prisión.
Roma, 27 de diciembre
de 1983.

Encuentro con el general Jaruzelski durante el segundo viaje a Polonia.
Palacio de Belvedere, Varsovia, 17 de junio de 1983.

Encuentro con Ronald y Nancy Reagan.
Biblioteca papal en el Palacio Apostólico, Roma, 20 de septiembre de 1990

Primer encuentro con Mijaíl Gorbachov.
El Vaticano, Roma, 1 de diciembre de 1989.

Bendición de una nueva iglesia.
Roma, marzo de 1996

la ayuda de Estados Unidos para alcanzar ese fin. La falta de confianza de Casaroli, pensó Walters, constituía una razón más para tratar con Wojtyla en persona y compartir mayor información directamente con él.

Ley marcial

Al observar la vida polaca en el invierno de 1981, a veces resultaba difícil no confundir las imágenes con aquellas de Polonia cuando estaba emergiendo de la devastación ocasionada por la Segunda Guerra Mundial. En Varsovia, decenas de miles de hombres, mujeres y niños hacían fila, tiritando de frío, aguardando con sus tarjetas de racionamiento en la mano las asignaciones minúsculas de los pocos alimentos básicos que aún quedaban en el país, que según los viejos, eran incluso más exiguas que las de la época nazi. La unidad básica de la moneda polaca, el zloty, ya casi no valía nada. En las ciudades, la gente recurría al trueque para conseguir los elementos esenciales de la vida: carbón y madera para combustible, jabón en polvo acumulado por los acaparadores, fósforos, cigarrillos, vodka. La presencia de hombres, mujeres y jóvenes embriagados en las calles era tristemente frecuente. Las peleas a puño limpio y las golpizas se habían vuelto un elemento corriente de la vida diaria. Algunas fábricas habían cerrado por falta de piezas, la maquinaria se estaba oxidando debido a la escasez de aceite. Los bebés sufrían de desnutrición por falta de leche o de alimentos infantiles. La industria farmacéutica había cerrado, y la gente sufría y moría por falta de medicamentos. Miles de personas intentaban emigrar. Solidaridad, las autoridades y los soviéticos pronunciaban discursos y lanzaban declaraciones unos contra otros, mientras que la Iglesia buscaba con desespero un entendimiento.

El 2 de diciembre, soldados apoyados por helicópteros ingresaron a la fuerza en la Academia de Bomberos de Varsovia (parte del sistema militar polaco) y sacaron a trescientos cadetes en huelga, vestidos con sus uniformes color caqui. En Radom, en el centro de Polonia, los dirigentes de Solidaridad respondieron al asalto convocando una huelga general. Esta vez Walesa estuvo de acuerdo. Estaba bajo una gran presión. Los miembros del sindicato, y no sólo la dirigencia, se estaban tornando más radicales.

En los primeros diez días de diciembre, el primado Glemp se reunió en varias ocasiones con Walesa y sus principales asesores, implorándoles que llegaran a un acuerdo y amonestándolos por abusar de su poder. Su convocación a una huelga general y su negativa a seguir negociando habían sobrepasado el mandato que había recibido Solidaridad de los trabajadores, aseguró Glemp.

El sindicato, replicó Walesa, "no puede seguir retrocediendo" frente a los asaltos implacables del gobierno. Más tarde, en sus memorias, escribió que en Radom perdió el control de la situación y tuvo que asumir "una posición dura, en contra de mis convicciones, a fin de no quedar aislado".

El 10 de diciembre, el Politburó soviético se reunió en sesión de emergencia.

Nikolai Baibakov, que acababa de regresar de Varsovia con otros camaradas, advirtió que Jaruzelski "se ha vuelto una persona sumamente desequilibrada que no está nada segura de sus propias fuerzas". El general "estaba muy abatido" porque el arzobispo Glemp se había negado a respaldar sus demandas de poderes extraordinarios. Esa misma mañana, el gobierno soviético había acusado a la Iglesia católica de "agitar el sentimiento anticomunista". Baibakov calificó la carta en la que Glemp se rehusaba a apoyar una ley antihuelgas de "guerra santa".

"El país se está derrumbando –le había dicho Jaruzelski a Baibakov–. En cuanto al partido, en esencia no existe ... todo el poder está en manos de Solidaridad".

En opinión de sus visitantes soviéticos, Jaruzelski estaba flaqueando y actuando con muy poco sentido. Peor aún, por lo menos en lo que concernía a Moscú, parecía estar pidiendo la intervención de las fuerzas del Pacto de Varsovia si sus propios planes inciertos para la imposición de la ley marcial generaban una seria división en el ejército polaco o provocaban una lucha armada con ciudadanos polacos.

"Dice que si las fuerzas polacas no pueden manejar la oposición de 'Solidaridad', los camaradas polacos esperarían la ayuda de los otros países, incluso la intervención de fuerzas armadas en territorio polaco", informó Baibakov.

El imperio se tambalea

Sin embargo, bajo ninguna circunstancia la URSS estaba dispuesta a permitir una intervención militar directa por parte del Pacto de Varsovia, como afirmaron sin ambages uno tras otro los miembros del Politburó: primero Andropov, luego Gromyko, luego Ustinov, Suslov, Grishin y Chernenko.

Lo que no habían comprendido los miembros del Politburó era que llevaban tanto tiempo y con tanta frecuencia amenazando con la intervención, que no sólo Jaruzelski sino gran parte del mundo creían que los soviéticos estaban dispuestos a comprometer las fuerzas del Pacto de Varsovia en la lucha. De hecho, su gran secreto era que ni podían ni querían hacerlo.

"No podemos asumir ese riesgo –declaró Andropov–. No tenemos intención alguna de introducir soldados a Polonia. Esta es la posición correcta, y debemos sostenerla hasta el final. No sé cómo se desarrollen los sucesos en Polonia. Si Polonia cae bajo el poder de 'Solidaridad', eso es una cosa. Pero si los países capitalistas le caen a la Unión Soviética, y ya tienen un acuerdo diseñado con distintos tipos de sanciones económicas y políticas, entonces a nosotros nos va a quedar muy difícil. Tenemos que preocuparnos por nuestro país y por el fortalecimiento de la Unión Soviética. Esa es nuestra posición esencial".

No les quedaba nada más por hacer, salvo proteger el corredor militar y de transporte que conducía al oeste desde la URSS. "En cuanto a las comunicaciones de la Unión Soviética con la RDA a través de Polonia, desde luego que tendremos que tomar algunas medidas para protegerlas", dijo Andropov. Tal como lo dijo, parecía como si se tratara de una autopista reservada para los soviéticos.

Gromyko fue directo al grano: "De alguna manera tendremos que apaciguar las ideas de Jaruzelski y los demás dirigentes polacos sobre la intervención militar. No puede haber intervención militar en Polonia. Creo que podemos pedir a nuestro embajador que visite a Jaruzelski y le informe al respecto".

Había un dejo de melancolía en las palabras de Gromyko, como si supiera que Polonia ya se había perdido.

Hoy estamos discutiendo el asunto de la situación de Polonia de modo muy deliberado. Quizás nunca lo habíamos discutido tan deliberadamente.

Esto es porque ahora nosotros tampoco sabemos cómo se desarrollarán los sucesos en Polonia ... O cederá en su posición, si no toma medidas decisivas, o tomará medidas decisivas, introducirá la ley marcial, aislará a los extremistas de "Solidaridad" e impondrá el orden necesario. No existe otra alternativa.

Suslov, el ideólogo, tenía setenta y nueve años. "Durante todo el período de sucesos en Polonia, hemos dado muestras de autocontrol y sangre fría –insistió–. Estamos realizando un gran esfuerzo por la paz y no debemos modificar ahora nuestra posición. La opinión pública mundial no nos entendería".

La URSS había lanzado su "ofensiva de paz" en un intento (considerablemente exitoso) de convencer a los europeos occidentales y a los gobiernos del Tercer Mundo de que sus políticas eran de naturaleza defensiva y no planteaban una amenaza contra nadie. La verdadera amenaza, aseguraban los rusos, provenía de la retórica belicista y el militarismo de Ronald Reagan. A través de la ONU, prosiguió Suslov,

realizamos estas acciones de envergadura para el fortalecimiento de la paz. Miren los resultados que obtuvimos con la visita de L. I. Brezhnev a la República Federal de Alemania, y muchas otras acciones de paz. Esto permitió que los países amantes de la paz entendieran que la Unión Soviética defiende firme y consistentemente una política de paz. Es por esto que no debemos modificar la posición que asumimos desde el comienzo con respecto a Polonia. Dejemos que los camaradas polacos decidan qué hacer.

"Ahora todo depende de Jaruzelski –observó el ministro de Defensa Ustinov–. En lo que respecta a nuestras guarniciones en Polonia, las reforzaremos. Me inclino a pensar que los polacos no correrán el riesgo de una confrontación a menos que 'Solidaridad' los presione y los obligue a ello".

El viernes 11 de diciembre, el general Viktor Kulikov, comandante de las fuerzas del Pacto de Varsovia, regresó a la capital polaca con el mensaje de que los soviéticos no intervendrían bajo ninguna circunstancia.

Los días 11 y 12, la comisión nacional de Solidaridad se reunió en

Gdansk. Pese a los informes sobre preparativos militares por parte del ejército polaco, los dirigentes de Solidaridad siguieron presionando en favor de su ambiciosa agenda como alternativa a la confrontación: elecciones libres para el Sejm y los consejos de gobierno locales, control de los trabajadores sobre la gestión de las fábricas y la toma de decisiones, y un plebiscito sobre el gobierno comunista.

Walesa no habló en la reunión. Cuando le dijeron que admitiera que ya no tenía sentido alguno negociar con el régimen, contestó: "Sólo estoy tratando de adivinar qué comieron ustedes hoy para hacerlos hablar así". Siguió defendiendo la idea de una verdadera alianza nacional tripartita y amenazó con seguir luchando por su idea, con o sin el consentimiento del comité. La reunión se disolvió cerca de la medianoche del 12 de diciembre. En el término de dos horas, casi todos los miembros de la comisión nacional estarían bajo arresto.

Jaruzelski tenía razones apremiantes para escoger el 12 de diciembre como fecha para imponer la ley marcial. En primer lugar, lo esperaban en Moscú el 14 de diciembre (aunque nunca ha admitido en público esta "invitación"), y tenía siempre presente el recuerdo de la visita similar –y el arresto– de Dubcek en 1968.

Jaruzelski dice que programó la declaración de la ley marcial para después de la reunión de la comisión nacional de Solidaridad, con la esperanza de que el sindicato diera una señal de conciliación. Solidaridad se había negado a suspender la enorme manifestación conmemorativa que había organizado para las cuatro de la tarde del 17 de diciembre. "El mismo tipo de manifestación que en 1956 desencadenó en Budapest una serie de sucesos trágicos y sangrientos", escribiría más tarde Jaruzelski.

Otros han sugerido que estaba aguardando a que los dirigentes de Solidaridad estuvieran reunidos en un solo lugar, en donde podían ser arrestados de un solo golpe. El momento escogido para la imposición de la ley marcial, el sábado a la medianoche, se había decidido hacía bastante tiempo, y la operación se había ensayado durante los juegos de guerra en febrero. La lista de detenidos, que finalmente totalizó más de diez mil, había sido elaborada en marzo, cuando la tensión había alcanzado un momento álgido. Los ciudadanos se despertarían el domingo con tanques en las calles y sin ningún lugar en dónde poderse reunir, salvo en la iglesia durante la misa. Las fábricas estarían cerradas. Y en una madrugada de domingo, sería fácil ubicar a las personas que pensaban detener: en sus casas, en sus camas.

Al filo de la medianoche, los tanques y soldados estacionados por todo el país avanzaron hacia las calles y los bosques cuando se dio curso a la Operación X.

A las seis de la mañana, Jaruzelski se dirigió a la nación por la televisión.

Estaba sentado ante su escritorio, muy tieso, en uniforme, con gafas de vidrio claro. Detrás suyo había una enorme bandera polaca.

"¡Ciudadanos y ciudadanas de la República Popular de Polonia! ¡Me dirijo a ustedes como soldado y jefe de gobierno! Nuestra patria está al borde de un abismo". Cuando leyó su declaración previamente redactada, ya había miles de personas en la cárcel. Los prisioneros, dijo, eran culpables de "agresividad creciente y de intentar desmantelar el Estado. ¿Cuánto tiempo se estrellará nuestra mano tendida contra un puño?", preguntó.

Su discurso, que duró veintidós minutos y cincuenta y tres segundos, se transmitió una y otra vez por la mañana y en la tarde, alternando con tomas de un pianista que interpretaba polonesas de Chopin y melodías patrióticas.

En el futuro previsible, la nación sería gobernada por un Consejo Militar de Salvación Nacional. Las nuevas reglas de gobierno, que ponían fin a dieciséis meses de esperanza y emoción, sufrimiento y decepciones, fueron colocadas en los postes de luz, las esquinas de las calles, y los árboles en las ciudades y el campo. Habían sido impresas meses antes... en la Unión Soviética.

La sociedad civil que Solidaridad había estado construyendo ladrillo por ladrillo con la protección de la Iglesia ya no existía. En su lugar quedaba una declaración de "estado de guerra". Se decretó un toque de queda de duración indefinida. Salvo por los de las fuerzas militares y de seguridad, todos los teléfonos de Polonia estaban muertos (incluso en las sedes locales del Partido Comunista) y así permanecerían durante un mes entero. Todas las comunicaciones civiles con el mundo exterior se suspendieron. Todos los colegios, salvo las guarderías infantiles, fueron cerrados, al igual que los teatros y las salas de cine. Exceptuando los servicios religiosos, las reuniones públicas fueron declaradas ilegales. Sólo se podía salir de la ciudad de residencia con un permiso oficial. Todo el correo quedó sometido a censura. "El turismo, la navegación en yate y el remo ... en las aguas internas y territoriales" quedaron prohibidos.

Durante los dieciséis meses del gran experimento polaco, se habían publicado más de dos mil libros y periódicos clandestinos con ayuda de Occidente. Cerca de cien mil ciudadanos polacos habían participado en su elaboración, trabajando como impresores, escritores o distribuidores. Ahora el Consejo Militar de Salvación Nacional prohibió la compra de cintas o papel para máquina de escribir sin permiso oficial.

En adelante, los militares se harían cargo del manejo de los ferrocarriles, las autopistas, el servicio de correo, las transmisiones, la distribución de productos derivados del petróleo, los bomberos, las importaciones y exportaciones y la fabricación de artículos estratégicos. Se sellaron las fronteras polacas y se cerró el espacio aéreo nacional. Los presentadores de noticias en la televisión vestían ahora uniformes militares.

El arresto de miles de personas y la promulgación y aplicación de las medidas más draconianas de la ley marcial no fueron las tareas más difíciles de Jaruzelski. Fueron ejecutadas con precisión militar y con actitud autoritaria.

"El hecho de que la ley marcial en Polonia hubiera sido [establecida] sin originar protestas masivas o derramamiento de sangre, sin oposición activa, se debió a la forma particular en que la gente aceptó la ley marcial –comentó más tarde Kania, el ex secretario del partido–. La gente estaba muy cansada del desmantelamiento de la economía, debido a las huelgas permanentes. No existía mercado. Las estanterías de los almacenes estaban vacías. En su reunión de comienzos de diciembre, Solidaridad declaró que esta iba a ser su lucha definitiva. Esto creó una situación de gran temor en la sociedad, pero no lo bastante como para que la gente comenzara a apoyar a las autoridades. Sería más verídico decir que, por el momento, el respaldo a Solidaridad se frenó".

Para Jaruzelski, la tarea esencial ahora era ganarse a los obispos. Quería que a la Iglesia no le quedara alternativa distinta de aceptar la nueva realidad de una Polonia sometida, de una Solidaridad en desbandada, del Estado comunista nuevamente supremo y de la Iglesia como garante último de la legitimidad ante el pueblo.

Jaruzelski no esperaba milagros. No esperaba que el primado en Varsovia o Wojtyla en Roma lo alabaran por lo que había hecho. Pero sí esperaba su aquiescencia renuente y un compromiso con el nuevo orden de las cosas: con la tranquilidad, con el reconocimiento de los límites inherentes a la pertenencia al Pacto de Varsovia, y por lo menos con una aceptación formal del socialismo.

Por otra parte, Jaruzelski no imaginaba la restauración total de la situación que imperaba antes de agosto de 1980. Podría haber un lugar en Polonia para sindicatos independientes, pero no para un movimiento sindical que pretendía eclipsar al partido y ponía en peligro la existencia misma del Estado. Las reformas económicas eran esenciales para Polonia, y los esfuerzos de renovación tenían que proseguir. Sin embargo, todos los estamentos de la sociedad polaca –el gobierno, los sindicatos, el pueblo, el partido y, sobre todo, la Iglesia– tenían que admitir la existencia de límites.

Poco después de las dos de la tarde del sábado, Jaruzelski llamó a Kazimierz Barcikowski, secretario del Comité Central de Polonia, quien también era presidente de la Comisión Conjunta para el Estado y el Episcopado, y le preguntó si estaba de acuerdo con el "estado de guerra". Barcikowski se mostró de acuerdo, de modo que Jaruzelski les encomendó a él y al ministro de Asuntos Religiosos, Jerzy Kuberski, la misión de informar a Glemp. Lo último que quería el régimen era que Glemp se enterara de la declaración de ley marcial topándose con los tanques en la calle.

Cuando Kuberski llegó a la residencia del primado a las tres de la mañana el domingo, todos parecían dormir a pierna suelta. Un patrullero llamó tres veces desde la verja de entrada del palacio y finalmente sugirió: "Ministro, si pasa por encima de la cerca, probablemente podrá entrar". En vez de ello, Kuberski regresó al Palacio de Belvedere, en donde le ordenaron que volviera a la residencia de Glemp y siguiera intentando. "Todo el asunto fue un tanto teatral", observaría Barcikowski más tarde.

Por fin se prendió una luz en el interior cuando el ministro, ahora en compañía de Barcikowski y de un general, regresó y volvió a timbrar.

Una monja acudió a la puerta. Pocos minutos después, los tres hombres fueron recibidos por el capellán de Glemp, quien los condujo a un recinto en donde los aguardaba el primado.

Con calma y en pocas palabras, Barcikowski le informó que había sido declarado el "estado de guerra", que no parecía existir ninguna otra alternativa. Sin embargo, agregó que esto no afectaría las relaciones entre la Iglesia y el Estado, que todos los acuerdos previos serían respetados. Más aún, la ley marcial –o por lo menos algunas de sus características– se aboliría tan pronto lo permitieran las circunstancias.

Barcikowski pudo ver la aflicción del primado. "Es un asunto triste", dijo Glemp. Ya le habían llegado noticias de la posible inminencia de la declaración de ley marcial, pero abrigaba la esperanza de que la nación pudiera aguantar hasta la Navidad. Así, quizás el espíritu navideño impediría el "estado de guerra".

Aunque no sorprendido, Glemp se mostró preocupado acerca del futuro. Pero ni él ni Barcikowski estaban dispuestos a discutir el asunto en detalle. Por tanto, la conversación terminó abruptamente al cabo de pocos minutos.

Luego Barcikowski fue a informar del hecho al arzobispo Dabrowski, secretario de la Conferencia Episcopal polaca. También sus teléfonos estaban muertos. Dabrowski y Barcikowski se reunieron tres veces en el curso de las horas siguientes, pues el arzobispo expresó su oposición inflexible a la ley marcial y Barcikowski intentó ponerlo al tanto del desarrollo de los acontecimientos y convencerlo de que la medida era necesaria.

Barcikowski y Dabrowski se conocían muy bien: como secretario de la Conferencia Episcopal polaca, el arzobispo estaba a cargo de las relaciones con el gobierno. En las reuniones de la Comisión Conjunta para el Estado y el Episcopado, habían conversado con frecuencia sobre la eventualidad de que un curso particular de acción de Solidaridad pudiera acentuar las posibilidades de intervención por parte de los soviéticos.

"El mito es que había un Estado comunista y una Iglesia anticomunista, y luego estaba Solidaridad –diría Barcikowski años después–. En pocas palabras, tres partes sin conexión alguna entre ellas. Sin embargo, en la relación entre Estado e Iglesia siempre hubo espacio para contactos personales en distintos niveles. Cuando Dabrowski consideraba necesario hablar, me llamaba, o yo acudía a la Oficina de Asuntos Religiosos, en donde conversábamos. En estas conversaciones discutíamos sobre prácticamente todo, incluida, muchas veces, la pregunta '¿nos invadirán o no?' Esto desde 1980". Algunas veces, cuando se presentaban fuertes discrepancias, el ministro de Asuntos Religiosos Kuberski levantaba las manos y decía: "Esto lo solucionará el capitán Ivanov". Y todos sabían a qué se refería.

Ese domingo por la tarde, el 13 de diciembre, Glemp pronunció una homilía sobre la nueva condición en Polonia desde el altar de la iglesia jesuita de María Madre de Dios en la Ciudad Vieja. Las palabras de Glemp no podrían haber complacido más a Jaruzelski, o incluso a Brezhnev: la homilía fue transmitida por la televisión polaca –una y otra vez– e impresa en el diario del partido, e incluso en volantes distribuidos en los cuarteles del ejército.

> El domingo por la mañana [comenzó Glemp] quedamos asombrados al encontrarnos bajo la ley marcial. Por la tarde, ya nos estamos acostumbrando a la idea y estamos viendo que se trata de algo peligroso y nos preguntamos: ¿Qué vendrá después? ¿Qué pasará mañana? ¿Cómo habremos de comportarnos? ...Un representante de la Iglesia no puede enseñar algo distinto de lo que dice el Evangelio. En sus enseñanzas, este ha arrojado luz sobre la nueva realidad. En nuestro país la nueva realidad es la ley marcial. Según la entendemos, la ley marcial es un nuevo estado, y un estado de leyes severas que suspenden muchos logros cívicos. ... La oposición a las decisiones de las autoridades bajo la ley marcial podría causar represalias violentas, incluso derramamiento de sangre, porque las autoridades tienen las fuerzas armadas a su disposición. Podemos indignarnos, proclamar a gritos la injusticia de este estado de cosas. ... Pero es posible que esto no produzca los resultados esperados.

Para el pueblo polaco, que había quedado consternado y atemorizado por las acciones del régimen y las severas medidas de la ley marcial, el mensaje era obvio: el jefe de la Iglesia polaca estaba diciendo a los fieles: "No opongan resistencia, porque podrían matarlos". Aunque la popularidad del gobierno había descendido bruscamente en el otoño de 1981, Jaruzelski aún conservaba un grado considerable de prestigio personal. Todavía se reverenciaba al ejército polaco por haber salvado a Polonia de una invasión soviética en los años veinte: muchos ciudadanos seguían rehusándose a creer –aun a la luz de la realidad– que soldados polacos habían disparado contra los trabajadores en Gdansk, en 1970.

Luego Glemp utilizó palabras aún más sorprendentes en su homilía:

> Las autoridades consideran que la naturaleza excepcional de la ley marcial es dictada por una necesidad superior, es la opción de un mal menor, en vez de un mal mayor. Presumiendo que este razonamiento sea correcto, el hombre de la calle se someterá a la nueva situación. ... Nada supera en valor a la vida humana.

"No le corresponde al historiador juzgar –comentó Timothy Garton Ash, cronista británico de la lucha de Solidaridad– si la frase 'nada supera en valor a la vida humana' refleja con precisión las enseñanzas de Jesucristo, o si el finado cardenal Wyszynski o Karol Wojtyla hubieran hablado de la misma manera en este momento crítico e incomparablemente difícil. [El historiador] sólo puede registrar que el sermón parece haber desempeñado un papel en el debilitamiento de la resistencia inmediata a la ley marcial, y que las palabras del primado fueron amargamente resentidas por muchos polacos cristianos que, en ese momento, estaban dispuestos a arriesgar sus propias vidas por lo que consideraban valores superiores. Una semana después, el episcopado haría una defensa mucho más enfática de Solidaridad, pero esa semana fue decisiva".

Wojtyla había aprobado la elección de Glemp como el sucesor escogido a dedo por Wyszynski. Este respaldo le confirió aún más peso a las palabras del primado. Poco después de que el mensaje de Glemp se difundió por todo el país, los miembros de Solidaridad en la clandestinidad comenzaron a llamar al primado "camarada Glemp".

Al cabo de dos días, otros obispos polacos convencieron al primado de que su reacción inicial había provocado un efecto completamente contrario al deseado. La declaración de los obispos el 15 de diciembre comenzó con una expresión de congoja por "una nación aterrorizada por la fuerza militar", pero ya se había causado un gran daño.

La desconcertante reacción de la Iglesia ante la imposición de la ley marcial era en parte el resultado de la imposibilidad del Papa de hablar con sus obispos, y las divisiones internas del episcopado persistieron hasta cuando Juan Pablo II comenzó a diseñar una política clara para la Iglesia en Polonia. Por tanto, en los días iniciales de la ley marcial, emergió un patrón que, en términos generales, iba a regir durante los cinco años de la lucha clandestina de Solidaridad: Solidaridad sacaba su fuerza del Papa y sus pronunciamientos, pero consideraba que Glemp era demasiado débil y fácilmente manipulable por el régimen de ley marcial.

Zbigniew Bujak, el más alto líder de Solidaridad que logró eludir a sus captores el 13 de diciembre y entrar en la clandestinidad, más tarde explicó algunas de las razones por las cuales se tomó al sindicato por sorpresa: "Era evidente que las autoridades planeaban una operación importante contra el sindicato. Pero nunca pensamos que sería tan seria como esto". Tantas personas se habían referido en los meses anteriores a la "impotencia" del gobierno que la dirigencia de Solidaridad había llegado a creer en su propia retórica. También habían confiado en el ejército. Muchos estaban convencidos de que los soldados polacos jamás se volverían contra sus compatriotas trabajadores, y mucho menos que dispararían contra ellos.

En unas pocas regiones existían algunos preparativos para la resistencia: había materiales de impresión ocultos, y en Lódz se tenían planes de contingencia, así fueran burdos, para seguir operando luego del arresto de la dirigencia nacional y regional. Sin embargo, no había planes nacionales, ni se habían hecho intentos de establecer una red alternativa de comunicación radial entre las fábricas y las regiones, pese a que la experiencia de agosto de 1980 había demostrado cuán cruciales resultaban las comunicaciones en una situación de huelga. Finalmente, los líderes de Solidaridad estaban tan abrumados por los problemas inmediatos que nunca sacaron el tiempo para diseñar planes técnicos detallados para una contingencia que no anticipaban seriamente.

Walesa fue uno de los primeros arrestados. Según escribió,

> Este estado de ley marcial no tomó una forma política específica al comienzo, sino que más bien parecía una operación militar a gran escala. Su verdadero significado sólo fue evidente más tarde, y entonces excedió todas las expectativas. Sus consecuencias no fueron sólo políticas. Desen-

cadenó un cataclismo que perturbó por completo la vida social y personal y puso en entredicho la idea misma de una comunidad nacional. ... Cada vez fue más obvio que estábamos en un estado de guerra civil. El "diálogo por Polonia" había concluido. La "guerra por Polonia" acababa de comenzar.

Ahora, con los dirigentes de Solidaridad bajo arresto o en la clandestinidad, un nuevo mariscal de campo asumiría el control: el Papa.

En el Vaticano, el secretario del Papa, monseñor Dziwisz, había escuchado la noticia por la radio en la madrugada, y corrió a informar a Juan Pablo II. Pero luego de estas noticias iniciales, el Papa no se enteró de nada importante durante el resto del día. Ni siquiera Washington sabía nada. Polonia y Europa oriental estaban cubiertas por nubes densas (y seguirían así durante varios días), lo que imposibilitaba la fotografía desde los satélites. La Casa Blanca había llamado al Secretariado de Estado del Vaticano para averiguar si el Papa tenía información. La comunicación entre Roma y Varsovia se había cortado, así como entre Polonia y el resto del mundo.

La reacción instintiva de Wojtyla fue rezar, implorando orientación y rogando por su pueblo. Su principal temor era que los polacos se enfrentaran unos contra otros, que hubiera un baño de sangre. Si los polacos salían furiosos a las calles, eso les daría a los soviéticos una excusa para intervenir, lo cual provocaría aún más derramamiento de sangre y represión irreversible. Quería identificarse con el pueblo polaco en su momento de mayor crisis desde el levantamiento de Varsovia en 1944, pero también quería enviar una señal que llegara –e influenciara– a toda la nación polaca: los militares y Solidaridad, los ciudadanos corrientes y los dirigentes del partido. Como casi todos los domingos, un grupo de peregrinos polacos se reunió en la Plaza de San Pedro, y después del rezo del Ángelus al mediodía, Juan Pablo II salió al balcón para orar por su patria... en polaco.

Wojtyla sabía que millones de polacos, ávidos de noticias del exterior, estarían escuchando Radio Europa Libre, la BBC, la Voz de América o Radio Vaticano. Durante las crisis de 1980 y 1981, los ciudadanos polacos habían dejado de escuchar los medios auspiciados por el Estado, y preferían estas fuentes alternativas, así como habían renunciado a la prensa comunista y la habían reemplazado por los centenares de periódicos y revistas clandestinos publicados con el patrocinio de Solidaridad, junto con decenas de periódicos católicos cada vez más audaces.

"Ya se ha derramado demasiada sangre polaca, sobre todo en la última guerra –dijo el Papa–. La sangre polaca no debe volverse a derramar. Debe hacerse todo lo necesario para construir el futuro de nuestra patria en paz". Enseguida encomendó a los polacos y a Polonia a la Madonna de Jasna Góra, "que nos fue dada para nuestra defensa". No había transcurrido una hora cuando los servicios en lengua polaca de las estaciones radiales occidentales estaban transmitiendo su mensaje. Es posible que sus palabras, horas antes de que Glemp hablara, hubieran influido sobre la infortunada declaración del primado.

En sus primeras conversaciones privadas con Casaroli, Dziwisz y su amigo y confidente el cardenal Deskur, el Papa manifestó su continua preocupación ante la eventualidad de una intervención soviética. Formuló una política de cuatro puntos: ante todo, obtener la mayor información posible desde Polonia y otros lugares y comunicarse con el episcopado; en segundo lugar, desalentar cualquier acto provocador; en tercer lugar, establecer líneas de comunicación con el nuevo régimen de ley marcial; y, finalmente, hacer saber a Polonia y al mundo que el Papa y la Iglesia se mantenían inequívocamente "en solidaridad con la nación polaca", palabras que utilizó en la tarde siguiente al hablar ante una enorme multitud que oraba por Polonia en la Plaza de San Pedro.

"Esta solidaridad con el pueblo polaco también sirve para reforzar ciertos valores y principios inalienables como los derechos del hombre y los derechos de la nación ... valores y principios que deben crear, ahora en nuestros tiempos, gran solidaridad con una dimensión europea y mundial". El contraste con las palabras de Glemp difícilmente podía haber sido más marcado.

Para quienes lo observaron de cerca en esas primeras horas, el Papa se veía profundamente triste, pero decidido a dejar en claro su papel como actor supremo del destino de su nación. Su siguiente oportunidad se presentó el martes con la llegada al Vaticano de un diplomático envia-

do por solicitud del presidente de Estados Unidos y en nombre del secretario general de las Naciones Unidas, Kurt Waldheim.

En la Casa Blanca, el primer *flash* noticioso desde Polonia había llegado en la tarde del sábado, hora de Washington. Se trataba de un boletín enviado por la embajada de Estados Unidos en Varsovia, anunciando
que los tanques habían tomado posiciones en la capital. Desde un recinto ubicado en el sótano de la Casa Blanca, un funcionario de turno había
notificado al presidente y al vicepresidente, así como a Richard Pipes,
oriundo de Polonia, asesor del Consejo de Seguridad Nacional que
orientaba al gobierno en materia de asuntos soviéticos y de Europa
oriental. El secretario de Estado Haig y el secretario de Defensa Weinberger se encontraban fuera del país: una señal de cuán poco preparado
estaba el gobierno.

Casi de inmediato, Pipes se puso en contacto con Bogdan Lewandowski, un subsecretario general de la ONU, en su residencia de Nueva
York. Lewandowski, ciudadano polaco, había representado al secretario
general Waldheim en la ceremonia inaugural del papado de Juan Pablo
II. Pipes esperaba que Lewandowski, quien mantenía vínculos con el
gobierno de Varsovia, tuviera mayor información sobre el golpe, pero no
fue así. Estados Unidos estaba ahora casi en la oscuridad total, sin inteligencia de satélite ni, desde la salida de Kuklinski, fuentes humanas ubi-
cadas en posiciones altas.

Poco después, Lewandowski y Zbigniew Brzezinski hablaron por teléfono, y en medio de la conversación surgió la idea de que un diplomático de las Naciones Unidas visitara al Papa. Acordaron que las
credenciales de Lewandowski serían de suma utilidad como puente entre el Pontífice y Varsovia, en donde Lewandowski tenía una relación
estrecha con Mieczyslaw Rakowski, el primer ministro adjunto de
Jaruzelski, miembro del ala liberal del Partido Comunista. El Vaticano
tampoco tenía casi información y, a semejanza de Washington, la primera prioridad de Juan Pablo II era averiguar qué estaba sucediendo en Polonia. Brzezinski hizo los arreglos necesarios con el Vaticano para que el
Papa recibiera a Lewandowski. En Washington, Pipes y Brzezinski esperaban que Lewandowski, como representante oficial de la ONU y, por
tanto, responsable no ante el gobierno polaco sino ante el secretario ge-

neral, compartiera cualquier información que obtuviera de Roma o Varsovia con la Casa Blanca, cosa que en efecto hizo.

Lewandowski llegó a Roma en la mañana del jueves 17 de diciembre, y fue conducido de inmediato a una reunión con Wojtyla en la biblioteca del Papa. "Todavía había una carencia casi total de información –recordó–. Pese a todas las comunicaciones modernas, incluso a través de la embajada de Italia en Varsovia, Su Santidad prácticamente no tenía información". Lo poco que se sabía era que miles de personas estaban siendo arrestadas y que los ciudadanos estaban atemorizados y confundidos.

Lewandowski encontró a un Papa tenso y melancólico, temeroso de un "holocausto" en el que los polacos se mataran entre sí. Sobre todo, le preocupaba la posibilidad de que el régimen decidiera ejecutar a los dirigentes de Solidaridad.

En el curso de su conversación, que se prolongó durante varias horas, el Papa se refirió con elocuencia no sólo a la situación inmediata y a sus temores de un baño de sangre, sino también a las libertades políticas y sociales que se habían ganado en los últimos dieciséis meses. "También detecté –dijo Lewandowski años después– preocupación por las perspectivas futuras de su esperanza de abrir la Unión Soviética al cristianismo y hacer que su ... patria fuera un ejemplo de verdadero catolicismo, un 'catolicismo del pueblo' para el Occidente materialista y permisivo".

Durante la cena, en la que los acompañó Dziwisz, la conversación se concentró en las esperanzas y los temores de Juan Pablo II, como si todo el propósito y la misión de su papado se estuvieran poniendo a prueba. Sin embargo, el Papa siguió hablando sobre cómo Polonia era una "inspiración para el mundo" y sobre su deseo de que Lewandowski transmitiera esta visión a Jaruzelski, así como la urgencia de su interés por la defensa y seguridad de sus compatriotas. Quería entablar de inmediato un diálogo entre la Iglesia y el gobierno, dijo Wojtyla, pero insistió en que Jaruzelski entendiera que no se podía renunciar a los principios establecidos desde los acuerdos de Gdansk.

En los primeros días del régimen de ley marcial habían sido asesinadas entre veinte y treinta personas, la mayor parte a manos de las fuerzas de seguridad. Centenares más fueron heridas y arrestadas en el astillero de Gdansk, lugar de nacimiento de Solidaridad, a donde habían acudido miles de trabajadores cuando se enteraron del "estado de guerra".

El caso de violencia más serio ocurrió en una mina de carbón cerca de Katowice, en donde los mineros convocaron una huelga de brazos caídos. El martes 15 de diciembre, más de dos mil hombres habían levantado barricadas en el interior, y amenazaban con volarse en pedazos, así como la mina, si el gobierno respondía con fuerza. Los mineros estaban armados con matracas, botellas de gasolina, dinamita y herramientas convertidas en lanzas.

A las diez de la mañana, la policía de seguridad, ZOMO, con el apoyo de cuarenta tanques, bloqueó la entrada de la mina y comenzó a disparar balas de caucho contra los huelgistas, al tiempo que unos helicópteros arrojaban gas lacrimógeno en el interior de la mina. Nueve mineros y cuatro policías de ZOMO murieron, y luego las fuerzas de seguridad atacaron a los médicos civiles y los conductores de ambulancia que intentaron socorrer a los heridos. Más de cuarenta personas resultaron lesionadas.

La violencia en Katowice, reportada por la radio estatal polaca al día siguiente, jueves, instó a Juan Pablo II a comenzar a escribir una carta esa tarde a Jaruzelski. Redactada sin previa consulta o colaboración, la carta identificaba a la Iglesia (y, sin lugar a dudas, al propio Wojtyla) como "vocera" de la causa de su país y de la justicia moral. Condenaba sin ambages el estado de ley marcial pero no emitía juicio moral alguno contra Jaruzelski, aun cuando le rogaba que propugnara principios más elevados de los que hasta entonces se le habían ocurrido. Se enviaron copias de la carta a varios jefes de Estado en el mundo, a los dirigentes del episcopado polaco y a Lech Walesa, quien estaba bajo arresto domiciliario.

Los sucesos recientes en Polonia desde la declaración de la ley marcial el 13 de diciembre [escribió el Papa] han resultado en muerte y lesiones para nuestros compatriotas, y siento la necesidad de hacerle este llamado apremiante y sincero, una oración para que cese el derramamiento de sangre polaca.

En los últimos dos siglos, la nación polaca ha soportado grandes males, y mucha sangre ha sido derramada en la lucha por el poder en torno a nuestra patria. Nuestra historia clama contra nuevos derramamientos de sangre, y no podemos permitir que esta tragedia siga pesando tan fuertemente en la conciencia de la nación. Por tanto, apelo a usted, general, para que retorne a los métodos de diálogo pacífico que han caracterizado los esfuerzos de renovación social desde agosto de 1980. Aunque este puede ser un paso difícil, no es imposible.

El bienestar de toda la nación depende de eso. Personas en el mundo entero, aquellas que con razón ven la causa de la paz adelantada por el respeto de los derechos del hombre, están esperando este retorno a los medios no violentos. El deseo de paz de toda la humanidad clama por la abolición del estado de ley marcial en Polonia.

La Iglesia habla en nombre de este deseo. Pronto será Navidad, cuando una generación tras otra de hijos e hijas de Polonia se unen por la Santa Comunión. Es preciso hacer cuanto esfuerzo sea preciso para que nuestros compatriotas no se vean obligados a pasar esta Navidad bajo la sombra de la represión y la muerte.

Apelo a su conciencia, general, y a la conciencia de todos aquellos que deberán decidir sobre este asunto.

El Vaticano, 18 de diciembre de 1981
Juan Pablo II

Esta carta, a semejanza de todas las respuestas del Papa a la ley marcial, se desprendía en parte de una premisa central. Por repugnante que fuera, la ley marcial era, en palabras del Papa, un "mal menor" en comparación con la guerra civil o la intervención soviética. El Papa asumía correctamente que Jaruzelski iba a necesitar la cooperación de la Iglesia para encontrar una salida a la terrible situación en que se encontraban ahora tanto él como la nación. Como Jaruzelski sólo tenía dos opciones –recurrir a la Iglesia o a Moscú–, el Papa creía que, en último término, el general optaría por buscar la protección de la Iglesia.

Se suponía que el avión fletado desde Varsovia que aterrizó el jueves en Roma transportaba a un representante del episcopado polaco que portaba un mensaje para el Papa. Sin embargo, en el avión no había ningún sacerdote. Frustrado por la persistente imposibilidad de comunicarse con sus obispos, el Papa ordenó al Secretariado de Estado del

Vaticano que pidiera a los representantes del gobierno polaco en Roma permiso para enviar un emisario papal a Varsovia con el propósito de entrevistarse con Jaruzelski.

Para esta misión, el Papa escogió al arzobispo Luigi Poggi, quien tenía el rango de nuncio papal para tareas especiales y quien desde 1973 había emprendido otras misiones en Europa oriental. Con la carta del Papa entre un sobre cerrado con el sello papal lacrado, Poggi partió el sábado en avión a Viena, en donde abordó el tren Chopin Express con destino a Varsovia.

Ese mismo fin de semana, el subsecretario de la ONU Lewandowski se reunió con Jaruzelski y de inmediato le transmitió las inquietudes del Papa. El general le aseguró que no habría más derramamiento de sangre iniciado por el gobierno. Era de suma importancia, dijo el general, que el Papa entendiera cabalmente las razones que habían inducido al régimen a actuar: elementos radicales estaban arrastrando el país hacia un abismo económico y provocando un caos social que habría terminado en una intervención soviética. Como respuesta a la petición de Lewandowski en nombre del Papa, Jaruzelski prometió proseguir con las reformas sociales y económicas anunciadas antes del "estado de guerra". Nunca mencionó –ni entonces ni después– su propia petición de una posible ayuda por parte de las fuerzas del Pacto de Varsovia ni su conocimiento de que los soviéticos no pensaban intervenir.

"En ese momento, el general Jaruzelski era, probablemente, la persona más detestada en Polonia", observaría más tarde Lewandowski. Sin embargo, el propio Lewandowski lo juzgó como "una de las personas más cristianas que conocí en Polonia, y no sólo por su crianza y educación católicas. ... Me parecía una persona que consideraba su deber cargar con la cruz del odio popular, de la culpa eterna, de no tener posibilidad de redención en esta vida". El diplomático añadió:

> Jaruzelski nunca trató de defender el pasado, el del gobierno comunista que él –por lo menos según lo creían todos en Polonia y en el exterior– presumiblemente tenía que defender. El único pasado sobre el que conversamos ... fue el levantamiento de Varsovia de 1944 y todos los demás levantamientos polacos del siglo XIX y posteriores. Todo tenía que ver con rusos, ni siquiera con alemanes. No se anduvo con rodeos: temía

otra confrontación polaco-rusa, en la que de seguro Polonia resultaría perdedora.

Lewandowski también se reunió con Rakowski, el primer ministro adjunto y quizás el más fiel asesor de Jaruzelski. La conversación consistió en un "resumen" detallado de la situación en Polonia, dijo Lewandowski, quien (previa autorización) grabó la conversación para presentarla tanto al Papa como a la Casa Blanca. Pese al clamor emotivo de Jaruzelski en procura de la comprensión del Papa, Lewandowski no vio muchas señales de esperanza en Varsovia. Había soldados por doquier, no había indicio alguno de que el "estado de guerra" fuera a ser de corta duración y la gente se veía decepcionada y confundida.

El 21 de diciembre Lewandowski regresó al Vaticano, en donde asistió a misa en la capilla papal y luego desayunó con el Papa. Antes de sentarse a manteles, entregó el casete de su reunión con Rakowski a monseñor Dziwisz.

Durante varias horas, Wojtyla interrogó a Lewandowski sobre sus impresiones acerca de las condiciones en Polonia (muy deprimentes pero en calma), la respuesta de Jaruzelski a su llamado al diálogo (positiva) y la suerte de varios líderes del KOR que eran asesores de Solidaridad, así como la de algunos intelectuales muy allegados al Papa.

Los miembros del KOR, el Comité de Defensa de los Trabajadores, habían sido unos de los primeros arrestados. Durante dieciséis meses fueron el punto focal obsesivo de los temores del Politburó soviético, y fueron constantemente vigilados por los organismos de seguridad interna de Polonia. Sin embargo, estos asesores de Solidaridad no eran radicales empeñados en empujar al sindicato hacia el abismo. Habían urgido a Solidaridad y a Walesa a ejercer el control, para evitar que los soviéticos o el ejército polaco intervinieran y aplastaran su movimiento.

Walesa estaba detenido en una villa en las afueras de Varsovia, que pertenecía al ex secretario del Comité Central Polaco. En las primeras horas de ley marcial, Barcikowski, el jefe de la comisión Estado-Iglesia, había tratado de convencerlo de que se reuniera con Jaruzelski para negociar.

Walesa se negó, y exigió primero la liberación de todos los arrestados. Dos días más tarde, se le permitió reunirse con dos representantes del episcopado y, poco después, con su amigo y consejero-confesor de Gdansk, el padre Henryk Jankowski.

"Pese a la imposición de la ley marcial –escribiría más tarde Walesa–, la Iglesia siguió desempeñando el papel de mediadora. Aunque simpatizaba totalmente con los ideales de Solidaridad, la jerarquía católica romana en Polonia evitaba cualquier acción o pronunciamiento abiertamente políticos, algo que las autoridades agradecían".

Pero no así Wojtyla en Roma. Sus declaraciones públicas expresaban cada vez mayor indignación a medida que se hacía claro que su patria iba a seguir confinada a la ley marcial en el futuro previsible. En privado, les dijo a sus asesores que Polonia se había convertido en un "vasto campo de concentración": una elección de palabras interesante para un prelado polaco cuya diócesis alguna vez incluyó a Auschwitz.

El régimen confiaba en que los obispos lograran convencer a Walesa de iniciar las negociaciones en los términos del gobierno; entonces comenzaría a liberar a dirigentes de Solidaridad a cambio de concesiones políticas. Con esto en mente, al padre Alojzy Orszulik, un vocero del primado Glemp, se le permitió acceso fácil a Walesa.

En medio de su rabia y su desespero con las autoridades, Walesa le gritó al sacerdote: "¡Vendrán a mí de rodillas!"

Como era apenas natural, el sacerdote se sintió ofendido. "Desaprobó mi falta de humildad cristiana y nos tomó algún tiempo acostumbrarnos el uno al otro", dijo Walesa. Sus primeras reuniones fueron tensas e incómodas: a medida que Walesa expresaba una idea tras otra, Orszulik las rechazaba todas como "poco realistas".

Lo más importante fue que Orszulik mantuvo a Walesa al tanto de las comunicaciones entre el Papa y los obispos polacos durante las primeras semanas de ley marcial, y el Papa obtuvo noticias confiables sobre la posición negociadora de Walesa. En las primeras horas de su arresto, las autoridades le habían dicho a Walesa que el "estado de guerra" probablemente duraría por lo menos un año, información que fue transmitida de inmediato a los representantes del episcopado.

Por momentos Walesa temía que la Iglesia, con su importancia enaltecida, sacrificara los logros de los últimos dieciséis meses a cambio de concesiones del régimen. El primado, escribió Walesa más tarde, urgía desde el púlpito el inicio de las negociaciones, y "yo renuncié a mis con-

diciones iniciales una a una, y acabé alineándome con la posición de la
Iglesia. Pero eso tampoco produjo resultados tangibles. Ese debió haber
sido su plan desde el comienzo: utilizar la Iglesia simplemente en aras de
la apariencia".

Con todo, Walesa comprendió algo nuevo sobre los objetivos de la
Iglesia:

> Más tarde, con frecuencia me pregunté por qué la Iglesia, con toda su
> experiencia, aceptaba participar en semejante charada tan vacía, y llegué
> a entender que en ello yacía su sabiduría. Al aceptar las reglas de juego
> que le imponen, la Iglesia juega en favor de sus propios intereses para
> poder existir como una fuerza no alineada dentro de la sociedad. ... Esta
> era la política de Stefan Wyszynski, una política que venía siguiendo la
> Iglesia en Polonia desde el final de la guerra: creer en las promesas y los
> acuerdos sospechosos, y actuar a partir de ellos con el propósito de con-
> vertirse en una fuerza moral que el Estado tenía que reconocer. Com-
> prendí que la Iglesia estaba utilizando este mismo método al abordar la
> situación bajo la ley marcial.

Juan Pablo II pasó una Navidad triste, presa de un dolor evidente.
Desde el inicio de su papado, no había afrontado nunca una situación
que contrariara tanto su voluntad y sus oraciones. O eso les parecía a sus
acompañantes, quienes nunca lo habían visto tan desolado, preocupado
y frustrado.

Durante dieciséis meses su país había sido el símbolo de una nueva
era en Europa, y él había participado en el nacimiento de esta era y se
había alegrado por ella. Ahora Polonia se parecía al gigante en su frontera oriental: desprovista de alegría, hambrienta, vencida.

En la víspera de Navidad, como señal de "solidaridad con las naciones que sufren", el Papa encendió una vela en la ventana de su apartamento del Vaticano, una señal que millones de personas en el mundo
entero pronto imitarían. Había sido idea de un pastor protestante de
Estados Unidos.

Trataba de medir sus palabras –incluso el Partido Comunista italiano
había sido hasta el momento más crítico del régimen en público– mientras día tras día llegaban más evidencias a Roma de que el golpe de Jaru-

zelski había logrado aplastar al país y doblegar su espíritu. El primer informe directo que recibió el Papa del episcopado fue muy deprimente. El obispo Dabrowski, secretario de la Conferencia Episcopal polaca, había llegado al Vaticano en la noche del lunes 21 de diciembre, y le había hecho una lúgubre descripción de Polonia en estado de sitio. Se estaba obligando a los miembros de Solidaridad a firmar juramentos de lealtad y a renunciar al sindicato. *Tygodnik Powszechny,* el semanario que había publicado los artículos de Karol Wojtyla, y Znak, su casa editorial, habían sido cerrados. Jaruzelski planeaba ordenar fuertes aumentos en los precios de los alimentos, los bienes de consumo y los servicios. Aunque Walesa estaba bien y no corría peligro, el general se negaba a negociar con él de modo significativo, pese a la insistencia de Dabrowski en que Walesa era la persona más apta para representar los intereses de los trabajadores polacos.

"Sombras mortales", dijo el Papa, oscurecían las perspectivas de paz. Con todo, siguió hablando sobre alcanzar un consenso en torno a principios, y en la convocatoria navideña de los cardenales y prelados de la curia dijo que tenía que darse "una solución pacífica mediante la colaboración mutua entre autoridades y ciudadanos, con total respeto por la identidad civil, nacional, espiritual y religiosa de este país".

"La Iglesia está del lado de los trabajadores", declaró, pero una vez más se abstuvo de criticar directamente a las autoridades militares polacas. Quizás nada simbolizaba mejor la aparente debilidad de la posición de la Iglesia que la imagen del emisario del Papa, Poggi, al lado de Jaruzelski en la televisión polaca. Pese a que lo hicieron esperar varios días antes de poder reunirse con el general, se le veía exhibiendo una sonrisa diplomática. Era la víspera de la Navidad, y la inferencia de una bendición papal era demasiado obvia. Tras embarcarse en un tren de regreso al Vaticano sin respuesta alguna a la carta del Papa, Poggi arribó a Roma el día 27 con noticias sombrías. Aunque Jaruzelski había manifestado sus esperanzas de que el Vaticano desempeñara un "papel histórico" en la renovación de Polonia, no dijo nada que indicara su disposición a liberar a los miles de prisioneros, algunos a punto de congelarse en celdas, otros, como Walesa, bajo arresto domiciliario. De hecho, todos los días se efectuaban nuevos arrestos.

Poggi también trató de inculcar en el primado Glemp la línea papal de resistencia con base en principios, pero Glemp temía las consecuencias que esto podría acarrearle a la Iglesia. Describió a Walesa como "inflexible", un "político sin experiencia". Se sintió profundamente ofendido con las palabras ultrajantes que el líder de Solidaridad espetó al padre Orszulik. Le preocupaba la posibilidad de que Jaruzelski fuera depuesto por un golpe estalinista si la Iglesia o lo que quedaba de Solidaridad lo presionaban demasiado. No creía en la supervivencia de Solidaridad ni de sus principios conductores.

Por el contrario, Dabrowski pensaba que Solidaridad había afianzado tan profundamente sus raíces en Polonia que era imposible destruirlo. A diferencia del parroquial Glemp, estaba convencido de su importancia internacional. Creía que Walesa tenía tanto la talla como la capacidad para representar a los trabajadores en las negociaciones con el gobierno. Veía los sucesos de los últimos dieciséis meses en un contexto histórico que Glemp parecía ignorar. Dabrowski ponía en tela de juicio la voluntad de los soviéticos de soportar la carga de gobernar un país que con tanta firmeza y durante tanto tiempo se había opuesto al yugo comunista, no obstante haber moldeado el comunismo de acuerdo con las necesidades particulares de Polonia. Y eso era justamente lo que tendría que hacer la URSS si intervenía: tendría que gobernar directamente el país. Dabrowski pensaba que incluso el Partido Comunista polaco, exceptuando su facción estalinista más militante, opondría resistencia.

Con todo, el Papa llegaba a la conclusión muy a su pesar de que tanto la Iglesia polaca como Solidaridad habían perdido buena parte de aquello por lo que habían luchado en los últimos dieciséis meses. A Poggi, Dabrowski, Casaroli y otros, Wojtyla les hablaba sobre *"salvare il salvabile",* salvar lo salvable. La paciencia y la cautela –y la fe– resultaban esenciales. Casaroli ordenó a los nuncios papales de Europa occidental tratar de persuadir a sus gobiernos anfitriones de no suspender la ayuda económica a Polonia en señal de protesta. El análisis de Wojtyla, respaldado por los servicios de inteligencia de Estados Unidos, sostenía que Jaruzelski acabaría pareciéndose más al fallecido mariscal Tito de Yugoslavia que al títere típico de Moscú, sobre todo si la Iglesia no lo arrinconaba. Wojtyla también creía que Jaruzelski, quien de niño asistió a un colegio dirigido por los padres marianos, era creyente en lo más íntimo de su ser. En el curso de los años siguientes, esta convicción sería un elemento poderoso en los cálculos del Papa.

Luego de reunirse con Poggi el 27 de diciembre, al finalizar su tradicional bendición de Pascua a Roma y al mundo, el Papa envió un saludo navideño especial a "vosotros, mis amados compatriotas":

> Os expreso votos de felicidad desde el pesebre de Belén. Os transmito los votos de felicidad del Niño recién nacido. ... Os abrazo a todos y a cada uno, a toda Polonia ... en especial a los que sufren, a quienes han sido arrancados del lado de sus seres queridos, a quienes padecen de depresión, o incluso de desesperación.
>
> Son tantos los hombres en el mundo que oran por Polonia. ... Y yo os digo en nuestra lengua nativa: "Levanta la mano, Niño Jesús, y bendice –Tú que mostraste el camino a los pastores de Belén y a los Reyes Magos–, muestra a los hijos e hijas de Polonia el camino hacia un mejor futuro para su país, en la paz, la justicia y la libertad".

No fue un simple gesto ritual. La fe y la oración, según creía firmemente el Papa, pueden cambiar el curso del destino.

El 1º de enero, en su primer mensaje de Ángelus en el nuevo año, el Papa encomendó sus oraciones "de una manera especial al corazón de nuestra Madre. Durante seiscientos años esta Madre ha estado presente en tierra polaca a través de su imagen en Jasna Góra. El año 1982 es el año del gran Jubileo. Ante la Madre de Jasna Góra repito ... ¡Que el Señor os libre de la violencia, os libre de la ley marcial y os conceda la paz!"

Polonia, declaró el Papa desde el balcón de su estudio, "es un problema importante no sólo para un país en particular sino también para la historia del hombre". Señaló las banderas de *Solidarnosc* que ondeaban abajo en la plaza. "Esta palabra –proclamó– es la expresión de un gran esfuerzo que los trabajadores de mi país han hecho para hacer valer la dignidad real del hombre trabajador. Los trabajadores ... tienen el derecho de organizar sindicatos autónomos para proteger sus derechos sociales, familiares e individuales. ... Solidaridad pertenece al patrimonio actual de los trabajadores de mi país, y yo diría que también al de los de otras naciones".

El 6 de enero, Jaruzelski finalmente contestó la carta del Papa, fechada el 18 de diciembre. Su respuesta prolija, que ocupaba tres páginas a espacio sencillo, fue oficiosa, presuntuosa y centrada en su propio interés. Incluía una letanía de los pecados de Solidaridad, un historial de las concesiones, los compromisos, la paciencia y la persistencia del gobierno, una recapitulación de las formas en que "estamos tratando de informar a la Santa Sede sobre los peligros que se ciernen sobre Polonia" y las "muchas veces ... que pedimos" a los obispos moderar las demandas de Solidaridad.

Jaruzelski reconocía que "la introducción de la ley marcial constituyó un fuerte impacto para la sociedad" y que los ciudadanos polacos "se sienten desilusionados ... aplastados por las circunstancias, amargados". Prometió que "todas las medidas disciplinarias [serán] de naturaleza humanitaria", lo que presumiblemente descartaba la tortura, y exigía implícitamente que la Iglesia y los intelectuales de Polonia aceptaran los fundamentos del golpe, si querían que se suavizara la ley marcial. No hubo mención alguna sobre negociaciones con Walesa o con la dirigencia de Solidaridad.

Enseguida expresaba la esperanza "de que Su Santidad nos apoye en estos intentos y esfuerzos" y se suscribía, "con el mayor respeto, general del Ejército Wojciech Jaruzelski".

En opinión del Papa, la firma era el único elemento esperanzador de la carta. Jaruzelski no había suscrito la misiva como primer ministro, como jefe de un Estado comunista o del partido, sino como jefe de la institución que, junto con la Iglesia, había protegido a Polonia en sus momentos más difíciles.

Desde la imposición de la ley marcial, el Papa había sido parco en su respuesta, pues todavía abrigaba la esperanza de un gesto tangible de Jaruzelski que indicara que pronto se relajarían las condiciones represivas. Sin embargo, era evidente que la carta del general no daba lugar a la esperanza, y buscaba más bien la cooperación de la Iglesia.

El Papa le respondió por escrito que el temor y el resentimiento del pueblo se estaban profundizando como resultado de condiciones "que se desprendían de la prolongación del estado de guerra". Como ejemplo, mencionó el aumento en los precios de entre el doscientos y el cuatrocientos por ciento anunciado por el gobierno en los primeros días de enero. La gente no podía ni siquiera comprar alimentos. El Papa le dijo al general que el "fuerte impacto" (como había dicho Jaruzelski) producido por la ley marcial también obedecía a la "reclusión de miles de activistas prominentes de Solidaridad, incluido Lech Walesa, junto con diversas sanciones dolorosas en lo que respecta a los mundos del trabajo y la cultura. ... No sólo es necesario eliminar el impacto fuerte, sino, ante todo, reconstruir la confianza".

Wojtyla se había abstenido de criticar directamente el régimen hasta el arribo de la carta de Jaruzelski. El 10 de enero, en una alocución dominical transmitida por Radio Vaticano y su servicio de onda corta polaco, el Papa denunció el golpe en términos que tanto el pueblo como Jaruzelski y Glemp pudieran entender. El Papa parecía perturbado por la forma en que el primado había invocado al Salvador el día en que se había declarado la ley marcial. Y nada de lo que había hecho el régimen lo había ofendido tanto como el hecho de forzar a los miembros encarcelados de Solidaridad a suscribir juramentos de lealtad y renunciar a su membrecía en el sindicato.

"Con la amenaza de perder sus empleos –declaró–, se obliga a los ciudadanos a firmar declaraciones que contravienen su conciencia y sus convicciones". Esta violación "causa un grave daño al hombre. Es el golpe más doloroso que se pueda infligir a la dignidad humana. En cierto sentido, es peor que infligir la muerte física, que matar. 'No temáis a quienes pueden matar el cuerpo', dijo Cristo, mostrando cuán mayor es el mal infligido contra el espíritu humano y la conciencia humana. El principio del respeto por la conciencia es un derecho fundamental del hombre".

Hacia el final de la vida de Wyszynski, Wojtyla había censurado la falta de comprensión de este "viejo" con respecto a Solidaridad en un momento crucial de la historia del movimiento. Ahora tenía que vérselas con el protegido del viejo, que era todavía más insensible.

Zbigniew Bujak, el principal funcionario de Solidaridad en la clandestinidad, envió a Glemp una serie de cartas durante las primeras semanas de la ley marcial, rogándole que sirviera de intermediario entre Solidaridad y la Iglesia. Glemp nunca contestó. "Era una petición generalizada

–dijo Bujak–, en la situación en que cada uno de nosotros nos encontrábamos, tratar de llegar a algún acuerdo en torno a las operaciones de Solidaridad, ligar a Solidaridad y a la Iglesia. Era evidente que como institución, como punto de encuentro para la gente, la Iglesia estaba llamada a desempeñar un papel importante durante la ley marcial. ... Pero no podíamos tomar decisiones [sino cuando] se acordara una posición entre la Iglesia y el movimiento en la clandestinidad. Y no hubo respuesta". Por lo menos no por parte de Glemp.

"Sin embargo, puedo decir que ... no hubo desacuerdo entre el Papa y el movimiento en la clandestinidad en cuanto a la estrategia".

De hecho, la estrategia del Papa era que Solidaridad siguiera funcionando en la clandestinidad, que reanudara sus publicaciones y transmisiones y que, de alguna manera, a través de la Iglesia y de él mismo, recuperara el entusiasmo de la gente. Con esto en mente, Juan Pablo II (según funcionarios de Estados Unidos) comenzó a enviar secretamente al Solidaridad clandestino dinero sacado de los fondos discrecionales del Papa, y a planear su propio viaje a Polonia, que había sido tentativamente programado –antes de la imposición de la ley marcial– para agosto.

Cumbre en el Vaticano

"Los hombres con poder no deben revelar su misterio –escribió Edmund Morris, el biógrafo a quien Ronald Reagan encomendó la tarea de escribir la historia de su Presidencia–. Mientras se es misterioso, se puede mover en cualquier dirección. A los dirigentes reservados y desconocidos les va mejor que a aquellos que se revelan por completo a sí mismos. Reagan y el Papa entendían esto".

El presidente Reagan y Juan Pablo II habían intercambiado en secreto varias cartas en 1981 y 1982, no sólo sobre Polonia sino sobre las perspectivas de acuerdos armamentistas de amplio alcance entre los soviéticos y Estados Unidos. Pocas cosas en su Presidencia habían afectado tan personalmente a Reagan como la imposición de la ley marcial en Polonia. Responsabilizando directamente a los soviéticos, no dudó en invocar drásticas sanciones económicas, culturales, diplomáticas y tecnológicas tanto contra la URSS como contra Polonia. Entre tanto, por órdenes de Reagan, William Casey y Vernon Walters abrieron todo un mundo nuevo de información de inteligencia al Vaticano, suministrando a Karol Wojtyla información no sólo sobre Polonia sino también sobre cada país y región que el Papa andariego visitaba, y en donde a la Iglesia le interesaba cumplir su misión evangélica con especial vigor.

Dos semanas después de la imposición de la ley marcial, Reagan nombró a William Clark consejero de seguridad nacional, con el propósito específico de poner fin a las querellas y la confusión que imperaban entre sus diversos asesores de política exterior. Como señala el biógrafo Edward Morris, Clark era "la conciencia católica de la administración", y durante su mandato se atacó a los comunistas mucho más enérgicamente que durante el de Haig, sobre todo en lo concerniente a Polonia. De hecho, su consigna era "dejar que Reagan fuera Reagan", en palabras de los admiradores más ideológicos del presidente.

El 7 de junio de 1982, Reagan llegó al Vaticano para asistir a una reunión cumbre entre estas dos superpotencias tan diferentes, que personalizaría la extraordinaria alianza secreta entre las dos. Por espacio de cincuenta minutos, en el estudio papal, dos de los hombres más poderosos del mundo discutieron, solos, sin intérpretes, en términos filosóficos y prácticos una proposición tan radical que ningún otro dirigente en Occidente la había considerado en serio: que el colapso del imperio soviético era inevitable, más por razones espirituales que estratégicas, y que el mundo reconfigurado en Yalta no sólo no debía seguir en pie, sino que no podría hacerlo.

Al día siguiente, en el Palacio de Westminster en Londres, Reagan anunció el final del imperio: la Unión Soviética, dijo, era presa de una "gran crisis revolucionaria" en la que Polonia, entonces bajo ley marcial pero "magníficamente irreconciliada con la represión", era el eje. Habría "repetidas explosiones contra la represión" en Europa oriental, predijo, y "la Unión Soviética misma no es inmune a esta realidad". Él y el Papa habían comentado esto entre ellos.

"Yo no hice que esto sucediera", diría más tarde el Papa, más o menos por la época en que otros comenzaron a especular sobre el papel especial que había cumplido en el desplome del comunismo. "El árbol ya estaba podrido. Yo simplemente le di una buena sacudida y las manzanas podridas cayeron". Reagan también insistiría en que el monolito comunista estaba al borde de la implosión cuando él asumió la Presidencia. Ya existía una presión interna intolerable. Él simplemente había decidido que Estados Unidos aplicara fuerza moral y política adicional, apresurando con ello lo inevitable. Sin duda, las evaluaciones de ambos hombres eran correctas. Pero (como también reconocería pronto Mijaíl Gorbachov con respecto a su propio destino) había que vencer las burocracias, los instintos básicos tenían que predominar sobre la sabiduría convencional, y había que afirmar y defender los principios por encima de la comodidad y la conveniencia. Era preciso tomar medidas decisivas. La cumbre Reagan-Wojtyla cimentó la idea compartida de que cada hombre utilizaría el enorme poder de que disponía para propiciar un cambio fundamental en el mundo que, en opinión de ambos, estaba inspirado por Dios: el eclipse del comunismo por los ideales cristianos.

El presidente Reagan, como bien sabía el Papa, tenía acceso instantáneo a un tipo de poder estratégico (y encubierto) del que carecía el Vaticano. Casi desde que se constituyó Solidaridad, Reagan consideraba que el sindicato era una grieta elemental en la cortina de hierro y que Polonia, el Papa polaco y Lech Walesa eran los instrumentos misteriosamente escogidos por Dios para sacudir el planeta. Estaba decidido a ayudar en lo que consideraba como una causa santa, y ordenó a sus subalternos, sobre todo después de la imposición de la ley marcial, que no escatimaran esfuerzo o idea alguna para apoyarla. Cuando se reunió con el Papa, el presidente planteó el tema de las visitas de Walters y Casey y ofreció enviar a los dos hombres a la Santa Sede con más frecuencia aún, una oferta que el Papa aceptó de inmediato. Más aún, declaró Reagan, Estados Unidos tenía el compromiso de mantener vivo a Solidaridad, y ya había impartido la orden de que se canalizara más dinero y materiales al movimiento en la clandestinidad.

Quizás el mayor secreto en torno al desenlace de la guerra fría fue que, desde muy poco después de la visita del presidente al Papa en 1982 y hasta el desmantelamiento del Muro de Berlín en 1989, el gobierno de Estados Unidos invirtió más de cincuenta millones de dólares para mantener vivo el movimiento Solidaridad. Desde luego, Juan Pablo II sabía sobre el ambicioso alcance de esta operación, conducida por la CIA (aunque se cuidó de no enterarse de muchos de sus detalles particulares).

Aunque opuestos desde el punto de vista intelectual ("es verdad que

Ronald Reagan tenía más caballos que libros", dijo en alguna ocasión uno de sus colaboradores), el Papa y el presidente sí encontraron terrenos en común. Ambos habían sido actores. Ninguno de los dos se enfurecía intempestivamente. Ambos creían en el poder del acto simbólico y en el papel de la divina Providencia, sobre todo después de haber padecido intentos de asesinato con seis semanas de diferencia uno del otro y haber sobrevivido. En los primeros minutos de la reunión ambos convinieron en que Dios los había salvado para que desempeñaran un papel especial en el destino de Europa oriental. "Fíjese en las fuerzas del mal que cruzaron nuestros caminos y en cómo intervino la Providencia", dijo Reagan, y el Papa estuvo de acuerdo.

Con frecuencia, la religiosidad de Ronald Reagan –así como su evocación del Imperio del Mal– ha sido objeto de burlas o ha sido blandida como evidencia de cinismo o hipocresía. (Al fin y al cabo, pocas veces fue a la iglesia durante su Presidencia). Sin embargo, quienes lo conocían de cerca desde hacía mucho tiempo habían entendido y aceptado el lado espiritual de su personalidad y la fuerza que de allí derivaba.

Su cristianismo salvador era una parte esencial de su visión del comunismo. Creía que la Unión de Repúblicas Socialistas Soviéticas era en esencia un país cristiano, una parte de la Europa cristiana. Todo lo que Estados Unidos tenía que hacer era inclinar la balanza hacia el cristianismo, y la URSS recobraría su estado cristiano natural. Desde que asumió la Presidencia, había querido conversar con el Papa sobre esto, y sobre su deseo arrollador (algunos lo calificarían de mesiánico) de lograr la paz mundial. A sabiendas de ello, desde el inicio de su gobierno su esposa, Nancy, había insistido en que el Papa era uno de los primeros dirigentes extranjeros con quien se debía reunir el presidente.

Pocas personas entendieron bien a Reagan. Incluso cuando dejó el cargo, disfrutando de un enorme afecto popular pero al mismo tiempo siendo objeto de mofa considerable, él y su Presidencia siguieron siendo una masa de contradicciones, complejidades y mitos. Creía en el desarme, pero presidió el más costoso aumento en el rubro de defensa en la historia norteamericana (con efectos devastadores sobre la economía de su país), convencido de que podía persuadir a los soviéticos de la inutilidad de la càrrera armamentista... cosa que en efecto logró.

Ampliamente percibido como distraído y olvidadizo, tenía una excelente memoria para trozos curiosos de información que le interesaba, y sentía fascinación por las operaciones encubiertas. En una ocasión le preguntó a Casey: "¿Y si usamos las lanchas rápidas?", refiriéndose a un plan contemplado muy brevemente y hacía mucho tiempo olvidado para usar ese tipo de embarcaciones para introducir materiales de impresión en Polonia. "Las operaciones [encubiertas] especiales eran un tema que entendía", dice Richard Pipes, que solía conversar sobre ellas con el presidente.

En la imaginería popular y periodística, su política exterior se identificó (comprensiblemente) en gran parte con el asunto Irán-Contras, una operación totalmente consistente con el lado más oscuro de su gobierno. Sin embargo, el monolito comunista de Europa –el Imperio del Mal, como lo llamaba– era lo que, desde sus primeros días en la Casa Blanca, consumía verdaderamente su interés y su atención.

Como respuesta a una pregunta sobre los soviéticos en su primera conferencia de prensa, Reagan dijo: "La única moralidad que reconocen es aquella que les sirve para avanzar su causa, lo que significa que se reservan el derecho de cometer cualquier crimen, mentir, hacer trampa". Esta respuesta horrorizó a Al Haig, el secretario de Estado, quien consideraba que su misión era mejorar las relaciones Este-Oeste en el largo plazo. Haig estaba empeñado en trazar una línea contra los comunistas en el continente americano, en impugnar y combatir a los "representantes soviéticos" en Centroamérica y el Caribe y en "ir a la fuente": Cuba. De hecho, los objetivos antimarxistas paralelos de Estados Unidos y el Vaticano ya se estaban consiguiendo en América Central. Reagan, sin embargo, tenía la mirada puesta en las líneas trazadas en Yalta en 1945, según él el hecho político más importante en su vida de adulto, y estaba empeñado en borrarlas.

En febrero de 1981, el Papa había pronunciado un discurso sobre las "divisiones artificiales" de Europa creadas en Yalta. En la reunión cumbre en el Vaticano, Reagan planteó el tema, y los dos convinieron en que no existía razón alguna para respetar este "concepto ilegítimo", como lo llamaba Wojtyla. Europa era una sola entidad. "Los dos sentíamos que en Yalta se había cometido un gran error, y que algo debía hacerse –diría Reagan, muchos años después–. Solidaridad era el arma precisa para lograrlo".

"El Santo Padre conocía a su pueblo –observó el delegado apostólico en Washington, el arzobispo Pio Laghi–. Era una situación muy compleja: cómo insistir en los derechos humanos en Polonia, en la libertad religiosa, y en mantener vivo a Solidaridad sin provocar aún más a las autoridades comunistas. Sin embargo [antes del viaje del presidente] le dije a Vernon [Walters], 'escuche al Santo Padre. Tenemos dos mil años de experiencia en esto' ". En ese momento, el Papa todavía se sentía descorazonado por la situación de Polonia, y le dijo a Reagan que su propósito era simplemente iniciar conversaciones con el gobierno para que los logros de Solidaridad pudieran protegerse de alguna manera y se pusiera fin a la ley marcial. Últimamente había detectado ligeros indicios de que Jaruzelski quizás podría estar dispuesto a emprender conversaciones tentativas de algún tipo con la Iglesia.

Reagan estaba seguro de que los comunistas se habían equivocado enormemente en sus cálculos al imponer la ley marcial, que luego de haber permitido a Solidaridad operar abiertamente durante dieciséis meses, las autoridades sólo conseguirían alienar aún más a la población con la represión. Reagan siempre había dicho que el comunismo acabaría por desplomarse internamente. Según lo imaginaba, primero los pueblos del imperio soviético y luego sus dirigentes verían que se habían equivocado de camino. Finalmente tuvo razón.

"Su fuerza estaba en entender la crisis y la vulnerabilidad del sistema [en su totalidad], que según le decían todos los académicos era estable, sólido y popular –dice Richard Pipes–. Pero él no creía nada de esto. Y para ello se requería mucho valor ... contra los aliados, el Departamento de Estado". Una de las personas con quien no tuvo que discutir a este respecto fue Juan Pablo II, quien acabó por entender con gran sutileza la personalidad y los objetivos de Reagan. Seguramente el Papa hubiera mantenido una distancia más escéptica entre él y casi cualquier otro presidente o gobierno de Estados Unidos, si no estuviera tratando con un líder tan poco convencional y tan carismático como Ronald Reagan... ni tan generoso en cuanto a compartir las capacidades de inteligencia encubierta de Estados Unidos.

Como señaló Jeanne Kirkpatrick, ex embajadora de Estados Unidos ante la ONU, Reagan, a su vez, veía al Papa como una figura heroica, "un hombre extraordinario, sabio y valiente, un tipo de persona indomable que había demostrado esto, y realmente sentía un compromiso contra el control soviético de Europa oriental". Quería asegurarle al Papa que sus intenciones eran buenas, que la imagen que presentaban de él los medios como un peligroso belicista era completamente equivocada, y que la meta última de sus políticas era una paz duradera. Desde sus primeros días en la Presidencia, Reagan también había querido dejar en claro a Brezhnev que la paz y el desarme tenían la más alta prioridad en su agenda. Esto también había atemorizado a Haig, quien concluyó que lo único que se interponía entre la ingenuidad del presidente y la astucia de los soviéticos era él mismo. Sin embargo, en su primera reunión el Papa instó al presidente a seguir sus propios instintos básicos en la búsqueda de la paz.

"No era frecuente que el presidente se rebelara con respecto a algo –observaría Haig años más tarde–. Pero en su evaluación de la Unión Soviética era inquebrantable: creía que si algún comunicador especialmente talentoso pudiera sentarse con ellos algún día, se unirían a nosotros en un orden mundial que eliminaría las armas nucleares del mundo y acarrearía una convergencia de nuestras políticas mutuas; y lo creía a pie juntillas. Dediqué todo mi tiempo a poner esta idea en marcha, pero yo no la compartía.

"Cuando realmente vi al Ronald Reagan de verdad, fue cuando me entregó el borrador de una carta dirigida a Brezhnev. Él y Nancy [Reagan] habían redactado una misiva de carácter débil. Si yo hubiera estado en el Kremlin, me hubiera desternillado de la risa. Era una súplica sumamente ingenua para que los dos se reunieran y prohibieran las armas de destrucción mutua. Siempre creyó que podía sentarse con cualquier líder soviético. Y cuando me marché, dieciocho meses después, envió la carta. Le tomó dos años y la cumbre de Reykjavik antes de ver al verdadero Ronald Reagan y su evaluación de Moscú: el colmo de la ingenuidad".

Pocas semanas después de la visita de Reagan al Papa, la carta a Brezhnev fue enviada y Haig (por muchas razones) ya no estaba. En contra de las mejores estimaciones de los servicios de inteligencia de Estados Unidos sobre el poderío económico soviético, Reagan confiaba en sus propios instintos. Estaba convencido de que, como le dijo a Juan Pablo II, cuando los soviéticos entendieran que no podían mantenerse a la par con las políticas nucleares de Estados Unidos –en especial el despliegue de misiles de crucero en Europa y la nueva tecnología antimisiles en Estados Unidos–, buscarían la paz y el desarme.

"No podía creer que fueran tan fuertes como se decía con ese tipo de economía –explicó Reagan luego de haber dejado la Presidencia–. ¿Cómo podía pensarse que era una economía sólida cuando menos de una familia de cada siete posee un automóvil, y si se quiere comprar uno es preciso aguardar diez años para que se lo entreguen? ... Cuando se ven todas esas imágenes en los noticieros de calles llenas de automóviles en la Unión Soviética, se trata de los automóviles de propiedad del gobierno que se suministran a los burócratas". Esto se lo dijo al Papa. Si bien algunas de sus ideas podían parecer ridículamente simplistas, él creía en su propia retórica, sobre todo en lo referente a los comunistas.

"En este preciso momento en la historia del mundo –dijo el Papa en su primer pronunciamiento formal luego de su reunión con el presidente–, Estados Unidos está llamado, ante todo, a cumplir su misión al servicio de la paz mundial. La condición misma del mundo en la actualidad exige una política perspicaz que favorezca esas condiciones indispensables de justicia y libertad, de verdad y amor que son los cimientos de una paz duradera".

Más tarde el Papa confió a los cardenales Casaroli y Silvestrini que había quedado conmovido y alentado por las garantías privadas que Reagan le había dado de que seguiría ese curso de acción. Reagan había hablado más sobre el pueblo soviético que sobre los dirigentes soviéticos, y esto también había impresionado a Juan Pablo II. Reagan lo había convencido de que *era* un devoto del desarme, que creía que las armas nucleares debían ser abolidas, no simplemente reducidas en cantidad.

Las declaraciones públicas del presidente estaban dirigidas a los soviéticos: el gobierno, dijo, no retiraría sus sanciones contra la URSS o Polonia hasta cuando se pusiera fin a la ley marcial, se liberaran los presos políticos y se reanudara el diálogo entre el gobierno polaco, la Iglesia y "el movimiento Solidaridad que habla en nombre de la vasta mayoría de los polacos".

La cumbre del Vaticano sería recordada por los periodistas más que todo porque Reagan se durmió durante las ceremonias de clausura. Sin embargo, en los escasos cincuenta minutos en que conversaron el Papa y el presidente, estos líderes de dos superpotencias con agendas bastante divergentes habían hallado un importante terreno en común.

Centroamérica

El nombre en clave con que la CIA se refería a la Iglesia católica romana de Centroamérica era "la Entidad". La Entidad desempeñaba un papel importante en los planes del gobierno de Reagan para combatir el comunismo y los movimientos de corte marxista en el continente americano.

Casi desde un comienzo, la administración había decidido que el gobierno sandinista de Nicaragua, de tendencia marxista, tenía que ser derrocado. Para llevar a cabo sus planes, la CIA de William Casey estaba financiando un ejército "contra" de cuatro mil hombres, casi todos militantes de la vieja oligarquía somocista, suplantada por los sandinistas en 1979 luego de casi cuarenta años de dictaduras respaldadas por Estados Unidos.

En diciembre de 1982, como respuesta a la voluntad mayoritaria del Congreso, al presidente Reagan no le quedó más remedio que sancionar una ley que prohibía a la CIA y al Departamento de Defensa suministrar equipo militar, entrenamiento o apoyo a persona alguna que actuase "con el propósito de derrocar al gobierno de Nicaragua". Por ley, la CIA quedó en adelante limitada a tratar de impedir el flujo de armas que los sandinistas enviaban a los rebeldes del vecino El Salvador. Sin embargo, ni Casey ni el presidente pensaban dejarse amilanar por semejantes legalismos, y el gobierno buscó otros medios para financiar y ayudar a los Contras, lo cual eventualmente culminó en el escándalo Irán-Contras.

Como el gobierno de Reagan no podía operar libremente en Nicaragua, había que reforzar el papel de su principal aliado moral y político en el país: la Iglesia católica romana tradicional, la Entidad.

Pero había otra Iglesia católica en Nicaragua, la "Iglesia del Pueblo", que respaldaba a los sandinistas. A semejanza del régimen mismo, esta "Iglesia popular" contaba con mucho apoyo, sobre todo entre los pobres. En 1981 la CIA comenzó a canalizar en secreto fondos a los altos funcionarios de la Iglesia tradicional. El dinero resultó especialmente útil para ayudar a la Entidad a ampliar las operaciones de su estación radial y su periódico nicaragüenses, los que servían de plataforma a la oposición contra el gobierno sandinista.

Cuando los sandinistas acusaron al arzobispo nicaragüense Miguel Obando y Bravo (quien en alguna ocasión había apoyado con cautela su movimiento rebelde como única forma de oponerse efectivamente a la oligarquía somocista) de ser un agente pagado de la CIA, la Iglesia negó enfáticamente los cargos. Obando no era un "agente", pero la CIA lo consideraba como uno de sus principales "activos", ansioso, después de la elección de Wojtyla, por cooperar en los esfuerzos patrocinados por la agencia para desacreditar a los sandinistas. Según el almirante John Poindexter, en ese momento director adjunto del Consejo de Seguridad Nacional, "informábamos a los obispos [en Nicaragua] sobre lo que pensábamos que iba a hacer el gobierno nicaragüense, y lo que creíamos que hacían las organizaciones izquierdistas en El Salvador [en donde los obispos de la Iglesia tradicional también recibían fondos]. Esto se hacía directamente con el obispo en Nicaragua". El arzobispo Obando fue dibujado en una caricatura en *La Barricada,* el periódico sandinista, en el acto de convertir una cruz en una esvástica nazi.

Cuando altos miembros de las comisiones de inteligencia del Congreso descubrieron a comienzos de 1983 que por lo menos veinticinco mil dólares en fondos de la CIA habían tenido como destino la arquidiócesis de Obando, se horrorizaron y –temiendo que esta información se divulgara con el consiguiente descrédito tanto del Vaticano como de Estados Unidos– amonestaron a Casey. El director de la CIA prometió dócilmente dejar de pagar a sacerdotes y obispos con fondos de la agencia.

Poco después, Casey llamó a un asistente, Alan D. Fiers, a su oficina, y le ordenó que "buscara otra forma de hacerlo". Fiers acudió al teniente coronel Oliver North en la Casa Blanca, quien era miembro del Consejo de Seguridad Nacional, y este le dio varios miles de dólares para mantener abierto el flujo de dinero para la Iglesia. De allí en adelante, Fiers hizo arreglos para que un contratista privado que tenía negocios con la CIA cobrara sobrecostos a la agencia por trabajos legítimos. El contratista entregaba luego el excedente a un agente de la CIA en Nicaragua, quien a su vez organizaba la entrega del dinero a la Entidad. No se sabe cuántos cientos de miles –o quizás millones– de dólares llegaron a la Entidad por medios encubiertos durante el gobierno de Reagan, pero el caso es que la Iglesia de Wojtyla se convirtió en el principal aliado ideológico de la administración en su lucha contra los sandinistas.

Entre tanto, la Iglesia popular, sin inyecciones masivas de dinero pero con el apoyo de gran parte del pueblo, se había vuelto una fuerza poderosa. Es más, clérigos de toda Latinoamérica habían viajado a Nicaragua a trabajar con el gobierno sandinista, luego de años de represión por parte del régimen de Somoza. Temiendo que la Iglesia popular pudiera ser una contrafuerza demasiado poderosa para los intereses estadounidenses en Centroamérica, sobre todo en Nicaragua y El Salvador, Casey y William Clark le insistían al Papa en que viajara a Nicaragua. Le sugirieron a Pio Laghi, el representante papal en Washington, que el Papa debía demostrar sin lugar a equívocos que apoyaba a sus obispos en contra de la Iglesia popular. También le dijeron cuán importante era para Estados Unidos que Juan Pablo II no condenara a los contras –venerados por Reagan como "luchadores de la libertad"– ni la guerra encubierta de Washington contra los sandinistas o la ayuda militar que otorgaba al gobierno de El Salvador. Casey también había discutido estos asuntos con el cardenal Krol.

"Compartíamos un interés en desalentar las cabezas de avanzada comunistas en el hemisferio –observa Jeanne Kirkpatrick, embajadora ante la ONU durante el gobierno de Reagan–. El Papa es muy anticomunista, y tenía una visión del mundo que no difería de la nuestra, en la administración de Reagan, con respecto al comunismo". Mientras el Papa se preparaba para viajar a Centroamérica en marzo de 1983, tanto el vicepresidente George Bush como el secretario de Estado George Shultz hablaron sobre lo que describieron como el apoyo católico a los movimientos revolucionarios marxistas en América Central. Sus declaraciones suscitaron una carta de protesta de los obispos de Estados Unidos, quienes dijeron que los asuntos en Centroamérica no eran puramente políticos, y menos aún militares, sino esencialmente "asuntos humanos, morales", y que la participación de la Iglesia "refleja[ba] su 'opción' consciente 'en favor de los pobres' ".

"La cuestión de la Iglesia popular era un asunto importante –dice Kirkpatrick–. Y el Vaticano, incluidos el Papa y todos sus representantes, compartía la noción según la cual la Iglesia popular niega efectivamente la autoridad del Papa. Y eso no gustaba. Ni a nosotros ni al Vaticano".

Esta era, entonces, la atmósfera altamente cargada a la que entró el Papa cuando su avión aterrizó en Managua el 4 de marzo de 1983. Según Kirkpatrick, en lo que respecta a la administración de Reagan, "el Papa estaba en Nicaragua para suministrar un punto de encuentro católico alternativo. Y nosotros alentábamos esta iniciativa".

Mientras el Papa partía de Roma, el presidente Reagan advirtió que si El Salvador caía en manos de rebeldes izquierdistas, otras naciones del hemisferio seguirían el ejemplo. Anunció planes para aumentar la cantidad de asesores militares en El Salvador y suministrar sesenta millones de dólares adicionales en envíos de armas al ejército salvadoreño.

"Si obtienen un asidero, con Nicaragua ya allí [en manos de promarxistas], y El Salvador llegara a caer como resultado de esta violencia armada por parte de la guerrilla, creo que Costa Rica, Honduras, Panamá, todos esos seguirían", predijo Reagan. Los cinco países que mencionó, así como Guatemala y Haití, estaban en el itinerario del Papa.

Sin embargo, las palabras del Papa en vísperas de su partida cuaresmal de Roma no dejaron percibir el significado geopolítico de su viaje. De hecho, molestaron a los arquitectos de la política exterior del gobierno de Reagan, quienes no supieron bien si podían contar o no con Juan Pablo II para que transmitiera el fuerte mensaje que ellos esperaban.

"Es precisamente esa realidad en la que estáis viviendo lo que me llevó a emprender este viaje –dijo el Papa en su mensaje a los pueblos de las naciones centroamericanas que iba a visitar–, para estar más cerca de vosotros, hijos de la Iglesia y de países de raíces cristianas, que estáis sufriendo intensamente y que experimentáis los flagelos de la división, la guerra, el odio, la injusticia social, las confrontaciones ideológicas que acosan al mundo y que exponen al conflicto pueblos inocentes que anhelan la paz".

Como de costumbre, el mensaje del Papa debía llegar a muchas audiencias. Sus palabras –y su itinerario– reflejaban preocupación no sólo por la contienda de Roma con la Iglesia popular, sino también con las sectas protestantes fundamentalistas que estaban evangelizando en Centroamérica a una velocidad que tenía alarmada a la Iglesia católica tradicional.

El hombre veterano de bluyines y boina paramilitar era un monje trapense. Tenía una barba poblada, rizos al viento y ojos de niño. Le encantaba la poesía y soñaba, según decía, con que la revolución trajera a la gente "pan y rosas". Aguardaba la bendición del Papa. Se llamaba Ernesto Cardenal y era el ministro de Cultura de Nicaragua. En el aeropuerto de Managua, mientras Juan Pablo II saludaba a los miembros del gobierno sandinista, el padre Ernesto se quitó rápidamente la boina negra y, cuando el Papa llegó junto a él, cayó de rodillas y le tomó la mano para besarla. Sin embargo, Juan Pablo II la retiró y, con el rostro enrojecido, levantó el dedo índice derecho y lo reprendió: "Debe arreglarse con la Iglesia; debe arreglar su posición con la Iglesia". Enseguida, para evitar cualquier contacto con el ministro-monje, el Papa juntó ambas manos, inclinó levemente la cabeza y siguió su camino.

La junta sandinista, presidida por Daniel Ortega y legitimada por elecciones populares, había emprendido un ambicioso programa de reforma social: atención médica gratuita, una campaña contra el analfabetismo, reforma agraria y oportunidades para la adquisición de vivienda. Los sandinistas evitaban deliberadamente el modelo soviético de nacionalización, pero en su política exterior apoyaban las organizaciones guerrilleras en El Salvador y mantenían estrechos vínculos militares y económicos con Cuba. Cinco miembros de la junta, incluido el padre Ernesto, eran clérigos católicos o miembros de órdenes religiosas. El Vaticano había insistido en que debían renunciar al gobierno como condición para que se efectuara la visita del Papa. Esta exigencia fue suprimida cuando los sandinistas se negaron a capitular, pero Juan Pablo II todavía quería que los clérigos renunciaran o bien a sus posiciones cívicas, o bien a su condición de religiosos. De ahí la reprimenda al padre Ernesto.

Desde el instante mismo del arribo del Papa, toda la visita se desarrolló en un contexto político caldeado. "Entre el cristianismo y la revolución, no hay contradicción", le gritaron los defensores del sandinismo a Juan Pablo II cuando éste reprendió a Cardenal. Sus palabras ratificaron el saludo de Ortega al Papa en el aeropuerto: "Nuestra experiencia demuestra que uno puede ser creyente y revolucionario al mismo tiempo, y que no existe una contradicción insalvable entre ambas condiciones".

Enseguida, el líder de la junta arremetió contra las políticas de la administración de Reagan y recitó la historia amarga de siete intervenciones militares estadounidenses en su país. Citó una carta enviada por el obispo de León a un obispo norteamericano en 1921, en momentos en que Nicaragua estaba ocupada por tropas de Estados Unidos: "Usted no ha llorado de dolor –escribió el obispo nicaragüense– al ver la bandera de la conquista ondeando en las torres de sus catedrales. ... No ha visto su santuario convertido en campamento armado, ni el altar en donde se parte el pan eucarístico convertido en mesa desde donde se distribuyen raciones".

El Papa escuchó sin dar muestras visibles de interés. Tampoco respondió la otra aseveración de Ortega en el aeropuerto: que en los últimos tres años, trescientos setenta y cinco nicaragüenses habían muerto como resultado de "agresión externa", incluidos diecisiete jóvenes –asesinados por los Contras– que habían sido enterrados apenas dos días antes.

Juan Pablo II sólo dijo que quería contribuir "a poner fin al sufrimiento de gente inocente en esta parte del mundo, a poner fin a los conflictos sangrientos, el odio y las acusaciones estériles, y abrir el espacio para un diálogo genuino".

Sin embargo, los sandinistas no estaban buscando diálogo. Querían un cese al fuego.

El conflicto entre la Iglesia y el Estado tuvo resonancia incluso en el mismo altar. Saludando a la multitud con los puños al aire, los miembros de la junta sandinista marcharon hasta sus asientos en la misa campal en la que participarían quinientas mil personas en la vasta explanada de la Plaza 19 de Julio. Detrás del altar, un enorme mural mostraba a Augusto César Sandino y a otros héroes revolucionarios caídos.

El arzobispo Obando y Bravo había escogido un pasaje del Evangelio de san Juan para que lo leyera uno de sus sacerdotes: "Yo soy el buen pastor. El buen pastor da su vida por las ovejas; el asalariado, el que no es pastor, dueño de las ovejas, ve venir al lobo y deja las ovejas y huye, y el lobo arrebata y dispersa las ovejas" (Juan 10: 11-12). El sacerdote declamó los versículos con una entonación y unos gestos que dejaron en claro que el Evangelio aludía al hecho más actual de todos: que el arzobispo Obando y Bravo era el buen pastor y los sandinistas, los lobos salvajes. Los militantes sandinistas y los católicos de izquierda comenzaron a murmurar audiblemente.

La homilía de Juan Pablo II fue inusualmente severa. Se concentró exclusivamente en el deber de someterse a las enseñanzas del Papa y los obispos, incluso renunciando a las ideas propias si era preciso. Criticó a la Iglesia popular y ordenó a los fieles obedecer a sus obispos.

"En efecto, la unidad de la Iglesia se cuestiona cuando a los factores poderosos que la constituyen y mantienen –la fe misma, la palabra revelada, los sacramentos, la obediencia a los obispos y al Papa, el sentido de vocación común y responsabilidad en la tarea de Cristo en la tierra– se oponen consideraciones terrenales, compromisos ideológicos inaceptables y opciones temporales, incluida la noción de una Iglesia que reemplaza a la verdadera".

Resultaba "absurdo y peligroso imaginar que por fuera –para no decir en contra– de la Iglesia construida en torno a los obispos hubiera otra Iglesia, concebida sólo como 'carismática' y no institucional; 'nueva' y no tradicional; alternativa y, como se ha dado en llamarla recientemente, una Iglesia popular". Cientos de miles de personas lo aclamaron cuando condenó los intentos del gobierno de restringir la educación religiosa y sus esfuerzos por dividir a la Iglesia.

En medio del aplauso constante de un gran contingente de religiosas ubicado a la derecha del altar, Juan Pablo II insistió en que por el bien de la unidad de la Iglesia era mejor "renunciar a las ideas propias, a los proyectos propios, a los compromisos propios, incluso los buenos". Estas palabras suscitaron protestas ruidosas en las primeras filas de la audiencia. "Queremos paz –comenzaron a gritar los sandinistas y sus partidarios–. ¡Poder popular!" El Papa, visiblemente molesto, gritó "¡Silencio!" una vez, y luego otra y otra. Finalmente levantó la voz y declaró: "La Iglesia es la primera en querer la paz".

No mencionó nada específico acerca de la situación política del país, ni se refirió a la participación de Estados Unidos ni a la guerra de los Contras. Cuando el Papa arremetió nuevamente contra el marxismo, diciendo que la enseñanza de la Iglesia tenía que estar "libre de las distorsiones derivadas de ideologías o plataformas políticas", los sandinistas jóvenes encargados de controlar a la multitud comenzaron a gritar "¡Poder para el pueblo! ¡Poder para el pueblo!", y muchos de los asistentes les hicieron coro durante un minuto completo. En esos sesenta segundos, el área más cercana al altar se convirtió en una verdadera algarabía. "Una sola Iglesia", vociferaban los derechistas. "La Iglesia del pueblo", bramaban los izquierdistas. En las sombras del atardecer y con su figura iluminada por un foco de luz, Juan Pablo II alzó la voz para hacerse oír. En la consola de sonido, los técnicos del gobierno comenzaron a mover los diales en una especie de espectáculo surrealista, en ciertos momentos quitándole sonido a la voz del Papa, en otros amplificándola, mezclando los gritos de los activistas con las cadencias de Wojtyla. Más atrás, en la enorme audiencia, reinaba la confusión sobre lo que estaba ocurriendo. El decoro se disolvió cuando el Papa terminó de hablar.

En el aeropuerto, antes de que el Papa volara hacia Costa Rica, Ortega explicó que la gente había clamado por la paz porque "nuestro pueblo es martirizado y crucificado todos los días, y exigimos solidaridad con el derecho de nuestro lado".

Entre tanto, el Secretariado de los Obispos de Centroamérica emitió un comunicado en el que invitaba a orar para "reparar la profanación de la misa". Juan Pablo II también definió el episodio como una profanación de la eucaristía y pidió oraciones por "los verdaderos cristianos de Nicaragua".

Así pues, el presidente Reagan y sus colaboradores podían respirar tranquilos: el compromiso del Papa con un curso de acción paralelo a los intereses de la Casa Blanca estaba a salvo. La semana siguiente, en El Salvador, Costa Rica, Guatemala y Haití, Juan Pablo II adheriría a una línea antimarxista, evitando desviaciones que pudieran perturbar al gobierno de Reagan. En El Salvador, en donde el arzobispo Óscar Arnulfo Romero había sido asesinado en 1980 por orden del comando de inteligencia militar salvadoreño por oponerse a la brutalidad del régimen, el Papa lo alabó mansamente como un "pastor dedicado", y no como un mártir que había muerto de igual manera que san Estanislao. Juan Pablo II habló en favor de los derechos humanos –sobre todo en Guatemala–, pero no en contra de los regímenes autoritarios que se oponían al comunismo. La fórmula norteamericana que Vernon Walters había enunciado a Wojtyla para tratar con tales regímenes –fomentar la transición a la democracia y al mismo tiempo tratar de bloquear las fuerzas izquierdistas alineadas con Cuba o la URSS– también era ahora la política del Vaticano.

La jaula de oro

Así como Karol Wojtyla se sentía cómodo en su papel de viajero por el mundo, también se sentía incómodo en su otro gran papel, el de burócrata del Vaticano. Así como le encanta recorrer el mundo como el actor protagónico de un espectáculo global, detesta cuando en el Vaticano le toca supervisar las actividades de la curia. De hecho, sus momentos más felices han sido sin duda aquellos en que conseguía escabullirse inadvertido del Palacio Apostólico, en una limusina negra con una escolta policial discreta, para ir a las montañas de Abruzzi.

En invierno practicaba su deporte favorito, el esquí. "Se mueve como una golondrina", dijo efusivamente Sandro Pertini, el presidente de Italia, quien acompañó al Papa en una de sus excursiones. El profesor Jacek Wozniakowski, un viejo amigo de Cracovia, hizo una evaluación más serena de las habilidades de Wojtyla para el esquí: "Siempre fue un poco pesado. Baja en zigzag, no particularmente veloz o con gracia, pero sí con mucha competencia".

Juan Pablo II necesitaba espacios abiertos. Incluso en Cracovia se sabía que no le gustaban las funciones administrativas y que se escapaba del palacio arzobispal siempre que podía para deambular por los bosques o visitar parroquias distantes. En el Vaticano, su sensación de encierro empeoró después del intento de asesinato de 1981. Antes del disparo de Agca, Wojtyla podía por lo menos hacer largas caminatas ocasionales por los jardines del Vaticano. Pero la masiva movilización de personal de seguridad después del atentado terminó por poner fin incluso a esos paseos. Ahora la vida se detenía bruscamente cuando se aproximaba el Pontífice, algo que le molestaba profundamente. "Es una jaula, una jaula de oro", le dijo a un monseñor romano, refiriéndose al Palacio Apostólico.

Su mentor Tyranowski le había enseñado a vivir a plenitud todos los días, y el cronograma agotador del Papa muestra cuán bien aprendió esta lección. Cuando suena su reloj despertador a las cinco y media de la mañana, el Papa se levanta –aunque admite que en los últimos años lo hace con alguna dificultad–, se afeita y se viste (todo de blanco: pantaloncillos "bóxer", camiseta, medias, camisa con puños franceses y sotana). Por último se coloca la cruz de oro sobre el pecho. Angelo Gugel, el valet que heredó de su predecesor, nunca llega antes del desayuno: Juan Pablo II insiste en que Gugel pase las primeras horas de la mañana con su familia.

Tras abandonar su dormitorio con su sobria cama sencilla (en la que falleció Juan Pablo I) y dos asientos tapizados de espaldar recto, el Papa inicia su jornada laboral de diecisiete horas. El horario de un día típico es el siguiente:

6:15 Oración solitaria en la capilla papal

7:00 Misa con la asistencia de unos quince o veinte invitados, colaboradores y religiosas de la casa papal

7:30 Diez minutos de oración solitaria cuando los demás abandonan la capilla

8:00 Desayuno de trabajo en el comedor con colaboradores e invitados

9:00 Va al estudio privado para revisar el cronograma, leer y escribir durante dos horas.

11:00 Audiencias formales continuas en la biblioteca papal con obispos visitantes, dignatarios extranjeros e invitados

1:30 Almuerzo de trabajo en el comedor papal

3:00 Siesta de quince minutos en la poltrona

3:15 Meditación mientras camina por la terraza del Palacio Apostólico

4:00 Trabajo de escritorio en el estudio

6:00 Reuniones con miembros individuales del personal de la curia y del Vaticano

7:30 Cena. Por lo general también es de trabajo

9:30 Regresa al estudio para escribir y leer

10:30 Oración en la capilla

11:30 Se retira a dormir

Los miércoles, el programa incluye una audiencia general en la sala Nervi del Vaticano o, si hace buen tiempo, en la Plaza de San Pedro. Allí se dirige a miles de fieles, y toca temas que considera particularmente apremiantes. A diferencia de sus predecesores, Juan Pablo II toma sus responsabilidades como obispo de Roma con mucha seriedad. Los domingos suele visitar alguna de las 323 iglesias parroquiales romanas. La semana anterior, habrá invitado al párroco en cuestión a acompañarlo en la mesa, y este le habrá contado los problemas que aquejan a su parroquia y a sus feligreses.

La carga de trabajo de los papas modernos siempre ha sido pesada. La disposición tanto de Pío XII como de Pablo VI para trabajar sin descanso en sus escritorios era legendaria, pero los dos eran, por naturaleza, administradores de la Iglesia, acostumbrados a gobernar con documentos. El estilo de administración peripatético y muy personal de Juan Pablo II sorprendió a los miembros de la curia romana. Era a través de relaciones humanas, y no con métodos burocráticos, como pensaba, desde el comienzo, regir la Iglesia universal. La misa matutina, por ejemplo, se convirtió en un buen pretexto para permanecer cerca de los fieles del mundo entero. Nadie en la curia recordaba haber visto la capilla papal tan repleta día tras día. El Papa incluso utilizaba la ocasión para pulir sus habilidades idiomáticas, y con frecuencia celebraba la misa en la lengua nativa de sus invitados, aun en coreano y japonés. Después de la misa, Juan Pablo II, por lo general con invitados, toma no un desayuno ligero, sino una abundante comida polaca: jamón, salchicha, queso, café y a veces huevos, preferiblemente tibios, en un vaso.

Wojtyla también introdujo el almuerzo de trabajo en la curia. Esta es la forma principal en que el Papa se mantiene en contacto con su personal, así como con los obispos del mundo entero que viajan a Roma cada cinco años para sus tradicionales visitas *ad limina*. El almuerzo en la mesa del Papa ha sido una oportunidad sin igual para que la mayor parte de los cuatro mil obispos de la Iglesia hablen con su Papa en un ambiente bastante relajado. El comedor es muy sencillo, la atmósfera tranquila y sin pretensiones. Hay una mesa desplegable y, contra la pared, un aparador en donde se pueden apreciar algunos de los recuerdos polacos del Papa. También hay un televisor en el que Juan Pablo II ve a veces durante algunos minutos los noticieros, apenas lo suficiente para enterarse de las principales noticias del día. De cuando en cuando ve un partido de fútbol.

Wojtyla nunca le ha prestado mucha atención a la alimentación. El almuerzo, la principal comida del día, consiste en un primer plato (pasta, si la mayor parte de los invitados son italianos, de lo contrario sopa o una entrada), seguido de carne o pescado con queso. Siempre se sirve vino, y el Papa suele beber media copa o, con menos frecuencia, una cerveza. A veces se ofrece whisky después del almuerzo, pero sólo a los invitados. Las horas de comida no giran en torno a la gastronomía. En su lugar, los comensales tal vez conversen con el Papa sobre detalles de planes para viajes próximos, o quizás él interrogue al obispo de una diócesis que planea visitar, o todos en la mesa hablen sobre la situación del clero, que siempre preocupa al Papa. "¿Están los sacerdotes en buenos términos con los obispos?", puede preguntar a un invitado. "¿Son obedientes?"

De hecho, Juan Pablo II muchas veces deja el plato casi intacto en su ansia por hacer preguntas. Con aire ensimismado, a veces mira para otro lado como si quisiera concentrarse más, o en ocasiones se inclina sobre la mesa, con la cabeza en las manos, aparentemente perdido en otro mundo mientras la conversación gira en torno suyo.

A veces, durante las comidas, también aborda complicados temas doctrinales. Cuando está preparando encíclicas u otros documentos importantes, suele invitar al cardenal Ratzinger y a sus colegas de la Congregación para la Doctrina de la Fe a almorzar, a fin de continuar las conversaciones iniciadas en el estudio papal. Los cardenales tienden a sentirse más a gusto hablando con el Papa en este escenario informal. "Sobre todo si se invita a seis o siete cardenales, abordamos con más facilidad ciertos tópicos, referentes a problemas que afronta la Iglesia –dice el cardenal Silvio Oddi, quien durante muchos años fue prefecto de la Congregación del Clero–. En estas ocasiones el Papa expresa sus pensamientos con suma claridad".

Al convertir los almuerzos en simposios, Juan Pablo II también ha continuado una tradición que inició en Cracovia, consistente en invitar a científicos, economistas, empresarios, políticos, filántropos, escritores y artistas para que hablen sobre sus áreas de experiencia. Los invitados pueden abarcar una gama impresionante de temas, desde filosofía y matemáticas hasta física cuántica. En el verano en Castel Galdonfo, organiza reuniones similares. Cada dos años se celebra allí un seminario informal de dos días con la presencia del Papa, al que asisten científicos sociales de todas las tendencias religiosas y filosóficas.

Durante las vacaciones de verano en Castel Gandolfo, Juan Pablo II se entrega a otro de sus deportes favoritos, la natación. Ha sido un desahogo importante para las energías reprimidas de este moderno "prisionero del Vaticano", pero nunca siente la libertad que solía experimentar cuando nadaba en los lagos de Polonia y luego se estiraba sobre la playa, se cubría la cabeza con un gran pañuelo rojo si el sol calentaba demasiado, reía y bromeaba con sus amigos y los hijos de estos.

Si hay algo que el Papa ha echado de menos en el Vaticano, ha sido el contacto con los niños. Siempre ha mostrado una enorme ternura frente a los niños y los adolescentes. El profesor Wozniakowski, de Cracovia, describe cómo el joven obispo Wojtyla solía ir a su casa y jugar bruscamente con sus hijos sobre la alfombra, en medio de estallidos de risa alborotada. Cuando se siente verdaderamente atrapado y nostálgico de su hogar, Juan Pablo II invita a algunos de sus viejos amigos polacos, con quienes se siente relajado. El padre Maczynski, director del Collegio Polaco en Roma, hace reír al Papa imitando acentos rusos, polacos o yídish. El padre Tischner, profesor de ética social en Lublín, es famoso por sus bromas ligeramente atrevidas. En Navidad y Año Nuevo, a Juan Pablo II le gusta cantar villancicos tradicionales con las religiosas polacas y otros compatriotas invitados. Lo que más disfruta son las rondas.

Aunque al comienzo hubiera dado la impresión de que al Papa no le gustaban las formalidades burocráticas, los miembros de la curia pronto se dieron cuenta de que tenía una enorme capacidad para el trabajo. Los discursos que planeaba pronunciar en sus giras siempre estaban listos con dos meses de antelación. Su pastoral anual del Jueves Santo a los sacerdotes fácilmente puede haber sido escrita en noviembre, para ser leída el siguiente marzo o abril. Sigue siendo un lector voraz, y aprovecha cualquier instante libre que le quede, muchas veces durante un vuelo, para ponerse al día en libros de historia, antropología, ciencia, o las obras de algún gran poeta o escritor nacional de un país que vaya a visitar.

Al llegar a su estudio después del desayuno, el Papa inicia sus labores revisando dos pilas de recortes de prensa compilados por el Secretariado de Estado y su vocero de prensa, Joaquín Navarro-Valls. Dos veces al día el Secretariado de Estado le envía una bolsa de correo de cuero negro repleta de cartas, carpetas, informes preliminares de diversos departamentos del Vaticano y documentos que debe firmar o aprobar. Revisa metódicamente todo este material. El primer bulto llega cerca de la una de la tarde, cuando el personal del Secretariado de Estado recoge el trabajo de escritorio que Juan Pablo II terminó la noche anterior y esa mañana. Otra bolsa negra llega cerca de las cinco y media de la tarde, para ser revisada en las primeras horas de la noche.

El estudio en donde el Papa suele escribir –por lo general en polaco, a mano, o a veces dictándole a un secretario– forma parte de la residencia privada del Pontífice, en el tercer piso del Palacio Apostólico. Es una habitación sencilla, en la que domina un escritorio de madera grande y austero, con un sillón de espaldar alto de cada lado, tapizados en felpa *beige*. Sobre el escritorio reposan un pequeño reloj dorado, un crucifijo y un juego de escritorio que contiene estilógrafos, un secante y una libreta de apuntes. El viejo teléfono blanco del Papa, todavía de disco, se encuentra en una mesa baja a la derecha de su asiento. Sobre la pared cuelgan un icono y un cuadro de la Virgen. Un tapete oriental sencillo cubre el piso. La ventana del estudio mira sobre un vasto panorama romano. Es desde esta ventana que los domingos a mediodía el Papa reza el Ángelus con los fieles reunidos abajo, en la Plaza de San Pedro. Desde su escritorio, sin embargo, Juan Pablo II sólo puede ver el cielo. En todo caso, muchas veces cuando el Papa está trabajando las pesadas cortinas están cerradas.

En esta habitación, cuya modestia siempre sorprende a los visitantes (sobre todo cuando se la compara con la gran *loggia* del segundo piso, con sus hermosos techos pintados), el Papa recibe a los jefes de los departamentos de la curia. Estas audiencias tienen un horario regular: los lunes y los miércoles es el turno del secretario de Estado (quien de todas formas tiene un acceso ilimitado al Papa). Desde los tiempos de Juan Pablo I, el Secretariado de Estado se convirtió definitivamente en el supremo organismo encargado de ejecutar las decisiones del Papa y coordinar los diversos departamentos de la curia romana. "Somos la sombra del Papa –dice el cardenal Angelo Sodano, secretario de Estado desde 1991–. Él es el único protagonista, y nosotros lo seguimos y trabajamos para él". Los martes el Papa recibe al monseñor Sostituto, el segundo en el rango jerárquico de la curia, y los miércoles al ministro de Relaciones Exteriores del Vaticano.

Cuando está en Roma, los viernes a las seis y media de la tarde Juan Pablo II siempre se reúne antes de la cena con el prefecto de la Congregación para la Doctrina de la Fe, la entidad encargada de todos los asuntos relacionados con la enseñanza católica oficial y la disciplina de la Iglesia. Todos los sábados Juan Pablo II se reúne con el cardenal Bernardin Gantin, el prefecto de la poderosa Congregación de Obispos. En estas reuniones se discuten los nombramientos de la Iglesia y el Papa informa al cardenal sobre sus decisiones finales acerca de las personas que van a desempeñar los cargos vacantes. A diferencia de sus predecesores, Wojtyla muchas veces no acepta los candidatos escogidos mediante el procedimiento burocrático regular (una investigación preliminar por parte de los nuncios, seguida por la selección en una reunión plenaria de cardenales de la Congregación). En vez de ello, es posible que escoja a alguien a quien conoce personalmente, alguien cuyas ideas, según cree, se adaptan mejor a sus propias convicciones.

En Roma, Juan Pablo II distribuye su tiempo más que todo entre los pisos segundo y tercero del Palacio Apostólico. A las once de la mañana, el Papa toma el ascensor que lo lleva al *appartamento nobile,* su apartamento formal, que contrasta fuertemente con sus habitaciones privadas. Los jefes de Estado y personalidades importantes a quienes ha concedido audiencia allí siempre han quedado impresionados por la magnificencia de los recintos y por los frescos y frisos antiguos. En el mismo piso se encuentra también la hermosa biblioteca papal, con sus exquisitas obras de arte, sus estanterías y mesas renacentistas y sus espléndidos tapetes orientales sobre pisos de mármol decorados. Es allí donde suele ofrecer recepciones formales a visitantes extranjeros de alto rango.

Después de la cena el Papa vuelve a subir al otro piso, en donde trabaja hasta la hora de acostarse. Su único descanso es una caminata de una hora en la terraza, que realiza incluso en el invierno. A medida que pasan los años, se ha vuelto cada vez más usual verlo orando y meditando en la terraza o en su capilla. En la capilla, cerca del reclinatorio, hizo que colocaran una mesa baja en donde mantiene las cartas de fieles que le escriben sobre sus problemas personales y le piden que los encomiende en sus oraciones, o documentos referentes a su papado para los cuales cree necesario buscar inspiración adicional de Dios.

Polonia de nuevo

Ningún momento en los primeros años de su papado fue tan delicado, ningún problema tan molesto como la situación que afrontó Wojtyla en 1983 en su segundo viaje a Polonia. Ese invierno había sido especialmente deprimente para los polacos. La ley marcial parecía inexorable. Despidos, acusaciones secretas y actos de represión habían envenenado el aire. Muchas personas, desesperadas, se habían dado por vencidas y se habían refugiado en sus vidas privadas, creando la proliferación de bebés más grande en la historia polaca de la posguerra.

Los militantes clandestinos de Solidaridad también abrigaban dudas: una huelga general que habían convocado en noviembre había sido un triste fracaso. La Iglesia polaca había adoptado una línea de acción muy cautelosa. El primado, Józef Glemp, temía incesantemente que sus sacerdotes participaran en "actividades extremistas". El gobierno, presionado por los soviéticos, acosado por la desconfianza popular, preocupado por un posible colapso económico y obligado a que afrontar el problema de la suspensión de créditos de Occidente, temía levantamientos sangrientos como los de 1956, 1970 y 1976.

Así las cosas, la Iglesia y el gobierno aguardaban la llegada del Papa en medio de una gran tensión. Un acuerdo entre los obispos y el gobierno estipulaba que la visita sería de carácter estrictamente religioso. Las autoridades en Varsovia insistían en que el Papa no debía mencionar el oficialmente disuelto Solidaridad. El propio Jaruzelski le había prohibido al Papa visitar las ciudades bálticas de Gdansk y Szczecin, cunas del movimiento sindical. Se autorizó a regañadientes una reunión entre el Papa y Walesa, con la condición de que se mantuviera estrictamente en privado. En vísperas de su viaje, el Papa comentó que iba a llegar "en este momento sublime y difícil para mi patria". En un artículo titulado "Aguardando al Papa", el semanario clandestino *Tygodnik Mazowsze*, de Varsovia, expresó la esperanza de que la visita de Juan Pablo "permitiera a la gente romper la barrera del desespero, así como su visita en 1979 rompió la barrera del temor". El Pontífice estaba consciente de que su actitud en este viaje determinaría el manejo futuro de la ley marcial por parte del gobierno polaco, indicaría a sus compatriotas si debían perseverar o ceder en su lucha, haría saber al movimiento clandestino si todavía contaba con un campeón en el Vaticano y determinaría si Walesa continuaría siendo un actor o (como esperaba el primado Glemp) si ya formaba parte del pasado de Polonia.

A su arribo a Polonia el 16 de junio de 1983, Juan Pablo II no ocultó su tristeza ante la situación en que se encontraba su país. Fue evidente en sus primeras palabras en el aeropuerto de Varsovia, luego de haber besado el suelo: "Pido a quienes sufren que estén especialmente cerca de mí. Pido esto en las palabras de Cristo: estuve enfermo y me visitásteis. Estuve en prisión y vinísteis a mí. Yo no puedo visitar personalmente a todos los que están en la cárcel [la multitud quedó boquiabierta], a todos los que sufren. Pero a ellos les pido que me acompañen en espíritu para ayudarme, como siempre lo hacen".

Más tarde esa misma mañana, sostuvo la primera de dos reuniones privadas en el Palacio de Belvedere con el primer ministro Jaruzelski, conversaciones que finalmente dieron inicio a las negociaciones reales. Cuando saludó al Papa, el hombre que había aplastado a Solidaridad se veía tieso, correcto e inexpresivo. Su rostro pálido no estaba oculto por sus acostumbradas gafas oscuras. El uniforme le confería cierta elegancia patriótica, pero Juan Pablo II observó que cuando el general hablaba, su mano derecha, en la que sostenía su discurso preparado, temblaba, y la otra permanecía apretada en forma de puño. Jaruzelski admitiría luego que se sentía sumamente nervioso y emocionado. A semejanza de cualquier polaco educado en la fe católica, veía al Papa como una figura casi mítica. "Fue un momento muy emotivo –dijo luego sobre su primer encuentro con el Papa–. Sentí que era un momento grande, [pero] me dí cuenta de que su actitud conmigo era bastante fría. Sonrió al profesor Jablonski [el presidente polaco, a quien conocía], ... mientras que yo era el hombre de la ley marcial". Cuando llegó el momento de los discursos oficiales, el Papa colocó un micrófono entre él y Jaruzelski, como si quisiera distanciarse lo más posible del hombre responsable de la ley marcial. Luego el Papa se dirigió públicamente a Jaruzelski y a Jablonski en un discurso transmitido por la televisión y reafirmó el derecho de Polonia a la independencia, a tener "su propio lugar entre las naciones de Europa, entre Oriente y Occidente". El camino a la verdadera soberanía y reforma, dijo, debía tener en cuenta los "acuerdos sociales estipulados entre representantes de las autoridades estatales y los representantes de los trabajadores"; es decir, los acuerdos de Gdansk.

Pocos minutos después, el Papa, el primado, Jablonski y Jaruzelski entraron a una pequeña habitación, en donde el Papa abordó de inmediato el tema de la ley marcial.

"No dio un ultimátum —recordó Jaruzelski—. Trató de convencer, de persuadir. Habló sobre la dignidad del ser humano. Dijo que el Estado tiene que pensar en el individuo, que siempre se requiere el diálogo, y que todos los sindicatos tienen el derecho de existir".

"General —le dijo el Papa—, para mí la disolución del sindicato es más penosa que la imposición de la ley marcial en diciembre de 1981".

"Yo pensaba de modo diferente", dijo el general. Le contó al Papa que la decisión de imponer la ley marcial había sido "muy dramática para mí, muy dolorosa. Vivíamos una situación catastrófica que verdaderamente ponía en peligro a Polonia".

Jaruzelski esperaba que, con la Iglesia en una posición de poder sin precedentes (desde el colapso de Solidaridad se había convertido en el único medio de diálogo civil), el Papa buscaría, a semejanza del primado Glemp, consolidar ese poder para alcanzar objetivos más limitados de la Iglesia: nuevos seminarios, acceso a los medios, construcción de nuevas iglesias, algo que ya se estaba haciendo a un ritmo que a algunos críticos les parecía impropio. Desde la imposición de la ley marcial, se habían otorgado más de doscientas licencias para la construcción de nuevas iglesias, en momentos en que la economía y la infraestructura del país se desintegraban.

"No se embarcó en ningún tipo de polémica", observó Jaruzelski, pero hubo un desacuerdo inmediato y serio entre los dos, en prácticamente todos los tópicos que abordaron. Poco a poco las conversaciones se relajaron un tanto a nivel personal, aunque menos rápidamente en temas sustanciosos. Al general le interesaba sobre todo que el Papa "utilizara su influencia para ayudarnos a aislar el ala más extremista de Solidaridad [Walesa, KOR y el movimiento en la clandestinidad], para

ayudarnos a levantar el embargo de Occidente, sobre todo de los norteamericanos".

"Estoy ansioso por alcanzar un cierto estado de normalidad lo más
pronto posible –declaró el Papa, queriendo decir la terminación de la ley
marcial–. Entonces a Polonia la mirarán distinto otros países": una referencia a cómo se podría persuadir a Occidente de poner fin al aislamiento económico a que tenía sometido al país. El mensaje del Papa al
Estado era firme e inequívoco: los derechos de la gente tenían que ser
restituidos, Solidaridad tenía que ser reconstituido, la ley marcial debía
terminar y, eventualmente, los acuerdos de Gdansk debían prevalecer.
Pero también tuvo buen cuidado de no ofender al régimen. Reconoció
su poder temporal, aunque le imputó responsabilidad moral. Tampoco
se refirió al futuro de las iglesias y de los creyentes en Europa oriental ni
proclamó (como en su primera visita) la misión del Papa eslavo de unir a
toda la Europa cristiana.

Moscú siguió el arribo de Juan Pablo II a Polonia con reservas, pero
sin amenazas o histeria visibles. De hecho, el nuevo dirigente soviético,
Yuri Andropov, había ordenado a los medios de comunicación soviéticos no criticar al Papa. En vísperas de su viaje, el periódico *Sovietskaya
Rossia* incluso publicó una nota extraordinariamente favorable sobre el
Pontífice, elogiando su "posición en cuanto a detener la carrera armamentista, su apoyo a los obispos de El Salvador y a la búsqueda de una
solución justa del conflicto en el Medio Oriente", que según decía "no
sólo había irritado grandemente a Estados Unidos, sino que había enfurecido a Tel Aviv". Este tratamiento deferente por parte de la prensa soviética reflejaba, en parte, el deseo de Moscú de reducir la especulación
occidental sobre su participación en el atentado contra el Papa.

En el curso de la semana siguiente, el Papa transmitió un mensaje
complejo. "Llamad al bien y al mal por sus nombres", predicó en Czestochowa, en la que ha sido quizá la más importante homilía de su
pontificado. Allí, casi un millón de peregrinos aguardaba con gran expectativa a que pronunciara la palabra *Solidarnosc*. Pero no la pronunció
en la forma en que esperaban la vasta multitud y la prensa occidental
(que dedicaría gran parte del tiempo que duró la visita papal a contar las
veces que mencionaba la palabra). "Depende de vosotros –proclamó–
erigir una barrera firme contra la desmoralización", afirmar *"la solidari-*

dad fundamental entre los seres humanos": algo bastante diferente del sindicato Solidaridad que había sido aplastado por el Estado.

En la primera tarde de la visita, decenas de miles de personas marcharon en actitud desafiante desde la catedral de Varsovia, por delante de la sede del Partido Comunista, gritando "*Solidarnosc, Solidarnosc,* Lech Walesa, *demokracja,* independencia", y ya las autoridades tenían los nervios de punta. Había habido un despliegue masivo de fuerzas de seguridad. Ahora, en la explanada de Jasna Góra, la bandera de Solidaridad, con su inconfundible logotipo rojo, se veía ondeando por doquier. "Fortaleces a los estudiantes de Gdansk", proclamaba un letrero típico, con la palabra *students* escrita en la caligrafía familiar de Solidaridad. Casi todos los presentes eran jóvenes.

Cuando el Papa utilizó la palabra *Solidarnosc,* la enorme multitud respondió con entendimiento y comprensión, no vitoreando, sino como una comunidad reflexiva. "Madre de Jasna Góra –clamó desde la inmensa tarima de colores blanco y dorado erigida frente al monasterio fortaleza en donde se encuentra la Virgen Negra de Czestochowa–, tú que nos has sido dada por la Providencia para la defensa de la nación polaca, acepta este llamado de la juventud polaca al unísono con el Papa polaco, y ayúdanos a *perseverar en la esperanza"*.

Su idea, que ahora transmitía a toda una nación, era una variación de su propia experiencia juvenil durante la guerra: la victoria estaba en el interior. La victoria espiritual forjada a partir del sufrimiento de su nación, el camino del martirio, era posible. "El hombre está llamado a triunfar sobre sí mismo –declaró–. Son los santos y los beatos quienes nos muestran el camino a la victoria que Dios logra en la historia humana". Para alcanzar esa victoria, es preciso "vivir en la verdad. ... Significa amar a vuestro vecino; significa solidaridad fundamental entre los seres humanos". En un tema que repitió una y otra vez en los días siguientes, para disgusto del régimen, dijo que la victoria significa "hacer un esfuerzo por scr una persona con conciencia, llamando al bien y al mal por sus nombres y no desdibujándolos ... desarrollando en mí lo que es bueno, y tratando de corregir lo malo superándolo en mi interior.

"Habéis venido a la Madre de Czestochowa con una herida en el corazón, con tristeza, quizás también con rabia –predicó–. Vuestra presencia muestra la fuerza de un testimonio, un testimonio que ha asombrado al mundo entero: cuando el trabajador polaco se colocó a sí mismo como objeto de una exigencia, con el Evangelio en la mano y una oración en los labios. Las imágenes transmitidas al mundo en 1980 han conmovido los corazones y las conciencias".

"Quédate con nosotros, quédate con nosotros", clamó el millón de personas reunido en la explanada frente del monasterio. Miraron, hechizadas, cuando ofrendó a la Virgen su cinto de obispo, con un agujero abierto por la bala de Ali Agca.

En la homilía que dirigió a una multitud similar (y al régimen comunista) en Katowice, el centro industrial del acero, reiteró los derechos básicos de los trabajadores: "a un salario justo", "a seguridad", "a un día de descanso". "Vinculada al ámbito de los derechos de los trabajadores está la cuestión de los sindicatos –dijo–, el derecho a la libre asociación", el derecho de todos los trabajadores a constituir sindicatos como "portavoces de la lucha por la justicia social". Citando al finado cardenal Wyszynski, prosiguió: "El Estado no nos confiere este derecho, su obligación se limita a protegerlo y custodiarlo. Este derecho nos lo da el Creador, quien hizo al hombre un ser social". Todos los días sus discursos aludían a los fundamentos de los acuerdos de Gdansk.

Se reunió con Lech Walesa en privado, el último día de su visita, y con intelectuales que mantenían contacto secreto con el movimiento clandestino de Solidaridad. Recibió los ejemplares de los periódicos clandestinos que le entregaron.

Luego de dieciocho meses de ley marcial, Solidaridad no era ya una organización sindical de masas, con carnets de afiliación y una lista de demandas laborales. El Estado había destruido ese cuerpo, y su resurrección parecía casi inconcebible. Sin embargo, con la segunda visita del Papa, Solidaridad se convirtió en una idea, una toma de conciencia, una serie de valores, incluso una forma de vida *en* solidaridad". Como tal seguiría siendo un desafío para el Estado, porque al llamar al bien y al mal por sus nombres, al vivir en la verdad, al compartir los valores comunales, la pasividad sobre la cual el Papa había conversado con Geremek y sus compañeros intelectuales en el Vaticano en 1981 se convertiría en cosa del pasado.

Entre tanto, había un movimiento clandestino de Solidaridad, pequeño pero funcional, cuyos líderes se habían reunido en secreto con el representante del Papa, el padre Adam Boniecki, durante los preparativos de la visita: una señal inequívoca de que Wojtyla quería que perseveraran. Pese al hecho de que la organización clandestina de Solidaridad fue débil al comienzo, se estaba desarrollando una red de apoyo y abastecimiento con la ayuda concertada de la Iglesia católica, el movimiento sindical occidental y (sin que la clandestinidad lo supiera) la CIA. Esta red era vital para los prisioneros, los miembros que vivían ocultos y sus familias. Además, la organización clandestina había encontrado un nicho práctico desde donde Solidaridad podía seguir funcionando, inspirando e incluso floreciendo, con la publicación de periódicos *samizdat*, revistas, boletines de fábricas y transmisiones radiales encubiertas. La CIA gastaba con generosidad en este campo (cerca de ocho millones de dólares sólo en 1982-1983), patrocinando actividades que el gobierno no podía sofocar. Los impresores estaban adquiriendo habilidades en técnicas y tecnologías de publicación clandestina. Un periodista contabilizó 250 publicaciones clandestinas en todo el país en agosto de 1982. Con grandes aportes de dinero y la entrega encubierta de toneladas de equipo (las primeras máquinas de fax en Polonia, fotocopiadoras, tintas), pronto hubo 1 600 publicaciones periódicas en marcha. William Casey había convencido personalmente al primer ministro socialista de Suecia, Olaf Palme, de permitir el uso secreto de puertos, barcos y estibadores suecos para llevar equipo de contrabando a la organización clandestina. Cuando Solidaridad pareció condenada al fracaso con la imposición de la ley marcial, Radio Europa Libre, la Voz de América, Radio Vaticano y los propios transmisores clandestinos de Solidaridad (suministrados por la CIA) utilizaron las ondas aéreas para enviar mensajes provenientes de la clandestinidad, para consternación de las autoridades*. Así sobrevivía Solidaridad, con sus miembros entregados a una existencia de "caja de sorpresas", apareciendo con llamados a la resistencia en letra impresa en los momentos y lugares más inesperados (incluso en una que otra transmisión pirata que interrumpía la programación en la televisión estatal).

Antes de su viaje, el Papa había enviado al padre Adam Boniecki, di-

---

* Radio Europa Libre y la Voz de América también se utilizaron para enviar mensajes cifrados a la organización clandestina sobre entregas de equipos y otros asuntos, pese a que la legislación de Estados Unidos prohíbe este tipo de actividad.

rector de la edición polaca de *L'Osservatore Romano,* para que se reuniera con los líderes del movimiento en la clandestinidad y les transmitiera su agradecimiento y su admiración. Boniecki, dijo Wiktor Kulerski, un activista de Solidaridad, "anotó toda la información posible sobre la vida en la clandestinidad, las actividades que realizábamos, la estrategia que procurábamos seguir. ... En estas conversaciones, había algo que realmente le preocupaba: no quería que Solidaridad recurriera al uso de la fuerza. A este respecto estábamos totalmente de acuerdo y le dijimos a Boniecki que el movimiento clandestino tenía como propósito, por encima de todo, la creación de una sociedad civil, y que con su actividad buscaba construir la denominada conciencia social, de modo que los ciudadanos no siempre obedecieran todas las órdenes oficiales, [a través de] la desobediencia civil no violenta, y también la creación de una cultura y una educación independientes". Esta era también una forma de llamar al mal por su nombre.

Kulerski dijo que, a través de Boniecki, quien llevó un volumen encuadernado de todas las copias del semanario clandestino *Tygodnik Mazowsze* al Papa, la organización clandestina estaba "segura del interés del Papa ... y de su aprobación y comprensión. ... En más de una ocasión Boniecki dijo que el Papa está ansioso de recibir la información que le trae de Polonia y que a él [Boniecki] le gustaría tener más datos, más información para darle al Papa".

El Papa debía dirigirse a cuatro audiencias distintas durante su visita –el pueblo, el episcopado, el gobierno y lo que quedaba de Solidaridad– y todas, incluso los líderes comunistas de Polonia, finalmente, se sentían inspirados en él para actuar.

Al finalizar la visita, el Papa y Jaruzelski se reunieron otra vez, en esta ocasión solos durante más de hora y media en el Wawel, "un lugar de gran importancia simbólica", como señaló Jaruzelski. La reunión, que no estaba programada, había sido solicitada la noche anterior por el Papa.

El Papa asombró a Jaruzelski con su franqueza: "Entiendo que el socialismo como sistema político es una realidad –dijo–, pero la cuestión es que debería tener un rostro humano".

El Papa siempre hablaba "en términos de derechos humanos o dere-

chos civiles –observó el general–. Y cuando conversábamos sobre derechos, naturalmente queríamos decir democracia. Si hay democracia, se
tienen elecciones; si se tienen elecciones, se tiene poder. Pero él nunca lo
dijo con esas palabras. Esto dejaba traslucir su gran cultura y diplomacia,
porque en esencia utilizaba palabras y frases contra las cuales era imposible discutir. Porque si hubiera dicho, 'tienen que compartir el poder
con *Solidarnosc',* lo hubiéramos impugnado, naturalmente. Pero cuando
uno simplemente menciona los derechos humanos, es un término tan
general, una noción tan general que se puede tener una discusión cons-
tructiva, lo que eventualmente nos acercó [el régimen] a esa meta sin
perder prestigio. Es significativo el hecho de que muy poco después de
la visita del Papa en 1983 se levantara la ley marcial".

El primado Glemp ansiaba ver renovada la fuerza de la Iglesia polaca, no derrochada en una campaña inútil en favor de las demandas y prerrogativas de Solidaridad. En Cracovia, con la aprobación del
primado, se ordenó a un párroco que quitara un altar dedicado a Solidaridad en el interior de su iglesia, y que pusiera fin a las reuniones de educación de trabajadores que acostumbraba celebrar en la sacristía. Sin
embargo, muchos párrocos en el país habían sido sorprendentemente
directos en sus críticas al primado y en el apoyo que brindaban tanto a la
organización clandestina como al ambicioso programa de "renovación
social" que representaba Solidaridad.

Durante la visita del Papa, el episcopado no había programado reunión alguna entre el Pontífice e intelectuales polacos que estaban en
contacto con los activistas clandestinos. Sólo cuando el padre Boniecki
mencionó la decepción de la organización clandestina, los funcionarios
del Vaticano se apresuraron a incluir una reunión con ellos en la agenda
del Papa.

De hecho, Wojtyla había llegado a Polonia en calidad de "Papa-pri-
mado" (en palabras de Timothy Garton Ash), empeñado en impartir
instrucciones claras a la Iglesia polaca, decidido a que él, y no el primado, fuera quien sentara la línea doctrinal que guiaría a los sacerdotes de
Polonia en la lucha por venir. En Cracovia, ante dos millones de personas, el Papa beatificó a dos sacerdotes que habían combatido contra los

rusos en la fallida insurrección polaca de 1863: el padre Rafal Kalinowski y el hermano Albert Chmielowski, sobre quien Wojtyla había escrito una pieza de teatro, *El hermano de nuestro Dios*. Al señalar su participación en la revolución fallida, el Papa no sólo alabó a los dos sacerdotes por su "amor heroico por la patria" en esa lucha condenada al fracaso, sino por sus logros, su fe y su fortaleza de carácter posteriores. Kalinowski, quien ingresó a la orden de los carmelitas, se volvió maestro. Chmielowski fundó la rama albertina de los franciscanos y se convirtió en un artista célebre. El paralelo con la experiencia de Solidaridad era obvio: como sucedió durante todo el viaje, el Papa hizo un llamado a los católicos y a la Iglesia misma para que experimentaran un cambio interno, una especie de "conversión interior".

En su antigua arquidiócesis, el Papa consagró una nueva iglesia en Nowa Huta a la memoria de Maximilian Kolbe, luego de una gran manifestación de tres horas de duración. "El Papa está con nosotros, el Papa está con nosotros, la Iglesia está con nosotros, Dios está con nosotros. No hay libertad sin Walesa. Liberen a Walesa", cantaban decenas de miles de personas que marchaban detrás de una enorme bandera que proclamaba: "Solidaridad lucha y gana".

Al día siguiente el Papa se reunió con Walesa, una visita aún rodeada de misterio y controversia. Al comienzo las autoridades no habían querido permitir ninguna reunión, pero el Papa insistió en que se realizara como cuestión de principios. Walesa, quien hacía poco había sido liberado pero no se le había permitido reintegrarse a su trabajo, debía reunirse con Juan Pablo "en calidad de persona privada", en un lugar elegido por el régimen, sin representantes de la prensa a la vista.

Tras haber salido de Gdansk en helicóptero acompañado por el obispo Tadeusz Goclowski, asignado para ese fin por el episcopado, Walesa esperaba ver al Papa en Cracovia, pero en lugar de ello se vio aterrizando lejos de allí, en las montañas Tatras. Seis mil soldados y milicianos bloqueaban las carreteras que conducían al albergue de jóvenes escogido como lugar del encuentro. El obispo Goclowski escribió más tarde que la reunión, "que naturalmente versó sobre la situación del país, el estado de ánimo de los trabajadores y las perspectivas para las actividades de Solidaridad", duró aproximadamente cuarenta minutos. Es más, en su conversación hubo una aureola de "certidumbre sobre la victoria del ideal [de Solidaridad], que se había vuelto tan dominante en toda Polonia. Ambos convinieron en que, por difíciles que fueran las cosas, los hechos eran irreversibles".

El Papa y sus voceros siempre se han negado a hablar sobre esta reunión. El recuento que hace de ella Walesa en su autobiografía no menciona nada importante, y la despacha en dos párrafos en los que recuerda más que todo "la atmósfera de identidad de opiniones y simplicidad ... [y] los pies grandes del Papa".

Según Jaruzelski, la visita "sólo duró veinte minutos; hicieron las presentaciones, había cantidades de niños [de Walesa] por ahí". La reunión se celebró en medio de una gran "dimensión simbólica", pero no hubo nada sustancioso. "Walesa no estaba contento con eso, y entiendo el porqué –dice Jaruzelski–. Pero parece que en ese momento el Papa consideraba que lo más importante era preservar la paz y la calma en Polonia. Percibía la buena voluntad de las autoridades ... y creo que esto era una especie de congelamiento, una hibernación de Walesa mientras aguardaba los desarrollos futuros".

De hecho, el director de *L'Osservatore Romano,* monseñor Virgilio Levi, sugirió en la edición del día siguiente (con el titular "Honor al sacrificio") que, en esencia, el Papa había mandado a Walesa a pacer, que se le acordarían "grandes honores" pero nunca retomaría la dirigencia de Solidaridad. "Según mis fuentes ... Jaruzelski debía levantar el estado de emergencia, pero [a cambio] Jaruzelski había pedido [al Papa] que le diera a Walesa un perfil más bajo –recuerda Levi–. Era necesario. El Papa quiso ver a Walesa el primer día, luego el segundo día, luego el tercer día; y sólo el séptimo día se reunió con él en las montañas Tatras". Entre tanto, los colegas de Levi en *L'Osservatore Romano,* a quienes se les habían entregado con antelación copias de los discursos del Papa, pudieron constatar que cuando finalmente se pronunciaron los discursos su tono se había suavizado, aparentemente como señal de deferencia con Jaruzelski por las promesas que había hecho.

Muchos en el Vaticano creen que Glemp o sus asesores personales fueron los responsables de la versión que se le dio a Levi. Es posible que el primado haya pensado que se podía sacar a Walesa del escenario político con un artículo "autorizado" en *L'Osservatore Romano* que –reproducido por la prensa mundial– se convertiría en un hecho cumplido. Sin embargo, al día siguiente de publicado el artículo, el subsecretario de Estado papal, Eduardo Martínez Somalo, llamó a Levi a su oficina. Sin mencionar el contenido del artículo, simplemente dijo que, en vista de las reacciones de los editorialistas de los medios, "necesitamos un gesto". Levi, quien entendió perfectamente lo que le estaban pidiendo, renunció sin respingar. Se envió así un mensaje claro de que el Papa seguía respaldando el liderazgo de Walesa.

Sea como fuere, cuatro meses después, en octubre de 1983, Walesa fue galardonado con el premio Nóbel de la Paz. Más tarde volvió a dirigir Solidaridad, y se convirtió en presidente de Polonia.

En último término, el Papa trató de ayudarle al gobierno a encontrar una salida a su predicamento imposible, y a la gente a salir de su desesperación. Jaruzelski era el primer dirigente polaco desde 1970 bajo cuyo mando soldados del ejército polaco habían disparado contra ciudadanos polacos, y la legitimidad de su autoridad era un tanto precaria.

En Jasna Góra, el Papa había dicho: "El Estado es firmemente soberano cuando *gobierna* la sociedad y procura el bien común de la sociedad y permite a la nación hacer realidad ... su propia identidad". Luego había orado por los líderes de Polonia: "Reina de Polonia, también deseo confiaros la difícil tarea de quienes ejercen autoridad en suelo polaco". Esa autoridad no era investida por Dios, dejó muy en claro. "El Estado obtiene su fuerza ante todo del apoyo del pueblo".

"El Papa quería culminar la visita con una nota positiva, con un compromiso", recordó Jaruzelski en 1994. Fue por ello que solicitó una segunda reunión. "Sabía que se acercaba el final de la ley marcial. Se levantó un mes después. No quería perturbar esta atmósfera de reconciliación. ... Dijo que muchas cosas habían cambiado positivamente en Polonia".

El Papa se marchó de su país con la idea de que el general era un hombre estimable, ético, un hombre religioso de corazón, ante todo polaco y comunista después, temeroso de la Unión Soviética. Parte de la importancia de la segunda reunión celebrada entre Jaruzelski y Wojtyla estriba en el vínculo personal de confianza que se forjó entre el general y el Papa, pese a sus diferencias sustanciales. "Fue una conversación muy importante", observó más tarde Jaruzelski. El Papa mencionó "su aprecio por la atmósfera pacífica de su visita y por la cooperación de las autoridades".

Jaruzelski consideró este diálogo con el Papa como "dividido en dos estratos. Un nivel era el de una sensación de amistad. Ahí estaba yo, dando la bienvenida a un gran hombre, un invitado que también era compatriota nuestro. Pero al mismo tiempo había otro nivel ... en el que teníamos que dar nuestras razones respectivas, que no siempre coincidían. A veces eran radicalmente opuestas. ... Pero estas negociaciones nunca terminaron con una nota brusca de [desacuerdo total]. Incluso cuando llegábamos a un punto polémico que no podíamos resolver de inmediato, decidíamos estudiarlo más detalladamente en reuniones futuras entre el primado y el gobierno, para tratar de encontrar una buena solución".

Luego de permanecer una semana en su tierra natal, Juan Pablo II se marchó triunfante, pese a que, a primera vista, la gente seguía soportando una existencia monótona y con privaciones.

El aspecto "más obvio e importante" de su peregrinación, concluyeron los redactores del boletín clandestino *KOS* (número 35), fue "que en el curso de este encuentro histórico del Papa con millones de polacos, una vez más hemos vuelto a ser visibles para nosotros mismos y para otros, hemos recuperado nuestra voz y de nuevo podemos sostenernos erguidos. Un año y medio de terror han fracasado. Nos hemos vuelto nuevamente sujetos autodeterminantes, algo bastante extraordinario en un Estado totalitario. Ya no debemos considerarnos objetos de negociaciones políticas decididas por encima de nosotros".

Esto era justamente lo que el Papa había esperado.

Brezhnev falleció el 10 de noviembre de 1982. Su sucesor como secretario general del Partido Comunista, Yuri Andropov, ex director de la KGB, escribió una carta furiosa a Jaruzelski cuando le otorgaron a Walesa el premio Nóbel de la Paz en 1983.

"La Iglesia está reviviendo el culto a Walesa, lo inspira y lo estimula. Esto significa que la Iglesia está generando un nuevo tipo de confrontación con el partido". Temía a la Iglesia tanto como su antecesor, y analizó con percepción la situación en Polonia luego de la visita del Papa:

Quiero referirme especialmente a la Iglesia [le escribió a Jaruzelski].
Durante la crisis [ley marcial] obtuvo grandes beneficios y fortaleció muy
seriamente su posición política y su base material-financiera. ...

Hoy la Iglesia es una poderosa fuerza de oposición contra el socialismo, desempeñando el papel de patrono y defensor de la organización
clandestina y la idea de Solidaridad. ... En estas circunstancias, lo más
importante es no hacer concesiones, sino trazar la raya para restringir la
actividad de la Iglesia al marco constitucional [polaco] y reducir la esfera
de sus influencias en la vida social.

Dieciocho meses después, en febrero de 1984, Andropov falleció y
fue sucedido por Konstantin Chernenko. La vieja guardia del Kremlin se
iba reduciendo. Suslov, el ideólogo, también había muerto. La libertad
de acción de Jaruzelski se estaba expandiendo. Cada vez veía más al
Papa como un socio en el futuro de Polonia, desde luego sin excluir a los
soviéticos, pero como un elemento esencial de cualquier consenso que
permitiera al país prosperar social y económicamente. Con precaución,
la comisión Estado-Iglesia de Polonia comenzó a discutir fórmulas para
relajar las medidas más draconianas de la ley marcial que aún quedaban
en el código civil.

Jaruzelski fue nuevamente citado a una reunión en un vagón de tren
en Brest-Litovsk, a mediados de abril de 1984, esta vez con Andrei Gromyko y Dimitri Ustinov. Le advirtieron severamente sobre los peligros
que entrañaba esa cooperación. "Jaruzelski juzgaba a la Iglesia como un
aliado indispensable, sin el cual sería imposible continuar en ese momento. Nada dijo [Jaruzelski] sobre ninguna lucha decisiva contra las
maquinaciones de la Iglesia", informó luego Gromyko al Politburó soviético.

Konstantin Chernenko, quien presidió la reunión del Politburó, observó lúgubremente: "Las fuerzas contrarrevolucionarias prosiguen sus
actividades, la Iglesia comanda la ofensiva, inspirando y uniendo a los
enemigos del comunismo y a los insatisfechos con el sistema actual".

–En términos generales, si se me permite decirlo, la cuestión de construir el Partido [Comunista] no está de acuerdo con el alma de Jaruzelski
–dijo Gromyko.

–Yo creo que no fue sincero con nosotros –agregó Ustinov.

Mijaíl Gorbachov había estudiado cuidadosamente el informe de unas cien páginas sobre la reunión celebrada en el vagón de tren.

"Resulta –observó– que Jaruzelski quería sin duda presentar la situación como mejor de lo que en realidad era. A mí me parece que todavía no entendemos las intenciones verdaderas de Jaruzelski". Gorbachov hizo una pausa. *"Quizás quiere tener un sistema de gobierno pluralista en Polonia".*

Once meses después Chernenko ya había fallecido, y Gorbachov lo sucedería. Y entonces él y Jaruzelski discutirían conjuntamente la idea del pluralismo, tanto para Polonia como para la Unión Soviética.

PARTE VI

Pastor universal

El domingo 6 de mayo de 1984, Juan Pablo II celebró una misa triunfal en Seúl por 103 mártires coreanos asesinados en los siglos XVIII y XIX, a quienes hacía poco había declarado santos. Por primera vez desde la Edad Media, se había proclamado una canonización por fuera de Roma.

Con Juan Pablo II, la Iglesia católica se estaba convirtiendo en una fábrica de santos. El Papa estaba canonizando y beatificando héroes cristianos a un ritmo de prácticamente uno semanal. En los casi dos mil años de historia de la Iglesia, sólo tres mil hombres y mujeres habían calificado antes para la santidad. En sus quince años de papado, el papa Pablo VI había canonizado a setenta y dos nuevos santos. En el ocaso de su pontificado a mediados de los anos noventa, Juan Pablo II había beatificado (el último paso en el camino a la santidad) a más de setecientos hombres y mujeres (más que cualquier otro Papa) y había proclamado más de trescientos santos. Hasta el papado de Wojtyla, la Congregación para las Causas de Santos había tenido que certificar dos milagros por cada persona beatificada. Juan Pablo II redujo la exigencia a un solo milagro.

El propósito del Papa al proclamar tantos santos nuevos era destacar la fecundidad de la Iglesia, a semejanza de un padre que muestra con orgullo a sus hijos. Entre otras cosas, los santos son símbolos de una vida religiosa floreciente, modelos para sus culturas y comunidades, y un estímulo para fomentar las vocaciones sacerdotales menguantes. Al anunciar canonizaciones y beatificaciones en otros países, Juan Pablo II estaba demostrando que toda provincia del imperio cristiano podía darle héroes a la Iglesia universal.

Muchos de los santos canonizados durante su pontificado fueron escogidos como ejemplos de valor cristiano para el mundo moderno: Anuarite Negapeta, una monja africana asesinada por un soldado simba en Zaire, por defender su voto de castidad; Peter ToRot, un catequista de Papúa, Nueva Guinea, asesinado en un campo de prisioneros japonés durante la Segunda Guerra Mundial por no acatar la prohibición de instruir a los isleños en la fe cristiana; el padre Maximilian Kolbe y Edith Stein, ambos muertos en Auschwitz; Gianna Berretta Molla, la pediatra italiana que murió por negarse a que le practicaran un aborto[*].

---

[*] La persona más controvertida beatificada por Juan Pablo II fue José María Escrivá

A veces Juan Pablo II favorecía canonizaciones abiertamente políticas, como las de los miembros de órdenes religiosas asesinados durante las revoluciones mexicana y francesa o en la guerra civil española. Los consideraba víctimas simbólicas de la maldad propiciada por las revoluciones o por regímenes anticlericales y marxistas.

La misa que Juan Pablo II ofició en Seúl por los mártires coreanos fue una de esas gigantescas ceremonias que parecen diseñadas por el Papa y sus asesores para llenar de asombro al mundo. Una cruz de 40 metros de altura presidía la plataforma papal. Un millón de fieles se hicieron presentes, en un país con escasos 1,7 millones de católicos. Un coro de mil quinientas voces entonó cánticos, mientras ochocientos sacerdotes y mil doscientos diáconos y subdiáconos se mezclaban con la multitud para impartir la comunión. Como parte de esta pompa imperial, el Papa lucía vestiduras de satín doradas, con bordados que representaban una nube blanca y un dragón, emblema de la más antigua dinastía real coreana.

En su homilía, Juan Pablo ensalzó a la Iglesia católica de Corea, literalmente nacida en medio del martirio: "Porta por siempre la marca de sangre. ... Escuchad las últimas palabras de Teresa Kwon, una de las primeras mártires: 'Siendo el Señor en el cielo el Padre de toda la raza humana y el Señor de toda la creación, ¿cómo me pueden pedir que lo

---

de Balaguer, fundador del Opus Dei, la misteriosa organización laica católica. La beatificación de Balaguer en 1992 fue inusualmente rápida: apenas diecisiete años después de su muerte, un récord moderno. Por lo general se requiere por lo menos medio siglo para ser declarado "beato". Por otra parte, muchos críticos dijeron que al caso de Escrivá se le había dado un tratamiento especial. A "testigos hostiles" importantes se les impidió el acceso a las audiencias (sólo se permitió testificar a once de noventa y dos), y cuando uno de los ocho jueces eclesiásticos votó contra Escrivá, el proceso no fue detenido, como exigen las reglas del Vaticano.

Juan Pablo II se sentía particularmente cerca del Opus Dei y de sus 75 000 miembros en todo el mundo. Casi todos son intensamente ortodoxos en materia de teología, profesan una lealtad ciega al Papa, y ejercen una gran influencia en sus países. Debido a su gran sigilo –y a su poder sospechoso–, el Opus Dei fue acusado con frecuencia de ser una vasta operación conspiratoria católica en busca de dominio mundial. Como las listas de miembros se mantenían bajo llave, los críticos solían llamarla la "mafia santa". El Opus Dei había apoyado a Karol Wojtyla desde que era arzobispo de Cracovia. Con frecuencia lo habían invitado a dirigirse a los miembros de la organización. En los días inmediatamente anteriores al cónclave que lo eligió Papa, Wojtyla fue a orar a la tumba de Escrivá en Roma.

traicione? Incluso en el mundo terrenal, quien traicione a su propio padre y a su propia madre no será perdonado' ".

El martirio era la muestra de dedicación total exigida a los cristianos por este Papa. Solía hablar sobre martirio a los cardenales, a los sacerdotes y a los fieles en sus encíclicas. Lo consideraba "el testimonio más elevado de la verdad moral, al que son relativamente pocos los llamados". En su opinión, la traición era el lado oscuro del martirio. En lo que a Juan Pablo II se refería, si un hombre quería renunciar al sacerdocio, no se le consideraba un infortunado con problemas, un alma atormentada o desilusionada, sino un traidor; un Judas, como dijo alguna vez Pablo VI. El martirio era el clímax de la disposición a morir por el esplendor de la verdad. Según Wojtyla, todo cristiano debe tener esta disposición. "La sangre de los mártires es la semilla de los cristianos", le dijo a la multitud en Seúl, citando a Tertuliano.

Además de Cristo, la Virgen y los apóstoles, el ejemplo cristiano que más citaba el Papa polaco era san Estanislao. Cuando hablaba de martirio, a algunos en el Vaticano no les cabía duda de que Juan Pablo II también pensaba en su propia disposición a morir. Ya en su papado, su misticismo creciente lo había preparado sin duda para afrontar la muerte por su misión. De hecho, muchos en el palacio pontificio creían que le atraía la idea de morir, de ocupar un lugar al lado de todos esos hombres y mujeres, de cualquier confesión, asesinados por los sistemas totalitarios del siglo XX, a quienes celebraba como mártires santos.

"Hablo en nombre de quienes no tienen voz, en nombre de los inocentes que mueren porque no tienen pan ni agua", había proclamado el Papa en África en 1980.

Desde el comienzo, las giras del Papa fueron un sermón continuo sobre la dignidad humana y el poder redentor de la fe. El mundo se convirtió en su púlpito, como nunca lo había sido para ningún otro líder religioso en la historia. Esta fue la estrategia sobre la cual edificó su pontificado y buscó vigorizar la Iglesia católica: llevando un mensaje de fe, justicia social, disciplina y dogma a cientos de millones de personas en todo el mundo.

En Corea, el Papa habló sobre la liberación de los trabajadores. En la ciudad industrial de Pusan, 300 000 trabajadores, campesinos y pescadores –mucho más que los 170 000 católicos de la diócesis de Pusan– acudieron a escuchar sus palabras. Los obreros coreanos laboraban en condiciones brutales: en las fábricas muchos tenían que permanecer de pie catorce horas diarias todos los días de la semana, salvo dos domingos cada mes, por un salario mensual de doscientos dólares o menos. No tenían sindicatos verdaderos.

"Con frecuencia, el hombre es tratado como un simple instrumento de producción, como una materia prima que debe costar lo menos posible –les dijo el Papa–. En situaciones como esta, el trabajador no es respetado como un verdadero colaborador del Creador".

Juan Pablo II se convirtió en su voz.

Su antecesor, Pablo VI, sólo realizó ocho viajes al exterior durante los quince años de su pontificado, en su mayor parte a destinos con un obvio simbolismo religioso o político: Jerusalén, Estambul, Fátima, Bombay, la sede de las Naciones Unidas en Nueva York.

Juan Pablo II era un líder andariego. En los primeros seis años de su pontificado visitó Polonia, México, Irlanda, Estados Unidos, Turquía, Zaire, Congo, Kenia, Burkina Faso, Costa de Marfil, Francia, Brasil, Alemania Occidental, Pakistán, Filipinas, Guam, Nigeria, Benin, Gabón, Guinea Ecuatorial, Portugal, Gran Bretaña, Argentina, España, Costa Rica, Nicaragua, Panamá, El Salvador, Guatemala, Honduras, Belice, Haití, Austria, Corea, Canadá y Suráfrica.

Estaba cubriendo sistemáticamente el globo terráqueo, hablando directamente a multitudes de católicos y no católicos. Miles de millones de personas lo habían visto por televisión. El 29 de junio de 1982, día de san Pedro y san Pablo, les dijo a los cardenales del Vaticano que sus viajes eran un ejercicio del "carisma de Pedro a escala universal". "Si permaneciera en el Vaticano como querría la curia, estaría en Roma escribiendo encíclicas, que sólo serían leídas por un puñado de personas –le comentó a su amigo, el padre Malinski–. Si viajo y me acerco a la gente, conoceré a muchos, tanto gente sencilla como políticos. Y me escucharán. De lo contrario nunca vendrán a mí".

Con frecuencia visitaba lugares del mundo en donde los seres humanos viven en terribles condiciones de sufrimiento: pobres, oprimidos, enfermos y hambrientos. A veces anotaba los destinos escogidos en hojas de papel blanco con un bolígrafo durante su meditación matutina.

Tanto en el Primer Mundo como en el Tercer Mundo, predicaba que "el reino de Dios también es el reino de la justicia; y la actividad misionera en el mundo debe ir de la mano con la instauración de condiciones ... que permitan a las personas vivir con dignidad".

En Nigeria declaró: "La explotación cínica de los pobres e ignorantes es un grave crimen contra el trabajo de Dios". En Colombia aconsejó a "quienes viven con excesos y abundancia lujosa dejar su ceguera espiritual".

"A la luz de la palabra de Cristo, el Sur pobre juzgará al Norte rico –proclamó ante una audiencia canadiense–. Los pueblos pobres ... juzgarán a las naciones que se han llevado su propiedad, pretendiendo un monopolio imperialista sobre sus bienes y una supremacía política a expensas de otros pueblos".

En Portugal, dijo que la justicia exige que los campesinos puedan trabajar su propia tierra. En España exigió del Estado protección para los trabajadores: "No podemos simplemente abandonar a los trabajadores a su suerte. Esto es especialmente cierto para aquellos que, como los pobres y los inmigrantes, tienen que depender de sus manos para sobrevivir".

En Brasil, el país con la mayor población católica en el mundo, defendió el derecho de los trabajadores a organizar sindicatos. En Suráfrica condenó el *apartheid*. En muchos estados africanos recientemente independizados denunció los abusos autoritarios. "Cómo podemos ignorar los arrestos arbitrarios, las sentencias, las ejecuciones sumarias, la detención de disidentes en condiciones infrahumanas, la tortura, los desaparecidos".

Su sola presencia en los lugares más desolados del mundo suministraba un brillo de esperanza a las personas en condiciones de sufrimiento. Para hombres y mujeres atrapados en los tugurios y los barrios pobres del Tercer Mundo, la llegada de Juan Pablo II representaba a veces el primer testimonio significativo de su existencia como seres humanos, la única vez en sus vidas en que sus condiciones miserables de existencia eran presentadas ante la corte de la opinión pública en sus propios países y en el mundo entero.

La gente lloraba cuando lo veía. El arribo del Papa transformaba (así fuera brevemente) su desesperación y apatía. En Bolivia, un minero de tez morena subió a la plataforma papal y gritó con emoción: "Gracias, Santo Padre, por aceptar la teología de la liberación. Gracias por su encíclica sobre el trabajo. Están cerrando las minas. Ayúdenos porque queremos que las vuelvan a abrir. ¡Tenemos hambre, no tenemos pan!" Poco importaba el hecho de que Juan Pablo II hubiera condenado la teología de la liberación cuando, en todo el mundo, millones de televidentes serían testigos del clamor del campesino y verían a una mujer boliviana mostrando al Pontífice su olla vacía.

Inevitablemente, había críticos en la curia que creían que los viajes del Papa constituían espectáculos itinerantes indignos, muestras teatrales de poder y ambición personales y un desagüe de las finanzas de suyo menguadas del Vaticano. "Muchas personas dicen que el Papa viaja mucho y a intervalos demasiado frecuentes –observó Juan Pablo II en una entrevista concedida a *L'Osservatore Romano* y a Radio Vaticano en 1980–. Creo que, humanamente hablando, tienen razón. Pero es la Providencia la que nos guía; y a veces nos incita a hacer cosas *ad excessum*". Habló sobre la oportunidad de proclamar el Evangelio y las enseñanzas papales a "escala planetaria".

Y realmente quería decir *planetaria*. No disimuló nunca su deseo de ser un líder mundial, un profeta global, el portador de buenas nuevas para la salvación universal. "Quiero sensibilizar a los hombres y mujeres de buena voluntad con respecto a los importantes desafíos que la familia humana habrá de afrontar en estos últimos años del siglo XX", proclamó. Para aquellos a quienes el Papa les parecía un mesías autodesignado que constantemente se refería a una guía providencial en su circunnavegación del globo, tenía una respuesta ya preparada: "Si Dios me ha llamado con estas ideas que tengo, fue para que tuvieran resonancia en mi nuevo ministerio universal".

Para hacer valer su liderazgo mundial, Juan Pablo II tenía un aliado formidable en los medios de comunicación, que se encargaban de amplificar todas sus frases y gestos. Ningún jefe de Estado disfrutó del tipo de cubrimiento entusiasta y generalizado que él recibió. Ni siquiera el presidente de Estados Unidos tenía a su disposición un séquito tan grande de periodistas de tantas naciones.

Más alerta que sus colaboradores, el Papa reconoció pronto el alto potencial dramático que tenía su cargo. Ningún otro líder mundial celebraba triunfos al aire libre contra telones tan declaradamente teatrales. Ningún líder laico podía dirigirse cotidianamente a cientos de miles de ciudadanos en reuniones masivas en cualquier parte del mundo. La fuerte personalidad de Juan Pablo II iluminaba las pantallas de los televisores. Las imágenes del Pontífice de pie en el papamóvil con los brazos extendidos en señal de saludo, o de rodillas besando el suelo de algún otro país, barrían las pantallas de los televisores del mundo. Sin la televisión, el "fenómeno Wojtyla" de los años ochenta jamás se hubiera dado.

El enorme carisma del Papa, más que su mensaje doctrinal, era la herramienta más formidable con que contaba para mantener unida la Iglesia y configurarla a su propia imagen y semejanza, como observó en su momento un monseñor de alto rango. Hasta un experto como sir John Gielgud observó que el Papa tenía el sentido de la oportunidad perfecta que caracteriza a los grandes actores. Sin embargo, su mensaje no contaba con aprobación universal. Casi desde el comienzo, muchos se indignaron por su constante condena de las tendencias sexuales modernas, y en especial por su inflexible oposición al aborto y al control de la natalidad. Sus objetivos no se limitaban a la cristiandad: estaba decidido a presentar al mundo entero, tanto al laico como al religioso, una agenda basada en principios morales y doctrinales que estaba seguro emanaba de Dios.

Frente al ojo de las cámaras, su evangelización global cobraba vida. Juan Pablo II fue el primer Papa en entender la era de la televisión, el primero en dominar el medio, en manejar un micrófono, el primer Papa que acostumbraba improvisar, que no temía actuar en público.

La gente lo veía contra un telón de fondo de panoramas exóticos: navegando por ríos tropicales, de pie sobre las laderas de volcanes sagrados o caminando a la sombra de rascacielos impresionantes, como si fuera algún omnipresente Maestro del Universo.

Inevitablemente (y para ventaja suya), se desarrolló una pugna competitiva entre un Papa que buscaba impresionar a sus audiencias (ayudado por asesores de medios que aprendían rápido) y periodistas de televisión empeñados en convertir cada transmisión en un suceso extraordinario. Como resultado, los representantes de los medios masivos más escépticos y cínicos del mundo terminaron por exaltar al Pontífice romano de una manera sin precedentes y a una escala que sólo él disfrutaba.

Las misas celebradas por el papa Wojtyla se convertían en actos épicos. Predicaba y oraba en estadios y en pistas deportivas, en aeropuertos y en praderas sembradas de tréboles. Cuando visitaba ciudades, la atmósfera semejaba la del Super Bowl. "Juan Pablo segundo, te quiere todo el mundo", cantaban en Suramérica. "J. P. Two, we love you", entonaban en Estados Unidos. El Papa actuaba como si fuera el corredor de maratón de Dios. Los organizadores locales se sentían obligados a crear diseños teatrales cada vez más fantásticos para sus presentaciones al aire libre, convirtiendo las plataformas papales desde donde Juan Pablo II oficiaba las misas en gigantescos *sets* al estilo de Hollywood. Cruces enormes y construcciones cada vez más elaboradas coronaban los altares. A veces el palio sobre el tabernáculo tomaba la forma de una vela gigantesca o una enorme paloma estilizada, o las paredes laterales formaban una pirámide, decorada con símbolos culturales de la nación en donde se encontraba el Papa. En su honor tocaban las bandas, cantaban los coros, danzaban los bailarines.

Los actos litúrgicos se transformaban en espectáculo. Las largas filas de la población local que marchaban en la procesión del ofertorio se convertían en un deslumbrante homenaje al Pontífice. Ante su trono desfilaban en revistas pan, frutas, textiles, artesanías, e inclusive bebés en sus cunas. Con ocasión de la visita que efectuó el Papa a Madrid en 1982, un escritor italiano observó que Juan Pablo II "estaba sentado en la terraza del estadio como un sátrapa".

Pero el Papa, plenamente consciente de los elementos profanos que rodeaban sus apariciones (que en muchos países se financiaban en parte con la venta de *souvenirs* papales), sabía que todo esto era una oportunidad para la comunicación. Hablaba una docena de idiomas. Aceptaba usar una increíble variedad de sombreros que le ofrecía la gente: boinas de estudiante, sombreros mexicanos, tocados de guerra indígenas, cascos. En África se colocó pieles de cabra y posó portando la lanza de un jefe tribal. En el oeste de Estados Unidos, salió de una tienda india con una casulla con flecos; en Phoenix, un grupo de nativos norteamericanos lo colocó sobre una plataforma rotativa que lo hizo dar vueltas como si fuera una especie de torta de bodas sagrada, para que todos en la audiencia pudieran verlo y admirarlo.

Al séquito papal pronto empezó a gustarle este tipo de atmósfera de gran espectáculo. De acuerdo con la estrategia de Joaquín Navarro-Valls, contratado como vocero del Vaticano en 1984 –un ex médico, corresponsal del diario español ABC y miembro del Opus Dei–, se le otorgó tratamiento preferencial al cubrimiento televisivo. En las pantallas de los televisores, como bien lo sabían el Papa y Navarro-Valls, la gloria siempre eclipsaría los problemas, la emoción triunfaría sobre la perspicacia. Cualquier pregunta incómoda formulada por los periodistas de la prensa escrita quedaría opacada.

María

A donde quiera que fuese, en el país que fuere, siempre había una cita a la que Juan Pablo II no faltaba jamás: una visita a un santuario de la Santísima Virgen. La imagen del Papa de pie ante estatuas y cuadros de la Madonna, mientras implora su protección para trabajadores, naciones, enfermos, seminarios, universidades y hospitales –orando para que trajera la paz al mundo– pronto se convirtió en una marca distintiva de su papado. El primer santuario mariano que visitó como Papa por fuera de Italia fue el de la Virgen Morena de Guadalupe, en México. Luego vinieron la Virgen de la Aparición en Brasil, la Virgen del Perpetuo Socorro en Filipinas, Nuestra Señora de Luján en Argentina, la casa de la Madonna en Éfeso, Turquía, la gruta milagrosa de Lourdes en Francia, el santuario de Fátima en Portugal, la basílica de la Virgen en Mariazell, Austria.

Encomendó continentes enteros al corazón de María. "Conocéis nuestros sufrimientos y nuestras esperanzas –oraba–. Como madre, sabéis de la lucha que se libra en el mundo entre la luz y la oscuridad, entre el bien y el mal. O Madre de Misericordia ... alejadnos de toda injusticia, división, violencia y guerra. Protegednos de la tentación y de la esclavitud del pecado y el mal".

Las tradiciones legendarias vinculadas a cada santuario mariano eran fuentes de orgullo e inspiración para el Pontífice. Se deleitaba con la forma en que acercó la Iglesia –y a la Madre de la Iglesia– a la gente. En Brasil se alegró con el relato de los pescadores que encontraron una estatua de la Madonna en sus redes. En Togo, su presencia recordó a los primeros misioneros que hablaron sobre el mito de la "dama blanca". Para Juan Pablo II, las leyendas religiosas eran fe hecha poesía.

Cuando se celebró el Concilio Vaticano II, la mayoría de los obispos ni siquiera había querido que Pablo VI le otorgara a María el título formal de "Madre de la Iglesia" por temor a ofender las sensibilidades ecuménicas. Pero cuando Karol Wojtyla fue nombrado Pontífice romano, comenzó a tomar medidas contra una comunidad católica occidental recalcitrante, imponiéndole un engrandecimiento sistemático del culto de María.

A muchos católicos les molestó este énfasis en el culto mariano y esta aparente obsesión por presentar a la Virgen María como el modelo más perfecto de la mujer y patrona de naciones enteras. Algunos lo tomaron a mal, considerándolo como un intento de imponer una religiosidad medieval al catolicismo contemporáneo y de exportar la experiencia polaca a la Iglesia universal. Las referencias continuas a la Madonna molestaron en especial a los dirigentes de muchas confesiones protestantes, que siempre han insistido en colocar a Cristo y a la Biblia como centro de la fe cristiana.

Sin embargo, a diferencia de Dios Padre, Jesucristo o el Espíritu Santo, la Madonna ha seguido protagonizando apariciones visibles a todo lo largo de la historia del cristianismo. Y reviste importancia singular en las vidas de centenares de millones de católicos: muchos no asisten a la iglesia, no aceptan al Papa ni sus leyes, pero acuden a la Virgen-Madre porque les parece que ella, una mujer que dio a luz a un hijo, entiende y ayuda. Juan Pablo II, huérfano de madre desde los ocho años, se identificaba agradecido con esta imagen, que ocupa un lugar supremo en la tradición católica polaca.

El fallido intento de asesinato en 1981 convenció por completo al Papa de que contaba con la protección de la Madonna, y con gran serenidad se acogió a su cuidado cada vez que percibía peligro, ya fuera contra su persona o contra sus objetivos. "Todos recordamos ese instante en la tarde cuando una pistola disparó unas balas contra el Papa con la intención de matarlo –ha dicho–. La bala que atravesó su abdomen se encuentra ahora en el santuario de Fátima [en donde el Papa la hizo incrustar en una corona dorada que colocó sobre la cabeza de la estatua de la Virgen]; su fajín, perforado por esta bala, reposa en el santuario de Jasna Góra ... Fue una mano maternal la que guió el camino de la bala y salvó al Papa agonizante en el umbral de la muerte".

Certidumbre

El papa Pablo VI había pasado sus últimos años cada vez más atormentado por el dilema de cómo equilibrar la continuidad doctrinal, el consenso de los fieles y los dictados de su propia conciencia. Juan Pablo II no experimentó ese tipo de conflicto. "La Iglesia no depende de los criterios de cifras y modas", declaró. Ya fuera en el Vaticano o en sus viajes, todo lo que hacía tenía como propósito conseguir apoyo para su liderazgo y su visión de una Iglesia católica sin complejos de inferioridad con relación a la sociedad moderna. Siempre había tenido la certeza de que un catolicismo puro era la única cura para los males contemporáneos.

Como Papa exigía que, ante todo, el personal de la Iglesia –sacerdotes, monjas, obispos, prelados, teólogos– obedeciera las enseñanzas papales. En todos los países que visitaba, el Papa martillaba insistentemente en los oídos del clero el valor del celibato. El clero debía mantenerse al margen de la política y revivir el sacramento de la penitencia. La instrucción en los seminarios tenía que ceñirse estrictamente a las reglas del Vaticano.

"La Iglesia del Vaticano II, y del Vaticano I, y del Concilio de Trento es una misma Iglesia", anunció en Alemania Occidental en 1980. En una congregación de sacerdotes en Francia, dijo: "No es el mundo el que determina vuestra función, sino la Iglesia". "Prometed que me obedeceréis a mí y obedeceréis a vuestros obispos", fueron sus palabras en España.

Sus reuniones con el clero en el exterior solían ser asuntos triunfalistas, desarrollados en una atmósfera de devoción y solemnidad. Los sacerdotes casi nunca tenían la oportunidad de describir al Santo Padre los problemas reales y las presiones que afrontaban en sus parroquias, sus escuelas y sus vidas privadas.

Sin embargo, en Suiza, en una visita realizada en junio de 1984, fue confrontado con franqueza inusual durante una reunión con sacerdotes locales. Primero, el padre Mark Fischer pidió que se asignara a los laicos, incluidas las mujeres, un papel más importante en la Iglesia. Propuso la ordenación de *viri probati* (laicos casados "probados"), y sugirió un relajamiento de las restricciones impuestas por Juan Pablo II para disuadir a los sacerdotes de abandonar el sacerdocio. El padre Giampaolo Patelli, quien habló después del padre Fischer, expresó su comprensión y solidaridad con los hombres que habían abandonado el sacerdocio para casarse. Luego planteó la cuestión de las parejas de divorciados y vueltos a casar que querían comulgar, e insinuó que también había llegado el momento de poner fin a esta prohibición de la Iglesia. El Papa rechazó enfáticamente todos los puntos, aunque sabía que los dos sacerdotes contaban con el respaldo de la Conferencia Episcopal suiza.

El deber de un Papa, declaró Juan Pablo a los sacerdotes congregados, es "confirmar a los fieles, señalar el camino, enseñar la voluntad de Cristo y de la Iglesia". La unidad de fe y disciplina, subrayó, era esencial. Nada podía justificar la "disensión".

La restauración precipitada de la conformidad doctrinal, lejos de la tolerancia y la flexibilidad relativas que habían marcado gran parte del pontificado del papa Pablo VI, se observaba sobre todo en el área de la moralidad sexual. En contra de los obispos, sacerdotes, teólogos y laicos que cuestionaban la sabiduría o relevancia de algunas de las enseñanzas básicas de la Iglesia, Juan Pablo II rechazó inexorablemente cualquier desvío con respecto a la doctrina tradicional. Prohibió la comunión para los católicos divorciados y vueltos a casar. Se negó a levantar la prohibición de la Iglesia al uso de anticonceptivos. Insistió en que la inseminación artificial para las parejas casadas violaba las enseñanzas de la Iglesia. Prohibió el uso de los condones, incluso en momentos en que el mundo se estremecía frente a la rápida propagación del virus del sida. Cuando teólogos o trabajadores de la salud católicos clamaban misericordia y contemplaban la posibilidad de usar condones como el menor de los males, el Papa sostuvo firmemente sus convicciones. Reafirmó enérgicamente la condena de la Iglesia al homosexualismo.

"A mí me parece que lo obsesionan los asuntos sexuales", se queja el reverendo F. X. Murphy, cuyas crónicas contemporáneas sobre el Concilio Vaticano II bajo el seudónimo Xavier Rhynne han sido recogidas en varios volúmenes.

Las críticas feministas contra la visión del Papa sobre la sexualidad se volvieron pan de cada día. "Juan Pablo II siempre ve a las mujeres en su dimensión biológica: ya sea como madres o como vírgenes que deben seguir el ejemplo de la Madonna –insiste Ida Magli, una antropóloga italiana autora de varios libros sobre mujeres e Iglesia–. Siempre es la forma como se relacionan con su cuerpo: o fabrican niños, o se abstienen del acto sexual. Wojtyla nunca ve a las mujeres como personas, de la misma forma como ve a un hombre como persona. Yo creo que en el fondo de su corazón teme la rebelión de las mujeres. Sus estrictas prohibiciones, sobre todo en lo concerniente al aborto bajo cualquier circunstancia, traicionan una especie de odio inconsciente hacia la libertad de las mujeres".

De hecho, el Papa criticó el recurso al aborto con una ferocidad que parecía en desacuerdo con su temperamento. El cardenal John O'Connor, de Nueva York, fue uno de los numerosos prelados que pronto comprendió que "este es el tema que más preocupa a Juan Pablo, más que cualquier otro en el mundo". El Papa censuró la "cultura de la muerte" que, en su opinión, fomenta cada vez más el aborto, la eutanasia y la ingeniería genética. Casi todo lo que publicaba contenía alusiones al carácter sagrado de la vida humana, al *status* privilegiado de los no nacidos. "Creo que es el denominador común de su papado", dice el cardenal O'Connor.

En sus sermones durante el retiro cuaresmal dos años antes de su elección, Wojtyla había mostrado a la curia una visión de la Tierra como un vasto cementerio, una cultura de muerte impuesta por la anticoncepción y el aborto. Ahora era una visión papal. "El aborto no es más que el asesinato de una criatura inocente", sostenía el Papa. "Ninguna ley humana puede justificar moralmente el aborto inducido", repetía en el mundo entero. En el Mall, en Washington, no lejos del lugar donde la Corte Suprema había sancionado el aborto en *Roe vs. Wade,* dijo ante una multitud de varios cientos de miles de personas que "cuando la vida esté amenazada en el útero, yo defenderé la vida".

Cuando quería protestar contra el deterioro moral, solía dirigir su mirada a una estatua o retrato de la Madonna. "¿Cómo no sentirnos consternados por la propagación del laicismo y la permisividad que menoscaban tan seriamente los valores fundamentales del orden moral cristiano?", imploró con angustia en Fátima.

Desde los primeros meses de su papado, comprendió que su severo mensaje moral tenía muchos críticos dentro y fuera de la Iglesia, pero se mantuvo firme, y aparentemente indiferente. No podía transigir con lo que veía como la verdad eterna de los preceptos de la Iglesia. Juan Pablo II se sentía obligado a enseñar a los fieles y al clero, no a dejarse influir por las opiniones de estos.

"Estamos tan habituados a los políticos que mandan hacer una encuesta, tratan de interpretarla y luego quieren estar en la onda correcta, y él es tan contrario a esto que resulta fascinante –observa uno de sus críticos, el arzobispo Rembert Weakland, de Milwaukee–. No le importa lo que piensa la gente. Sigue adelante. Eso está bien como líder, pero creo que en cierto momento se necesita algún contacto con lo que cree y siente la gente, saber cuán exitosamente se está llegándoles".

Esta fue la crítica que con más frecuencia se escuchó a obispos y sacerdotes sobre el pontificado Wojtyla a medida que su orientación se fue perfilando con mayor claridad. Les preocupaba el hecho de que el Papa no sintiera la profundidad de la alienación que ocasionaban sus posturas inflexibles, sobre todo en los países occidentales, en donde laicos, mujeres pertenecientes a órdenes religiosas y católicos jóvenes optaban por ignorar las enseñanzas de la Iglesia.

Ese alto grado de alienación había sido aceptado como un hecho por muchos obispos en Occidente, sobre todo en Estados Unidos, en donde el clero católico trató de convencer al Papa de que había que prestar más atención al disenso en el seno de la Iglesia. Pero pronto se dieron cuenta de que sus peticiones no hallaban respuesta.

El arzobispo John Patrick Foley, presidente del Consejo de Comunicación Social –la oficina de medios de comunicación del Vaticano– hace la siguiente distinción: "No creo que haya existido incertidumbre alguna sobre lo que era la enseñanza de la Iglesia antes de la elección de Juan Pablo II. Creo que hubo incertidumbre por parte de muchos en la *percepción* sobre cuál era la enseñanza de la Iglesia o cuáles eran sus límites. ...

La buena moral, a semejanza del buen arte, comienza trazando una línea. Y creo que el Santo Padre ha dejado muy en claro en dónde están los límites. Con respecto a la misión de la Iglesia, no existen límites. Con relación a la enseñanza de la Iglesia, los límites están claramente definidos".

El arzobispo Weakland, de Milwaukee, es uno de los que creen que Wojtyla fue elegido para desempeñar el papel originalmente diseñado para el papa Juan Pablo I. "Es válida la crítica de que la Iglesia necesitaba dirección. Que esto no podía seguir así. Pablo VI sentía un gran respeto por la gente, por las ideas, no le gustaba imponer nada. No era disciplinario. Tenía ochenta y tres años. Y era depresivo por naturaleza. No le quedaba fácil. De modo que [los cardenales] querían a alguien enérgico, alguien que pudiera tomar decisiones, alguien que pudiera imponer un poco más de disciplina en las filas. Y tratar de unir a la Iglesia. Estoy seguro de que eso fue lo que Juan Pablo II consideró su deber, y ha estado actuando de conformidad con ello. La Iglesia sobre la cual asumió el mando era una Iglesia que él creía que se podía desintegrar, fraccionar, por la falta de estabilidad".

El finado cardenal John J. Wright, de Pittsburgh, el estadounidense de más alto rango en la curia durante los cónclaves de 1978, fue uno de los cardenales que, según se creía, había apoyado la elección de Wojtyla como Papa. Wojtyla y Wright hablaban con frecuencia sobre la "deriva de la Iglesia" y, según su antiguo colaborador, el hoy arzobispo Donald Wuerl, compartían la idea de que "el liderazgo tenía que ser claro y firme", de que "había, sin duda, mucha agua agitada, mucha turbulencia", y una necesidad de "escuchar un mensaje consistente y correcto. ... Esa era la forma en que se abordaban algunas de las inconformidades en la Iglesia, parte del disenso en la Iglesia".

Desde el comienzo, el papado de Wojtyla se enfrentó con el modernismo, con el "relativismo moral", como lo llama, con el liberalismo y el "hedonismo profano". "Este enfrentamiento, que algunos atribuyen al Papa, de todas maneras se iba a producir –dice un monseñor de alto rango en la curia–. No hay forma de evitarlo, no hay duda de que ciertos aspectos de la modernidad constituyen un desafío para la Iglesia. Este enfrentamiento se veía venir con el cambio que se ha dado en la sociedad. No hay manera de que la Iglesia hubiese podido convivir cómodamente con él. Y de alguna manera, no importa quién hubiese sido el Papa, habría tenido que asumir una postura frente a él".

Esta opinión es ampliamente compartida por los aliados del Papa en la jerarquía eclesiástica, una jerarquía que, hacia el final del primer lustro de su pontificado, ya portaba el sello de sus nombramientos en la curia y en los obispados.

"Si otro Papa hubiese estado guiando a la Iglesia en este conflicto, entre las tradiciones de la Iglesia y la modernidad –prosiguió el monseñor–, si hubiese habido un Papa enfermo, por ejemplo, un Papa que desaparece, un Papa que se limitara a enfatizar en el lado negativo, es probable que la Iglesia no hubiese podido afrontar este desafío, este enfrentamiento. ... Pero siendo un Papa tan asertivo, [Wojtyla] también ha hecho mucho para fortalecer de alguna manera la Iglesia, para poder defender algo".

Mientras el monseñor veía caldearse el conflicto,

lo que cruzaba por mi mente era: si no hubiésemos tenido este Papa, si el papa Luciani [Juan Pablo I] hubiese vivido, ¿cómo sería la Iglesia? ¿Sería diferente? Y esa era la forma de medir. ... Existe un cierto sentido en el que la extraordinaria fuerza de extroversión de este Papa, sus constantes viajes y el hecho de haber mantenido la presencia del papado con gran intensidad en el escenario internacional probablemente también le han posibilitado llevar a término otros aspectos de su política que de lo contrario quizás habrían dividido por completo a la Iglesia y la hubieran desintegrado. Si un Pablo VI anciano, u otro Papa, hubiesen intentado, por ejemplo, mantener la línea doctrinal con la misma fuerza con que lo hace este hombre en ciertas áreas, la Iglesia no lo habría soportado.

La hermana Theresa Kane, una monja estadounidense que confrontó personalmente al Papa al propugnar la ordenación de mujeres, observa: "Siempre he sentido que nos ve un poco como si estuviésemos marchando hacia una batalla o algo así, y él está a la cabeza, y nosotros todos como que vamos detrás suyo. Y la batalla es el mundo y todos los demás: los medios de comunicación, el gobierno, la política, todo. Tiene ese tipo de semblante de 'vamos a librar una batalla y haremos lo correcto' ".

El arzobispo Foley, de la oficina de medios de comunicación del Vaticano, cree que "los viajes misioneros del Papa le daban a la gente en el mundo entero un sentido renovado de la universalidad de la Iglesia. No sabíamos que había tantos católicos, no sabíamos que eran tan entusiastas, no teníamos esta sensación de orgullo renovado en la Iglesia".

Sin embargo, Weakland y otros están convencidos de que la rigidez doctrinal de Juan Pablo también ha ahuyentado de la Iglesia a grandes cantidades de católicos que de lo contrario hubiesen querido permanecer en ella. "Muchas personas sienten que en vez de esta aproximación dogmática severa, debería optar por una aproximación pastoral –dice el padre Vincent O'Keefe, un ex vicario general de los jesuitas que tuvo algunas pugnas personales con Wojtyla–. En Estados Unidos hay muchos católicos divorciados. El Papa dice que la doctrina tiene que ser clara. ¡Pues resulta que la doctrina es demasiado clara! Ese no es el problema. ¿Cómo trata uno a estas personas? ¿Cómo les ayuda a estas personas? ¿Es que no existe ayuda para ellas? ¿Acaso dice uno, 'pueden ir a la Iglesia pero no pueden comulgar'? Lo mismo sucede con las personas que utilizan métodos anticonceptivos o practican el aborto. ¿Qué hace uno con estas personas? ¿Qué tipo de esperanza se les puede ofrecer?"

O'Keefe, a semejanza de muchos obispos estadounidenses, cree que el Papa tiene un prejuicio cultural, que "siente un antagonismo muy profundo con respecto a Occidente, por lo menos contra Estados Unidos. Creo que piensa que somos demasiado materialistas, demasiado vociferantes, que hablamos demasiado, que estamos mimados". El padre jesuita pregunta: "¿Qué tan disponible está para esta Iglesia universal que muchos de nosotros buscamos? Eso fue lo maravilloso del Concilio Vaticano II. Fue la primera vez que se tuvo una Iglesia universal en acción".

Pero el Papa dejaría muy en claro que su opinión sobre el significado del Concilio Vaticano II era muy distinta.

Sólo una vez en sus viajes por el mundo una audiencia se atrevió a reírse de las enérgicas enseñanzas del Papa sobre sexo. Sucedió en Santiago de Chile.

–¿Renunciáis al ídolo de la riqueza? –preguntó Juan Pablo II a miles de jóvenes chilenos.

–Sí –gritó la audiencia.

–¿Renunciáis al ídolo del poder?

–Sí.

–¿Renunciáis al ídolo del sexo?

–Nooo –vociferaron.

El Papa ama a los jóvenes. Son su esperanza. Para ellos inventó el Día Mundial de la Juventud en 1986: una peregrinación semestral en Europa, Asia o el continente americano en la que participan cientos de miles de católicos jóvenes del mundo entero, que él ha presidido con misas, procesiones, homilías y talleres durante varios días.

Con los jóvenes, Juan Pablo II deja fluir todo su carisma. Con frecuencia se los ha ganado con chistes y mensajes francos y directos. Se dejaba seducir por las presentaciones que organizaban en su honor, e incluso se mostraba dispuesto a escuchar cosas que jamás hubiera tolerado a personas de más edad. Resumió su actitud de esta forma, durante uno de los Días Mundiales de la Juventud: "Lo que os voy a decir no es tan importante como lo que vosotros me vais a decir a mí. No me lo diréis necesariamente con palabras. Me lo diréis con vuestra presencia, vuestras canciones, quizás con vuestras danzas, vuestros relatos, y finalmente con vuestro entusiasmo".

Más tarde, ya viejo y frágil y cuando el solo hecho de cumplir la programación evidentemente le representaba una carga, sus colaboradores y los periodistas observaban cómo el contacto con los jóvenes parecía rejuvenecerlo. Con una audiencia de adultos, a medida que pasaban los años, el Papa a veces parecía actuar mecánicamente. Había momentos en que su mente parecía divagar por otros lares, en que su paciencia se agotaba. Pero esto nunca sucedía con los jóvenes, con quienes derrochaba una cercanía física que ofrecía a muy pocos adultos: los abrazaba, los acariciaba, les besaba la frente, sostenía sus manos en las suyas durante minutos enteros. Consentía a los niños y se concentraba completamente en ellos, ignorando las cámaras. Estos no eran los gestos de un político corriente. Parecían expresar un sentido (y quizás una necesidad) de paternidad auténtica. En esos momentos la fuerza de su amor convertía a Karol Wojtyla en un verdadero "santo padre". El Papa también dejaba traslucir una ternura similar en presencia del sufrimiento: la forma en que abrazaba a hombres abrumados por la pobreza o besaba las cabezas de mujeres dobladas por el cansancio. En Calcuta, mientras caminaba por entre las camas de los leprosos, los enfermos y los agonizantes del hospicio de la Madre Teresa, una mujer le tomó la mano y la sostuvo firmemente contra su rostro, mientras el Papa la miraba ensimismado. Luego, con una expresión un tanto abstraída, entró al recinto en donde se encontraban los cadáveres de ese día: dos hombres, una mujer y un niño. Incluso los cadáveres recibieron una suave caricia suya.

Había momentos en que una simple imagen resumía a la perfección la misión universal que el Papa se empeñaba en transmitir. En mayo de 1984, en Bangkok, el Papa se reunió con el patriarca supremo de los budistas tailandeses en su monasterio. Sin zapatos, Juan Pablo II caminó suavemente hasta una tarima sobre la cual se encontraba, en posición de loto, Vasana Tara, de ochenta y seis años. El Papa hizo una leve reverencia y se sentó en un sillón frente a la estatua de Buda, mirando al patriarca directamente a los ojos –como exigía la tradición– durante cinco largos minutos de silencio absoluto.

De un lado estaban los monjes budistas en sus túnicas de color de azafrán, y del otro los cardenales católicos con sus cuellos romanos y sus solideos rojos. Todos estaban de pie, en silencio, en la sala dorada, con paredes de un azul celestial. En la breve conversación subsiguiente, con la ayuda de un intérprete, el Papa sonrió beatíficamente. El patriarca, inmóvil como una estatua, pronunció unas pocas frases breves. "Podemos traer felicidad y paz a la humanidad –dijo Vasana Tara– con nuestras enseñanzas y nuestras exhortaciones para evitar el mal, hacer el bien y purificar nuestras mentes". Juan Pablo II lo invitó a Roma. Eso era exactamente lo que creía el Papa.

Represión

El Volkswagen negro, con matrícula número SCV-201, llegó a la curia general de los franciscanos a las 9:40 de la mañana del 7 de septiembre de 1984. Dos hombres vestidos de negro se apearon del automóvil. El fraile franciscano que los aguardaba extendió sus puños cruzados y dijo en tono sarcástico: "Han debido traer las cadenas".

El fraile se subió al automóvil negro. Mientras el auto recorría la Vía

Aurelia e ingresaba al Vaticano por una entrada lateral, los pensamientos del religioso se remontaron a la misa que había concelebrado temprano en la mañana con dos cardenales. Habían implorado al Espíritu Santo que los "iluminara a todos y a cada uno". Sus oraciones parecían no estar surtiendo ningún efecto.

El franciscano brasileño Leonardo Boff, de cuarenta y seis años, uno de los más brillantes teólogos de la liberación, había sido llamado por el prefecto de la Congregación para la Doctrina de la Fe, el cardenal Joseph Ratzinger, para que rindiera cuentas sobre su más reciente libro, *La Iglesia: carisma y poder.* En él, Boff analizaba el modelo romano de la Iglesia, que reprobaba por estar demasiado volcado sobre sí mismo, por ser demasiado clerical y jerárquico. La Iglesia, dijo, había celebrado un "pacto colonial" con las clases gobernantes.

Con lenguaje marxista, Boff había escrito: "El poder sagrado ha sido objeto de un proceso de expropiación de los medios de producción religiosa por parte del clero, en detrimento de los cristianos". El eje del libro era una crítica racional del sistema piramidal del poder del Vaticano. El teólogo acostumbraba ilustrar con un dibujo el punto de vista actual de la Iglesia: una pirámide con Dios en la cúspide, luego Cristo, los apóstoles, los obispos, los sacerdotes y, finalmente, los fieles en la base. En este modelo, explicaba, el clero está a cargo de todo, y los fieles no tienen derechos, salvo el de tomar lo que se les da: "No cuestiono la autoridad de la Iglesia, sino la forma en que esta autoridad ha sido ejercida históricamente, con el propósito de reprimir toda libertad de pensamiento dentro de la Iglesia".

Boff insistía en que había otra forma de organizar la Iglesia. Trazó otro dibujo: Cristo, el Espíritu Santo, el pueblo de Dios, los obispos, los sacerdotes y los coordinadores laicos de la comunidad. Podían verse ejemplos de este modelo alternativo en las ciento cincuenta mil comunidades de base de Brasil. Allí, los fieles se congregaban "en torno a la Palabra [de Dios], los sacramentos y los nuevos ministerios desempeñados por laicos, hombres y mujeres".

La respuesta del cardenal Ratzinger fue severa y negativa. En una carta confidencial que le envió a Boff el 15 de mayo de 1984, reprendió al teólogo, acusándolo de emprender un "asalto despiadado, radical" contra el modelo institucional de la Iglesia católica y de reducir sus estructuras a una caricatura inaceptable. "¿El argumento que se desarrolla en estas páginas está guiado por la fe o por principios de naturaleza ideológica, producto de una cierta inspiración marxista?", había preguntado el cardenal, refiriéndose al libro de Boff.

La disputa entre Boff y el Vaticano iba más allá de su nuevo libro. Desde comienzos de la década de los setenta, cuando Boff había escrito *Cristo el Libertador*, la Congregación para la Doctrina de la Fe venía observando sus ideas con suspicacia. Ahora había llegado el momento de las "aclaraciones". Boff fue conducido a una habitación del mismo *palazzo* en donde Galileo había sido condenado por jueces episcopales trescientos cincuenta años antes. Sin embargo, el cardenal Ratzinger saludó amablemente al acusado: "Padre, tome asiento en donde guste; comience por donde prefiera".

Boff leyó primero una defensa de cincuenta páginas en portugués, cuya traducción había enviado al cardenal. En su maletín también cargaba fotocopias de una petición firmada por cincuenta mil partidarios suyos en Brasil. Al lado del prefecto de la Congregación para la Doctrina de la Fe estaba un monseñor argentino, Jorge Mejía, quien tomó algunas notas pero no levantó un acta oficial. Boff se sintió abandonado. Deberían estar acompañándolo el cardenal Aloísio Lorcheider, ex presidente de la Conferencia Episcopal de Brasil, quien había desempeñado un papel crucial en la elección de Juan Pablo II, y Evaristo Arns, arzobispo de São Paulo. Habían solicitado específicamente estar presentes, convencidos de la buena fe de Boff y de su compromiso cristiano activo con las clases más pobres y más explotadas de Brasil. Sin embargo, Ratzinger, previa aprobación de Juan Pablo, había negado su solicitud. El secretario de Estado del Vaticano, el cardenal Agostino Casaroli, sólo había podido conseguir que se les concediera permiso a los dos cardenales brasileños de entrar al recinto al final de la discusión, para ayudar a redactar el comunicado final.

Mientras Boff leía su explicación, no podía evitar la sensación de que todo ya estaba decidido. Cuando estaba escribiendo su libro, se le había ocurrido que la Iglesia se comportaba como el Partido Comunista en la Unión Soviética. Ratzinger y Wojtyla parecían no querer enterarse de lo que realmente sucedía en las mentes y los corazones de los teólogos de la liberación. Ambos parecían estar inmersos en las estrategias de un vasto juego geopolítico, en donde cualquier cosa que se asemejara así fuera ligeramente al socialismo tenía que ser reprimida.

En sus viajes, el papa Wojtyla había atacado la teología de la liberación una y otra vez, pero 1984 era el año escogido para lanzar la ofensiva final de la Iglesia contra ella. El 3 de septiembre, casi en vísperas del llamamiento a Boff, el cardenal Ratzinger había publicado una severa instrucción (una explicación de las leyes de la Iglesia) llamada "Algunos aspectos de la teología de la liberación". El documento acusaba a los teólogos de la liberación de "serias desviaciones teológicas" y, en último término, de traicionar la causa de los pobres. Los acusaba de situar el mal únicamente en las estructuras sociales, políticas y económicas, de politizar radicalmente la fe y de confundir peligrosamente a los pobres del Evangelio con el proletariado de Marx.

Los teólogos de la liberación contestaron que, en lo que a Marx se refería, algunos elementos de su análisis social podrían resultar útiles en el contexto de América Latina, "pero el marxismo como ideología no nos interesa". Para Ratzinger, sin embargo, esa distinción no valía. Temía que la "Iglesia del Pueblo", la "iglesia popular", fuera realmente una Iglesia sustentada en clases.

En ese caso, decía el cardenal, se estaba poniendo en entredicho toda la estructura sacramental y jerárquica de la Iglesia. Con todo, el peor pecado en opinión de Ratzinger –y en opinión del Papa, que había revisado personalmente la instrucción– era que los teólogos católicos pudieran aceptar la teoría y la práctica de la lucha de clases, "y olvidaran ver el tipo de sociedad totalitaria al que conduce este proceso".

El documento de la Congregación no pudo evitar describir la situación en América Latina con un lenguaje casi tan dramático como el que utilizaban los teólogos de la liberación: "En algunas regiones de América Latina el monopolio de la mayor parte de la riqueza por una oligarquía de propietarios carentes de conciencia social, las dictaduras militares que desprecian los derechos humanos elementales, la corrupción de ciertos gobernantes en el poder, la ausencia práctica o las fallas del Estado de derecho y las prácticas salvajes del capital con sede extranjera, todos estos son factores que alimentan sentimientos de rebelión violenta en quienes se consideran víctimas de un nuevo colonialismo tecnológico, financiero, monetario o económico".

Pero cuando Boff y otros teólogos de la liberación leyeron el documento, detectaron de inmediato una diferencia crucial entre Juan Pablo II y Pablo VI. El documento prohibía cualquier consideración de respuesta violenta a la injusticia. En su encíclica *Populorum Progressio,* el Papa italiano, a tono con una antigua tradición de la Iglesia, había dicho que era lícito rebelarse contra una "tiranía manifiesta, de larga data". El Papa polaco, sin embargo, había abandonado esta posición. La instrucción de Ratzinger se refería a América Latina. No obstante, el blanco que querían alcanzar Wojtyla y Ratzinger era Moscú. Desde los días de Pío XII, no se escuchaba un lenguaje tan hostil al referirse al imperio soviético como el que contenía el documento:

> El derrocamiento de las estructuras que causan injusticia mediante la violencia revolucionaria no significa la instalación *ipso facto* de un gobierno justo. Quienes desean sinceramente la liberación de sus hermanos tienen que reflexionar sobre un hecho de gran relevancia para nuestro tiempo: millones de nuestros contemporáneos aspiran legítimamente a las libertades fundamentales de las que los han privado regímenes totalitarios y ateos que, en nombre de la liberación de los pueblos, se han tomado el poder por medios revolucionarios y violentos. No puede ignorarse esta infamia de nuestro tiempo: es precisamente con la pretensión de darles la libertad que naciones enteras son mantenidas en condiciones de esclavitud indignas de los seres humanos. Quienes, quizás por irreflexión, se vuelven cómplices de este tipo de esclavitud, traicionan a los pobres a quienes intentan salvar.

La expresión "infamia de nuestro tiempo" –no menos que la invocación que hacía Ronald Reagan del Imperio del Mal– fue una cachetada para los gobiernos de Moscú y de sus aliados. Si bien la instrucción de Ratzinger supuestamente sólo criticaba "algunas corrientes" de la teología de la liberación, en realidad era una condena general. "Cuando en el Vaticano hablan sobre el marxismo, ven una cadena de imágenes que se extiende hasta el Gulag, en Siberia", fue una de las primeras reacciones de Boff ante el documento.

La discusión entre el fraile franciscano y el cardenal se prolongó durante tres horas, en el curso de la cual Ratzinger le informó a Boff que la

Congregación para la Doctrina de la Fe estaba preparando un documento sobre los aspectos "positivos" de la teología de la liberación. (Se publicó en 1986).

En un determinado momento, el prefecto de la Congregación para la Doctrina de la Fe preguntó: "¿No está cansado? ¿Quiere un café?"

Hicieron una pausa, y Ratzinger le dijo al fraile, a la manera de una anfitriona que alaba el elegante vestido de su invitada: "Le luce muy bien el hábito, Padre. Esa es otra forma de enviar un señal al mundo".

–Pero es muy difícil usar este hábito, porque es muy caliente donde vivimos.

–Cuando lo use, la gente verá su devoción y su paciencia, y dirá: está expiando los pecados del mundo.

–Ciertamente necesitamos signos de trascendencia, pero estos no se transmiten a través del hábito. Es el corazón el que tiene que estar en el lugar correcto.

–Los corazones no se pueden ver, y sin embargo uno tiene que ver *algo*–, replicó el cardenal.

–Este hábito también puede ser un símbolo de poder. Cuando lo uso y me monto en un bus, la gente se pone de pie y dice: "Padre, siéntese". Pero nosotros tenemos que ser servidores.

Más tarde, los cardenales Arns y Lorcheider entraron al recinto mientras se redactaba el texto de un comunicado. Los términos utilizados fueron muy suaves. Decía que había tenido lugar una "conversación" entre Leonardo Boff y el cardenal Ratzinger. La atmósfera se describió como "fraternal". El fraile había sido llamado para que explicara algunos de los puntos contenidos en su libro *La Iglesia: carisma y poder* que habían suscitado "dificultades", pero la Congregación para la Doctrina de la Fe vería la forma de tener en cuenta las explicaciones de Boff.

Boff fue llevado de vuelta a la curia franciscana en el mismo automóvil, conducido por el secretario de Ratzinger, Joseph Clemens. El Vaticano quería eludir las preguntas de los periodistas reunidos en torno a la entrada del *palazzo* de la Congregación.

El 20 de marzo, la Congregación para la Doctrina de la Fe hizo pública una notificación dirigida al fraile Boff. Sus tesis sobre la estructura de la Iglesia, el concepto de dogma, de poder sagrado y el papel profético de la Iglesia fueron declarados "insostenibles ... y como tales factibles de poner en peligro la sólida doctrina de la fe".

Boff aceptó la decisión.

Sin embargo, el 26 de abril de 1985 fue condenado a un año de silencio. No se le permitió enseñar, dar conferencias o publicar libros. Boff aceptó.

Once meses después el Vaticano levantó la prohibición, pero en junio de 1987 Ratzinger detuvo la publicación en Italia de un nuevo libro de Boff, *Trinidad y sociedad*. En 1991, el Vaticano lo obligó a renunciar a su cargo de jefe de redacción de la revista franciscana *Vozes*. El año siguiente, el Vaticano le prohibió enseñar y le impuso una censura preventiva a todos sus escritos. El 26 de mayo de 1992, Leonardo Boff abandonó la orden franciscana y renunció al sacerdocio. "El poder eclesiástico –dijo– es cruel y despiadado. No olvida nada. No perdona nada. Exige todo".

Desde el comienzo de su pontificado, Juan Pablo II decidió acabar sistemáticamente con el disenso por parte de los teólogos católicos y marginar a los críticos de modo que no siguieran propiciando discusiones indeseables en el seno de la Iglesia. Con el nombramiento de Joseph Ratzinger como prefecto de la Congregación para la Doctrina de la Fe en noviembre de 1981, quedó claro de que se trataba de una política oficial.

La primera víctima de la política de Wojtyla fue el teólogo francés Jacques Pohier, autor del libro *When I Say God*. A Pohier se le prohibió escribir, predicar o dar conferencias sin previa autorización.

El 15 de diciembre de 1979 le tocó el turno al teólogo suizo Hans Küng, uno de los participantes más influyentes en el Concilio Vaticano II y un conferencista tenido en muy alta estima en la Universidad de Tubinga. El Vaticano había abierto por primera vez un expediente sobre Küng en 1967 cuando publicó un libro sobre la estructura de la Iglesia. Sin embargo, fue un libro posterior, *Infallible? An Inquiry*, el que disgustó al Vaticano. Dicho libro cuestionaba el dogma de la infalibilidad papal proclamado por Pío IX el 18 de julio de 1870. A Küng se le advirtió que "no persistiera en la enseñanza de doctrinas erradas o peligrosas. Sin embargo, el teólogo suizo siempre se negó a ir a Roma y someterse a un interrogatorio, cosa que equiparaba con un juicio medieval. La Congregación para la Doctrina de la Fe relevó a Küng de sus deberes de enseñanza y le revocó el título de teólogo católico.

Dos días antes de la condena de Küng, el 13 de diciembre de 1979, el teólogo dogmático flamenco Edward Schillebeeckx, otro protagonista del Concilio Vaticano II, llegó a la Congregación para responder un interrogatorio, como resultado de un proceso iniciado contra él durante el papado de Pablo VI por su libro *Jesus: An Experiment in Christology*.

Los días 13 y 14 de diciembre, previa aprobación de Juan Pablo II, el sacerdote dominico fue interrogado por tres expertos de la Congregación bajo la dirección de su secretario, monseñor Jean Jérome Hamer. Antes de ser sometido al interrogatorio, Schillebeeckx había sido criticado en la Radio Vaticano por el padre Jean Galot, quien iba a ser uno de sus examinadores.

El archivo Schillebeeckx se convirtió en emblema de la actitud de Juan Pablo II hacia la erudición teológica contemporánea. Los nueve cargos aducidos contra el teólogo flamenco impugnaban, entre otras cosas, sus opiniones sobre el nacimiento virginal de Cristo, que él consideraba un asunto relativamente poco importante, la resurrección, la institución de la eucaristía y la fundación de la Iglesia. Según Schillebeeckx, no todo en el Nuevo Testamento debía tomarse literalmente, ni era tampoco una transcripción de las palabras pronunciadas históricamente por Cristo.

La resurrección, decía Schillebeeckx, era una realidad, pero ¿qué tipo de realidad? En último término, ¿qué eran esas apariciones? ¿Alucinaciones? ¿Ilusiones? El teólogo consideraba que más importante que la tumba vacía o las apariciones de Cristo después de su muerte era la conversión de los apóstoles luego de la crucifixión de su Señor.

En cuanto a las palabras que se repetían durante la misa –"Este es mi cuerpo. ... Esta es mi sangre"–, Schillebeeckx sostenía que eran parte de una tradición litúrgica, pero que en realidad Jesús no las había pronunciado. Así mismo, Cristo nunca había planeado fundar una iglesia porque, muy por el contrario, abrigaba la idea de que el mundo se iba a acabar pronto.

En la actualidad, ningún estudioso católico serio está dispuesto a aceptar una interpretación literal de los Evangelios, y mucho menos de la Biblia en su totalidad. Sin embargo, Juan Pablo II siempre ha considerado esta tendencia de los eruditos en materia de escrituras un peligro muy grande que puede llevar a la fragmentación de la Iglesia, a menos de que se controle férreamente.

Al Papa le pareció especialmente peligrosa la aproximación de Schillebeeckx a la identidad de Cristo, quien había sido definido por el Concilio de Calcedonia (451) como "Dios verdadero y hombre verdadero". Por tanto, según la enseñanza católica oficial, Cristo era *una persona de la Trinidad* que había preexistido a su encarnación. Schillebeeckx simplemente decía: "Acepto el gran simbolismo teológico detrás de esta afirmación de que Cristo es llamado Jesús en cuanto Hijo de Dios, en cuanto ser humano. Pero entonces, ¿tenemos que decir que el Hijo de Dios, antes de ser Jesús, estaba en Dios? Estas son especulaciones muy abstractas".

En 1980, el Vaticano abrió un proceso adicional contra Schillebeeckx, instado por un libro en el que afirmaba que en caso de extrema necesidad, la comunidad cristiana podía valerse de ministros extraordinarios para consagrar la eucaristía. El 13 de junio de 1984, el cardenal Ratzinger lanzó un ultimátum, rechazando su tesis. El 5 de julio de 1984, pocas semanas antes de que Boff fuera llamado a rendir cuentas, Schillebeeckx fue donde Ratzinger con el general de los dominicos, Damian Byrne, para arreglar las cosas. Prometió no mencionar el asunto de los ministros laicos en su próximo libro. El mensaje de conformidad que Juan Pablo II y el cardenal querían transmitir no pasó inadvertido a los sacerdotes y teólogos de la Iglesia.

El cardenal Ratzinger y el papa Juan Pablo II estaban tan decididos a suprimir el disenso en la Iglesia norteamericana como en Europa y América Latina.

En 1986, el padre Charles Curran fue relevado de su cargo docente en la Catholic University of America de Washington, D. C. El 8 de marzo, Curran también había viajado a Roma para sostener una "conversación" con el cardenal Ratzinger. La Congregación para la Doctrina de la Fe estuvo en desacuerdo con casi todas las opiniones de Curran sobre moralidad sexual. Curran sostenía que el uso de anticonceptivos y la esterilización no siempre estaban mal. Sugería que la Iglesia debía admitir el divorcio y aceptar las relaciones estables entre homosexuales como "moralmente justificadas".

Ratzinger invitó a Curran a revaluar su posición y a retractarse, amenazando con prohibirle la actividad docente. Cuando regresó a Estados Unidos, Curran se negó públicamente a retractarse. Entonces, en agosto, recibió una carta de la Congregación para la Doctrina de la Fe en la que se le informaba que ya no se le consideraba apto o elegible para enseñar teología, debido a su disenso con respecto a las enseñanzas de la Iglesia.

El Vaticano también comenzó a vigilar más de cerca a los obispos estadounidenses, de modo que ningún prelado o diócesis individual asumiera posiciones contradictorias en temas que Juan Pablo II consideraba cruciales. Fue así como, en diciembre de 1985, luego de someter a una investigación exhaustiva al arzobispo Raymond Hunthausen, de Seattle, el Vaticano asignó a un obispo auxiliar para que representara los intereses del Papa.

Los problemas de Hunthausen con el Vaticano comenzaron cuando permitió que la misa fuera oficiada por miembros de la organización homosexual Dignity, la cual, a diferencia de la organización Courage, aprobada por la Iglesia, no propugnaba el celibato para los homosexuales católicos. Hunthausen también había permitido que sacerdotes laicizados celebraran la misa. Había participado en protestas antinucleares en la base de submarinos de Bremerton, Washington, en Puget Sound, y se había negado a pagar la mitad de sus impuestos a la renta aduciendo que serían utilizados para desarrollar armas nucleares.

Oficialmente, sus actividades antinucleares no estaban siendo investigadas. De hecho, a Hunthausen nunca le habían informado con precisión el porqué lo estaban investigando, quién lo había acusado o de qué exactamente lo estaban acusando. No obstante, luego de dos años de investigación, incluido un interrogatorio de trece horas (él lo calificó de "interrogatorio severo") y entrevistas con setenta sacerdotes, monjas y laicos de su diócesis, le asignaron un obispo auxiliar con "responsabilidades especiales" en cinco áreas: la liturgia, el papel de los ex sacerdotes, la ética de la salud (incluidos asuntos relacionados con homosexuales), la enseñanza en los seminarios y las anulaciones matrimoniales.

El tratamiento que se le dio a Hunthausen molestó a muchos obispos estadounidenses, y dos años después su auxiliar especial fue enviado a otra diócesis. Sin embargo, el Vaticano insistió en que se asignara un monseñor coadjutor a la diócesis de Seattle, y en 1991 Hunthausen se retiró a la edad de setenta años, cinco años antes de lo acostumbrado.

La política de vigilar de cerca la doctrina tuvo su momento culminante en la implacable campaña librada por Juan Pablo II contra la orden jesuita y su general Pedro Arrupe. El papa Wojtyla utilizó todos sus poderes para someter a una orden religiosa socialmente comprometida e intelectualmente brillante que no se ajustaba a su noción de una *reconquista* católica. Antes de retirarse en silencio, Edward Schillebeeckx había observado: "Roma hace énfasis en restaurar las estructuras 'sagradas' y jerárquicas. A mí me parece que quieren regresar al Antiguo Régimen de la sacralización sin pasar por la Revolución Francesa".

Los jesuitas *sí habían pasado* por la Revolución Francesa y por todas las demás revoluciones de la era moderna, incluidas las de Marx, Freud y Einstein. Pese al deseo de Arrupe de permanecer fiel y leal a Juan Pablo II, era inevitable que surgiera una profunda escisión intelectual entre la orden y un Papa que abrigaba fuertes sospechas con respecto a la modernidad. Como dijo en *Cruzando el umbral de la esperanza,* Wojtyla está convencido de que en los últimos tres siglos, la historia de Occidente ha estado en gran medida dominada por "una lucha contra Dios, por la eliminación sistemática de todo lo cristiano".

Pedro Arrupe no compartía estos juicios tan pesimistas. Ni siquiera le gustaba utilizar la palabra *crisis* para referirse a la era posconciliar. Le preocupaba el hecho de que el número de jesuitas iba en descenso. "Temo –dijo– que nos dispongamos a ofrecer las respuestas de ayer para abordar los problemas de mañana, que estemos hablando de manera tal que la gente ya no nos entiende, que estemos utilizando un lenguaje que no penetra en el corazón de los hombres y las mujeres. Si ese es el caso, entonces podremos hablar mucho, pero sólo entre nosotros. En realidad, ya nadie nos estará escuchando, porque nadie entenderá lo que estamos tratando de decir".

Cuando Wojtyla se convirtió en Papa, la orden jesuita ya se había convertido en objeto de ataques por parte de círculos tradicionalistas de la curia. En medio de la confusión de los años sesenta y setenta, los jesuitas estuvieron presentes en todas las fronteras teológicas, en esas tierras de nadie (de la Iglesia) en donde la gente buscaba nuevas formas de concebir el mensaje cristiano o de adaptarlo. Los jesuitas habían criticado la *Humanae Vitae,* la encíclica de Pablo VI (a la que Karol Wojtyla había contribuido sustancialmente) que prohibía los medios artificiales de control natal. Varios jesuitas, entre ellos el director de la revista francesa *Études,* escribieron artículos en los que sostenían que en algunos casos el aborto era lícito, porque un embrión todavía no podía considerarse una persona. Un jesuita, el padre John McNeill, admitió su homosexualidad y sostuvo que la Iglesia tenía que cambiar su actitud hacia los homosexuales. En América Latina, los jesuitas estaban comprometidos en la oposición contra todos los regímenes militares. Numerosos jesuitas, entre ellos el padre Arrupe mismo, afirmaban que algunos elementos del marxismo eran aceptables. Un profesor jesuita de la Universidad Pontificia Gregoriana de Roma, José María Diez Alegría, impugnó la infalibilidad del Papa y algunas de las actitudes severas de la Iglesia con relación al sexo. El padre Vincent O'Keefe, uno de los asistentes de Arrupe, sugirió revisar la oposición de la Iglesia al control de la natalidad.

En los treinta y tres días que duró su pontificado, el papa Juan Pablo I tuvo tiempo para escribir un duro discurso contra los jesuitas, advirtiéndoles que no debían inmiscuirse en problemas económicos y políticos, que debían mantener la disciplina y cultivar una vida espiritual. "No dejéis que las enseñanzas y publicaciones jesuitas sean una fuente de confusión y desorientación..."

El general Arrupe no siempre estaba de acuerdo con las posiciones asumidas por jesuitas individuales. A veces los reprendía o castigaba, alineándose con las directrices del Vaticano. Sin embargo, sentía un gran respeto por la libertad intelectual y por las decisiones que tomaban los individuos, guiados por sus conciencias. Durante un viaje a Estados Unidos había visitado al jesuita Daniel Berrigan en prisión, en donde pagaba una condena por destruir archivos del Servicio Selectivo durante la guerra de Vietnam. "Fui a verlo porque él no podía ir a verme a mí", dijo simplemente Arrupe cuando le preguntaron por qué había tenido ese gesto.

Un año después de su elección, el 22 de septiembre de 1979, Juan Pablo II pronunció palabras severas ante un grupo de superiores provinciales jesuitas en una audiencia, exhortándolos a no "sucumbir a la tentación del laicismo".

El Papa Negro (nombre tradicional del general de los jesuitas) tuvo buen cuidado de reafirmar su lealtad al papa Wojtyla. (A semejanza del Papa, Arrupe era devoto de san Juan de la Cruz y de su poesía mística). Sin embargo, dos años después Juan Pablo II, empeñado en someter a esta orden indisciplinada, no permitió que Arrupe convocara una congregación general, el congreso en el que la orden jesuita toma sus decisiones más importantes. El 7 de agosto de 1981, cuando Arrupe sufrió un derrame cerebral, Juan Pablo II adoptó una medida sin precedentes en los cuatrocientos años de historia de la Compañía de Jesús.

Arrupe, ahora paralizado, había nombrado al estadounidense Vincent O'Keefe vicario general de la orden. El 3 de octubre, en una carta enviada a los superiores provinciales, O'Keefe comunicó las intenciones de convocar una congregación general para elegir al sucesor de Arrupe. Tres días después, Casaroli, el secretario de Estado del Vaticano, fue a la curia jesuita, situada a pocos pasos de la basílica de San Pedro, y pidió hablar en privado con Arrupe. Incluso el padre O'Keefe hubo de abandonar el recinto en donde Arrupe, estaba recostaba en una silla. Casaroli entregó un mensaje del Papa y salió al cabo de unos pocos minutos.

Cuando volvió a entrar al cuarto, O'Keefe vio a un hombre destrozado. El general estaba bañado en lágrimas y sólo acertó a señalar la carta del Papa, que yacía sobre una mesa pequeña. El Papa había prohibido la convocatoria a una congregación general y había suspendido la constitución de la Compañía. Para gobernar a los jesuitas, Juan Pablo II nombró su propio "delegado personal", el padre Paul Dezza, de ochenta años, y un coadjutor, el padre Giuseppe Pittau.

El 2 de septiembre de 1983, la congregación general de los jesuitas, organizada por Dezza, eligió como general al jesuita holandés Hans Peter Kolvenbach, un clérigo menos comprometido socialmente que muchos de sus antecesores.

Pedro Arrupe falleció en 1991.

Cuatro años después, cuando Juan Pablo II inauguró la trigésimocuarta congregación general, reunida en Roma para debatir los principales problemas de la orden, todavía amonestaba a los jesuitas para que llevaran a cabo sus investigaciones teológicas "en dócil armonía con las directrices del magisterio". Al dirigirse ante delegados jesuitas de todos los rincones del mundo, el Papa consideró necesario hacer énfasis en que "debéis estar muy atentos a que los fieles no se desorienten con enseñanzas dudosas, con publicaciones o discursos que están en abierto conflicto con la fe y la moral de la Iglesia".

El gran sínodo

El 25 de enero de 1985, a los veinte años justos de la clausura del Concilio Vaticano II, el papa Juan Pablo II, acompañado por siete cardenales, acudió a la antigua basílica de San Pablo Extramuros. La agenda del día prescribía una misa que coronaba una semana de oración por la unidad cristiana. Había representantes de las iglesias anglicana, ortodoxa, luterana, episcopal, waldensiana y metodista. Escucharon decir al Papa que "la unidad no debe confundirse con la nivelación de la individualidad de cada tradición cristiana legítima". Entonces, Juan Pablo II hizo un anuncio inesperado: veinte años después del Concilio Vaticano II, había decidido convocar una reunión extraordinaria de obispos –un sínodo– para examinar el impacto que dicho concilio había tenido en la vida de la Iglesia católica.

El sínodo tendría lugar entre el 25 de noviembre y el 8 de diciembre de 1985, con la participación de los patriarcas de las iglesias orientales y de los presidentes de las conferencias episcopales del mundo entero. El Papa le dio un toque personal a la convocatoria: "En lo que a mí respecta, como persona a quien se le concedió la gracia especial de tomar parte y colaborar activamente en su desarrollo, el Concilio Vaticano II siempre ha sido y sigue siendo, sobre todo en estos años de mi pontificado, el punto de referencia constante de toda mi actividad pastoral".

El lugar elegido para hacer el anuncio –San Pablo Extramuros– estaba colmado de simbolismo: en ese mismo monasterio, el 25 de enero de 1959, el papa Juan XXIII había proclamado por primera vez al mundo su intención de convocar un concilio ecuménico.

Cuenta la leyenda que Juan XXIII dio la noticia sobre el concilio obedeciendo el impulso de algún tipo de feliz inspiración. Sin embargo, lo cierto es que llevaba mucho tiempo reflexionando sobre el proyecto. El anuncio teatral de Wojtyla también estuvo muy bien preparado. El 21 de enero ya le habían entregado a Juan Pablo II un plan de trabajo preliminar completo, elaborado por el obispo Józef Tomko, secretario general permanente del sínodo. El 26 de enero, Tomko publicó un extenso artículo en *L'Osservatore Romano* enunciando en detalle los límites de la asamblea: "El sínodo no es el concilio, ni es un miniconcilio".

Pese al ritmo usualmente lento de la burocracia de la curia, los preparativos para la celebración del sínodo se desarrollaron con bastante celeridad. El 14 de marzo, los miembros del órgano gobernante del sínodo se reunieron en Roma, donde el Papa los recibió en audiencia el día siguiente. Juan Pablo II les indicó el rumbo que debían seguir. Habló sobre la necesidad de rechazar las interpretaciones no autorizadas del Concilio Vaticano II, tanto las que propugnaban una adhesión equivocada a la tradición como las que invocaban el Concilio para justificar el matrimonio de los sacerdotes, la "ordenación de mujeres, etcétera". Las enseñanzas del Concilio Vaticano II, declaró el Papa, no admitían discusión.

–Es el período posconciliar el que debe ser revisado –dijo.

Juan Pablo II se aprestaba a afrontar una de las pruebas de fortaleza más dramáticas de su pontificado. Las posiciones "erradas" que pretendía combatir no eran primordialmente las de los admiradores fanáticos de la Iglesia preconciliar, como Marcel Lefebvre, el rebelde obispo francés que defendía la misa en latín y calificaba al Concilio Vaticano II de herético. El Papa consideraba que el verdadero enemigo era la tendencia a tomar el Concilio como punto de partida para efectuar nuevos cambios en el seno de la Iglesia. Los verdaderos enemigos eran los teólogos y obispos que querían democratizar a la Iglesia asignando mayores poderes a las conferencias episcopales. Los verdaderos enemigos eran los católicos que querían que se examinara nuevamente la moralidad sexual, que pedían un lugar más destacado para las mujeres en la Iglesia y que argüían que la Iglesia debía aprender algunas cosas del mundo moderno.

En una de sus conferencias de prensa en pleno vuelo, Juan Pablo II les había dicho a los periodistas: "Yo no creo que los eminentes cardenales supieran qué tipo de persona soy ni, por tanto, qué tipo de papado iban a tener". Ahora, por fin, todos lo iban a saber.

Todavía se estaba en la etapa preparatoria cuando el cardenal Ratzinger hizo su aparición en escena. El prefecto de la Congregación para la Doctrina de la Fe obviamente estaba hablando en nombre del Papa cuando dijo:

Los últimos diez años han sido decididamente desfavorables para la Iglesia católica. ... Lo que los papas y los Padres del Concilio esperaban era una nueva unidad católica, y en vez de ello hemos sido testigos de un disenso que, parafraseando a Pablo VI, parece haber pasado de la autocrítica a la autodestrucción. Se tenía la expectativa de un entusiasmo renovado, pero con demasiada frecuencia ha redundado en aburrimiento y desmoralización. Se tenía la expectativa de haber dado un paso adelante, y en lugar de ello nos encontramos afrontando un proceso progresivo de decadencia que en gran medida se ha estado desarrollando con la invocación a un presunto "espíritu del Concilio" y, con esto, de hecho lo ha desacreditado cada vez más.

Las interminables referencias a este espíritu enfurecían a Ratzinger. Veía en ellas el surgimiento de un *Konzilsungeist*, un demonio conciliar o "antiespíritu".

Este lúgubre panorama descrito por Ratzinger podía leerse en un pequeño libro escrito por el italiano Vittorio Messori, llamado *Informe sobre la fe*, publicado en mayo de 1985. Traducido rápidamente a numerosos idiomas, fue retitulado *El informe Ratzinger*.

El libro tuvo un origen inusual. Messori, quien escribía para la revista religiosa *Jesús*, había planeado entrevistar al cardenal. En la primavera de 1984, el editor de Messori le preguntó a Ratzinger si sería posible transformar la proyectada entrevista en un libro. El cardenal no contestó. Luego, inesperadamente, Messori fue invitado a ir el 15 de agosto al pequeño pueblo de Bressanone, en las faldas de los Alpes.

Allí, en el seminario episcopal, Messori se reunió con un Ratzinger muy distinto del áspero "cardenal *panzer*" teutón que con frecuencia describía la prensa. "Era una persona asceta pero bastante humana –escribió Messori–; sabía sonreír y bromear. Vestía como un simple clérigo, sin la cruz pectoral que usan todos los obispos".

En los tres días que pasó con Ratzinger, Messori escuchó una evaluación sistemática de todos los problemas de la Iglesia contemporánea. Ratzinger describió un cuadro crudo y alarmante. Pensaba que los fieles estaban perdiendo poco a poco todo sentido auténtico de la Iglesia "como una misteriosa realidad sobrehumana". Se quejó del deterioro del principio de obediencia y de la pérdida de una visión sacramental y jerárquica de la Iglesia. Lamentó la propagación de dudas en torno a la doctrina, en especial sobre la presencia real de Cristo en la eucaristía, la virginidad perpetua de María, la resurrección física de Jesús y la resurrección del cuerpo prometida a todos los humanos al final de los tiempos.

Ratzinger se mostró inexorablemente pesimista. "En la cultura del mundo 'desarrollado' –dijo–, se ha roto el vínculo indisoluble entre la sexualidad y la maternidad. Separado de la maternidad, el sexo ha perdido su lugar, y se ha quedado sin punto de referencia. ... La maternidad y la virginidad (los dos valores más elevados en los que [la mujer] cumple su vocación más profunda) se han convertido en valores que se oponen a los dominantes". Y agregó: "También a las órdenes religiosas de las mujeres ha ingresado una mentalidad feminista. Esto es especialmente evidente, y en formas muy extremistas, en el continente norteamericano".

Ratzinger afirmaba que "el daño que hemos sufrido en estos veinte años se debe no al 'verdadero' Concilio, sino al desencadenamiento, dentro de la Iglesia, de fuerzas polémicas y centrífugas latentes; y fuera de la Iglesia, se debe a la confrontación con una revolución cultural en Occidente: el éxito de la clase media alta, la nueva 'burguesía terciaria' con su ideología liberal-radical de corte individualista, racionalista y hedonista".

El informe Ratzinger alarmó a los protestantes que habían iniciado un diálogo con el Vaticano y, en el seno de la Iglesia, fue interpretado como una reflexión sobre los pensamientos más sinceros del Papa. Algunos observadores acuñaron la frase "restauración de Wojtyla", con base en estas palabras del cardenal:

> Si por restauración entendemos la búsqueda de un nuevo equilibrio después de todas las exageraciones de una apertura indiscriminada al mundo, después de las interpretaciones excesivamente positivistas de un mundo agnóstico y ateo, entonces una restauración entendida en este sentido (un equilibrio recientemente encontrado de orientaciones y valo-

res dentro de la totalidad católica) es muy deseable y, de hecho, ya se está produciendo en la Iglesia. En este sentido puede decirse que la primera fase después del Concilio Vaticano II ha culminado.

Un hombre impugnó abiertamente al prefecto de la Congregación para la Doctrina de la Fe: el arzobispo de Viena, Franz König, figura central en el cónclave que eligió a Juan Pablo II. Cuando el sínodo estaba próximo a comenzar, se publicó una entrevista muy extensa que le hizo a König el periodista italiano Gianni Licheri. "Colocar el énfasis en la palabra *restaurar"*, dijo König,

> suena bastante como nostalgia por el pasado. La Iglesia del pasado miraba con temor todo lo nuevo en la historia. Se sentía desprendida del mundo, al que veía como la maldad personificada. El Concilio cambió ese tipo de posición, introduciendo la apertura que ahora tenemos hacia la historia, hacia los no cristianos, hacia el movimiento ecuménico. ...
> ¿Cómo podríamos siquiera pensar en un sentimiento de temor que pudiera llevar a la Iglesia a lamentar haberse abierto entonces, y blandir nuevamente el arma de la condena? La Iglesia tiene que avanzar.

Para König, uno de los principales logros de Pablo VI había sido la creación de tres secretariados del Vaticano con el propósito de dialogar con otras iglesias cristianas, religiones no cristianas y no creyentes. Esto permitía a la Iglesia vérselas con la humanidad tal como era en el mundo real.

Los eclesiásticos, casi invariablemente, hablan el lenguaje de la memoria. Para atacar los problemas de la actualidad, esgrimen citas del ayer: textos de la Biblia, pasajes de los Padres de la Iglesia, frases de papas anteriores. Para confrontar a Ratzinger y al hombre en el Vaticano que estaba detrás de él, König citó el famoso discurso con el que Juan XXIII inauguró el Concilio Vaticano II. En esa ocasión, el papa Juan habló "contra los profetas de los malos presagios, que anuncian sucesos cada vez más calamitosos, como si el final del mundo nos acechara".

Después del Concilio Vaticano II, las conferencias episcopales habían comenzado a actuar como contrapeso del gobierno monárquico de la curia romana. Ratzinger había asumido una línea dura contra la tendencia a compartir el poder en la Iglesia. König replicó: "Antes del Concilio, los obispos eran considerados casi exclusivamente como funcionarios del Papa".

Los dos cardenales también diferían en otro punto. Después del Concilio Vaticano II, el viejo catecismo del Concilio de Trento había sido archivado, y se había instado a las conferencias episcopales a que escribieran sus propios manuales para adaptar la prédica de la fe católica a la situación cultural que imperaba en sus respectivos países. Esto alarmó al papa Wojtyla, quien olió el peligro de infiltración de opiniones herejes en el dogma católico.

"Fue un error desde el comienzo, y un error serio, suprimir el catecismo y declararlo obsoleto", argumentó Ratzinger. Sugirió implícitamente la conveniencia de volver a depender de un manual redactado en el Vaticano que catalogaría los elementos esenciales de la fe. König no estaba de acuerdo: "Ese [tipo de] catecismo servía en el pasado. Hoy tenemos que mirar hacia el futuro".

Ambos paladines contaban con numerosos partidarios, aunque, como de costumbre, en el seno de la Iglesia católica ningún obispo estaría dispuesto a admitir que dos cardenales se estaban enfrentando con semejante empecinamiento. Las buenas maneras exigían que se dijera que cada uno tan sólo estaba manifestando su opinión. Juan Pablo II le dijo a un periodista que el libro de Ratzinger simplemente expresaba la opinión del cardenal. Pero no era cierto: el Papa había leído el manuscrito con antelación y lo aprobó gustosamente. Su secretario, Dziwisz, había felicitado a Messori.

Sobre todo en los países occidentales, a los obispos católicos les preocupaban, en términos generales, las mismas cosas: un descenso en la asistencia a la misa, el envejecimiento del clero, la rápida pérdida de sacerdotes, monjas y otros miembros de las órdenes religiosas, el alejamiento de los fieles de la confesión, los cambios tumultuosos en el pensamiento moral y en la sociedad misma. Muchos obispos estaban dispuestos a endosar el aserto de König de que "la Iglesia tiene que avanzar y renovar el espíritu del Concilio", pero al mismo tiempo compartían algunos de los temores de Ratzinger. Este había tocado un punto muy sensible cuando dijo que la Iglesia no podía ser ni club, ni partido ni asociación. Tenía que seguir siendo la "Iglesia del Señor, un lugar para la presencia real de Dios en el mundo". La gente escuchaba cuando Ratzinger decía que nunca debían perder conciencia sobre la esencia de la fe, anclada en una grandiosa síntesis del Credo, el Padre Nuestro, los Diez Mandamientos y los sacramentos.

Al prepararse para el sínodo, los obispos esperaban reforzar la unidad de la Iglesia. Sin embargo, pronto surgieron dos asuntos polarizantes: ¿cuál iba a ser la relación de poder entre las conferencias episcopales y la curia, y qué interpretación debía darse a los dos decenios de historia de la Iglesia desde el Concilio Vaticano II?

El 1 de abril, el Secretariado del Sínodo había enviado a todas las conferencias episcopales un cuestionario para ayudar en la preparación de un documento de trabajo para la asamblea. A los obispos se les preguntó qué se había hecho en sus diócesis en lo concerniente a la divulgación y aceptación del Concilio, cuáles habían sido sus efectos positivos, qué errores y abusos se habían cometido después, qué remedios se habían adoptado y qué pasos futuros podrían tomarse para seguir llevando a la práctica sus enseñanzas.

Tan pronto empezaron a llegar las respuestas, se sintió el olor de pólvora en el aire.

Los obispos ingleses, liderados por el cardenal Basil Hume, fueron los primeros en entrar en la contienda. En su respuesta oficial, enviada al Vaticano en julio, criticaron el "centralismo de Roma" en la liturgia, en el nombramiento de los obispos y en algunas intervenciones doctrinales. Con inusual franqueza, acusaron al Vaticano de administrar indebidamente su banco, el Instituto de Obras Religiosas (IOR), dirigido por monseñor Paul Marcinkus, un colaborador cercano de Juan Pablo II. El lenguaje del documento tenía un toque de eufemismo británico: "Se cree que hace falta una presentación clara de los asuntos de la Santa Sede". Finalmente, los obispos ingleses exigieron una revisión del modo de operación trienal del sínodo, lo que no era más que una forma elegante de decir que desempeñaba un papel insignificante. El documento fue divulgado a la opinión pública, cosa que molestó al Vaticano.

Los obispos estadounidenses adoptaron una postura semejante a la de sus colegas ingleses. El obispo James Malone, presidente de la Conferencia Episcopal de Estados Unidos, dijo: "No comparto la idea según la

cual las conferencias episcopales no deben desempeñar un papel demasiado importante o activo en la vida de la Iglesia". Malone atacó audaz-
mente a Ratzinger (sin mencionarlo, desde luego). "Los profetas de los
malos presagios, a quienes se refirió Juan xxiii, siguen arraigados entre
nosotros. Según ellos, los últimos dos decenios sólo han sido testigos de
disolución y colapso, y la Iglesia únicamente se puede salvar si se retorna
a una ficticia edad dorada anterior. Aunque respeto su convicción sin
duda sincera, no creo que podamos aceptar ni sus análisis ni sus pres-
cripciones".

El documento preparatorio de los obispos estadounidenses también
se divulgó a la opinión pública. Pocos días después, el Secretariado de
Estado del Vaticano expidió una orden secreta a los nuncios (embajadores papales) del mundo entero, pidiéndoles que les dijeran a los obispos
de sus países que no divulgaran sus respuestas al cuestionario de la Santa
Sede. El Vaticano se estaba poniendo nervioso.

Sin embargo, los obispos canadienses y holandeses no se dejaron someter por la presión. Holanda desafió directamente al Vaticano: "¿Prac-
tica la Santa Sede en grado suficiente la colegialidad que exige a los
otros?" Los obispos denunciaron como comportamiento autoritario la
imposición de la encíclica *Humanae Vitae* de Pablo vi. Además, se queja-
ron de la intromisión de los nuncios en los asuntos de las iglesias nacionales. Según los obispos holandeses, las nunciaturas no sustituían el
contacto directo entre los obispos y la Santa Sede.

Los canadienses fueron aún más severos. Su documento criticó
la tendencia creciente de la curia hacia la centralización y la uniformi-
dad. Para contrarrestarla, los obispos canadienses le pidieron al Papa la
constitución de un sínodo permanente con poderes y responsibilidades
apropiadas para un gobierno real. En Bélgica se apoyó la petición canadiense. Los obispos belgas querían que se ampliara la jurisdicción del sínodo. Incluso en países en donde los prelados fueron más cautelosos,
como en Francia o España, hubo críticas abiertas contra la burocracia de
la curia.

En el Vaticano, este bombardeo de peticiones por una reducción del
poder de la curia suscitó bastante indignación. Un teólogo muy allegado
al Papa, Hans Urs von Balthasar, comentó: "Están atacando a Ratzinger
para llegar al Papa". Los partidarios papales de línea dura también se hi-

cieron oír. Monseñor Antonio Quarracino, presidente de la Conferencia Episcopal latinoamericana y enemigo acérrimo de la teología de la liberación, incluso invocó a Satanás, "quien ha doblado sus esfuerzos para crear en la Iglesia una atmósfera de incertidumbre y desorden".

A Juan Pablo II le gustaba ese tipo de lenguaje. Nunca había dejado de poner a los fieles en guardia contra el "Gran Dragón, la Antigua Serpiente, aquel a quien llamamos el Diablo y Satanás, y que seduce a toda la Tierra". En más de una ocasión había explicado que "las puertas del infierno no triunfarán, como dijo el Señor. Pero eso no quiere decir que estemos exentos de padecer las pruebas del Maligno ni de librar batallas contra él".

Para Karol Wojtyla, ser Papa significaba exigir obediencia... y vetar cualquier intento de limitar el poder supremo que le había sido investido por la tradición católica romana. Cuando Juan Pablo II viajó a Holanda por primera vez poco antes del sínodo, fue directamente desafiado por su propia Iglesia.

Su arribo había estado precedido por fuertes polémicas en torno a la selección del nuevo obispo de la diócesis de Den Bosch. El Papa había escogido a una persona muy ajena a las tendencias democráticas y reformistas del catolicismo holandés, lo que había provocado manifestaciones callejeras.

Cuando la gira por Holanda llevó al Papa a Den Bosch, descubrió que la mayor parte de los fieles y del clero estaba furiosa. Consideraban que el nuevo obispo, Jan Ter Schure, era demasiado conservador, totalmente lo contrario de su antecesor, Wilhelmus Bekkers, a quien llamaban a veces "el papa Juan de los Países Bajos". Pero sobre todo, los católicos holandeses pensaban que su sentido del juego limpio había sido violentado. De acuerdo con la tradición antigua, el capítulo de prelados notables que administran la catedral de Den Bosch le había entregado al Papa una lista de tres candidatos, entre los cuales debía escoger uno. Juan Pablo II rechazó los tres nombres e impuso a Jan Ter Schure en la diócesis. Al hacer esto, estaba pisoteando un vestigio de democracia antigua en el seno de la Iglesia católica. Cuando el Papa llegó para la posesión de Ter Schure y presidir una procesión en honor de la Virgen, encontró las calles prácticamente desiertas en silenciosa señal de protesta.

En su sermón, Juan Pablo II trató de explicar su elección: "Sé que habéis pasado por momentos difíciles en estas últimas semanas. Algunos nombramientos recientes de obispos han ofendido profundamente a algunos de vosotros". Era obvia la frialdad de la audiencia mientras hablaba en la catedral gótica. "Cada vez que nombra un obispo, el Papa procura entender la vida de la Iglesia local. Reúne información y busca asesoría. Habréis de entender que las opiniones a veces están divididas. En último término, el Papa tiene que tomar la decisión".

Quizás por primera vez, un Pontífice romano moderno se vio obligado a justificarse. Juan Pablo II incluso admitió sentirse afligido: "Hermanos y hermanas, podéis estar seguros de que he escuchado con cuidado y he orado. Y nombré a la persona a quien creí, ante Dios, más conveniente para este oficio". La mayor parte de los católicos holandeses no se dejó conmover.

El domingo 24 de noviembre por la mañana, una procesión de más de cuatrocientos patriarcas, cardenales y obispos emergió de las sombras de la columnata de Bernini y se dirigió a la explanada de la Plaza de San Pedro. Alineados de dos en dos, los religiosos venían directamente del Palacio del Vaticano. Habían descendido la Scala Regia (escalera real) y ahora, atravesando la Puerta de Bronce, caminaron hacia la basílica.

Con sus largas vestiduras pontificias blancas, siguieron al crucero con pasos lentos y deliberados, cada uno portando un pequeño libro con la oración especial para el sínodo: "Señor Jesús, iluminad vuestra Iglesia para que no tenga deseo distinto del de escuchar vuestra voz y seguiros. Cuidad a los pastores de vuestra Iglesia". Desde la distancia, en la plaza casi vacía, las mitras blancas y las vestiduras bordadas en hilo dorado parecían ondear suavemente con la brisa, brillantes contra el pavimento oscuro.

En su homilía, Juan Pablo II evocó el clima espiritual del Concilio y la riqueza de sus enseñanzas: "Durante las próximas dos semanas, todos los padres del sínodo, muchos de los cuales han vivido en persona la gracia extraordinaria del Concilio, caminarán con el Concilio una vez más, para revivir la atmósfera de ese gran suceso". No mencionó los temas específicos del sínodo, pero en un punto ya había sido claro. En vísperas de la ceremonia inaugural, se celebró una reunión especial de cardenales en el Vaticano. Mientras se debatía la reorganización de la curia, había puesto énfasis en que esta era un instrumento del Papa, al que le debía obediencia absoluta. Calificó de "aberrantes" a los críticos que describían la curia como un poder paralelo o como una especie de barrera entre el Papa y su grey.

El trabajo verdadero del sínodo comenzó el lunes con el informe introductorio del cardenal Godfried Danneels, de Bruselas, pronunciado ante los ciento cincuenta y nueve padres del sínodo que tomaron sus lugares en la Sala de Sínodos del Vaticano. Estaban trece patriarcas de las iglesias orientales, tres representantes de las órdenes religiosas, todos los jefes de departamento de la curia y veinte miembros nombrados por el Papa por derecho propio.

La sala ascendía en escaños semicirculares, como un antiguo teatro griego. En el nivel inferior, los obispos tenían ante sí una mesa, desde donde tres cardenales presidían la asamblea extraordinaria. También abajo estaba Juan Pablo II, tomando atenta nota de todo.

Piénsese en un parlamento que se reúne cada tres años pero no tiene poderes legislativos, no puede decidir su propio temario, no tiene derecho de votar sobre una petición sin el permiso del monarca y sólo tiene una oportunidad para expresar su opinión sobre la forma en que está siendo gobernada su propia comunidad. Piénsese en que los miembros de este parlamento sólo disponen de unos pocos días para hablar ante todos los demás, con muy pocas ocasiones de comunicación informal. No sorprende que los delegados del sínodo se lanzaran al debate con un verdadero arranque de energía. Los quince discursos que se pronunciaron, uno tras otro, en las primeras horas del sínodo tejieron un rico tapiz de temas por debatir, de las intenciones de los protagonistas y de las tensiones que recorrían la asamblea.

El cardenal Juan Landazuri Ricketts, de Perú, confesó que en su país existía una ignorancia generalizada con respecto al Concilio. Sus documentos o bien se desconocían, o bien habían tenido escaso impacto en la vida diaria. Hablando en nombre de los clérigos que estaban cansados de la reforma, dijo: "Hay quienes creen que todo tiene que volver a comenzar, más allá del Concilio, atribuyéndole cosas que nunca dijo, o utilizando injustamente el Concilio para justificar sus propias ideas e iniciativas".

El cardenal coreano Stefan Kim contradijo a Landazuri Ricketts: "El *aggiornamento* en la Iglesia es un trabajo continuo. La reforma de la Iglesia no se agota en veinte años". Kim lanzó entonces el primer golpe contra la curia, citando el peligro de que "interpretaciones rígidas, dictadas por el anhelo de estabilidad", pudieran asfixiar la creatividad de las iglesias locales.

El cardenal Eugenio Araújo Sales, de Brasil, replicó: "Sin Pedro, los obispos no pueden mantener la unidad de la Iglesia. Sin una comunión válida con el Papa, están expuestos a divisiones, herejías y apostasías".

Muchos delegados se sintieron tratados como vasallos. El obispo surafricano Denis Eugene Hurley dijo que en las relaciones entre la Santa Sede y las iglesias locales tenía que aplicarse el principio de la "subsidiaridad", queriendo decir que la curia romana no debería interferir en asuntos que las iglesias locales podían resolver por sí solas.

Sentado ante la mesa del presidente, Juan Pablo II escuchaba en silencio, con el mentón apoyado en la mano. No orientó ni controló el debate. A veces tomaba notas, a veces cerraba los ojos, siguiendo el curso de sus propios pensamientos u orando en silencio. No hizo comentario alguno. Ni siquiera cuando el obispo ucraniano de Winnipeg, Maxim Hermaniuk, se atrevió a mencionar una palabra –*poder*– casi nunca pronunciada en medio de un debate en la Iglesia católica: "Al final de cada sínodo, los obispos han señalado cuán totalmente inadecuada es su situación, y han expresado su fuerte deseo de que al sínodo se le confiera el poder de legislar", dijo el obispo. Pero nada surtió efecto.

Toda la organización del sínodo se había desarrollado con tremendas presiones de tiempo. Habían pasado cerca de siete meses entre en envío del cuestionario y la instalación de la asamblea. Esto, como bien sabía el Papa, no les permitía a las comunidades católicas de todo el mundo efectuar consultas profundas sobre los efectos del Concilio o diseñar propuestas para someter a la consideración del sínodo. En muchos lugares, los obispos casi no tuvieron la oportunidad de reunirse. Los fieles y las diversas asociaciones católicas no tuvieron voz práctica en esta empresa crucial de evaluar una de las más grandes revoluciones religiosas del siglo xx: el Concilio Vaticano II.

Las conferencias episcopales ni siquiera habían podido contribuir al *lineamenta,* el documento de trabajo que se utilizaba para preparar todos los sínodos. En este caso no había documento de trabajo; y los obispos encontraron el informe introductorio del cardenal Danneels en sus residencias romanas apenas veinticuatro horas antes de la inauguración de la asamblea. Además, el sínodo mismo había sido programado con una duración excepcionalmente corta: dos semanas.

Este ritmo acelerado no iba en detrimento de todos. Limitaba la formación de grupos que hubieran podido alterar el resultado preconcebido de las deliberaciones, al tiempo que permitía a los colaboradores cercanos del Papa orientar el sínodo hacia sus metas deseadas. Los veteranos del Concilio Vaticano II sabían perfectamente que quien desee reformar las estructuras existentes o impulsar nuevas ideas requiere tiempo para configurar alianzas entre los obispos y sensibilizar a la opinión pública dentro y fuera de la Iglesia. El debate plenario duró cuatro días. En ocho sesiones, ciento treinta y siete obispos y cardenales hicieron uso de la palabra. Otros discursos se entregaron por escrito. Fue un examen gigantesco de conciencia para una comunidad de novecientos millones de fieles.

Sin embargo, cualquiera que hubiera seguido el curso del debate durante la asamblea plenaria se habría dado cuenta de que las personas nombradas por el Papa en puestos claves del Vaticano o que llevaban mucho tiempo al lado de Wojtyla eran, con frecuencia, quienes denunciaban más enfáticamente los errores y problemas surgidos en los años posteriores al Concilio.

El obispo polaco Jerzy Strzoba llamó la atención del sínodo hacia la crisis de la civilización europea y las "falsas interpretaciones" de los teólogos, que, según aseguraba, impedían la aplicación auténtica de las enseñanzas del Concilio. El obispo, muy allegado a Juan Pablo II, hizo énfasis en una frase clave del Concilio Vaticano II: "pueblo de Dios". Con este término, los padres del Concilio habían descrito a la Iglesia como una comunidad de fieles en marcha por la historia, mas no por encima de ella, una comunidad viviente abierta al mundo y no la sociedad perfecta imaginada por el Concilio de Trento. "La doctrina de la Iglesia como el pueblo de Dios –dijo el obispo Strzoba a sus hermanos– ha suscitado gran ansiedad y ambigüedad". Si se interpretaba erróneamente, podría llevar a los católicos a pensar que todos los poderes de la Iglesia –sacerdotales, magisteriales y pastorales– se derivaban del laicismo.

En contraposición, Strzoba citó el concepto de la Iglesia como cuerpo místico de Cristo: "Las estructuras fundamentales de la Iglesia son producto de la voluntad del propio Dios" y, por tanto, no se les puede tocar, dijo. "Detrás de la fachada humana se yergue el misterio de una realidad sobrehumana, en la que el reformador, el sociólogo y el organizador no tienen derecho de interferir".

Entre tanto, monseñor Philip Delhaye, secretario de la Comisión Teológica Internacional, a quien Juan Pablo II había nombrado miembro del sínodo, hizo algo que nadie más se había atrevido a hacer: atacó directamente al Concilio mismo, amparándose en las críticas contra algunas de sus omisiones.

Dirigiéndose a la audiencia, dijo primero: "El Concilio tuvo mil veces la razón al referirse a la grandeza de la persona humana, a sus derechos y su dignidad, al valor de las realidades terrenales". Luego, en medio del silencio y la expectativa, Delhaye les preguntó a los obispos: "Pero, ¿dijo el Concilio suficiente acerca de Cristo el Redentor, acerca de la Cruz, acerca de la gracia?" Tras haber lanzado este desafío, mencionó la segunda omisión: el Concilio Vaticano II no se había preocupado lo bastante por exponer los principios de la teología moral. En tercer lugar, el Concilio no había prestado atención suficiente a los sacerdotes: "Hemos observado una tremenda crisis de identidad en estos mismos sacerdotes, un enfoque cada vez más laico al abordar los problemas de los sacerdotes, de su *status*, de su forma de vida. Hemos constatado el desaliento, la profunda tristeza de muchos sacerdotes, las dolorosas deserciones, la crisis de las vocaciones".

Sin embargo, en la asamblea no faltaban personas dispuestas a controvertir tales puntos de vista. Por ejemplo, el obispo Ivo Lorcheider, presidente de la Conferencia Episcopal brasileña, miró al Papa y exclamó: "Con toda reverencia, humildad y obediencia suplicamos que el Concilio sea considerado una luz, no un límite, para nuestro camino futuro".

A Juan Pablo II, muy atento a lo que se decía en la asamblea, le mortificó constatar que los temas claves, que ya creía resueltos, seguían surgiendo. En un discurso que causó furor en el Vaticano, el presidente de la Conferencia Episcopal austriaca, Karl Berg, argumentó que, en vista de los avances médicos, sería oportuno reexaminar el problema de la "transmisión responsable de la vida humana". Descifrado, el mensaje de Berg significaba que ya era tiempo de repensar la prohibición de la anticoncepción en la encíclica *Humanae Vitae* de Pablo VI. Cuarenta y ocho horas después, el arzobispo se vio obligado a expedir un comunicado de prensa en el que explicaba que no estaba protestando contra las enseñanzas de la Iglesia y del Papa en el tema de la procreación.

Berg también planteó otro asunto delicado: permitir que los católicos divorciados y vueltos a casar recibieran la comunión. "Presumiendo un arrepentimiento sano, debería encontrase una forma para darles los sacramentos". Numerosos obispos de África y Japón lo apoyaron. El discurso de Berg había puesto nuevamente sobre el tapete, de modo implícito, la polémica sobre los poderes reales del sínodo, sobre las relaciones entre los obispos y el Pontífice romano; en breve, había puesto en entredicho la colegialidad.

Los obispos del Tercer Mundo tenían prioridades distintas. El tema que más les interesaba era la posibilidad de predicar la fe cristiana de una forma que se ajustara a la cultura y mentalidad de sus propios pueblos. Querían evitar que el mensaje de Cristo se percibiera en África o Asia como algo "occidental". Para expresar esta necesidad, utilizaron la palabra *aculturación*. El obispo Jean Marie Cissé, de Malí, explicó cuán importante era para los africanos que la conversión al cristianismo no se limitara al abandono de su cultura y su comunidad originales. El presidente de la Conferencia Episcopal de Chad, Charles Vandame, propuso retomar la tradición de los sínodos regionales o continentales, una costumbre vigente en los primeros siglos del cristianismo, y establecer un sínodo africano. El obispo indonesio Francis Xavier Hadisumarta señaló la necesidad de nuevas iniciativas para hacer más comprensible el Evangelio a los pueblos de Asia, que representaban la mitad de la población mundial y la mayor parte de los cuales profesaba otras religiones.

De una u otra forma, incluso al hablar de aculturación, el sínodo regresaba a la madre de todas las preguntas: ¿qué participación real tienen los obispos en la toma de decisiones de la Iglesia universal?*

A manera de música de fondo, este tema estuvo presente en todas las sesiones plenarias. Todo fue en vano. Cualquier propuesta de reforma se estrellaba contra la voluntad del Papa. Juan Pablo II escuchaba todo, recordaba todo y propiciaba una gran libertad de discusión. Sin embargo, desde el comienzo había decidido que el poder papal no se podía reducir, que todos los creyentes, sacerdotes, obispos y el Papa mismo tenían que aceptar la idea de la Iglesia como cuerpo místico de Cristo. La teología de la Cruz, con su énfasis en el sacrificio y la redención, tenía que colocarse en el centro de la fe, en lugar de la teología del pueblo de Dios y sus conceptos ambiguos de liberación. Así mismo, el Papa estaba convencido de la importancia de comenzar a trabajar en un nuevo catecismo universal, definido y redactado en Roma.

Después del debate plenario, se organizaron grupos de trabajo para redactar los documentos. La petición de un catecismo universal fue acogida por prácticamente todos los grupos. Sin embargo, el clamor por un nuevo equilibrio de poder entre los obispos y la Santa Sede fue sofocado por los partidarios del Papa. Treinta y cinco obispos, una cuarta parte de los presentes en la asamblea plenaria, habían abordado el tema, pese a lo cual apenas si fue mencionado en el borrador del documento final. Juan Pablo II hizo saber, a través de sus allegados, que le satisfacía el progreso del sínodo. Pese a algunos temores, prevalecía una imagen positiva del

---

* No fue sino en la Edad Media, con Gregorio VII (fallecido en 1085) e Inocencio III (fallecido en 1216), ambos papas extremadamente autoritarios, que la Iglesia católica comenzó a desarrollarse bajo los lineamientos de una monarquía absoluta. En los primeros siglos del cristianismo, los obispos eran elegidos por el pueblo. Y, en su calidad de obispos de Roma, los papas todavía son elegidos por los cardenales, que representan simbólicamente al clero romano. En las iglesias ortodoxas, que invocan una tradición apostólica muy antigua, la autoridad suprema no es el patriarca sino el sínodo, un cuerpo bastante democrático porque todas las iglesias nacionales disfrutan de autonomía incontestada.

Concilio Vaticano II. Los obispos coincidieron en reafirmar que la tarea principal de la Iglesia era evangelizar el mundo. En países en donde el cristianismo tenía raíces antiguas, esto significaba, de hecho, reevangelizar a millones de personas bautizadas que con frecuencia sólo obedecían de dientes para afuera las enseñanzas de la Iglesia. Por tanto, para llevar el Evangelio al hombre moderno, concluyeron los obispos, era menester una nueva aproximación. La Iglesia tenía que hablar sobre los problemas cotidianos, pues de lo contrario el lugar de Dios acabaría usurpado por bienes materiales, con el nihilismo subsiguiente.

Aprisionado entre los límites impuestos por Juan Pablo II y trabajando dentro de un marco de tiempo diseñado para ser lo más breve posible, el sínodo sólo obtuvo una concesión del Papa: la oportunidad de votar sobre el informe final preparado por el cardinal Danneels. El sínodo nunca tuvo la libertad de la que disfrutó el Concilio cuyo trabajo debía juzgar teóricamente. Ni siquiera tuvo la oportunidad de votar sobre una lista de recomendaciones para someter a la consideración del Papa. Pero incluso entonces hubo una restricción en la forma en que debían emitirse los votos sobre el informe final. Los delegados sólo podían decir "sí" o "no", pese a que, tradicionalmente, en las asambleas de la Iglesia existe la costumbre de permitir a los delegados votar también *placet juxta modum,* "sí, pero con enmiendas".

El informe final del cardinal Danneels fue sometido a votación el 7 de diciembre y fue aprobado casi por unanimidad. Era, en ciertos aspectos, un documento equilibrado que trataba de abordar los temas principales discutidos en la asamblea.

Juan Pablo II había cumplido su objetivo de estabilización de la Iglesia. "El sínodo confirmó al Concilio Vaticano como la Carta Magna de la Iglesia y el más grandioso regalo de gracia divina para el siglo XX –observó el teólogo exiliado Hans Küng–. Y ese es uno de sus aspectos positivos. Por otra parte, las peticiones de los obispos en lo concerniente a los temas más candentes fueron arrojadas al olvido. En general, los obispos demostraron tener una mente más abierta que los tradicionalistas de la curia, pero tuvieron que hacer frente a un Papa que no era Juan XXIII. Ahora, en el trono papal, se sentaba un Gran Comunicador y un Gran Conservador".

Juan Pablo II quedó muy satisfecho con el informe del sínodo y su aprobación por parte de los obispos. Nunca se había querido limitar a echar para atrás el reloj de la historia. Su intención había sido instituir reformas en la Iglesia sin sacudir la estructura y el patrimonio teológico legados a lo largo del tiempo. "El sínodo –anunció a los obispos– ha hecho un buen trabajo". Defendió la apertura de la Iglesia al mundo, al tiempo que eludió una mentalidad y un sistema de valores laicos. Predicó la importancia de la aculturación y el diálogo con las otras religiones y los no creyentes. Reafirmó la doctrina social católica, y expresó discretamente su deseo de que se efectuaran consultas con la Iglesia en todos los niveles.

En el discurso de clausura, Juan Pablo II no mencionó ni una sola vez a la Iglesia como el "pueblo de Dios", citando una vez más el "cuerpo místico de Cristo", que era justamente el título de una de las últimas encíclicas de Pío XII, aquella que el propio Wojtyla había citado en su documento preparatorio para el Concilio Vaticano II.

Cuando la asamblea se disolvió luego de entonar el Magnificat, el Papa invitó a todos los obispos y cardenales a cenar con él en el Hospicio de Santa Marta, en el Vaticano. Allí elevó su vaso como si fuera a brindar y preguntó con ironía: "¿Por qué ha sido extraordinario el sínodo? Fue convocado inesperadamente, duró poco tiempo y parece haber decepcionado a muchas personas".

"¿Por qué ha decepcionado? –prosiguió, mirando atentamente los birretes de colores carmesí y violeta que rodeaban las mesas–. Porque esperaban una pugna terrible entre los obispos, un conflicto entre ellos y el Papa. ¡Y nunca se dio!" Sonriendo como un rector rodeado por sus dóciles seminaristas, Juan Pablo II concluyó en medio de la risa de su audiencia: "Esperemos no haber decepcionado al Espíritu Santo".

Siete meses después, el 11 de junio de 1986, *L'Osservatore Romano* publicó la lista de los miembros de un comité restringido al que se había encomendado la redacción de un nuevo catecismo universal. Su presidente era el cardenal Joseph Ratzinger.

Gestos

Durante el papado de Juan Pablo II, las reformas conciliares, por modestas que fueran, se propagaron por toda la Iglesia y fueron llevadas a la práctica en la vida cotidiana de muchas comunidades católicas: una liturgia modernizada; mejores relaciones con los miembros de las confesiones protestantes, ortodoxa y judía; consultas más frecuentes entre el Vaticano y los obispos; papeles más destacados (aunque todavía limitados) para las niñas y las mujeres en la misa y en otras ceremonias religiosas; presentación de la Iglesia como una comunidad, y no sólo como una sociedad monárquica jerarquizada.

Sin embargo, después del sínodo, Juan Pablo II también bloqueó cualquier intento de aplicar muchas de las ideas y los impulsos del Concilio Vaticano II; y en los años siguientes de su pontificado, prácticamente asfixió cualquier discusión en torno a las dificultades y tensiones internas en la Iglesia.

Sin embargo, el papa Juan Pablo II nunca se concentró exclusivamente en los manejos internos de la Iglesia. Siempre había considerado a la Iglesia como un factor de gran importancia en el mundo, no sólo como una agencia espiritual y diplomática, sino como una poderosa fuerza social y humanitaria: la Iglesia católica educaba a un mayor número de personas que cualquier otra institución no gubernamental en el mundo, se ocupaba de más refugiados, dirigía más hospitales, enviaba más misioneros, poseía más tesoros culturales.

En 1985 lanzó lo que los prelados de la curia llamaron una gran "ofensiva de diálogo" dirigida a los creyentes de Alá. Tenía en alta estima algunos aspectos de la religión musulmana: su fuerte monoteísmo, su marcada sumisión a un Dios gentil y compasivo, su obligación de orar con regularidad y, como dijo en más de una ocasión, sus ayunos de penitencia obligatorios, una característica del cristianismo que se estaba extinguiendo rápidamente en los países occidentales. Sin embargo, la desconfianza que sentía con respecto al islam rayaba con el temor. "Me preocupa sobremanera el fundamentalismo, el fundamentalismo islámico, Irán, Saddam [Hussein de Irak], el norte de África", le confió al embajador de Israel en Italia, Avi Pazner.

Era sobre todo en África en donde el Papa sentía la necesidad imperiosa de establecer un diálogo con el islam. En el norte de África, desde Egipto hasta el Magreb, dicho diálogo era indispensable para la supervivencia de la Iglesia católica, cuyos miembros estaban en marcada minoría. Sin embargo, la necesidad de establecer contactos más amplios también se relacionaba estrechamente con la situación en el hemisferio sur, sobre todo en el África subsahariana, en donde la Iglesia se estaba expandiendo con rapidez, pero donde el islam estaba creciendo a un ritmo aún más rápido. En esta pugna por ganar creyentes, el islam contaba con algunas ventajas: un credo descomplicado con pocos preceptos, ausencia de un aparato clerical y de estructuras jerárquicas, y una fe más bien elástica en su tratamiento de las costumbres tradicionales y favorable a la poligamia. A fin de evitar un choque desastroso entre las dos religiones, el Papa consideraba vital propiciar una atmósfera de coexistencia, tarea que acometió enérgicamente.

No fue fácil. En 1982, en un viaje a Nigeria, tenía planeado detenerse en la ciudad de Kaduna, un área dominada por los musulmanes a unos seiscientos cuarenta kilómetros de Lagos, para reunirse con una delegación de líderes religiosos musulmanes. Sin embargo, cuando llegó el Papa, estos se negaron a verlo. Juan Pablo II fue llevado con premura a un pequeño recinto en el aeropuerto. Allí pronunció el discurso que había preparado, "Podemos llamarnos unos a otros hermanos y hermanas en nuestra fe en un Dios", ante un auditorio consistente en el gobernador y su séquito, tras lo cual regresó a Lagos.

En 1985, cuando el Pontífice viajó nuevamente a África, intentó otro acercamiento con el islam en Marruecos, en donde los participantes en los Juegos Panárabes estaban reunidos en Casablanca. El rey Hassan II había tratado de organizar una reunión a gran escala para el Papa, con representantes de los veintitrés países que competían en los juegos. Sin embargo, también ellos se negaron a verlo. Para salvar la situación, el rey convocó a una reunión en el estadio municipal, en donde se congregaron cincuenta mil jóvenes marroquíes entusiastas. Los jóvenes le dieron una cálida bienvenida a Juan Pablo II. "El diálogo entre cristianos y musulmanes –dijo el Papa a su audiencia– es más crucial hoy que nunca... en un mundo cada vez más laico y, en ocasiones, ateo. Los jóvenes pueden forjar un futuro mejor si se comprometen a construir este nuevo mundo de acuerdo con el plan de Dios. ... Hoy hemos de rendir testimonio de los valores espirituales que el mundo necesita".

Sin embargo, las esperanzas del Papa de construir un frente cristiano-musulmán común contra el materialismo y el ateísmo contemporáncos

se estrellaron contra el auge del fundamentalismo islámico a comienzos
de los años ochenta. Varios años después, en una visita que hizo al industrial italiano Carlo De Benedetti en la fábrica de Olivetti en Ivrea, el
Papa se refirió con dureza inusual al islam y a los peligros que intuía en
él. Para contrarrestar la influencia fundamentalista y propiciar la estabilidad de los gobiernos musulmanes modernos, sugirió que De Benedetti y
otros capitalistas occidentales invirtieran en países islámicos, creando
fábricas y empleos.

A De Benedetti le sorprendió un tanto la conversación:

–¿Está familiarizado con nuestra religión? –le preguntó el Papa, aparentemente consciente de que De Benedetti era mitad judío.

–Desde luego que la conozco.

–La nuestra es una religión de paz y amor... y no tiene que decirme
que no siempre la practicamos.

Hizo una pausa.

–¿Alguna vez ha leído el Corán? Se lo recomiendo. El Corán le enseña a la gente agresión, y nosotros enseñamos a nuestro pueblo paz. Desde luego, siempre existe la naturaleza humana, que distorsiona cualquier
mensaje que envía la religión. Pero aunque las personas pueden ser apar-
tadas del buen camino por vicios y malos hábitos, el cristianismo aspira
a la paz y el amor. El islam es una religión que ataca. Si se comienza por
enseñar agresión a toda la comunidad, se termina por alcahuetear los
elementos negativos en todos. Ya se sabe a qué conduce eso: estas personas nos asaltarán[*].

Pese a estos temores, Juan Pablo II tenía siempre buen cuidado, en sus
pronunciamientos públicos, de establecer una distinción entre el islam
como tal y el fundamentalismo islámico. Pese a la oposición de los fundamentalistas *católicos,* fomentó la construcción, en Roma, de la mezqui-
ta más grande de Europa occidental. Sin embargo, insistió en que los

---

[*] De Benedetti también se sintió consternado al comprobar que debía hacer una contribución al tesoro papal antes de que el Papa aceptara visitar la fábrica Olivetti. "¿Cuánto?", le preguntó uno de sus colaboradores a la persona que estaba coordinando la visita
del Papa. Se sugirió una cifra de cien mil dólares, y De Benedetti giró un cheque por ese
monto a nombre del Papa mismo. Le entregó el cheque a Wojtyla en un instante tranquilo durante la visita a la fábrica.

países islámicos debían ser igualmente generosos, otorgando libertad de credo a los cristianos.

Si el diálogo con los musulmanes constituía una necesidad, Juan Pablo II veía el diálogo con los judíos como un deber, sobre todo por el Holocausto. Dos de las premisas del Concilio Vaticano habían sido el reconocimiento de las raíces judías del cristianismo y la intolerancia del antisemitismo. Juan Pablo II llevó estas ideas a la práctica con un gesto grandioso el 13 de abril de 1986.

Ese día Wojtyla atravesó el río Tíber para entrar a la sinagoga de Roma en Lungotevere dei Cenci, algo que ningún Papa había hecho antes. Como bien lo saben los judíos romanos, su comunidad es más antigua que la más antigua Iglesia cristiana. Cuando san Pedro (según reza la tradición) y san Pablo viajaron a Roma, la Torá ya se estaba leyendo y el Sabbath se observaba en la capital del imperio romano. Cuando los cristianos dejaron de sufrir persecuciones y comenzaron a instigarlas, unas de sus principales víctimas fueron los judíos. Durante la Semana Santa, se forzaba a los judíos a escuchar sermones (se tapaban los oídos) y se les insultaba por haber "asesinado a Cristo". Fue sólo gracias a la unificación de Italia, por obra del rey Víctor Manuel II de la casa de Saboya (a quien Pío IX excomulgó porque los ejércitos del rey habían invadido los estados papales), que los judíos italianos adquirieron libertad y derechos civiles plenos. Las imponentes sinagogas construidas en Turín, Florencia y Roma hacia comienzos del siglo XX eran, por tanto, testimonio doble de la fe de los judíos y la derrota del Papa.

En junio de 1963, el rabino principal de Roma había acudido a la Plaza de San Pedro para orar por el papa Juan XXIII, que estaba agonizando. Juan era venerado como el hombre que había suprimido de la liturgia católica del Sábado Santo la referencia insultante a los judíos como "pérfidos".

Ahora, en abril de 1986, Juan Pablo II llegó al antiguo gueto romano, para mitigar recuerdos dolorosos. El *largo* del *Xerxes* de Handel sonaba con fuerza cuando se apeó de la limusina. Pero cuando entró al santuario –el primer Pontífice romano en poner pie en una sinagoga–, hubo completo silencio. Un Juan Pablo II humilde y respetuoso intercambió un abrazo con el rabino principal Elio Toaff. El Papa llevaba puestos un *zucchetto* (solideo) blanco y sus vestiduras papales, el rabino lucía su sombrero de ocho esquinas y, echado sobre los hombros, un *tallith* de rayas blancas y azules. Juntos caminaron por la nave asiriobabilónica de la sinagoga y tomaron sus lugares en la *teva*, la plataforma en donde se para el cantor y se lee la Torá.

Wojtyla escuchó el discurso del líder de la comunidad judía de Roma, Giacomo Saban, quien recordó cómo en 1553 se quemaron ejemplares del Talmud en el Campo dei Fiori. El Papa pareció adolorido cuando Saban aludió al terrible silencio de Pío XII, quien nunca denunció las atrocidades nazis contra los judíos, ni las deportaciones de judíos que se realizaban en el corazón de Roma: "Lo que estaba sucediendo en una ribera del Tíber [en donde se encuentra la sinagoga] –señaló Saban–, no podía ser ignorado del otro lado del río [en donde se encuentra el Vaticano]".

Ese día el mundo vio a un papa Wojtyla diferente: no al maestro de las multitudes, sino a un hombre que cargaba con el peso de una historia trágica, que el Papa de Wadowice se había propuesto cambiar. El rabino Toaff le propuso el establecimiento de relaciones diplomáticas entre el Vaticano y el Estado de Israel. (Las formalizó en 1993, pese a las objeciones de su Secretariado de Estado, que estaba aguardando a que el gobierno de Israel llegara primero a un acuerdo con los palestinos).

Cuando Juan Pablo II pronunció su discurso en la sinagoga, en varias ocasiones su voz estuvo a punto de quebrarse. Reconoció las heridas sufridas durante centenares de años por judíos que vivían en países cristianos, "actos de discriminación, limitaciones injustificadas de la libertad religiosa y también una restricción opresiva de la libertad civil. ... Sí, una vez más, a través mío la Iglesia deplora, en palabras del [documento conciliar] *Nostra Aetate*, los odios, las persecuciones y todas las manifestaciones de antisemitismo dirigidas contra los judíos en cualquier momento por cualesquiera personas". El Papa se quedó en silencio, miró directamente a su audiencia, y prosiguió: "Repito, *por cualesquiera personas*". Luego llamó a los judíos los "hermanos mayores" de los cristianos y, recordando las puertas de conventos e iglesias que se abrieron durante la Segunda Guerra Mundial a las víctimas judías de la persecución, señaló futuras metas comunes: el final de cualquier tipo de discriminación, la defensa de la dignidad humana, la adhesión a éticas individuales y sociales, paz y coexistencia entre las dos religiones, "animadas por un amor fraternal".

De niño, Karol Wojtyla había ido a la sinagoga en Wadowice con su padre para escuchar al célebre cantor Moishe Savitski. Ahora, luciendo sus vestiduras papales de satín, escuchaba, inclinado en un sillón dorado, un coro que cantaba el himno entonado por los judíos condenados en los campos de muerte mientras eran conducidos a las cámaras de gas. A medida que las voces del coro llenaban el santuario de oración, el Papa se encorvó todavía más, inclinando la cabeza y cubriéndose la boca con la mano.

Ese mismo año, 1986, Juan Pablo II viajó a India. Mientras oraba ante la tumba de Gandhi en Nueva Delhi, acarició con la mano la piedra negra en la están grabados los "siete pecados sociales", según los describió el fundador de la India moderna. "Política sin principios. Riqueza sin trabajo. Placer sin conciencia. Conocimiento sin carácter. Comercio sin moralidad. Ciencia sin humanidad. Religión sin sacrificio". En el estadio Indira Gandhi, se dirigió a una audiencia que representaba las diversas religiones de India. "Como hindúes, musulmanes, sijs, budistas, jainistas, parsis y cristianos, estamos aquí reunidos en amor fraternal –dijo–. Al proclamar la verdad sobre el hombre, insistimos en el hecho de que la búsqueda de bienestar temporal y social y de la dignidad humana total corresponde al profundo anhelo de nuestra naturaleza espiritual".

Alentado por su recepción en India, se le ocurrió la idea de realizar una asamblea interreligiosa internacional en Asís, la ciudad de san Francisco, el santo cristiano más risueño y devoto de la paz, para orar por la concordia mundial: otro gesto significativo de su pontificado. El Papa estaba desilusionado por la reanudación de la carrera armamentista y la ruptura de las negociaciones en Reykjavik entre Reagan y Gorbachov. De modo que concibió la idea de un proyecto extraordinario que abarcara a todas las religiones del mundo: una gran oración conjunta a Dios, que sería invocado con todos sus nombres, en todas las lenguas, con el acento peculiar de cada tradición religiosa, para salvar al mundo de la aniquilación nuclear, poner fin a la guerra fría y promover la paz universal.

En la mañana del 27 de octubre de 1986, en muchos lugares del planeta, los combatientes cesaron momentáneamente de librar la guerra. Unas semanas antes, en Lyon, el papa Wojtyla había clamado por una "tregua universal", una detención simbólica de todos los conflictos armados que manchaban al mundo de sangre. Había hecho esta petición a líderes militares y políticos que ejercían control sobre naciones y sobre movimientos revolucionarios. También se la había planteado "a quienes buscan conseguir sus fines por medio del terrorismo y de la violencia". Los obispos y los nuncios se habían puesto en contacto con todas las partes combatientes al alcance de la Iglesia católica. Hubo respuestas positivas de todo tipo de lugares: en Irlanda, el IRA había consentido; también lo hizo desde Beirut Amin Gemayel, el presidente de Líbano, así como los dirigentes shiitas y sunitas de ese país. La presidenta Corazón Aquino de Filipinas, cuyo gobierno estaba enzarzado en combate con los moros, guerrilleros musulmanes, y el príncipe Sihanouk de Camboya también estuvieron de acuerdo. También aceptaron las guerrillas del Frente Polisario en el Sáhara, los Contras de Nicaragua, los líderes guerrilleros de Angola y Sudán, las FARC de Colombia, el Frente Farabundo Martí de El Salvador, así como el gobierno de Sri Lanka y sus opositores, los tigres tamiles.

En países que no estaban en guerra, las autoridades civiles y religiosas organizaron unos instantes de meditación silenciosa. Entre tanto, en la explanada al pie de Asís, Juan Pablo II dio la bienvenida a una larga fila de líderes religiosos: el arzobispo de Canterbury, el rabino principal de Roma, el Dalai Lama, el metropolitano de Kiev (enviado por el patriarca de todas las Rusias), el representante especial del patriarca de Constantinopla, emisarios de los budistas, los musulmanes, los hindúes, los zoroastrianos, los sijs y los shintoistas, y representantes de las religiones tradicionales africanas y norteamericanas nativas.

Simbólicamente, los participantes en Asís representaban en su conjunto a cuatro mil millones de creyentes de sesenta y cinco confesiones y denominaciones. En la antigua catedral de San Rufino, el Papa oró con los delegados cristianos. En la iglesia de San Pedro, el incienso flotaba en el aire y los budistas golpeaban sus gongs. En un antiguo corredor al lado de la Piazza del Comune, sacerdotes católicos se postraron sobre el piso al lado de los imanes musulmanes. En la iglesia de San Gregorio, dos norteamericanos nativos fumaron una pipa de la paz. No lejos de allí, los zoroastrianos encendían, con algo de dificultad, su fuego sagrado.

"El reto de la paz –dijo el Papa– trasciende las diferencias religiosas". En un instante de autocrítica, agregó: "Estoy dispuesto a reconocer que... [nosotros los católicos] no siempre hemos sido constructores de paz". Por esa razón, agregó, su oración también era un acto de penitencia.

En la curia romana, todo el día se escucharon murmullos de descontento entre los cardenales más tradicionales. El Papa se sintió obligado a abordar el tema en su discurso de Navidad ante el personal de la curia. Diciendo que las oraciones en Asís no habían "ocultado o diluido" las diferencias entre las religiones, Juan Pablo II definió la práctica como una ilustración visible del significado del ecumenismo y del esfuerzo por entablar el tipo de diálogo interreligioso promovido por el Concilio Vaticano II. El Espíritu Santo, subrayó, concede a todos los hombres y mujeres acceso, en formas misteriosas, a la verdad y la salvación. Asís había sido testigo de la manifestación del "misterio radiante" de la unidad de toda la raza humana.

Juan Pablo II quedó convencido de que la oración combinada de todos los líderes religiosos ese día fue el viraje decisivo en la guerra fría y el comienzo del fin de la carrera armamentista.

PARTE VII

La caída del comunismo

La primera señal verdadera que percibió el Papa de un "socialismo con rostro humano" –cuatro años y tres meses después de la imposición de la ley marcial en Polonia– tomó la forma poco prometedora de una visita del ministro de Relaciones Exteriores soviético, Andrei Gromyko, al Vaticano el 27 de febrero de 1985. En Moscú, sin que lo supiera el Papa, Konstantin Chernenko estaba próximo a morir. Doce días después, Gromyko, que había colaborado con todos los dirigentes soviéticos desde Stalin, iba a desempeñar un papel crucial en la selección de Mijaíl Gorbachov para suceder a Chernenko como secretario general del Partido Comunista de la URSS. ("Camaradas, este hombre tiene una sonrisa agradable, pero tiene dientes de hierro", le dijo al Politburó).

Gromyko le hizo saber al Papa que la URSS podría estar interesada en establecer relaciones diplomáticas con la Santa Sede. Cuando Juan Pablo II manifestó su preocupación en torno a la paz mundial, sobre todo en lo referente a la necesidad de progreso en las conversaciones estancadas de Ginebra sobre control de armas y a la situación en que se encontraban los católicos en la Unión Soviética, Gromyko se mostró inusualmente sensible. Sugirió conversaciones futuras sobre esos temas entre representantes de la URSS y del Vaticano. Esta apertura tomó a Wojtyla completamente por sorpresa.

Esa primavera, en mayo, comenzó a recibir informes desde Polonia en los que se afirmaba que Gorbachov podría ser, ciertamente, un tipo distinto de comunista, y que era posible que la era Brezhnev estuviera llegando finalmente a término, dos años y medio después de su muerte. Gorbachov había viajado a Polonia a fines de abril para asistir a una reunión del Comité Político Consultivo del Pacto de Varsovia. Más importante aún, cuando terminó la reunión, Gorbachov se quedó para hablar con Jaruzelski. Sólo disponía de una hora, dijo el nuevo secretario general, pero luego la hora se convirtió en cinco, durante las cuales los dos hombres hicieron un examen exhaustivo de la situación en Polonia y en la URSS, y conversaron largamente sobre el Papa y el Vaticano.

A partir de esta conversación, Jaruzelski concluyó que Gorbachov *era* un tipo de comunista diferente y, a través del primado, informó al Papa sobre su reunión. "Fue un momento crucial –diría Jaruzelski casi un decenio después (y también Gorbachov confirmó la naturaleza extraordinaria de su reunión)–: cinco horas de conversación cara a cara sin un intérprete". Gran parte de dicha conversación tuvo como punto central la Iglesia y Wojtyla, pero primero "hablamos sobre el pasado, sobre los orígenes del sistema, sobre la necesidad del cambio".

Gorbachov llevaba tan sólo unas pocas semanas ejerciendo el cargo de secretario general, y quería saber de primera mano lo más posible sobre la situación interna en Polonia y sobre la Santa Sede. Jaruzelski tuvo la impresión de que, "pese a tener una mente abierta" y haber sido miembro del Politburó por varios años, "sus conocimientos sobre la Iglesia y la religión eran superficiales".

Jaruzelski se aferró a Gorbachov como se aferra una persona a punto de ahogarse a un salvavidas: finalmente alguien en el Kremlin lo escuchaba con simpatía, y no cualquier persona, sino el secretario general en persona.

"Ante todo, intenté explicar la diferencia, el carácter único del papel de la Iglesia en Polonia, en comparación con el que ejerce en otros países", relató Jaruzelski. Si bien en ese entonces las condiciones en Polonia estaban rígidamente controladas, el país se había embarcado en un audaz experimento con derechos humanos antes de la imposición de la ley marcial, y ambos hombres convinieron en que las sociedades comunistas tenían que evolucionar en la dirección de ese experimento.

Gorbachov todavía no había comenzado a utilizar el término *perestroika* –"reestructuración"– pero esta conversación con Jaruzelski tocó algunos de los conceptos que luego introduciría, incluida una amplia garantía de los derechos religiosos para los ciudadanos comunistas. Le hizo a Jaruzelski muchas preguntas sobre las fallas de la economía planificada de Polonia y sobre el estado agónico del Partido Comunista polaco. Sin embargo, la conversación seguía volviendo a la Iglesia, y eventualmente al Papa mismo. Jaruzelski le sugirió a Gorbachov que considerara al Vaticano como una potencia que compartía algunos de los valores más generalizados del socialismo y le dijo que no necesariamente era un aliado incondicional del capitalismo. Más tarde recordó:

Dije que la Iglesia es una fuerza importante en Polonia. Favorece la oposición, pero todavía tiene una posición bastante racional. Y dije que quería fortalecer la relación con la Iglesia basado en tres principios: el primero era solucionar disputas en la esfera ideológica y filosófica; el segundo, la coexistencia en la esfera política, es decir, que nadie se atravesara en el camino del otro, dar a César lo que es del César, dar a Dios lo que es de Dios, etc; el tercero, cooperación en la esfera social, es decir, el compromiso de combatir los males y patologías sociales existentes y promover una política familiar, la generación más joven, la educación: en síntesis, los temas morales y educativos.

Para mí era muy importante que Gorbachov entendiera mejor que sus antecesores que la Iglesia en Polonia es un fenómeno singular, no sólo en el Este, sino también desde la perspectiva occidental. Así se desarrolló históricamente. Y también configuró nuestra situación psicológicamente. ... En este punto dije que... el Papa, pese a las críticas que nos hacía, entendía la naturaleza de nuestro país. Sabía cómo funciona este país, y le interesaba desarrollar su política oriental *[Ostpolitik]*. Polonia revestiría gran importancia desde este punto de vista, sirviendo como una especie de puente.

"¿Qué tipo de hombre es? –preguntó Gorbachov–. ¿Cuál es su formación intelectual? ¿Es un fanático? ¿O es un hombre con los pies bien puestos sobre la tierra?"

Jaruzelski contestó que el Papa era "una personalidad sobresaliente, un gran humanista, un gran patriota", ante todo un hombre comprometido con la paz.

Gorbachov comenzó entonces a hablar con entusiasmo sobre la coexistencia pacífica entre Este y Oeste, sobre reducción de armas, incluso sobre la eliminación radical de armamentos. Jaruzelski sabía cuán importante era esto, porque había escuchado al Papa expresar opiniones semejantes sobre esos temas. Y, según le dijo Jaruzelski a Gorbachov, cuando Juan Pablo II expresó dichas opiniones "no fue sólo en su calidad de líder de una gran religión, una gran Iglesia, sino también como el hijo de una nación cuya suerte había sido especialmente penosa. Cuando este Papa en particular hablaba de paz, sonaba diferente de cuando, digamos, Pío XII hablaba de ella".

En ese momento a Jaruzelski se le ocurrió que podía convertirse en intermediario entre el Papa y Gorbachov, que podía hablarle al uno sobre el otro. Más tarde, Gorbachov, a semejanza del Papa, le dio el crédito de haber desempeñado ese papel.

¿Hasta qué punto –quería saber Gorbachov– podía la Iglesia "ser de ayuda en el proceso de reforma? ¿Hasta qué punto actuaría como freno?"

"Todo indica que la Iglesia apoya las reformas y las espera", dijo Jaruzelski. El general le preguntó entonces al secretario general sobre la situación de la Iglesia ortodoxa en Rusia.

Gorbachov contestó con cautela, y Jaruzelski percibió cierta reticencia.

"Al Papa –dijo Jaruzelski– le interesa ampliar la política oriental de la Iglesia, propiciar un acercamiento, pero no lo puede hacer sin un gesto de Moscú, una medida que lo haría más fácil para él".

> Aunque el Papa criticaba la ley marcial [prosiguió Jaruzelski], con el solo hecho de haber viajado a Polonia en 1983 le había dado algo de legitimidad. Sin embargo, esto sólo fue posible porque hicimos varias cosas para ayudarle a la Iglesia, entre ellas expedir licencias de construcción para nuevos templos, abrir más seminarios y varios otros privilegios. Algunas medidas semejantes por parte de la Unión Soviética ayudarían a establecer buenas relaciones.

Años después, Jaruzelski diría con más detalle:

> Traté de explicar las razones por las cuales habíamos tomado estas medidas en Polonia y lo que eventualmente nos reportarían; que estábamos aflojando nuestro control sobre las almas de la gente pero ganando, a cambio, un poco de apoyo muy importante de la Iglesia. De modo que no estaba sugiriendo directamente a Gorbachov, "proceda de esta u otra manera", sino más bien "así es como nosotros estamos procediendo y nuestra motivación es esta y la otra". Él era tan inteligente... y perfectamente capaz de adoptar cualquier medida que juzgara conveniente.

Jaruzelski trató de mostrarle a Gorbachov, que era eslavo, la mentalidad eslava y polaca del Papa, así como "su gran sensibilidad frente a la soberanía de Polonia... que este era un Papa eslavo que intuía mejor que otros las realidades de nuestra región, nuestra historia, nuestros sueños. ... Dije que el Papa es un hombre de pensamiento universal, crítico del capitalismo, y cuyas enseñanzas sociales se acercaban bastante a algunos conceptos de la ideología socialista y comunista".

Lo que Jaruzelski no sabía era que Gorbachov ya había decidido nunca más volver a amenazar con el uso de tropas para sostener el imperio comunista.

El ascenso de Gorbachov al poder propició cambios rápidos en las relaciones entre la Iglesia y el Estado en Polonia, y creó una atmósfera en la que Jaruzelski se sentía lo bastante seguro como para comenzar a mitigar muchas de las restricciones impuestas con la ley marcial.

El general hizo un recuento de su reunión con el nuevo líder soviético al primado Glemp, quien a su vez informó al respecto al Papa en una visita a Roma. Gorbachov también había interrogado a Jaruzelski sobre la personalidad del primado. El general habló muy bien de Glemp y elogió su actitud comprensiva frente a los problemas del régimen.

Luego, el 2 de junio de 1985, el Papa publicó una de sus encíclicas más importantes, *Slavorum Apostoli* (Apóstoles de los eslavos), cargada de significado religioso y seglar. Era una invitación al diálogo ecuménico con las iglesias orientales de la URSS.

Con el arribo de Gorbachov al poder, el Kremlin ya no podía interpretar automáticamente esas ofertas como intentos insidiosos de socavar los cimientos de la legitimidad comunista. Dos veces en el siguiente año, a instancias de Jaruzelski, se permitió al primado Glemp viajar a Minsk y Moscú, en donde se reunió con líderes y clérigos católicos y ortodoxos rusos, así como con funcionarios laicos y eruditos. Nunca antes un cardenal polaco había visitado la Unión Soviética.

La "encíclica eslava" conmemoraba los mil cien años del evangelismo de san Cirilo y san Metodio, quienes llevaron el cristianismo a la mayor parte de los pueblos eslavos de Europa oriental. En este documento, el Papa invocó la metáfora de Europa como un "cuerpo que respira con dos pulmones". En 1980 había nombrado a san Cirilo y san Metodio copatrones (con san Benito) de Europa.

Gorbachov, eslavo y comunista, y Wojtyla, eslavo y cristiano, se estaban aproximando uno al otro, cada vez más conscientes del poder y el potencial del otro para hacer el bien. Más tarde ese mismo mes, el nuevo secretario general planteó los cambios económicos que habrían de conocerse como *perestroika*. Habló de un humanismo que unía las aspiraciones de Europa por lograr una paz y una seguridad económicas y políticas. De modo semejante, la *Ostpolitik* del Papa se basaba en la convicción de que la Iglesia debe hablar no sólo para Europa occidental, sino para una entidad y una cultura indivisas, desde los Urales hasta el Atlántico, "con una tradición paneuropea de humanismo que abarca a Erasmo, Copérnico y Dostoievski", al decir de un historiador.

El Papa estaba emocionado y esperanzado con respecto a los cambios iniciados por Gorbachov. No cabía duda de que Polonia, las naciones comunistas del Este e incluso la URSS estaban a punto de sufrir una gran transformación.

Esa primavera, para inmensa satisfacción del Papa, el Consejo de Asuntos Religiosos de la URSS recomendó la participación soviética en la convocatoria interconfesional que Juan Pablo II había hecho en Asís. Wojtyla también era realista. Tenía una experiencia de largos años de trato con ideólogos comunistas. A comienzos del gobierno de Gorbachov, el Papa sostuvo una prolongada conversación sobre el nuevo secretario general con Rocco Buttiglione, un intelectual italiano que visitaba con frecuencia el Vaticano. "Pues es un buen hombre, pero fracasará, porque quiere hacer algo imposible –declaró el Papa–. El comunismo no puede ser reformado". El Papa no cambió su juicio, aunque esperaba y oraba por el éxito de Gorbachov. Ya Gorbachov estaba afrontando resistencia en el partido soviético y en el Politburó. "La *perestroika* es una avalancha que hemos desencadenado y seguirá su curso –le dijo el Papa al padre Mieczyslaw Malinski, su colega seminarista en la clandestinidad–. La *perestroika* es una prolongación de Solidaridad. Sin Solidaridad no habría *perestroika*".

La avalancha había llegado a Checoslovaquia. En la primavera de 1985, en conmemoración del aniversario milésimo centésimo de la muerte de san Metodio, mil cien sacerdotes –una tercera parte del clero católico de Checoslovaquia– concelebraron una misa en el santuario de Velehrad, en Moravia. El cardenal Frantisek Tomásek, de ochenta y seis años, quien había sido encarcelado por los comunistas, leyó una carta del Papa en la que instaba a los sacerdotes "a imitar intrépidamente el espíritu de san Metodio en el camino de la evangelización y el testimonio, incluso si la situación actual lo hace arduo, difícil e incluso amargo".

"Sentíamos cuán fuertes éramos", dijo el obispo Frantisek Lobkowicz, entonces un pastor de treinta y seis años. Hasta ese momento, la Iglesia no había figurado conspicuamente en la oposición checa, aunque algunos intelectuales católicos prominentes estaban afiliados a Carta 77, la organización que cobijaba a los grupos de resistencia checos. Tres meses después, en una Checoslovaquia "normalizada", entre ciento cincuenta y doscientos mil peregrinos católicos marcharon a Velehrad para asistir a otra ceremonia en honor de san Metodio. Durante meses el gobierno había intentado transformar el evento en un "festival por la paz". Sin embargo, cuando los líderes comunistas tomaron los micrófonos, los peregrinos gritaron: "¡Esta es una peregrinación! ¡Queremos al Papa! ¡Queremos misa!" Era la más multitudinaria reunión independiente que se celebraba en Checoslovaquia desde la Primavera de Praga de 1968.

La señal definitiva de que la era de la ley marcial en Polonia realmente estaba llegando a su fin se produjo el 11 de septiembre de 1986, cuando el régimen anunció una amnistía general y liberó a los doscientos veinticinco prisioneros que habían sido considerados como los más peligrosos para el Estado. La liberación de presos políticos había sido la principal exigencia planteada por el movimiento en la clandestinidad desde 1981.

Por primera vez en casi cinco años, todos los líderes de Solidaridad pudieron reunirse en libertad. Las cárceles polacas quedaron nuevamente reservadas para los delincuentes, no para presos políticos.

Entre las personas a quienes se les concedió la libertad incondicional estaba Zbigniew Bujak, quien había sido arrestado apenas dos meses antes, luego de cuatro años y medio de vivir oculto, manteniendo unidos los restos clandestinos del sindicato. Si bien los dirigentes de Solidaridad y sus aliados intelectuales se mostraron inicialmente escépticos frente a la amnistía y temieron que, como había sucedido antes, el gobierno los encarcelaría de nuevo en cualquier instante, era evidente que el régimen había dado un gran paso. Solidaridad, inspirada por el Papa y abastecida en gran parte por la CIA, había sobrevivido a su larga lucha en la clandestinidad.

Con todo, Jaruzelski quería impedir que Solidaridad se reagrupara. Seguía careciendo de *status* legal y la censura todavía estaba vigente, pese a que las publicaciones *samizdat*, la Voz de América, Radio Europa Libre y Radio Vaticano eran ahora los medios de comunicación más influyentes del país.

La comisión Estado-Iglesia, que había sido el medio formal de comunicación (en gran parte superficial) entre el episcopado y el régimen durante la ley marcial, finalmente comenzó a discutir la restauración sustancial de la sociedad civil. Por sugerencia de Jaruzelski, la comisión comenzó a diseñar planes para la conformación de un Consejo Consultivo de profesionales destacados, intelectuales y otras personalidades públicas, que asesorara al gobierno en asuntos de política nacional. Si bien el régimen expresó su deseo de incluir a escritores de la oposición, economistas y otros intelectuales en el consejo, prohibió la participación de dirigentes de Solidaridad.

Como observó un comentarista, "un grupo de personas que se limitaban a hablar con el general Jaruzelski no era exactamente lo que la oposición entendía como reforma política". En gran medida, los líderes de la oposición lograron boicotear el consejo. Sin embargo, varias personalidades destacadas sí participaron, y su desarrollo fue ávidamente seguido por toda la oposición y por la Iglesia. Así fuera involuntariamente, el Consejo Consultivo acabó convirtiéndose en el precursor de las negociaciones de la "Mesa Redonda" que eventualmente conducirían a la democracia polaca. Alentado por Gorbachov, Jaruzelski tuvo otro gesto significativo en el otoño de 1987, cuando creó la Oficina de Derechos Civiles y nombró a un miembro ajeno al partido para procesar los abusos cometidos por el gobierno.

Más tarde, algunos historiadores y biógrafos revisionistas simplificarían en exceso este período de transición, como si el Papa, Gorbachov y Jaruzelski hubieran estado todos marchando a un mismo compás en procura de la misma meta. De hecho, cada uno tenía objetivos diferentes. Como insistió Adam Michnik, entre la terminación formal de la ley marcial en julio de 1983 y la revolución de 1989, Polonia no fue el "socialismo con rostro humano... [sino] el comunismo con unos pocos dientes de menos". Esos años fueron agobiantemente lúgubres. Más tarde, Jaruzelski observaría:

> Pues sí, desde luego todos dijimos que era imposible continuar así, que teníamos que efectuar cambios radicales, pero tendrían que introducirse gradualmente, sin sobresaltos para la gente, sin ocasionar agitación. Es preciso recordar que si bien existía la *perestroika*, también existía el Pacto de Varsovia. Si lee el discurso que pronunció Gorbachov en nuestro décimo Congreso del Partido, el 30 de junio de 1986, verá un lenguaje muy ortodoxo. ... ¿O tal vez recuerde la conversación que sostuvo Gorbachov con Mitterrand? Viajó a Moscú en 1988 en visita de cortesía y preguntó tímidamente, "señor secretario general, ¿no estaría usted un poco dispuesto a considerar este problema de la unificación de Alemania?" Gorbachov le respondió: "Pensaré en eso dentro de cien años". Al año siguiente el Muro ya no existía. ... Sé que hay personas que le dirán, "yo hace diez años lo sabía perfectamente, o yo siempre creí...". Están mintiendo.

El 13 de enero de 1987, por primera vez desde su conversación en el Wawel en 1983, Juan Pablo II y el general Jaruzelski se reunieron, en el estudio del Papa en el Vaticano. Jaruzelski luego calificaría la visita de "histórica", por lo que consideró como una coincidencia crucial de mentes. Por distintas razones, los colaboradores más cercanos al Papa también han utilizado el término "histórico" para describir la sesión. El encuentro duró ochenta minutos, durante los cuales Jaruzelski presentó un informe de primera mano sobre sus conversaciones con Gorbachov y sobre lo que el secretario general llamaba su "nuevo pensamiento".

"Sí, fue una reunión histórica –dijo un intelectual con vínculos estrechos con el Vaticano–. Jaruzelski le dijo que estaba dispuesto a compartir el poder sin derramamiento de sangre. Ese era el punto. Dijo, 'ya estamos derrotados. No existe futuro para el partido o para el sistema comunista en Polonia' ". El ritmo de la reforma, empero, siguió siendo incierto, y persistían interrogantes sobre cuánto tolerarían Gorbachov o el Politburó soviético, y sobre si Solidaridad tendría o no un papel en el futuro de Polonia. Jaruzelski diría más tarde:

Le dije al Papa lo que sabía sobre Gorbachov y sobre el papel que estaba desempeñando, cuáles eran sus intenciones, qué dificultades afrontaba, cuán importante era brindarle respaldo, cómo entenderlo, y cuán grande era esta oportunidad para Europa y el mundo... incluso si todo no estaba marchando tan fluidamente como podría desearse.

Existen razones para creer que en su reunión en el Vaticano, el Papa y Jaruzelski diseñaron un curso futuro para Polonia, acordando en principio negociaciones en las que tanto la Iglesia como la oposición desempeñarían un papel. Jaruzelski, según parece, había llegado en un estado de ánimo muy conciliador. Desde luego, Jaruzelski ya estaba muy consciente de que el Partido Comunista polaco carecía de un verdadero apoyo popular. Era preciso encontrar alguna forma nueva de dirigir el país, y la Iglesia tenía que aprobarla. De lo contrario, la recuperación económica resultaba imposible, y el saneamiento político y la autoestima nacional impensables.

Para entonces, el régimen estaba mitigando otras restricciones a los derechos civiles impuestas durante la ley marcial. Los viajes dentro y por fuera del país eran relativamente fáciles, la censura se había vuelto menos penetrante, la policía era menos conspicua, y se restablecieron algunas organizaciones independientes.

"Descubrí que [el Papa] entendía perfectamente los procesos por los que estábamos atravesando –dijo Jaruzelski, refiriéndose a la reunión–. Concluí que el Papa veía en las tendencias y los cambios que estaban ocurriendo en Polonia un significado que trascendía considerablemente el marco polaco... que [eran], en alto grado, un impulso para los cambios que estaban ocurriendo en los otros países, sobre todo en la Unión Soviética".

Para entonces, Jaruzelski estaba cortejando abiertamente al Papa... y a las fuerzas de la historia. Como de costumbre, buscó la aprobación de las personas a quienes admiraba, ya fuera en el Kremlin o en el Vaticano. En su (discutible) versión de los hechos, aseguró que, luego de imponer las restricciones brutales de la ley marcial, de repente cambió de dirección obedeciendo un antiguo impulso democrático.

La opinión que tenía el Papa sobre Jaruzelski, según las personas más allegadas a Juan Pablo II, era un tanto más fría que la percepción que de él tenía el general, aunque no cabe duda de que Wojtyla consideraba a Jaruzelski ante todo un patriota. Sin embargo, en sus conversaciones con él, el Papa siempre trataba de ofrecer al general una visión mejor que la de Moscú. Ese fue uno de sus grandes logros.

Según el cardenal Deskur, "el Papa estaba consciente de que Jaruzelski tenía un trasfondo religioso muy marcado... escuela católica, padres marianos, etcétera. 'Creo que es un hombre profundamente *credente* (creyente)– dijo el Papa–. No ha perdido la fe' ". Y Wojtyla pensaba aprovechar esto al máximo.

Lo que había sido un sindicato de diez millones de miembros conocido como Solidaridad, emergió de la amnistía como un cuerpo mucho más pequeño, políticamente centralizado y dirigido por Walesa, una organización que guardaba ciertas semejanzas con un partido político occidental. Sin embargo, el antiguo Solidaridad todavía rondaba sobre la nación como una especie de espíritu etéreo que combinaba propiedades míticas y místicas. Pese a la amnistía, Jaruzelski no quería, por ningún motivo, que Solidaridad volviera a ser un sindicato.

Walesa, por su parte, intentaba configurar una poderosa fuerza negociadora, con el respaldo del pueblo y de la Iglesia. Para este fin, tenía un potente aliado en Ronald Reagan, quien había prometido no levantar las sanciones económicas estadounidenses contra Polonia hasta cuando el régimen iniciara negociaciones serias con la oposición. En su necesidad desesperada de poner fin a las sanciones inhabilitantes, Jaruzelski esperaba que la creación de un Consejo Consultivo satisfaría las demandas de Estados Unidos. No fue así.

Walesa afrontaba una tarea colmada de dificultades que exigía una aproximación delicada. En su existencia en la clandestinidad, la oposición se había descentralizado tanto que, como escribió un historiador simpatizante del movimiento, "ahora había demasiados grupos como para darle a cualquiera de ellos una estructura coherente". La vida conspirativa no fomentaba la confianza. Cuando Solidaridad salió de la clandestinidad, estaba desgarrado por conflictos personales e ideológicos. Quienes habían sido recluidos y arrestados peleaban con los que habían eludido la captura. ("Lech Walesa merece otro premio Nóbel de la Paz", observó con ironía Jacek Kuron, por los esfuerzos que realizaba para reconciliar las distintas facciones de Solidaridad). Finalmente, Walesa decidió no reconstituir la antigua comisión nacional del sindicato (cuyos miembros estaban reunidos cuando se declaró la ley marcial). En vez de ello, escogió a dedo los miembros de un nuevo organismo que se llamó Consejo Provisional de Solidaridad.

Muchos de los desacuerdos en el seno de Solidaridad giraban en torno a la política económica. Los partidarios de Walesa propugnaban reformas de mercado y sus opositores criticaban las dificultades que acarrearía inevitablemente una economía de mercado. La tasa de inflación de Polonia se acercaba al cien por ciento anual, y los salarios reales representaban entre un quince y un veinte por ciento menos que en 1980.

Como Jaruzelski le había admitido al Papa los fracasos del partido y del régimen, el verdadero interrogante no era si se iban a realizar negociaciones, sino dónde y en qué circunstancias tendrían lugar. En febrero de 1987, a instancias del Vaticano (y con la garantía privada del arzobispo Pio Laghi a la Casa Blanca de que el régimen polaco eventualmente negociaría con la oposición), Reagan aceptó levantar las sanciones económicas.

En una visita que realizara a Praga ese mes de abril, Gorbachov pareció repudiar la Doctrina Brezhnev, al declarar que "todo el marco de las relaciones políticas entre los países socialistas debe basarse en una independencia absoluta. ... Cada nación tiene derecho a escoger su propio camino de desarrollo, a decidir su propio destino, a disponer de su territorio y de sus recursos humanos y naturales". Eran palabras muy parecidas a las que venía pronunciando el Papa durante los últimos ocho años.

Sin embargo, los demás líderes comunistas de Europa oriental no compartían el entusiasmo de Gorbachov. La oposición iba desde la resistencia pasiva de Gustav Husak –durante la visita de Gorbachov a Praga, Husak le hizo eco a su retórica pero se le opuso en la práctica– hasta la actitud desafiante de Erich Honecker, de Alemania Oriental, y de Nicolae Ceausescu, de Rumania, quienes insistían en que sus naciones no requerían "reestructuración" económica o apertura política. Incluso János Kádár, de Hungría, que ya había puesto en marcha cambios económicos aun más ambiciosos que los que ahora adoptaba Gorbachov, parecía desconcertado ante la defensa de la democratización que hacía el líder soviético.

Durante su visita a Praga, Gorbachov defendió un tanto sus posturas: "En la actualidad, varios de los países hermanos ... han aplicado métodos y soluciones originales. Ningún partido tiene el monopolio de la verdad. No pretendemos pedir a nadie que nos imite. Al propio tiempo, no ocultamos nuestra convicción de que el proceso de reconstrucción emprendido en la Unión Soviética corresponde a la esencia del socialismo".

Husak, Honecker, Ceausescu y Todor Zhivkov, de Bulgaria, tenían todos más de setenta años y habían asumido el poder durante la era Brezhnev. Gorbachov no quería (o no podía) forzarlos a seguir su ejemplo. No sin razón, estos líderes temían que el modelo Gorbachov y el tipo de pluralismo propugnado por Jaruzelski significaran el final del comunismo.

En Checoslovaquia, Gorbachov se refirió abiertamente al "período difícil" de 1968 y a la Primavera de Praga. "Fue una crisis para ustedes y para nosotros", les dijo a los obreros de una fábrica, sin intentar defender o justificar la invasión soviética. Era precisamente el tipo de señal que tanto el Papa como Jaruzelski estaban aguardando.

Pero cuando Jaruzelski visitó brevemente Moscú a fines de abril de 1987 para firmar una declaración de cooperación soviético-polaca –en "ideología, ciencia y cultura"–, Gorbachov le dijo que la *perestroika* estaba afrontando una férrea resistencia. Más tarde, Gorbachov escribió:

> Comenté cándidamente con Jaruzelski las dificultades que afrontaba la *perestroika*. Mis esperanzas de contar con el apoyo del aparato del partido en la democratización y la reestructuración del estilo y los métodos de gobierno no se habían materializado. Más aún, la resistencia a los cambios aumentaba desde esa dirección. Jaruzelski escuchó atentamente mis reflexiones y me contó sus propias dificultades: incluso después del congreso, el PUWP [el Partido Comunista polaco], sobre todo a nivel local, no había cambiado mucho. El aparato del partido se oponía a las reformas. En pocas palabras, sucedía lo mismo que aquí.

Los dictadores

El viaje de Juan Pablo II a Chile en abril de 1987 fue parte de su estrategia de apoyo a los países latinoamericanos en su transición pacífica a la democracia. El Papa quería asegurar, en donde fuere posible, la hegemonía política de los partidos demócrata cristianos o de un bloque de fuerzas de centro derecha que, coincidencialmente o no, se ajustara pulcramente a la visión de la Casa Blanca de Reagan. El triunfo de los líderes demócrata cristianos José Napoleón Duarte, en El Salvador, y Marco Vinicio Cerezo Arévalo, en Guatemala, parecía constituir un inicio exitoso de esta política.

En Chile, se estaban realizando contactos entre el general Augusto Pinochet, los partidos políticos nacionales de carácter civil, la Iglesia y Washington para negociar un acuerdo según el cual Pinochet convocaría unas elecciones presidenciales o un referendo. Parte de este eventual trato (acordado en 1989) estipulaba que a Pinochet, quien en 1973 dirigió el golpe de Estado que aplastó al gobierno elegido de Salvador Allende y que presidió la brutal represión subsiguiente, le sería concedida inmunidad por los crímenes de su régimen, y que se le permitiría conservar su cargo como comandante de las fuerzas armadas.

El papa Wojtyla facilitó esta estrategia con el nombramiento de Juan Francisco Fresno como nuevo arzobispo de Santiago, un cargo de enorme importancia en un país cuya población era ochenta por ciento católica. El cardenal Fresno era mucho más diplomático y flexible en su trato con Pinochet que su antecesor, el cardenal Raúl Silva Henríquez, quien se convirtió en un crítico implacable del régimen de Pinochet y en defensor de sus opositores y víctimas. Había creado el Vicariato de Solidaridad, que proveía ayuda material a individuos perseguidos por la dictadura y asistencia legal a quienes habían sido torturados y a las familias de los *desaparecidos* (las miles de personas que "desaparecieron" por conducto del ejército y la policía secreta). El vicariato le había conferido a la Iglesia una enorme popularidad. Realizaba una labor muy eficiente al documentar para las Naciones Unidas y las organizaciones humanitarias internacionales las torturas, los asesinatos y los secuestros cometidos por el régimen. En los años anteriores a la visita del Papa, el vicariato había documentado cien casos de tortura y tratamiento inhumano en

1984, ochenta y cuatro en 1985 y ciento nueve en 1986. Sin embargo, el cardenal Henríquez fue obligado a jubilarse pocos meses después de cumplir setenta y cinco años, sin obtener la extensión de edad que el Papa concedía con frecuencia a cardenales sobresalientes.

En el avión papal con rumbo a América Latina en abril de 1987, Juan Pablo II hizo un pronunciamiento que sorprendió a los liberales de los países occidentales. Dijo que la dictadura chilena, causante de muchos miles de muertos, podía considerarse menos maligna que su equivalente polaco. "En Chile existe un sistema que en la actualidad es dictatorial –le contestó a un periodista que le preguntó sobre las semejanzas entre Chile y Polonia–. Pero este sistema es, por su misma definición, transitorio". Cuando se le preguntó si existía una transición en curso en Polonia, el Papa respondió: "Por lo menos no hay motivos de esperanza a ese respecto. Podéis ver, entonces, que la lucha del otro pueblo [los polacos] es mucho más difícil y exigente".

El pueblo chileno acogió con entusiasmo espontáneo la llegada del Papa, que percibían como una señal de esperanza para el cambio político. En esos días de abril, cientos de miles de chilenos clamaron "Wojtyla, hermano, llévate al tirano" y "Wojtyla, Wojtyla, llévate al gorila".

Cuando Juan Pablo II arribó a Santiago el 1º de abril, el general Pinochet alardeó de haber salvado al país " del terrorismo y de la violencia marxista atea". Por su parte, el Papa se presentó como mensajero de la paz, la justicia, la verdad, la unidad y la coexistencia. También expresó sus esperanzas en cuanto a "la victoria del perdón, de la compasión, de la reconciliación". Durante su estancia en Chile –a diferencia de sus giras en Polonia– evitó decir cualquier cosa que pudiera exacerbar los sentimientos de indignación y repulsión que despertaba la dictadura.

Durante una presentación del Papa, la Federación de Estudiantes Chilenos logró introducir en el comité de bienvenida a una joven de diecinueve años, Carmen Gloria Quintana. En una manifestación, los soldados de Pinochet la habían rociado con gasolina y le habían prendido fuego. Sus orejas eran ahora dos agujeros, su rostro un mosaico de manchas marrón, rosadas y blancas. "Sé sobre esto, sé sobre esto", murmuró el Papa mientras pasaba rápidamente por su lado. En una reunión con los líderes del Vicariato de Solidaridad, que le entregaron un álbum con fotos de 758 *desaparecidos*, el Papa declaró: "Siempre guardo en mi corazón a los prisioneros que han desaparecido". Pero en su gira de seis días, sólo los mencionó de pasada y tan sólo una vez planteó el tema de la tortura, durante una parada en Punta Arenas, en el Estrecho de Magallanes, a dos mil doscientos cuarenta kilómetros de la capital.

En Santiago, al día siguiente de su arribo, Juan Pablo II se convirtió en el segundo jefe de Estado (el primero había sido el presidente de Uruguay) que visitó a Pinochet en su residencia oficial, en donde, durante el golpe de 1973, el presidente Salvador Allende había sido asesinado o (según algunos) forzado a suicidarse. "Vengo en calidad de sacerdote –dijo el Papa– para impartir la bendición de paz a esta casa y a todos los que en ella habitan". Cuando el general invitó al Papa a salir al balcón para recibir las aclamaciones de una multitud prorrégimen –que había sido llevada en autobuses a la plaza desde la madrugada–, Juan Pablo II aceptó. Obviamente satisfecho, Pinochet oró con el Papa en la capilla del palacio.

El general utilizó en provecho propio la buena voluntad del Papa. El 2 de abril, sin parpadear siquiera, ordenó a seiscientos soldados reprimir violentamente una manifestación de doscientas cincuenta personas desprovistas de vivienda que ocupaban una parcela en un suburbio de Santiago. En el ataque, los soldados asesinaron a un hombre de veintiséis años. Al día siguiente, durante una misa papal en un parque de la capital, Pinochet ordenó una intervención masiva con automóviles blindados, camperos y policías con porras y escudos, mangueras de agua y gas lacrimógeno para acallar a setecientos manifestantes que gritaban consignas contra la dictadura y arrojaban piedras contra las fuerzas del orden estacionadas en el perímetro del parque. Los manifestantes, que pertenecían al partido de extrema izquierda MIR y a organizaciones de jóvenes disidentes aliadas con el Partido Comunista chileno, eran una minúscula fracción de los setecientos mil devotos presentes en la misa. Sin embargo, el general quería llamar la atención sobre el hecho. La policía arremetió contra los manifestantes, que estaban quemando neumáticos para protegerse, y embistió a la multitud de fieles. Debajo del altar en donde el Papa oficiaba la misa, soldados en jeeps empezaron a movilizarse en círculos. Los periodistas, peregrinos y sacerdotes que intentaron bloquearlos terminaron arrollados y lesionados. Los vapores del gas lacrimógeno llegaron incluso al altar, en donde Juan Pablo II, con los ojos enrojecidos y la garganta ardiente, se saltó secciones enteras de su homilía sobre la reconciliación, mientras su médico personal le daba agua y sal para contrarrestar el aire envenenado.

"¡El amor es más fuerte que el odio!", gritó Juan Pablo II, mientras en torno suyo miles de espectadores aterrados gritaban "¡salven al Papa!" Seiscientas personas resultaron heridas. Todos los partidos políticos, incluidos los socialistas y los comunistas, denunciaron la acción de las fuerzas de seguridad, calificando su respuesta de provocación. Sin embargo, el cardenal Fresno y el presidente de la Conferencia Episcopal chilena expidieron un comunicado en el que identificaban a la policía como víctima principal del suceso y culpaban a los manifestantes. Decía que los manifestantes habían intentado evitar que los asistentes expresaran sus creencias y que habían ofendido al Papa. "Protestamos contra este increíble asalto, que redundó en golpes y heridas contra los *carabineros*, la guardia papal, periodistas, sacerdotes y fieles". No se mencionó palabra alguna sobre la brutalidad policial, de la cual había sido testigo todo el cuerpo de la prensa internacional.

La persona encargada de organizar el viaje del Papa, monseñor Francisco Cox, asumió la misma actitud. Cuando se le pidió su opinión sobre la muerte de Patricio Juica, el hombre asesinado el día anterior, Cox declaró: "El Papa ha orado por él y lo lleva en su corazón. Pero no hay que olvidar que murió en una provocación causada por pequeños grupos de manifestantes".

Todos los partidos principales opuestos al régimen propugnaban una transición pacífica a la democracia. El Papa, sin embargo, como si le obsesionara el fantasma de una revolución marxista, afirmó en su reunión con los obispos: "No debemos confundir la noble lucha por la justicia, que es la expresión de respeto y amor por el hombre, con un movimiento que ve la lucha de clases como la única forma de eliminar las injusticias de clase que existen en la sociedad".

Fiel a la estrategia de Wojtyla, el nuncio Angelo Sodano invitó a los líderes de todos los partidos políticos a una reunión con el Papa. Todos estaban bienvenidos, siempre y cuando firmaran una carta en la que se comprometían a trabajar por la defensa de toda vida humana (la fórmula usualmente utilizada para oponerse al aborto legalizado), la reconciliación nacional, la transición pacífica a la democracia y el respeto por las

tradiciones cristianas de Chile. Era la primera vez desde la muerte de
Allende en 1973 que todos los partidos –desde los derechistas hasta los
comunistas– se encontraban bajo el mismo techo. Y antes de marcharse
de Chile –revelaría el Papa en privado muchos años después–, "le sugerí
a Pinochet que dimitiera".

Las palabras de condena a la violencia gubernamental que
Juan Pablo II *no* pronunció públicamente en un Chile sometido al yugo
de la dictadura, sí las dijo en un país que hacía muy poco había recobra-
do la democracia: Argentina. Allí llegó el 6 de abril de 1987, y sermoneó
a Raúl Alfonsín, el primer presidente democráticamente elegido después
de la dictadura militar. Los derechos humanos tenían que garantizarse,
dijo el Papa, "incluso en situaciones de extrema tensión, evitando la tentación de responder a la violencia con más violencia".

Según un sondeo de opinión, los argentinos respondieron al Papa
con indiferencia o aversión. En vísperas de su visita, tres iglesias habían
sido blanco de ataques. Argentina era un país en donde, durante las recientes dictaduras militares, la lucha del ejército contra la guerrilla de los
montoneros y contra cualquier otro tipo de oposición había cobrado
numerosas víctimas. Los obispos habían estado profundamente comprometidos con el régimen militar. En marzo de 1976, el cardenal Aram-
buru de Buenos Aires había impartido la comunión y su bendición al
general Videla, líder de un golpe de Estado. El capellán de las fuerzas
armadas, el arzobispo José Miguel Medina, que todavía ejercía su cargo
cuando arribó Juan Pablo II, había llegado incluso a justificar la tortura,
y no era el único prelado en haberlo hecho. En términos generales, la
Conferencia Episcopal había sido muy tímida en sus críticas contra la
brutalidad de la dictadura. El clero también había guardado silencio
cuando el obispo Enrico Angelelli, un personaje mal visto por el régimen, murió en un accidente de tránsito que, en opinión de muchos, había sido provocado.

Durante la visita papal, Adolfo Pérez Esquivel, premio Nóbel de la
Paz en 1980, dio una conferencia de prensa en la que denunció al obispo
Medina, explicando: "Están aquellos que guardaron silencio cuando, so
pretexto de defender la 'civilización' cristiana, la dictadura masacró al

pueblo". Sin embargo, el Papa no pronunció palabra alguna sobre la cercanía de la Iglesia con los militares, y se negó a reunirse con las Madres de la Plaza de Mayo, mujeres cuyos parientes habían desaparecido tras haber sido secuestrados por los militares, y que llevaban años clamando justicia mientras marchaban en torno a la famosa plaza de la capital argentina.

En sus intervenciones, el Papa hacía énfasis en la paz y la reconciliación. En el discurso que pronunció ante los obispos de Buenos Aires el 12 de abril, incluso pareció defender implícitamente su actuación en el pasado: ("Sé sobre vuestras intervenciones profundamente sentidas, que han salvado vidas humanas"). Tan sólo el séptimo día de su estancia en Argentina hizo una mínima alusión a los desaparecidos, en una presentación ante una audiencia de jóvenes.

De hecho, la meta principal del viaje de Juan Pablo II a Argentina parecía ser impedir la sanción de una ley de divorcio. En la ciudad de Córdoba, dijo que negar el vínculo indisoluble del matrimonio equivalía a socavar los cimientos de la sociedad.

La gira por Latinoamérica en 1987 sigue siendo uno de los momentos más ambiguos de la vida de Juan Pablo II. Las palabras pastorales quizás más sinceras que se escucharon en esas semanas provinieron de dos obispos. En Concepción, en Chile, el obispo José Manuel Santos denunció públicamente el "terrorismo estatal", lamentando que "personas que cometieron crímenes horrendos todavía no han comparecido ante la justicia". Y en Viedma, en Argentina, el obispo Miguel Hesayne, hablando en presencia del Papa, dijo: "Pido el perdón del Papa, porque la Iglesia argentina no siempre se ha identificado con los pobres y los perseguidos".

Juan Pablo II hizo su arribo triunfal a Varsovia dos meses después, el 8 de junio de 1987, en su tercer peregrinaje pontificio a su tierra natal, esta vez para reivindicar a Solidaridad. Aunque su visita se realizó con un telón de fondo de privaciones y sufrimiento profundamente perturbador, la expectativa que suscitó su primera peregrinación –la esperanza, la emoción, el desafío– todavía se sentía. Además, Wojtyla estaba en el pináculo de su poder e influencia mundiales. En Filipinas, por ejemplo, el dictador Ferdinand Marcos había abdicado el año anterior, por insistencia de Estados Unidos y de la Iglesia católica.

Solidaridad funcionaba ahora abiertamente aunque con cautela, y sus miembros abrigaban, con razón, fuertes sospechas contra las autoridades. Durante la semana que duró su visita, el Papa se reunió en privado con Walesa cerca del astillero de Gdansk (después de que terminó su turno como electricista), y luego le dio la comunión en una misa a la que asistieron cientos de miles de fieles. El Papa hizo un llamado emocional implacable al "legado especial del Solidaridad polaco", y todos los días su desafío al régimen fue más directo.

En una de las misas más extraordinarias de su pontificado, celebrada en Gdansk ante una multitud de setecientos cincuenta mil trabajadores y sus familias, el Papa invocó los acuerdos de 1980, rastreando sus raíces a los sucesos sangrientos ocurridos en el astillero en 1970. Los acuerdos de Gdansk, declaró, "pasarán a la historia de Polonia como una expresión de la concientización creciente de la gente trabajadora en lo que concierne a todo el orden social-moral en territorio polaco". Mirando por encima de un mar de banderas de Solidaridad, el Papa dejó de lado el texto que tenía preparado.

"Oro por vosotros todos los días en Roma, oro por mi patria y por vosotros, trabajadores. Oro por el legado especial del Solidaridad polaco". Su audiencia estaba fuera de sí: lloraba, aplaudía, oraba, levantaba puños al aire.

Juan Pablo II estaba de pie sobre una estructura configurada a la manera de un barco gigantesco, cuya proa tenía la forma de san Pedro portando en alto las llaves del reino y del Evangelio. Desde su "barco", el Papa le dijo a la multitud: "Estoy feliz de estar aquí, porque me habéis nombrado capitán. ... ¡No existe lucha más efectiva que Solidaridad!" Enseguida reafirmó el derecho absoluto de los trabajadores al "autogobierno". Después del discurso del Papa en Gdansk, Walesa dijo: "Estoy muy contento. Ahora hasta un tonto puede entender que encontrar un camino en este laberinto ... exige Solidaridad. Este es el único camino".

Durante su visita, Juan Pablo II aprovechó todas las oportunidades que se le presentaron para ensanchar la brecha percibida entre su visión y la del régimen, con la consiguiente mortificación de Jaruzelski. El Papa pidió repensar las "premisas mismas" del orden comunista de Polonia.

"En nombre del futuro de la humanidad, la palabra 'solidaridad' debe pronunciarse con fuerza –les dijo a cientos de miles de marineros en el puerto de Gdynia, cerca de Gdansk, hablando desde un altar elevado cerca de las aguas oscuras del muelle–. Esta palabra se pronunció aquí mismo, en una nueva forma y en un nuevo contexto. Y el mundo no lo puede olvidar. Esta palabra es vuestro orgullo, marineros polacos".

El régimen respondió a la visita con censura de televisión, el despliegue de decenas de miles de policías antimotines, centenares de arrestos y, finalmente, una amarga arremetida verbal de Jaruzelski en las ceremonias de despedida al Papa en el acropuerto de Varsovia. Jaruzelski se mostró enojado y brusco, y dio la impresión de sentirse traicionado por el Papa: "Su Santidad, pronto se despedirá de su patria. Se llevará su imagen en el corazón, pero no podrá llevarse sus problemas". El Papa hizo un gesto y cerró los ojos mientras Jaruzelski prosiguió: "Polonia necesita la verdad. Pero la verdad sobre Polonia también es necesaria. ¿Con cuánta frecuencia en estos últimos días ha sido víctima de la manipulación externa que tanto ofende el sentido común de nuestro pueblo?" Se refería con sarcasmo a las repetidas evocaciones que el Papa había hecho de Solidaridad, en cuanto organización y en cuanto concepto: "Que la palabra 'solidaridad' sea escuchada desde esta tierra por todos los pueblos que siguen sufriendo por racismo, neocolonialismo, explotación, desempleo, represalias e intolerancia". La audiencia quedó sorprendida por esta falta de respeto.

Fue una de las declaraciones públicas más agresivas que pronunció Jaruzelski durante sus seis años en el poder.

Con esta visita, los polacos sintieron que el fin del régimen se aproximaba. El partido estaba hecho añicos, y era evidente que el general y sus secuaces estaban perdiendo el contacto con la realidad. Cuando Jaruzelski y el Papa se reunieron en privado, el general pareció especialmente complacido al informar a Wojtyla que por primera vez los obispos de la Iglesia y los secretarios locales del partido habían unido fuerzas en todo el país para planear una visita papal.

También sería esta la última vez.

Después de la visita del Papa, los eventos en Polonia se sucedieron con rapidez metódica: en cada coyuntura importante, el régimen respondía con algunas medidas a las presiones de Solidaridad, el pueblo y el Papa, y se sentía presa de una sensación agobiante. Reconociendo que las reformas económicas de los últimos cinco años habían fallado, Jaruzelski organizó un referendo en el que los polacos debían votar a favor o en contra de un programa de cambio económico radical, fuerte austeridad y pasos restringidos hacia el pluralismo político. Solidaridad urgió un boicot del referendo, aduciendo que el gobierno lo utilizaría como un voto de confianza. El boicot tuvo éxito. Cuando no pudo atraer a una mayoría de votantes a las urnas, el gobierno anunció su derrota. Por primera vez en la historia de la posguerra, un gobierno comunista admitía que no había ganado unas elecciones.

En su intento por evitar negociaciones directas con Walesa o con otros dirigentes de Solidaridad, Jaruzelski acudió al Consejo Consultivo, entre cuyos miembros figuraban Jerzy Turowicz y otros intelectuales católicos allegados al Papa. Más que cualquier otra cosa, Jaruzelski no quería ser el primer líder comunista del Pacto de Varsovia en ser reemplazado por un dirigente no comunista. Habría cuentas por saldar. Sin embargo, su gesto fue un poco tardío.

El viraje se produjo como consecuencia de una serie de huelgas espontáneas en 1988. Walesa siempre había advertido que los trabajadores iban a tomar el asunto en sus manos. Las huelgas, en abril y mayo, se convirtieron en una marejada. Sin embargo, no fueron convocadas por Solidaridad. Los huelguistas eran, en su mayoría, obreros de fábrica jóvenes y empobrecidos para quienes los sucesos de 1980 eran como una especie de mito. Furiosos, entraron en huelga como protesta contra su nivel de vida cada vez más bajo. Sus emociones al rojo vivo amenazaron con llevar al caos. El gobierno se acobardó y recurrió al propio Walesa para que convenciera a los huelguistas de retornar al trabajo. Sin embargo, estos se negaron –cientos de miles de ellos– hasta cuando Jaruzelski y el régimen prometieron que el gobierno iniciaría conversaciones sobre el futuro del país con una oposición que incluía a Walesa.

Jaruzelski había pensado que un Solidaridad debilitado le permitiría ejecutar políticas reformistas a su propio ritmo, y sin una oposición organizada. Ahora, bajo coacción, aceptó las condiciones de los trabajadores. Timothy Garton Ash escribió en ese momento:

> Desde hace ocho años, Solidaridad, la Iglesia y los políticos occidentales han dicho que la única forma de conseguir apoyo popular para una reforma económica tan penosa como indispensable es un diálogo que conduzca a un compromiso histórico entre los trabajadores autoorganizados y el poder comunista autolimitado. ... Durante casi siete años, las autoridades comunistas han hecho prácticamente todo, salvo hablar con Solidaridad. ... Y después de siete años, los trabajadores en los grandes bastiones industriales del país se levantan y dicen ¡Solidaridad! De modo que las autoridades hacen lo que tantas veces dijeron que jamás harían: comienzan a conversar con Lech Walesa. A su vez, Walesa logra, con dificultad, poner fin a las últimas huelgas.

La discusión de cuatro horas que sostuvo Walesa con representantes del gobierno el 31 de agosto de 1988 no produjo ningún progreso notorio, pero el solo hecho de haber ocurrido fue altamente significativo. Durante seis años el gobierno había hecho a Walesa a un lado, considerándolo "el ex líder del antiguo Solidaridad", en palabras de Jerzy Urban, vocero de prensa de Jaruzelski.

El 18 de enero de 1989, Jaruzelski anunció que Solidaridad volvería a ser reconocido legalmente como sindicato. Había renunciado a su cargo de primer ministro para convertirse en presidente de Polonia, con poderes ejecutivos absolutos. Su sucesor como primer ministro, Mieczyslaw Rakowski, antes primer ministro adjunto, hizo una visita oficial al primado Glemp, como lo exigía el protocolo. Su conversación versó sobre la situación política, y Glemp le recalcó al comunista Rakowski la importancia de apoyar las políticas de Gorbachov en la Unión Soviética. Agregó que el Papa estaba comprometido con esas políticas, tanto en la URSS como en Polonia.

El 6 de febrero, mientras manifestantes en todo el país protestaban contra los aumentos en los precios, representantes del gobierno y de la oposición se sentaron en lo que vino a conocerse como las negociaciones de la Mesa Redonda sobre el futuro de Polonia. Se acercaba el fin de una época.

Las conversaciones, discretamente conducidas bajo los auspicios de la Iglesia, duraron ocho semanas y abarcaron temas que iban desde política económica hasta servicios de salud, desde reformas políticas hasta los derechos inalienables de los ciudadanos polacos. Walesa, el general Czeslaw Kiszczak (el ministro del Interior que lo había arrestado en 1981), el miembro del Politburó Stanislaw Ciosek y un corrillo de asesores del partido condujeron la parte más sensible de las negociaciones ellos mismos, en presencia del cardenal Macharski, de Cracovia. "Si ninguna de las partes cedía, sabíamos que siempre nos quedaba el recurso de acudir al Vaticano en busca de ayuda", dijo Ciosek.

El acuerdo crucial convenido en la Mesa Redonda estipulaba la celebración de elecciones libres y abiertas en junio, para decidir los escaños de un nuevo organismo que se llamaría el Senado. También se acordó la legalización total de Solidaridad.

Cuando se celebraron las elecciones el 4 de junio, Solidaridad obtuvo todos salvo uno de los 262 escaños a los cuales se le había permitido someter su candidatura. Ese domingo, en la misa, los párrocos habían hecho un llamado a los fieles para que votaran por los candidatos de Solidaridad contra los comunistas. "Es un resultado terrible –dijo Jaruzelski–. Es culpa de la Iglesia".

Jaruzelski, con el apoyo extraoficial del sindicato, ganó por un margen estrecho la Presidencia. Sin embargo, una coalición tan frágil entre dos antiguos enemigos estaba condenada al fracaso. El 19 de agosto, Jaruzelski le pidió a Tadeusz Mazowiecki, un intelectual católico que asesoró a Walesa durante las huelgas de Gdansk en 1980, que conformara un gabinete, y el 24 de agosto Mazowiecki se convirtió en primer ministro y Solidaridad accedió oficialmente al poder.

Entre tanto, lo primero que hizo Walesa una vez suscritos los acuerdos de la Mesa Redonda fue viajar a Roma con cinco colaboradores para expresar a Juan Pablo II su agradecimiento en nombre de Solidaridad y del pueblo polaco.

Las repercusiones de la caída de Polonia sacudieron al bloque oriental durante el resto del invierno, hasta que finalmente ya no quedó bloque alguno.

Cuando los húngaros abrieron su frontera con Austria en septiembre (ya habían suprimido la alusión al "papel dirigente" del partido de su Constitución), decenas de miles de alemanes orientales comenzaron a ingresar a Hungría, que se convirtió en una especie de trampolín hacia Occidente. La mayor parte viajó a Alemania Occidental, que por ley garantizaba la ciudadanía a todos los alemanes.

Cada vez más aislado, Erich Honecker, el líder comunista de Alemania Oriental, protestó ante los húngaros por la apertura de la frontera, pero todo fue en vano. Cuando se le pidió que interviniera, Gorbachov se negó cortésmente. Muy pronto los alemanes orientales también comenzaron a huir cruzando las fronteras de Polonia y Checoslovaquia, pues las embajadas de Alemania Federal en Varsovia y Praga estaban concediendo asilo político y viajes gratuitos a Occidente.

Luego, en octubre, centenares de miles de personas salieron a las calles de Leipzig y de Berlín Oriental, pidiendo la destitución de Honecker. La policía no podía o no quería contener las manifestaciones y, finalmente, Honecker dimitió. Egon Krenz, un miembro más joven del Politburó, asumió el control de Alemania Oriental y el 9 de noviembre abrió su frontera con Alemania Occidental. Al día siguiente, el Muro de Berlín fue abierto, y los trabajadores comenzaron a destruirlo.

Los dominós comunistas se estaban desplomando. El 10 de noviembre, el gobierno de treinta y seis años del presidente búlgaro Todor Zhivkov terminó con una purga del partido. En Checoslovaquia, enormes multitudes se tomaron las calles, exigiendo un gobierno multipartidista y la renuncia del presidente Husak. Hubo vigilias nocturnas. Alexander Dubcek, el dirigente de la primavera de Praga de 1968, se unió a los manifestantes en la capital, en lo que constituyó su primera figuración en público en los últimos veintiún años. Un mes después, Husak renunció y se estableció un gobierno de coalición conformado por comunistas y miembros de la oposición checa. Tan sólo siete meses después de haber sido liberado de prisión, el dramaturgo disidente Vaclav Havel fue elegido presidente.

Rumania padeció la única revolución verdaderamente sangrienta de 1989. Cuando las fuerzas de seguridad rumanas atacaron a los manifestantes en la ciudad de Timisoara, el ejército se situó del lado del pueblo. Centenares de personas murieron, incluido el despreciado líder del partido, Nicolae Ceausescu, y su esposa, acribillados por un pelotón de fusilamiento.

Y luego estaba la URSS.

El 1º de diciembre de 1989, las aceras de la amplia avenida que conduce al Vaticano estaban atestadas con cientos de miles de personas presas de un estado de expectativa y emoción. El secretario general del Partido Comunista de la URSS y el supremo Pontífice de la Iglesia católica romana estaban a punto de reunirse por primera vez.

Prácticamente todos los monseñores y arzobispos de la curia habían hecho un alto en su trabajo para ver, ya fuera desde la ventana de alguna oficina o por la televisión, el arribo de Mijaíl Gorbachov en su limusina (que portaba la bandera roja con la hoz y el martillo). Durante más de sesenta años, la Iglesia católica y el Kremlin habían luchado encarnizadamente, y estos hombres vestidos de negro, entrenados en sus seminarios para despreciar y combatir a los "enemigos de Dios" en todo el mundo, habían estado en el frente de batalla.

Sin embargo, el día anterior, en un discurso pronunciado en el capitolio italiano, el secretario general había hablado sobre la necesidad de espiritualidad en el mundo. Hizo un llamado para una "revolución en las almas de los hombres", al tiempo que exaltó "las leyes eternas de humanidad y moralidad de las que hablaba Marx".

"La religión le ayuda a la *perestroika* –declaró–. Hemos cesado de reclamar el monopolio sobre la verdad. ... Ya no pensamos que quienes no están de acuerdo con nosotros son enemigos". No cabía duda, era un "nuevo orden mundial".

En Europa oriental, el imperio comunista se estaba desplomando. En la Unión Soviética, sin embargo, Gorbachov seguía ejerciendo el mando total. Había ordenado el retiro del Ejército Rojo de Afganistán (una derrota implícita) y estaba negociando seriamente con Estados Unidos sobre reducciones adicionales de armamentos nucleares y convencionales. El día después de su encuentro con el Papa, debía viajar a Malta para reunirse con el presidente George Bush. Había permitido que los países del bloque oriental tomaran su propio camino y, en general, el pueblo soviético esperaba que la reducción subsiguiente en gastos militares revitalizara la economía nacional y mejorara sus niveles de vida. En marzo se celebraron las primeras elecciones cuasidemocráticas en la historia de la URSS, y muchos de los viejos jefes de partido de la antigua *nomenklatura* sufrieron derrotas aplastantes. Gorbachov y su ministro de Relaciones Exteriores, Edvard Shevardnadze, proclamaron una era de "socialismo democrático".

Con la liberación de Polonia y la desintegración del comunismo al occidente de Ucrania, el Papa pensó que él y Gorbachov eran almas eslavas gemelas con objetivos sorprendentemente comunes. Gorbachov creía lo mismo. Una de las metas más importantes que compartían era la cohesión de la URSS. Estaban surgiendo tensiones nacionalistas (y ocasionando derramamiento de sangre) en Armenia, Azerbaiján y Georgia, dentro de las fronteras de la Unión Soviética.

La visión que tenía el Papa de Europa y el mundo lo hacía sentir en muchos sentidos más cerca de Gorbachov que de George Bush, a quien Wojtyla veía bajo una luz muy diferente que a Ronald Reagan. Para el Papa, Reagan había sido, como seguía siéndolo Gorbachov, un instrumento en manos de Dios. Por la razón que fuere, al Papa parecía no haberle molestado el compromiso desenfrenado de Reagan con el materialismo y el capitalismo occidentales.

Como resultado, en ningún momento en los ocho años de presidencia de Reagan el Vaticano o el Papa criticaron abiertamente la Casa Blanca, aunque Juan Pablo II no dudó en confrontar los excesos del capitalismo o el materialismo. En términos generales, incluso les pidió a los obispos estadounidenses que temperaran sus críticas al *"reaganomics"*.

El Papa había respaldado las políticas antimarxistas del gobierno de Reagan en América Latina (incluso en países en donde católicos estaban matando a católicos), y en general había aceptado sus razonamientos sobre el refuerzo militar en los años ochenta, pese a las fuertes objeciones de sus obispos en Estados Unidos. Cuando la Academia de Ciencias del Vaticano preparó un informe muy crítico contra la Iniciativa de Defensa Estratégica ("la guerra de las galaxias") de Reagan, el Papa, luego de un fuerte *lobby* de Vernon Walters, el vicepresidente Bush, el director de la CIA Casey y el propio Reagan, ordenó que se archivara el informe. No fue sino desde el estallido de la guerra del Golfo Pérsico en 1991 –después de la caída del comunismo en Europa oriental y central– que el Papa o su Iglesia se opusieron públicamente a una decisión importante de la política estadounidense.

Juan Pablo II se había reunido con Bush tres veces antes de su elección a la Presidencia, y no encontró en él mucho que fuese poco convencional, o desinteresado, o clarividente, o de principios especialmente fuertes. De hecho, Wojtyla temía que Bush fuera un líder convencionalmente patriotero, en un momento de la historia en que tales actitudes podrían ser peligrosas y contraproducentes. A diferencia de Reagan, a Bush, según la percepción del Papa, sólo le interesaba la ventaja estratégica y económica de Estados Unidos. Eso fue lo que dijo el Papa en su reunión con Gorbachov. Gorbachov era completamente distinto, un hombre que había propiciado muchos de los cambios increíbles que estaban ocurriendo en Europa. El 13 de junio de 1988, Gorbachov había recibido al cardenal Casaroli en el Kremlin. "Lo más importante que existe es el ser humano –le dijo Gorbachov a Casaroli, asemejándose muchísimo al Papa–. El ser humano debe estar en el centro de las relaciones internacionales. Ese es el punto de partida de nuestro 'nuevo pensamiento' ". En Lituania, el viejo cardenal Vincentas Sladkevicius, recluido por los comunistas durante veinticinco años, describió a Gorbachov a sus allegados como "una herramienta de Dios" que estaba permitiendo que los católicos de la URSS profesaran libremente su fe.

En realidad, el Papa les había dicho a sus colaboradores más cercanos que Gorbachov terminaría fracasando, por la imposibilidad de reformar verdaderamente al comunismo. Y Gorbachov sí mantuvo su compromiso con el comunismo y el partido, aunque de una manera radicalmente alterada. Gorbachov había imaginado que la *perestroika* se extendería por toda Europa oriental, derrocando a los líderes comunistas de línea dura y allanando el camino para el surgimiento de un gobierno comunista nuevo y reformado. Sin embargo, sus cálculos resultaron errados.

Ese otoño e invierno, uno tras otros a la velocidad del rayo, los dictadores de Europa del Este fueron derrocados y los demócratas, no los comunistas reformistas, asumieron el control, a medida que los ciudadanos, animados por el triunfo de Solidaridad, salían a la calle pacíficamente, por millones. Durante decenios, las tropas soviéticas construyeron una especie de dique de contención contra la rebelión en el bloque oriental, hasta cuando Gorbachov proclamó lo que su portavoz del Ministerio de Relaciones Exteriores llamó la "Doctrina Sinatra", que prometía que la URSS iba a permitir a sus estados satélites "hacerlo a su manera" y que cientos de miles de soldados serían retirados del Pacto de Varsovia.

La primera reunión celebrada entre un secretario general de la URSS y un Pontífice de la Iglesia católica romana abundó en simbolismos para una nueva era. Un miembro del séquito del Papa observó:

> El Papa sabía lo que la mayor parte de los occidentales ignoraba: que si se destruye el orden mundial consagrado en Yalta, se regresa al orden mundial consagrado en Versalles. Y ese no es un orden mundial muy bueno, porque contiene todas las semillas de la Segunda Guerra Mundial, que podrían conducir a una tercera guerra mundial. El comunismo había producido una especie de represión violenta de una gran cantidad de conflictos, conflictos nacionales, conflictos raciales y también conflictos de clase, y si no se tiene una solución adecuada para estos conflictos, si no se tiene un nuevo orden para Europa, entonces explotará.

Existe evidencia de que no sólo al Papa sino a todo el Secretariado de Estado del Vaticano les preocupaban las fuerzas desencadenadas por la caída del comunismo, y de que estaban discutiendo estos temores –y la conveniencia de la supervivencia de una URSS estable– meses antes del arribo de Gorbachov al Vaticano.

Rocco Buttiglione, un filósofo y amigo cercano de Wojtyla, quien también es autor de un libro sobre su pensamiento y filosofía, observó: "El Santo Padre esperaba que los intentos de Gorbachov de mantener unida la Unión Soviética tuvieran éxito, no para mantener el comunismo, sino para mantener [el centro] unido. ... Como una federación de pueblos libres". Inmediatamente después de la reunión del Papa con Gorbachov, los diplomáticos del Vaticano informaron sobre ello a los funcionarios de la Casa Blanca y urgieron a Bush a tomar un curso de acción "prudente" y apoyar los esfuerzos de cohesión de Gorbachov, cosa que el presidente de Estados Unidos en efecto hizo en Malta*.

---

* Algunos colaboradores de Bush y del Papa han dicho que Wojtyla y el presidente conversaron por teléfono tan pronto Gorbachov salió del Vaticano

Cuando Gorbachov visitó el Vaticano, la base para una relación entre los dos hombres ya estaba planteada: a través de Jaruzelski como interlocutor, a través de correspondencia secreta entre el Papa y Gorbachov (el Papa había elogiado la *perestroika*, Gorbachov había encomiado los escritos del Papa), y a través del compromiso ostensible de Gorbachov, como respuesta a la diplomacia del Vaticano, con una mayor libertad religiosa en la URSS y con el desarme mundial.

Wojtyla, vestido con su tradicional sotana blanca, saludó con entusiasmo a Gorbachov y a su esposa, Raisa, en la sala de recepciones del apartamento papal. Luego los dos hombres entraron al estudio del Papa.

Hablando en su ruso con acento polaco, el Papa observó que era una reunión entre dos eslavos. El texto de su reunión privada, grabado por un intérprete y conseguido por los autores de este libro, subraya la estima personal que se había desarrollado entre los dos hombres. También muestra cómo el Papa utilizó los problemas de Gorbachov para obtener garantías religiosas para los creyentes en la Unión Soviética más rápidamente de lo que de otro modo hubiera sido posible.

Con la desmembración del mapa trazado en Yalta, el Papa consideró los intereses del Vaticano y del Kremlin como repentinamente paralelos en toda una serie de asuntos internacionales. Esto lo subrayaban sus propias convicciones sobre los problemas del capitalismo y su comprensión de la lógica social y económica del socialismo. Wojtyla y Gorbachov hablaron del Medio Oriente, de la pobreza en el Tercer Mundo, de una Europa no alineada ni con Washington ni con Moscú, de Centroamérica, de Indochina y de las ventajas de establecer relaciones diplomáticas entre el Vaticano y el Kremlin.

"En términos generales –declaró el Papa– hay bastantes lugares en este planeta en donde la paz afronta problemas. Quizás podríamos actuar en concierto allí". Pensaba sobre todo en regiones con grandes poblaciones cristianas y una influencia soviética histórica.

Entonces Juan Pablo ofreció al secretario general una homilía sobre el tema de los derechos humanos:

> Hemos aguardado con gran ansiedad y esperanza la adopción, en su país, de una ley sobre la libertad de conciencia. Esperamos que la adopción de esa ley lleve a una ampliación de las posibilidades de vida reli-

giosa para todos los ciudadanos soviéticos. Una persona se convierte en creyente por su propia y libre voluntad. Es imposible forzar a alguien a creer.

Con una ley semejante, dijo el Papa, las relaciones diplomáticas entre la Santa Sede y Moscú podrían avanzar, algo que ahora Gorbachov deseaba más que el Vaticano, pues sentía la necesidad de fortalecer su posición en su país y era consciente del enorme prestigio internacional del Papa. Gorbachov prometió en el acto que el Soviet Supremo pronto adoptaría una ley sobre libertad de conciencia.

El secretario general sabía muy bien que la libertad de conciencia podría acarrear consecuencias perturbadoras, incluidos llamados a la independencia en la región báltica y en Ucrania occidental, en donde había fuertes raíces católicas. "No pretendo darle ningún consejo –dijo Gorbachov–. Simplemente apelo a su experiencia y a su sabiduría ... para evitar cualquier politización" de estos asuntos.

Parte de su discusión fue filosófica. En la URSS, dijo Gorbachov, "queremos llevar a la práctica nuestros planes a través de medios democráticos. Pero mi experiencia en cuanto a los sucesos de los últimos años sugiere que la democracia en sí no basta. También se requiere un código moral. La democracia no sólo puede traer el bien, sino también el mal". Esto era consistente con las creencias de Wojtyla, como bien lo sabía el secretario general.

"Tiene razón al decir que los cambios no deben ocurrir con excesiva rapidez –observó el Papa–. Y también coincidimos en que es preciso cambiar no sólo las estructuras sino las maneras de pensar. Es imposible, como pretende alguien [Bush], que los cambios en Europa y el mundo sigan el modelo occidental. Esto contradice mis convicciones más profundas. Europa, como participante en la historia mundial, tiene que respirar con dos pulmones".

Una vez finalizada su positiva conversación, Gorbachov expresó su deseo de "un nuevo desarrollo en nuestras relaciones. Espero que en el futuro viaje usted a la URSS".

"Me complacería mucho que se me permitiera hacerlo", contestó el Papa. Enseguida dejó entrever algo de su corazón y de su misión personal:

Me complacería mucho tener la oportunidad de visitar la Unión Soviética, Rusia, reunirme con los católicos, y no sólo con ellos, visitar sus lugares sagrados, que para nosotros los cristianos son una fuente de inspiración. ... Sabe, yo no conozco muy bien Europa del Este. Yo mismo soy un eslavo occidental. Ni siquiera conocí las ciudades que quedaban en Polonia antes de la guerra y que ahora forman parte de la Unión Soviética. Me refiero a Lvov y Vilnius. Pero en especial me gustaría conocer y sentir lo que llamo el "genio del Este".

Estertores de muerte

Era el 31 de diciembre de 1991. La Plaza Roja estaba atestada de personas exaltadas que cantaban, gritaban, bailaban. Agitaban al aire botellas de *sovietskoye shampanskoye,* pisoteaban latas de cerveza, pulverizaban vasos con sus botas de invierno. Entre besos y abrazos, los grupos se fragmentaban caóticamente y se volvían a agrupar con un rugido ensordecedor. Entre tanto, los miembros de la guardia de honor, con sus abrigos pesados, marchaban a la hora señalada hacia el mausoleo de Lenin, cada uno sosteniendo firmemente el rifle en la mano derecha. En la clara y brillante noche, el golpeteo rítmico de su paso de ganso, copiado de los prusianos, parecía una danza irreal, un ballet desarticulado. Sólo las delgadas cadenas de metal los separaban de la multitud enloquecida de la plaza. Cuando el reloj dio la medianoche desde la Torre Spassky, la muchedumbre lanzó al cielo un grito de liberación y alegría desbordante.

Miles de hombres y mujeres habían acudido instintivamente a la plaza para celebrar la defunción de la Unión Soviética. Rusos y norteamericanos, italianos y kazaks, británicos, tártaros y alemanes, gente de todos los rincones del mundo, burócratas y prostitutas, empresarios y gamberros, brindaron por un futuro sin la hoz y el martillo.

La plaza, que había sido sagrada para el régimen comunista, un espacio tabú en donde incluso se prohibía fumar, ahora bullía de actividad, y todos los ojos estaban posados sobre la tumba de Lenin.

Un escocés de falda típica bailaba borracho, moviéndose como un títere hacia arriba y hacia abajo. Varios veteranos inconformes del Partido

Comunista trataban de abrirse paso en medio de la muchedumbre para colocar sus banderas rojas al lado del mausoleo. Por todas partes olía a alcohol. De repente, mientras unos soldados vestidos todavía con uniforme de la antigua Unión Soviética hacían el cambio de guardia frente al monumento, un hombre de apariencia anodina se abalanzó hacia adelante, portando en sus brazos una estatua de Nuestra Señora de Fátima. Durante más de media hora dejó que la figura de ojos tristes, túnica blanca y manto azul mirara la puerta medio cerrada del mausoleo. Fue un acto silencioso de venganza.

Quizás nunca sabremos quién era ese hombre anónimo que traspasó los muros del Kremlin cargando una réplica de la Madonna cuya profecía en 1917 había clamado por la conversión de Rusia. Pero no pudo haber expresado con mayor elocuencia los más íntimos sentimientos de Wojtyla. El Papa experimentó el gran trastorno en la Unión Soviética como una especie de drama de misterio, en el que, según él lo veía, Nuestra Señora de Fátima había desempeñado un papel protagónico. En marzo de 1984, cuando Solidaridad parecía destinado a perecer, el Papa ordenó que la estatua original de Fátima, de poco más de un metro de altura, fuera enviada especialmente desde Portugal hasta el Vaticano. El Papa había dado órdenes de que la colocaran en su capilla privada, en donde un cuadro de Nuestra Señora de Czestochowa colgaba de la pared. En la noche del 24 de marzo, la fiesta de la Anunciación, pasó largas horas orando ante la estatua. Al día siguiente, el domingo 25, en la Plaza de San Pedro, confió a Rusia y a Europa oriental al cuidado de la Virgen de Fátima, con un lenguaje que los entendidos comprendieron de inmediato: "Os consagramos esos hombres y esas naciones que tienen una especial necesidad de seros así confiados. Arrojad vuestra luz en especial sobre esos pueblos de quienes aguardáis nuestra consagración". Esta última frase no figuraba en el texto preparado. El Papa la había improvisado para cumplir un deseo expresado por la Señora de Blanco, quien, cuando se apareció a los tres pequeños pastores portugueses, había pedido la consagración de Rusia para que el mundo se librara de terribles catástrofes. La mayor de los tres niños, que luego ingresó al convento como la Hermana Lucía de Jesús Santos, estuvo atenta durante decenios a que se cumpliera la petición de la Madonna. Sin embargo, ningún Papa había hecho lo que la Madonna solicitó. Luego de la consagración del 25 de marzo, la Hermana Lucía le hizo saber a Juan Pablo II que ella había aceptado este acto ardoroso de devoción.

¿Fue una simple coincidencia el hecho de que al año siguiente muriera Konstantin Chernenko, casi el último miembro de la vieja guardia comunista, y ascendiera al poder Mijaíl Gorbachov como secretario general del Partido Comunista soviético? El Papa creía que no. Mientras Rusia se preparaba para celebrar el milésimo aniversario de su aceptación del cristianismo, el Papa repitió el acto de consagración: "A vos, madre de los cristianos –proclamó en 1987– os confiamos de manera especial los pueblos que celebran los aniversarios sexcentésimo [Letonia] y milésimo [Ucrania y Rusia] de su adhesión al Evangelio".

Incluso hoy Juan Pablo II cree que existe un vínculo muy especial entre la Virgen Santísima y Rusia. El padre Werenfried van Straaten, quien durante decenios ayudó a recaudar fondos en Occidente para la Iglesia de detrás de la cortina de hierro, revela que el Papa había llevado al Vaticano el icono milagroso de la Madonna de Kazán, que se había perdido después de la Revolución de Octubre. El patriarca de Moscú, Alexis II, está convencido de que sólo es una copia, pero esa posibilidad no parece preocupar al Papa.

Van Straaten, quien se ha reunido regularmente con el Papa durante todo su pontificado, dice: "Está firmemente convencido de que, con el icono de Kazán ahora en el Vaticano, la Virgen lo ayudará a llegar a Rusia". Sin embargo, a mediados de 1996, el patriarca de Rusia, temeroso de que el Papa terminara convirtiendo prosélitos de su propia grey, insistió en que Wojtyla se mantuviera alejado.

Juan Pablo II nunca se imaginó que la Unión Soviética se desmembraría tan rápidamente, ni tampoco lo deseó. Ni siquiera su amigo polaco más cercano en el Vaticano, el cardenal Andrzej Deskur, lo escuchó nunca expresar ese deseo. "Nunca dijo algo semejante, no a mí", dice Deskur.

El objetivo del Papa era la consolidación de las nuevas libertadas conquistadas por Europa oriental. En los meses anteriores a la caída de Gorbachov, casi se había llegado a un acuerdo con el presidente soviético para realizar el primer viaje de un Pontífice romano a la URSS. El secretario de Estado del Vaticano, el cardenal Angelo Sodano, confió a los periodistas en mayo de 1991 que era muy probable que en 1992 se efectuara una breve "visita simbólica" a Moscú y Kazajstán, hogar de comunidades católicas de alemanes del Volga deportados por Stalin.

Sin embargo, en agosto de 1991 el Imperio Rojo entró en los estertores de la muerte. En la madrugada del día 19, en un golpe de Estado miembros conservadores del Politburó se tomaron el poder en Moscú; pusieron a Gorbachov bajo arresto domiciliario en su *dacha* de Crimea, y anunciaron que había enfermado. Boris Yeltsin, presidente de la República Federal Rusa, se rebeló contra el golpe y transformó el edificio del Parlamento ruso (llamado la Casa Blanca por su fachada de mármol) en sede de la resistencia.

Gracias a un transmisor de radio de propiedad del padre van Straaten, cuyo propósito era transmitir programas religiosos católico-ortodoxos y que fue introducido clandestinamente a las cocinas del Parlamento en un camión de vegetales, Yeltsin pudo mantener el contacto con el mundo exterior. Su resistencia instó a Occidente a apoyarlo.

El telegrama que Juan Pablo II envió a Gorbachov el 23 de agosto, día en que los líderes golpistas se rindieron, contenía un sincero grito de alegría: "Doy gracias a Dios por el feliz resultado de la dramática prueba que involucró a su persona, su familia y su país. Expreso mis deseos de que pueda proseguir su enorme trabajo en favor de la renovación material y espiritual de los pueblos de la Unión Soviética, sobre quienes imploro la bendición del Señor".

Los deseos de Juan Pablo II, a semejanza de los de muchos otros líderes del mundo, fueron efímeros. La resistencia victoriosa de Yeltsin se convirtió en señal de la voluntad de la gente de acabar con el régimen comunista de una vez por todas. El 25 de diciembre, el hombre que inventó la *perestroika* dejó su cargo, y en la tarde la bandera roja descendió sobre la verde cúpula del Kremlin.

Años después, gran parte del mundo aclamó a Wojtyla como vencedor de una guerra que había comenzado en 1978. Por su parte, el Papa asumió una actitud serena. Evitó expresamente exhibirse como una especie de superhombre que había derrotado al oso soviético. Instó a su audiencia a no simplificar en exceso las cosas, ni siquiera a atribuir la caída de la URSS al *dedo de Dios*. Cuando el escritor italiano

Vittorio Messori le preguntó sobre esto, Juan Pablo II respondió: "Sería simplista decir que la Divina Providencia ocasionó la caída del comunismo. Cayó por sí solo como resultado de sus propios errores y abusos. Cayó por su propia debilidad inherente".

Juan Pablo II había experimentado la crisis del comunismo desde adentro y, sobre todo, había filosofado sobre la esencia de sus contradicciones. Mejor que muchos políticos occidentales, entendía que el sistema soviético se había desplomado por implosión. Las presiones externas habían revelado las grietas en el sistema, pero en último término el colapso se había producido como resultado de profundas fallas internas.

En este colapso, los factores económicos y morales estaban entretejidos. Los recursos económicos de la URSS simplemente no podían garantizar a todos los ciudadanos una existencia segura, así fuera a un nivel pobre, al tiempo que sostenía el aparato militar de una superpotencia que libraba una guerra fría. Esto era aún más evidente en el caso de la Alemania Oriental comunista, que, aunque mejor organizada que la URSS, todavía afrontaba la bancarrota económica en vísperas de su colapso.

Pero fueron sobre todo contradicciones éticas las que socavaron el sistema. Con Jruschov, la necesidad de la verdad había fomentado un intento de reformar el sistema. Con Brezhnev, la negación de la verdad había producido estancamiento y un cinismo masivo. Con Gorbachov, la sed de verdad, de *glasnost,* se había tornado tan intensa que había derrocado al sistema mismo.

Este tema de la verdad y de la insostenibilidad de las mentiras siempre ha fascinado a Juan Pablo II en su pensamiento sobre el totalitarismo. Leyó las obras de Andréi Sájarov y de Alexandr Solzhenitsin, y quedó conmovido por su convicción moral. Sobre todo, el folleto de Solzhenitsin, *Don't Lie,* le causó una profunda impresión, porque estaba convencido de que el negarse a mentir era el medio más poderoso de provocar una crisis en cualquier Estado totalitario. Juan Pablo II habló prolongadamente sobre ética cuando Solzhenitsin fue a visitarlo en el Vaticano en 1994. El comunismo, había dicho el Papa en su primera visita a la Praga poscomunista en 1990, se había "revelado como una utopía inalcanzable porque se descuidaban y negaban algunos aspectos esenciales de la persona humana: el irreprimible anhelo del hombre por la libertad y la verdad y su incapacidad de sentirse feliz cuando se excluía la trascendental relación con Dios".

PARTE VIII

La ira del Papa

Los destellos de los relámpagos iluminaban el altar. Debajo del gran palio papal, Karol Wojtyla miró fijamente la masa de paraguas oscuros. Para la multitud reunida en la explanada del Club de Aviación de Kielce, el Papa lucía como una figura extraña, conjurada desde un mundo distante. La blancura de su capa pluvial y los colores de sus vestiduras debajo de la capa resplandecían espectralmente en medio de los relámpagos. Su rostro estaba distorsionado por la ira. Levantó el puño derecho, mientras sostenía con la mano izquierda las páginas del discurso que había dejado de leer.

"Hermanos y hermanas –gritó con voz áspera–. Tenéis que cambiar la forma en que tratáis a un niño recién concebido. Aunque puede llegar inesperadamente, nunca es un intruso, nunca un agresor. ... No debéis confundir la libertad con la inmoralidad".

"Digo esto –prosiguió, de cara al aguacero y las ráfagas de viento que azotaban a los doscientos mil espectadores ateridos de frío–, porque esta tierra es mi madre. Esta tierra es la madre de mis hermanos y mis hermanas. Esta tierra es mi hogar y por esta razón me permito hablar así".

"Todos vosotros debéis entender –gritó, todavía blandiendo el puño– que estáis abordando estos asuntos de modo irreflexivo. Estas cosas sólo pueden causarme dolor, y también deberían causaros dolor a vosotros. Es más fácil destruir que construir. La destrucción ha imperado demasiado tiempo. Ahora necesitamos reconstruir. No podéis destruir todo despreocupadamente".

Bajo un cielo oscurecido por nubes henchidas de lluvia, la multitud escuchó en silencio. El discurso de Juan Pablo II tuvo como respuesta un aplauso desganado. El Papa comprendió que no estaba en contacto con su audiencia. Era la primera vez que le sucedía algo así con sus compatriotas.

Nunca imaginó que el cuarto viaje a su patria se desarrollaría de esta manera. Sabía que no iba a ser fácil hablar con miembros de una sociedad que estaba sucumbiendo a lo que él percibía como un individualismo egoísta, pero había esperado un poco más de lealtad por parte de sus compatriotas. Al fin y al cabo, él los *había* salvado del comunismo. Con el ojo avizor del líder y el instinto del actor, se dio cuenta de que su carisma estaba menguando. Las cosas que a él le dolían no parecían molestar a los polacos. Lo que él estigmatizaba como un mal, a muchos en la multitud les parecía la esencia misma de aquello por lo que tanto tiempo habían luchado penosamente: el derecho a tomar sus propias decisiones.

Había manifestado su ira en público, se había enfurecido. Esto era bastante extraordinario en él. De hecho, era casi impensable. Entre sus compañeros de colegio en Wadowice, entre los picapedreros de las canteras en Cracovia, entre los profesores de Lublín, entre los obispos en Polonia o los dignatarios del Vaticano, nadie recordaba haberlo visto nunca sucumbir a un acceso de ira o perder la paciencia. Siempre se había distinguido por su ecuanimidad, nunca gritaba, siempre hacía las veces de mediador.

Esta vez, sin embargo, *había* gritado. En Kielce, la multitud le había sido esquiva. Juan Pablo II se sentía herido y perturbado. "Estas personas me rinden culto de dientes para afuera, pero no en la profundidad de sus corazones", confesó después, comparándose inconscientemente con el Dios de Isaías.

¿Acaso fue así como se sintió Moisés cuando descendió del Monte Sinaí y vio a los israelitas danzando en torno al becerro dorado?

El final del comunismo marcó el comienzo del tercer acto del papado de Juan Pablo II. El primero había sido un acto de reivindicación orgullosa de su mensaje cristiano luego de años de incertidumbre: "¡Abrid las puertas a Cristo!" El segundo acto, en los años ochenta, presenció la afirmación de un papel universal para el papado y la exitosa batalla por la liberación de Polonia de manos del totalitarismo soviético.

El tercer acto comenzó en los años noventa, y le dejó al Papa un sabor inesperado de soledad. Reflexionando sobre el escenario europeo, el vicario de Juan Pablo II en Roma, el cardenal Camillo Ruini, admitió: "La capacidad de la Iglesia de ser una *Iglesia del pueblo* parece correr peligro".

¿Qué ha de hacer Dios sin el Diablo? Durante siglo y medio, la Iglesia católica había impugnado el socialismo y el marxismo. Por más de setenta años combatió el sistema comunista, considerándolo su archienemigo. Toda la cultura y la doctrina social del catolicismo del siglo XX habían sido configuradas por este duelo tremendo. Ahora, de repente, el escenario estaba vacío.

El año 1991 fue crucial para la Iglesia. Cuando la Unión Soviética aún no se había desplomado pero sí perdido su estatus de superpotencia, Juan Pablo II tuvo que afrontar el hecho de que la Iglesia también podría volverse *menos* relevante, desde una perspectiva tanto política como social. La primera prueba fue la guerra del Golfo, en enero. Tras haber decidido lanzar la operación Tormenta del Desierto, el presidente George Bush no prestó la más mínima atención a los apremiantes ruegos del Papa para que negociara un retiro iraquí de Kuwait en el último minuto. Bush trataba al Papa de modo muy parecido a como trataba a Gorbachov: como un aliado de segunda categoría. Lo colmaba de expresiones de estimación y luego lo ignoraba.

Poco tiempo después, la Santa Sede volvió a sobresaltarse con otra llamada telefónica. El gobierno de Israel había vetado la participación del Vaticano en una conferencia en Madrid cuyo propósito era allanar el camino para la celebración de un diálogo directo entre israelíes y palestinos. Se adujo que los dos estados no tenían relaciones diplomáticas, pero un desaire semejante jamás se hubiera producido durante la guerra fría.

Sin embargo, el golpe más amargo que recibió Juan Pablo II provino de sus propios compatriotas durante el cuarto viaje que efectuó a su tierra natal, en junio de 1991.

Para Karol Wojtyla, los viajes han sido lo que fue la guerra para Napoleón. El Papa ha reinado, no desde el Vaticano, sino recorriendo el mundo entero. Y fue en estos encuentros con pueblos de una nación tras otra donde ganó o perdió sus batallas. Al arribar ahora a su patria poscomunista, el 1º de junio de 1991, fue aclamado por el presidente Lech Walesa y el primado Józef Glemp como un nuevo Moisés, como el hombre que había liberado a su pueblo de la esclavitud y cuya misión consistía en seguir liderando a los polacos hacia el futuro. Juan Pablo II tenía intenciones de predicar a sus compatriotas los Diez Mandamientos, la Ley de Moisés, las reglas básicas para construir un Estado de acuerdo con la voluntad de Dios. Sin embargo, lo nuevo en esta ocasión fue que la gente no manifestó deseo alguno de ser liderada, y mucho menos por la Iglesia.

Polonia había cambiado, y muchas personas comenzaban a ver con desagrado el deseo del clero de inmiscuirse en la vida pública, y su estilo de liderazgo autoritario. Muchos estaban hartos de las iglesias y parroquias faraónicas que se construían en las zonas rurales, en un contraste irónico con el paisaje circundante, donde predominaban pequeños pueblos acosados por la pobreza. La bonanza de construcción de la Iglesia parecía una afrenta contra millones de polacos angustiados por la primera fase brutal de su introducción a una economía de libre mercado, en la que los precios subían y los salarios se estancaban de una forma que cualquier régimen comunista anterior habría envidiado. La gente estaba cansada del modo imperial como los párrocos exigían públicamente a su grey el pago de un *impuesto voluntario* para la construcción o la reparación de iglesias. No les gustaba escuchar historias sobre sacerdotes que se movilizaban en automóviles Mercedes... o que eran atrapados por la policía en juergas nocturnas en compañía de mujeres semidesnudas.

El clero parecía estar interfiriendo las pantallas de televisión. Presionaban a los medios de comunicación para que promovieran "valores cristianos" (así como antes el Partido Comunista había exigido el sometimiento de los medios a los principios marxistas leninistas). Las escuelas habían restaurado la instrucción religiosa, merced a una simple autorización ministerial. Se bloqueó un proyecto de ley electoral porque el presidente Walesa, presionado por la Iglesia, no quiso aceptar una disposición que prohibía la propaganda desde el púlpito.

Peor aún, la Iglesia estaba interfiriendo en la vida familiar. Para complacer a los obispos, se había cerrado el departamento de fertilización *in vitro* del Centro de Salud Infantil. Los juicios de divorcio habían sido trasladados de las cortes locales a las regionales, lo que dificultaba y encarecía el proceso.

Por último, pero no por ello menos importante, un pequeño grupo de católicos de derecha, la Alianza Nacional Cristiana, había propuesto en el Sejm la abrogación de la ley sobre interrupción del embarazo, que regía desde 1956. Los obispos respaldaron la propuesta de inmediato. Una nueva ley prohibió el aborto, salvo en caso de peligro de muerte de la madre. Estipulaba una condena de dos años de cárcel para el médico que practicara un aborto, y en algunos casos para la mujer que se sometiera a él.

La propuesta había desencadenado una oleada de indignación entre las mujeres polacas. Las que pertenecían a Solidaridad incluso habían abogado ante Occidente, pidiendo a las mujeres de los sindicatos italianos que ejercieran presión en el movimiento laboral internacional contra el proyecto de ley.

La nueva atmósfera estaba acertadamente simbolizada por las palabras que pronunció en la televisión Kazimierz Kapera, el viceministro de Salud, algunos meses antes de la llegada del Papa. Exigió la prohibición de todos los anticonceptivos, incluidos los preservativos, y calificó a las personas con VIH de "desviados típicos". Una ruidosa protesta popular obligó al viceministro a renunciar, pero el cardenal Glemp lo defendió como víctima de la intolerancia. El primado lo comparó con el finado cardenal Wyszynski, también objeto de persecuciones.

Juan Pablo II había sido informado sobre todo esto cuando preparaba su viaje a Polonia. Muy pocas veces durante su pontificado había dejado de estar en contacto directo con los sucesos en su patria. Recibía un flujo constante de información de comunicados y contactos personales con peregrinos, sacerdotes, obispos y amigos que visitaban el Vaticano. Le habían dicho que, según las encuestas, la Iglesia comenzaba a descender a un segundo lugar, después del ejército, como la institución más querida y respetada del país. El sesenta y siete por ciento de los interrogados contestó que "la Iglesia tiene demasiado poder" y que "la Iglesia no debe interferir en la vida política del Estado".

Sin embargo, los colaboradores más cercanos del Pontífice presentaba cualquier crítica contra la Iglesia como manipulación de los ex comunistas o como resultado de una tendencia atea y anticlerical que debía ser contenida, y el Papa les creía. Los católicos que colaboraban con el semanario *Tygodnik Powszechny* intentaron dar al Papa un panorama más balanceado, pero en los círculos polacos de Roma y entre los obispos polacos, estos moderados constituían una pequeña y muy criticada minoría. En vano el filósofo Józef Tischner, amigo cercano del Papa, había alertado contra una "república de curas párrocos". En vano Czeslaw Milosz, premio Nóbel de Literatura en 1980, había escrito: "Las personas comienzan a temer a los sacerdotes. Y esa ciertamente no es una buena señal". A este paso, explicó Milosz, Polonia se iba a convertir en "un país no más cristiano que Francia o Inglaterra, con la carga adicional de un anticlericalismo cuya furia sería proporcional al poder del clero y al programa [del clero] de un Estado confesional". Adam Michnik, el disidente que fundó los Comités de Defensa de los Trabajadores y que ahora era jefe de redacción del poderoso periódico *Gazeta Wyborcza,* escribió: "Sería una buena idea que todo retornara al *statu quo ante,* y que la Iglesia cesara de tomar partido en las disputas políticas".

El Papa prestó oídos sordos a estas señales. Aunque sostuvo que el clero no debía inmiscuirse en política, estaba convencido de que sus compatriotas tenían que asumir una postura moral. El modo de vida polaco tenía que inspirarse en el cristianismo, y la Iglesia tenía el deber de señalar el camino. El Estado tenía que someterse a la Verdad, según la expresaban los valores fundamentales de la fe cristiana. Como dijo en Kielce el 3 de junio, los polacos tenían que "hacer examen de conciencia en el umbral de la Tercera República".

La gira, que recorrió cuatro mil quinientos sesenta kilómetros en ocho días, se convirtió en un sermón continuo, pronunciado con una intensidad desesperada. El Papa se metió en el debate en torno a la nueva Constitución polaca, oponiéndose a la separación entre Iglesia y Estado: "El principio de negarse terminantemente a admitir la dimensión de lo sagrado en la vida social o gubernamental –dijo– equivale a introducir el ateísmo en el Estado y la sociedad". Planteó repetidamente el tema del aborto y suscitó protestas en la diminuta comunidad judía que había sobrevivido en Polonia cuando comparó el Holocausto con "los inmensos cementerios de los no nacidos, cementerios de los indefensos, cuyos rostros ni siquiera sus propias madres conocieron".

No pasó un día ni un lugar sin una severa reprimenda. En Lomza, el 4 de junio, mientras criticaba el adulterio, se preguntó en voz alta si acaso las semillas de los principios fundamentales no habrían sido destruidas por el Maligno. En Bialystok anunció que la crisis económica heredada del pasado iba de la mano con una crisis ética. En Olsztyn atacó a los medios de comunicación por "decir mentiras mientras simulan presentar la verdad". Negó que la Iglesia tuviera aspiraciones de dominio sobre la sociedad y aseguró que tales críticas eran una prueba más que la Iglesia debía soportar.

En Wloclawek lanzó una violenta invectiva contra la cultura laica de Europa occidental: "No necesitamos 'entrar' a Europa –proclamó–, porque nosotros ayudamos a crearla desde el comienzo; y nos tomamos más trabajo haciéndolo que aquellos que reclaman el monopolio del europeismo". Una vez más, ante una muchedumbre empapada por la lluvia, habló con furia: "¿Y cuál debe ser el criterio del europeísmo? ¿La libertad? ¿Qué tipo de libertad? ¿La libertad de quitarle la vida a un niño no nacido?"

Sus arranques de ira eran cáusticos. Intercalaba comentarios improvisados y discursos preparados. Criticó el utilitarismo y las nociones de sexualidad prevalecientes en Europa occidental: "Como obispo de Roma, protesto contra la forma en que quieren reducir el concepto de Europa". Condenó a "toda la civilización del deseo y el placer que hoy nos gobierna despóticamente, valiéndose de diversas formas de seducción. ¿Es esto civilización o es anticivilización?"

"Perdonad mis palabras ardorosas –decía, y su voz recobraba su afabilidad acostumbrada–. Pero tenía que decirlas".

Finalmente, sus amonestaciones no tuvieron efecto frente a la nueva Polonia, en donde la idea de la libre elección en materia sexual ya estaba tan interiorizada que la mayor parte de la gente no veía contradicción alguna entre llamarse católica (noventa y cinco por ciento) y oponerse a la prohibición del aborto (sesenta y nueve por ciento). Incluso en las zonas rurales, bajo el dominio de los párrocos, sólo un treinta y seis por ciento de los encuestados se manifestó a favor de una ley de aborto fuertemente restrictiva.

Para Karol Wojtyla, la experiencia de hostilidad popular en su propia patria era completamente nueva. El padre Tischner, quien apoyaba en todo la posición del Papa, admitiría luego que la visita de Juan Pablo II se había distinguido por una "cierta discordia emocional entre él y su audiencia". La gran mayoría de los polacos se sentía irritada por sus sermones contra el consumismo en momentos en que las familias afrontaban problemas de simple supervivencia. Al fin y al cabo, durante cuarenta años la gente había soñado con superar las incesantes escaseces, y ahora se sentían abrumados por la carga de dos millones de desempleados. Las más furiosas eran las mujeres, sobre todo las madres, que sentían en carne propia los apuros que entrañaba el tener que alimentar a los hijos hambrientos que ya tenían. La idea de perder el derecho a escoger tener más hijos o no sólo les inspiraba rencor.

Juan Pablo II dejó su país con un sentimiento de asombro y amargura. Después de todo lo que había hecho la Iglesia para derrocar el comunismo, consideraba injustas las críticas de los feligreses contra los sacerdotes y los obispos. Se sintió decepcionado al comprobar que algunos diputados católicos del Sejm, dirigidos por el ex primer ministro Tadeusz Mazowiecki, fundador del Partido de Unión Democrática, no apoyaban a la Iglesia en el tema del aborto. A su regreso a Roma, lo invadió una sensación de preocupación por el futuro. "Antes –le había dicho a los obispos polacos–, la Iglesia disfrutaba de un reconocimiento generalizado, incluso en círculos laicos. Sin embargo, ahora no podemos dar por descontado este reconocimiento. En vez de ello, tenemos que estar preparados para afrontar críticas y quizás algo peor".

La amargura de Karol Wojtyla duró bastante tiempo. Más de un año después, en una Navidad en el Vaticano, cuando cantaba los viejos cantos nostálgicos de su niñez en compañía de la hermana Zofia Zdybicka, le espetó: "Invíteme a Zakopane". Cuando la hermana Zofia, antigua estudiante suya y ahora profesora de la Universidad Católica de Lublín, le aseguró que sería bienvenido, observó pensativo: "Me sentí ofendido por los polacos". Luego se detuvo, la miró, y agregó: "Pero ya se me está pasando".

Sin embargo, la herida quedó, y nunca ha sanado del todo.

Sentado ante su escritorio en el Vaticano mientras recibe informes sobre la lenta reconquista electoral de los países de Europa oriental por parte de los partidos comunistas reformulados y rebautizados, Juan Pablo II ha tenido que reflexionar frecuentemente sobre su sueño fallido de una gran renovación espiritual proveniente del Este. *"Ex Oriente lux,* la luz viene del Oriente"*, anunció resueltamente en 1989 cuando sobrevolaba la Unión Soviética por primera vez, en dirección a Corea del Sur. Tanto la Polonia católica como la Rusia ortodoxa estarían destinadas a convertirse en una enorme reserva de fe para la regeneración del mundo contemporáneo.

También se había desvanecido la visión que había alimentado de Polonia como una señal especial para todas las naciones, ese antiguo sueño mesiánico de los poetas de su juventud, Mickiewicz y Slowacki. Según recuerda un amigo cercano, "había abrigado la esperanza de que su tierra natal llevara la justicia y la libertad a los trabajadores, a medida que construía una sociedad sobre los firmes cimientos de la verdad, la verdad sobre la persona humana". Como observó un obispo, "quería convertir a Polonia en puente entre Occidente y Oriente. Tenía la ilusión geopolítica de que, como polaco, de alguna manera podría desempeñar un papel en esto". Para Karol Wojtyla, Polonia se había transformado de repente en un ejemplo de derrota. El Papa abrigaba un especial sentimiento de amargura en torno a lo que consideraba poco menos que una traición por parte de católicos prominentes que alguna vez habían sido colegas suyos, como Jerzy Turowicz, el director de *Tygodnik Powszechny*.

De hecho, estas personas *no* han cambiado. Cuando cayó el totalitarismo, y con él la necesidad de unión a toda costa, la sociedad moderna ya existente tan sólo se hizo más evidente.

En una conferencia celebrada en Roma en 1994, a pocos centenares de metros de San Pedro, el profesor Turowicz se atrevió a romper el tabú más sagrado del Papa: dijo que la mayor parte de la Iglesia polaca no había asimilado realmente las lecciones del Concilio Vaticano II. Turowicz es un anciano caballero de apariencia discreta e inteligente. A semejanza de todos los polacos instruidos que crecieron antes de la Segunda Guerra Mundial, habla francés con fluidez. Él y su familia fueron, durante años, amigos cercanos del cardenal Wojtyla, y Turowicz solía visitar al papa Wojtyla con frecuencia en el Vaticano, o lo acompañaba en sus giras por el mundo.

Su lealtad es indiscutible, pero no cabe duda de que Turowicz ve a Polonia y a la Iglesia polaca de un modo diferente de como las ve el Papa. Cree que la Iglesia no debe imponer sus creencias a una sociedad pluralista: "La Iglesia polaca está muy polarizada hoy en día. Las actitudes preconciliares chocan con el comportamiento posconciliar –dice–. Y siento decir que la mayor parte del clero es bastante fundamentalista y tradicionalista, mientras que los más liberales y de mente abierta están en minoría".

"Bajo el comunismo –prosigue Turowicz–, la Iglesia polaca estaba a la defensiva, veía peligro por doquier. De una u otra forma esta actitud ha persistido, y hay gente en la Iglesia que cree que todavía afronta peligro, lo cual no es cierto en el sentido de que la Iglesia disfruta de plena libertad. Desde luego, algunos valores corren peligro, pero son valores tanto civiles como cristianos". Turowicz admite que "algunos derechistas, en la Iglesia polaca y en la política, querían lo que para cualquier fin práctico era un Estado confesional".

Sin embargo Polonia, y en especial la juventud polaca, se rebeló. La ley contra el aborto, respaldada por la Iglesia y finalmente aprobada por el Parlamento, fue una de las principales razones de esta reacción popular. En 1994, los electores votaron mayoritariamente por partidos de centro izquierda. En 1995 eligieron como presidente al ex comunista Aleksander Kwasniewski, derrotando a Lech Walesa... y al primado Glemp, quien en vísperas de las elecciones había intentado conseguir que los fieles apoyaran al ex líder de Solidaridad, proclamando que los votantes tenían que escoger entre el cristianismo y el neopaganismo.

Ese mismo año, como si quisieran demostrar que en ninguna parte de Europa ni siquiera las personas profundamente religiosas iban a soportar el clericalismo, los votantes irlandeses revocaron la prohibición constitucional del divorcio, desafiando a sus obispos y al Papa, quienes habían intervenido en el referendo. Para Juan Pablo II, éste fue otro golpe doloroso.

Así, su sueño de una luz proveniente del Este se hizo añicos. Liberada del comunismo, Europa oriental demostró estar más que todo interesada en la búsqueda del bienestar material. Una vez más, Juan Pablo II le abrió el corazón a su viejo amigo Juliusz Kydrynski, quien en Cracovia lo había acompañado toda la noche velando el cadáver de su padre. En una carta que le escribió en 1994, poco antes de la muerte de Kydrynski, Wojtyla le confió algunas reflexiones íntimas sobre lo que acontecía en Polonia y en los demás países de Europa oriental.

Le perturbaba profundamente comprobar que apenas unos pocos años después del retorno a la democracia el pueblo estaba expulsando con sus votos a la dirigencia que se había opuesto al comunismo, y eligiendo a políticos "de la vieja guardia". Cuán sabio fue Moisés, le escribió el Papa a Kydrynski, dándole una nueva interpretación a la historia del

Éxodo, cuánta percepción demostró tener al no llevar a los israelitas a la Tierra Prometida inmediatamente después de salir de Egipto. En vez de ello, los mantuvo en el desierto durante cuarenta años, de modo que fueran muriendo todos los que recordaban haber sido esclavos. Así, una generación completamente nueva entró a la tierra de Canaán.

En la actualidad, a juicio del Papa, otro fantasma ha comenzado a rondar el mundo: el consumismo, una especie de virus que, en su opinión, se está propagando desde los países occidentales hacia el Este. Ese fue el mensaje que llevó a Praga en su primer viaje después de la caída de la cortina de hierro. "No se debe subestimar el peligro que entraña la libertad recientemente adquirida de entrar en contacto con Occidente –les dijo a los checos–. Infortunadamente, no todo lo que ofrece Occidente en materia de visión teórica y estilos de vida prácticos refleja los valores del Evangelio. Por tanto, es necesario preparar defensas inmunizantes contra ciertos virus, como el laicismo, la indiferencia, el consumismo hedonista, el materialismo práctico y el ateísmo formal que hoy en día se encuentra tan difundido".

Ciertamente es una paradoja de la historia que este gran guerrero anticomunista utilice un lenguaje tan similar al de los líderes comunistas que durante decenios advirtieron a los pueblos de Europa oriental y la Unión Soviética contra la contaminación propiciada por un Occidente "decadente".

Cuando cena con sus amigos más cercanos en el Vaticano, Juan Pablo II suele analizar la situación de Europa del Este. Según dice, en muchos países, comenzando por Rusia, la sociedad civil está débilmente desarrollada, la democracia es frágil y existe una competencia brutal por satisfacer los intereses privados. Así, se está allanando el camino para el triunfo del *lumpenkapitalismus*, un tipo de capitalismo salvaje y despreciable, una lucha del hombre contra el hombre.

Cuando el Papa viajó a los países bálticos libres en el otoño de 1993, sorprendió a su audiencia en Riga al declarar: "La explotación producida por el capitalismo inhumano era un mal real, y ese es el grano de verdad que contiene el marxismo". Unos meses después, en una conversación con Jas Gawronski, un diputado italiano, polaco de nacimiento, ante el Parlamento Europeo, Juan Pablo II fue incluso más lejos: "Estas semillas de verdad [en el marxismo] no deben ser destruidas, no deben ser arrastradas por el viento. ... Los defensores del capitalismo en sus modalidades extremas tienden a pasar por alto las cosas buenas logradas por el comunismo: su esfuerzo por superar el desempleo, su preocupación por los pobres".

Cuando escuchó esta declaración desde Moscú, Gorbachov no pudo menos que sonreír. "Muy interesante –le comentó a un amigo italiano–. Todo parece indicar que el Papa comienza a comprender que existen valores positivos en el socialismo, y que seguirán siendo positivos en el futuro".

En los últimos años el Papa ha criticado con dureza creciente el materialismo en Occidente, y su ira ha asumido dimensiones globales. Describe el siglo xx como una era en la que han triunfado los falsos profetas y los falsos maestros. En un viaje a Denver en agosto de 1993, dijo que en las sociedades modernas la vida muchas veces es tratada, en el mejor de los casos, como un artículo de consumo, y que la cultura occidental, tan habituada a dominar la materia, también sucumbe a la tentación de manipular las conciencias. "El mundo –declaró el Papa– es el teatro de una batalla interminable que representa una y otra vez el conflicto apocalíptico de la muerte contra la vida, a medida que una cultura de la muerte busca imponerse sobre nuestro deseo de vivir plenamente". ¿Podría ser –preguntó el Papa– que "la conciencia está perdiendo la habilidad de distinguir entre el bien y el mal? La verdad no es un producto de la imaginación del individuo". En Alemania, en 1996, su blanco de ataque fue la "ideología capitalista radical".

Sin embargo, no es sólo el materialismo occidental lo que Karol Wojtyla percibe como el enemigo. Con franqueza cada vez mayor, el Papa presenta una visión apocalíptica de toda la cultura occidental. Ve a todos los progenitores del pensamiento moderno –desde Descartes y la Ilustración hasta Nietzsche y Freud– como profundamente anticristianos. En una entrevista concedida a Vittorio Messori, redujo la historia moderna a "la lucha contra Dios, la eliminación sistemática de todo lo cristiano". Su convicción de que un asalto semejante "ha dominado en gran medida el pensamiento y la vida en Occidente durante tres siglos" ha sido silenciosamente rechazada por muchos en la Iglesia, y ha planteado problemas a muchos no católicos que se interesaban por una Iglesia abierta al diálogo con el mundo contemporáneo.

Según explicó el Papa en una ocasión a André Frossard, la sociedad occidental materialista "busca convencer al hombre de que es un ser completo ... definitivamente adaptado a la estructura del mundo visible". Ese es el gran peligro, agregó: "aislar al hombre de lo más profundo de su propio ser".

Un Pontífice solitario

El ayuda de cámara de Juan Pablo II abrió la ventana y Su Santidad subió el par de escalones hasta el antepecho y se inclinó sobre la *piazza*. Allí abajo, apiñada alrededor del obelisco y de las dos grandes fuentes, la multitud de peregrinos lo aclamaba con entusiasmo. El rezo del Ángelus todos los domingos al mediodía es un ritual de rigor para los católicos que visitan Roma y para los turistas curiosos que quieren ver al líder espiritual más poderoso del mundo. Muchas familias romanas también acostumbrar ir de vez en cuando a la Plaza de San Pedro con sus hijos para escuchar a "su" Papa.

A Juan Pablo II le gustaban las multitudes abigarradas y entusiastas, dispuestas a gritar, aplaudir y agitar grandes banderas de sus países de origen. Le recordaban un poco las muchedumbres jubilosas que lo habían aclamado en los primeros viajes de su papado. Le traían recuerdos de la tarde en que pronunció sus primeras palabras como Papa, desde la *loggia* de San Pedro. Había hablado con confianza, aunque todavía no sabía cómo elevar y extender los brazos al estilo pontifical: la gente pensó que se veía un poco tieso y torpe.

Ese domingo, 12 de julio de 1992, Juan Pablo II se refirió una vez más a la Madonna. Había inventado para su público dominical una "peregrinación espiritual" a través de los santuarios marianos del mundo entero. En esta ocasión, la "parada" fue en el santuario de la Virgen de El Quinche, en Ecuador. Luego hizo un llamado por la paz y la justicia en Bosnia-Herzegovina y saludó especialmente a un grupo de peregrinos polacos, cuya emoción superaba la de los demás.

Los peregrinos estaban a punto de dispersarse cuando el micrófono dejó escuchar un anuncio inesperado: "Quisiera confiaros algo. Esta noche iré a la Policlínica Gemelli para someterme a unos exámenes de diagnóstico". La asombrada multitud elevó la vista hacia la ventana del Palacio Apostólico, desde donde la pequeña figura de blanco, ya no carismática, compartía sus preocupaciones humanas: "Os pido vuestras oraciones, para que el Señor me acompañe con su ayuda y apoyo". Nuevamente acudió a la Madre que, según sentía, lo había acompañado siempre desde la muerte de su propia madre terrenal. "A la Santísima Virgen repito, *Totus Tuus:* soy todo vuestro, con plena confianza en vuestra protección materna".

A las 7:15 p.m., Juan Pablo II, aparentemente sumido en sus reflexiones, se subió a su automóvil para ir a la Clínica Gemelli, acompañado por su secretario, Don Stanislaw. Su médico personal, el doctor Renato Buzzonetti, le había explicado el porqué debía ser hospitalizado: era un tumor, quizás un cáncer. Los médicos se habían demorado en reconocer este crecimiento sospechoso en su colon. Los rayos X mostraban que el tumor aparentemente no estaba en una etapa peligrosa. Sn embargo, había avanzado más de lo que debía y era urgente operarlo.

Cuando llegó a Gemelli, Juan Pablo II subió rápidamente al undécimo piso, en donde ya le tenían lista la habitación. Era un cuarto sencillo, a semejanza de todos los dormitorios que había tenido en su vida (salvo el del Vaticano, que no había escogido él mismo). El Papa echó un vistazo en busca de lo que para él era el objeto más importante en la habitación: un cuadro de la Madonna Negra, la misma a la que rezaba en sus largas meditaciones en la capilla todas las mañanas. Esta era la habitación en la que había permanecido después del intento de asesinato. Desde el corredor se podía ver la cúpula de San Pedro. Una ventana daba al patio del hospital, en donde los fieles pronto se reunirían para escuchar noticias sobre el estado de salud del Papa.

Sólo un puñado de allegados sabía que esta habitación no le había sido asignada por azar el día del atentado. En un momento de inspiración repentina, Juan Pablo II la había reservado, junto con otro cuarto para su secretario, el mismo día que dejó el Vaticano como Papa recién elegido para visitar a su amigo Andrzej Deskur en el hospital. Juan Pablo II siempre ha estado convencido de que el derrame cerebral sufrido por Deskur la víspera del cónclave en octubre de 1978 estuvo de alguna forma misteriosa ligado a su elección. Creía que era algún tipo de accidente "sustituto", sufrido por cuenta suya, entretejido con su destino.

Pese a la preocupación de sus colaboradores de que no iba a poder dormir, Juan Pablo II descansó plácidamente toda la noche. La enfermera de turno, que vigilaba junto a la señal de urgencias, no fue requerida. Al día siguiente, intercambiando unas cuantas pullas con sus médicos, Juan Pablo II fue conducido al quirófano.

Los detalles sobre la operación siguen estando sumidos en la confusión. "Una displasia modesta y localizada" en el colon, dijo el comunicado oficial. (Displasia es un crecimiento celular anormal, que indica el primer paso de un cambio de un tumor benigno a uno maligno). Una declaración del Vaticano subrayó que la cirugía, que duró casi cuatro horas, fue "radical y curativa". El tumor, un adenoma villífero del colon, era del tamaño de una naranja. Más tarde se filtró la noticia de que era "más grande de lo que se creía" y de que los médicos no habían realizado el tipo de examen invasivo rutinario que hubiera podido redundar en una detección temprana.

Desde la operación, la salud de Juan Pablo II se ha ido deteriorando gradualmente. El Papa atlético, que en su juventud y su madurez caminaba por los bosques, escalaba montañas y remaba en los lagos, el Papa que en su impaciencia al verse encerrado en el Vaticano hizo construir una piscina de tamaño olímpico en su residencia veraniega de Castel Gandolfo y que, cada vez que podía, solía dejar su escritorio para ir a esquiar en los Apeninos, ha regresado con frecuencia creciente a su habitación en el undécimo piso de la Clínica Gemelli. Pese a las repetidas afirmaciones del Vaticano en el sentido de que Juan Pablo II disfruta, en general, de un buen estado de salud, muchos observadores sospechan que el Papa podría tener otro tumor.

Su apartamento en el hospital cuenta ahora con dos habitaciones adicionales. Su *suite* tiene ahora una pequeña sala de estar para recibir invitados, y una cocina. La pequeña capilla ha sido completamente remodelada. Es como si el sufrimiento estuviera destinado a convertirse para Wojtyla en un signo permanente de su pontificado.

El 11 de noviembre de 1993, en una audiencia en el Vaticano con una delegación de la Organización de las Naciones Unidas para la Alimentación y la Agricultura, el Papa se cayó de espaldas sobre el piso, lo que le ocasionó una ligera fractura en el hombro derecho. Las fuentes oficiales del Vaticano dijeron que el Papa se había tropezado en los escalones de la pequeña tarima en donde se encuentra su trono en la Sala de Bendiciones. Sin embargo, algunos de los asistentes tuvieron la impresión de que el Papa se había desmayado. Por órdenes del Secretariado de Estado, la filmación del evento, que el equipo de televisión del Vaticano estaba cubriendo como de costumbre, nunca se mostró a la prensa. A los periodistas se les dijo que en ese momento el camarógrafo no estaba enfocando a Su Santidad. A un fotógrafo independiente que estuvo presente durante el incidente, el personal del Vaticano le confiscó la película.

Durante varias semanas después de la caída, al Papa se le dificultó elevar la hostia en la misa. Apenas se había recuperado cuando, a comienzos de abril de 1994, se cayó mientras esquiaba en las montañas de Abruzzi. En un intento por amortiguar su caída, su secretario, Don Stanislaw, también se cayó y se fracturó el brazo.

El 28 de abril Juan Pablo II se volvió a caer, esta vez en el baño. Se dijo que se había resbalado al salir de la tina luego de tomar una ducha. Durante varios minutos permaneció indefenso sobre el piso del baño, con el fémur fracturado. Finalmente fue llevado a la Clínica Gemelli, en donde permaneció hospitalizado casi un mes. Desde entonces se ha visto obligado a caminar con bastón.

Todas estas caídas, aunque aparentemente no relacionadas unas con otras, suscitaron interrogantes. O bien el Papa atlético se ha vuelto descuidado –algo difícil de creer–, o bien *algo* lo hizo caer. Algunos prelados informan confidencialmente que el Papa sufre de desmayos momentáneos, breves pérdidas de conciencia en las que su visión se nubla por completo.

Para los diplomáticos y periodistas acreditados ante la Santa Sede, el estado de salud del Papa se ha convertido en un tópico de especulación recurrente. Nadie sabe exactamente qué es lo que tiene el Papa, pero pocos dudan de que padece una enfermedad real, quizás incluso más de una. Todo el asunto se asemeja a lo que solía ocurrir con los líderes comunistas: el optimismo oficial prevalecía hasta el último instante.

Las hipótesis más generalizadas son que podría tener un tumor de avance lento o que está sujeto a ataques isquémicos transitorios. Las fuentes oficiales niegan la hipótesis de una enfermedad de Parkinson, aunque al Papa le tiembla con frecuencia la mano izquierda, y la tembladera es tan fuerte que cuando intenta detenerla sujetándose la mano izquierda con la derecha, ambas manos le tiemblan. Entre tanto, algunas fuentes del Vaticano, dentro de la más estricta confianza, admiten que el Papa padece una enfermedad del sistema nervioso.

"Soy un *biedaczek* [pobre infeliz]", dijo el Papa, inclinándose sobre su bastón un día de verano de 1994, a un periodista que le preguntó en polaco por su salud.

La propaganda del Vaticano trata de ocultar la condición del Papa. En este sentido, los funcionarios del Vaticano se ajustan a la perfección a la descripción británica de los diplomáticos: "Hombres enviados al exterior para mentir por su país". Muchos en el Vaticano recuerdan cuando *L'Osservatore Romano* negó informes según los cuales el papa Pío x tenía un resfriado... y el día siguiente murió.

En agosto de 1994, cuando el Papa fue de vacaciones a los Combes, en los Alpes italianos, las declaraciones oficiales del portavoz papal, Navarro-Valls, bullían de optimismo. Viernes 19: "Juan Pablo II dio una caminata de unas dos horas y media". Sábado 20: "Ayer hizo la caminata más larga desde que le operaron el fémur. Salió alrededor de las diez de la mañana y regresó después de las cinco de la tarde". Domingo 21: "Caminata larga". Jueves 25: "Fue en helicóptero a Le Petit Chaux, altitud 2 380 metros (después del almuerzo y la siesta) y emprendió el descenso hasta el valle". Viernes 26: "La caminata ha sido especialmente larga".

Sin embargo, el mes siguiente, cuando el Papa viajó a Zagreb, capital de Croacia, el mundo entero presenció la agonía de un hombre con el rostro contraído por el sufrimiento, que a duras penas pudo bajar a pie por la escalerilla del avión. Fue la primera vez que Juan Pablo II, que acostumbraba arrojarse al piso para besar el suelo como homenaje al país anfitrión, tuvo que prescindir de esta ceremonia. Dos jóvenes croatas, en traje nacional, le presentaron un poco de tierra en un recipiente de madera, y el Papa la besó suavemente con expresión de tristeza.

Su fragilidad ha reforzado sus convicciones místicas. Karol Wojtyla cree que siempre existe una razón para el sufrimiento. Ve el dolor como una especie menor de martirio. "Para mí –les dijo a sus colaboradores cuando se fracturó el hombro en noviembre de 1993–, esta es una oportunidad más para compenetrarme más íntimamente con el misterio de la Cruz de Cristo, en comunión con tantos hermanos y hermanas que sufren". Está convencido de que sus sufrimientos son una parte de su misión como Papa, y de que revisten un significado especial en momentos en que el desorden moral y la violencia se han generalizado tanto. "El Papa tiene una visión teológica de los sucesos dolorosos –explica un monseñor de la curia–. Para él, existen dos posibilidades: o las fuerzas del mal están en connivencia para impedirle que haga lo que quería hacer, o el Señor le está pidiendo, además de su compromiso intelectual y físico, que se identifique con los sufrimientos de otros".

La lucha con su cuerpo parece estar fortaleciendo su tremenda fuerza de voluntad. Los últimos años de su pontificado se han caracterizado por un estallido de actividad: escribió *Veritatis Splendor* (El esplendor de la verdad), considerada por muchos en la curia como su encíclica más profunda, *Evangelium Vitae* (Evangelio de la vida) y *Ut Unum Sint* (Que sean uno). Escribió una carta apostólica, *Tertio Millenio* (Tercer milenio), para el Año del Jubileo 2000. Ha seguido realizando viajes largos y agotadores al Medio Oriente y Norteamérica. Incluso reorganizó el cónclave, pensando en su propia muerte. Los cardenales electores ya no tendrán que permanecer encerrados en las incómodas y anticuadas celdas del Palacio Apostólico. La próxima vez que se reúnan para elegir a su sucesor, dormirán en las habitaciones de una residencia moderna en el Vaticano, el Hospicio de Santa Marta.

Veritatis Splendor, publicada en el décimoquinto año de su pontificado, es la encíclica de su madurez. En ella confronta lo que considera el mayor peligro de nuestro tiempo: el relativismo moral.

Rocco Buttiglione, uno de los eruditos a quienes consultó el Papa en las discusiones preparatorias en torno al documento, observa: "Esta encíclica marca un nuevo comienzo. Durante los primeros quince años del papado de Juan Pablo II, el problema fue el comunismo. Ahora el problema es la crisis moral de la democracia occidental. La libertad tiene que estar relacionada con la verdad. La democracia sin verdad está condenada al fracaso".

Un obispo que ayudó a redactar la encíclica recuerda el estado de ánimo de Juan Pablo II en una de las discusiones de grupo libres que le gusta propiciar después de la cena en Castel Gandolfo o en el Vaticano, con miras a extraer ideas para sus documentos y estrategias. En esta sesión escuchaba en silencio, como de costumbre. De repente interrumpió la conversación y exclamó: *"Ne Crux evacuetur!"* (que no se desvirtúe la cruz; 1 Corintios 1:17).

En opinión del Papa, un mundo sin la cruz sería un desierto. Un mundo sin la verdad sería el infierno mismo. Es crucial para el creyente que quiere seguir a Cristo saber qué es la verdad, qué son el bien y el mal.

El problema de la verdad en un mundo que, a su parecer, se dirige a la deriva hacia el relativismo ético es el tema central de *El esplendor de la verdad*. La redacción de esta encíclica duró seis años. Un experto asegura que un centenar de personas tuvo que ver de una u otra forma con ella. El Papa en persona escribió la primera versión en polaco, prestando especial atención al primer capítulo, que está repleto de citas bíblicas y reviste un mayor atractivo literario que los demás. Luego, varios comités produjeron una segunda versión alternativa; y sobre esta base el trabajo prosiguió a través de versiones sucesivas.

Como suele suceder con Juan Pablo II, las principales ideas fueron desarrolladas durante el verano, cuando el Papa se puso una chaqueta rompevientos y se aprovisionó de un bastón de escalador para caminar por los Alpes italianos con el teólogo polaco Tadeusz Styczen, su sucesor en la cátedra de ética en la Universidad Católica de Lublín.

La encíclica expresa toda la gama del humanismo de Juan Pablo II. Representa su intento de condensar una *summa* moral y transmitirla a la Iglesia universal. Su eje es la dignidad humana y la responsabilidad. *"Gloria Dei homo vivens"* (El hombre vivo es la gloria de Dios), subraya el Papa, citando a san Irineo. Ha estado diciendo esto a lo largo de su pontificado.

Varios pasajes de la encíclica reflejan a la perfección la identidad de Karol Wojtyla el pastor, el poeta y el filósofo. "Si el hombre hace el mal –dice–, todavía tiene el juicio justo de su conciencia para atestiguar de la verdad universal del bien, así como de la maldad de su opción particular. Sin embargo, el veredicto de conciencia se queda con él como un compromiso de esperanza y misericordia: mientras atestigua de la maldad cometida, también recuerda el perdón que debe implorar, el bien que debe hacer y la virtud que siempre debe cultivar con la gracia de Dios".

La razón humana es autónoma, dice el Papa, pero no crea normas éticas, pues estas provienen de Dios. Este es un problema que también seduce a los no creyentes: Vaclav Havel, por ejemplo, se ha preguntado recientemente si los principales valores humanos, en particular los derechos humanos universales, realmente pueden ser considerados como de obligatorio cumplimiento por todos, a menos que se admita que tienen un *fundamento trascendental.*

Sin duda alguna, numerosos no católicos también comparten las preocupaciones de Juan Pablo II. No obstante, esta encíclica suscitó una controversia en el mundo católico e incluso en el no católico, debido a su actitud hostil con respecto a la libertad intelectual de los teólogos. La segunda parte de la encíclica es un examen minucioso y detallado de ciertas escuelas contemporáneas de teología. En las críticas que formula contra estas escuelas, que afirman la importancia de las condiciones históricas, antropológicas, culturales y psicológicas que influyen sobre las acciones del ser humano, Juan Pablo II es implacable. Las acusa de socavar la doctrina del mal intrínseco. Quiere que guarden silencio.

Cuando los teólogos de la curia, obedeciendo los deseos del Papa, incluyeron una declaración de infalibilidad papal en una de las versiones preliminares de *Veritatis Splendor,* una oleada de resistencia sorda cundió por toda la Iglesia católica. Según admite el cardenal Ratzinger, en la versión definitiva se eliminó la afirmación de infalibilidad. Sin embargo, el hecho de haber sido introducida en una versión anterior demuestra hasta qué punto Juan Pablo II quería, en sus últimos años, dar una respuesta definitiva –y de obligatorio acatamiento– a las cuestiones más intensamente debatidas de la Iglesia.

En *Veritatis Splendor,* Juan Pablo II finalmente utilizó el lenguaje más autoritario posible, sin llegar a una declaración de infalibilidad: "Hermanos del episcopado –les dijo a los obispos del mundo–, voy a establecer los principios requeridos para discernir lo que va en contra de una *doctrina sólida".*

El Papa recordó a los obispos su "serio deber de vigilancia personal", a fin de asegurarse de que en sus diócesis se enseñaran correctamente la fe y la doctrina. En caso de presentarse "fallas" graves (es decir, desviaciones con respecto a la línea Ratzinger-Wojtyla), debería retirarse el calificativo "católico" de las escuelas, universidades, hospitales y centros de asesoría familiar asociados con la Iglesia. Lo que el Papa tenía particularmente en mente eran los hospitales e institutos de investigación que promovían la fertilización *in vitro* y el control artificial de la natalidad.

Se ordenó a los teólogos disidentes que guardaran silencio sobre sus opiniones polémicas. Si lo hacían, podrían ser perdonados. De lo contrario, serían retirados de sus cátedras universitarias y se les prohibiría dictar conferencias y publicar libros. La encíclica constituyó, en parte, un esfuerzo por suprimir el disenso por decreto: "El disenso, que consiste en disputas y polémicas deliberadamente aireadas en los medios masivos –proclamó el Papa–, va en contra de la comunicación con la Iglesia y en contra del entendimiento correcto de la estructura jerárquica del pueblo de Dios".

Hans Küng, el *enfant terrible* de la teología germanohablante, reaccionó con furia: "El Papa está convencido de que su doctrina es la doctrina de Cristo y de Dios mismo. Este es un mesianismo que perjudica a la Iglesia católica. ... La encíclica es en cierto sentido una admisión de fracaso. Si el Papa se da cuenta de que después de quince años de discursos, después de los viajes, las encíclicas y el catecismo, los católicos todavía no están obedeciendo sus palabras, entonces *Veritatis Splendor* es la admisión de una crisis: la incapacidad del Papa de convencer a la Iglesia".

El sacerdote redentorista Bernhard Häring, de ochenta años, uno de los principales teólogos de la moral, también dejó ver su inconformidad: "*Veritatis Splendor* contiene muchas cosas hermosas. Sin embargo, casi todo el 'esplendor' se pierde cuando queda claro que todo el documento tiene una meta suprema: avalar el consentimiento y la sumisión totales ante todos los pronunciamientos del Papa".

Incluso más sorprendente que estas protestas fue el comentario del cardenal de Bruselas, Godfried Danneels, a quien Juan Pablo II admiraba por la forma en que condujo el sínodo de obispos de 1985 hacia una conclusión tranquila y sumisa: "No es la mejor de las encíclicas papales".

En la Iglesia católica, el eufemismo es una de las formas más sutiles de oposición. Otra es elogiar un suceso... para enterrarlo muy pronto después. En cierto sentido, este fue el destino de *Veritatis Splendor*. Muchos obispos comentaron en privado: "La encíclica dice lo correcto pero, ¿qué se supone que debemos hacer con ella? Nuestra función es hallar la forma de atraer nuevamente a la gente a las iglesias".

Es difícil precisar el instante en que un pontificado comienza a declinar. Muchas veces no sucede nada espectacular que anuncie la llegada del Último Acto. En las congregaciones de la curia, la cotidianidad prosigue como si nada: los monseñores entran y salen con sus maletines de los palacios del Vaticano, como siempre lo han hecho. La vasta maquinaria de las reuniones burocráticas, los encuentros de obispos y cardenales, siguen su curso habitual. Se convocan sínodos, se anuncian consistorios. El Papa sale de viaje, el Papa publica documentos, el Papa se presenta en público, pero...

Pero, en el mundo de sotanas negras y birretes púrpura llega un día en que los monseñores comienzan a utilizar un tono peculiar al referirse a *él*. Es una forma apenas perceptible de distanciarse de Su Santidad, de defenderlo sólo maquinalmente, o de olvidar mencionarlo. Se hacen comentarios sutiles en el sentido de que nada es eterno. Wojtyla "está predicando heroicamente el Evangelio *según su propia interpretación"*, dijo un nuncio prominente en 1996.

Los romanos tienen un dicho fríamente realista: *"Morto un papa, se ne fa un altro"* (cuando un Papa muere, fabrican otro). Ninguno de los residentes del Vaticano olvida nunca esto.

En los últimos años, Juan Pablo II ha comenzado a encontrar una especie de resistencia silenciosa en el seno de la Iglesia católica. La gente ya no acepta incondicionalmente su liderazgo. Aunque ha recibido a más personas en su capilla privada o en su comedor que cualquier otro Papa en este siglo, nunca ha hecho amistades personales estrechas en la curia. Siempre ha estado por encima de esto, pero solo.

A excepción del cardenal Ratzinger, las personas que ha nombrado en los cargos más altos de la curia se apresuran a cumplir sus órdenes, sin confrontarlo con opiniones disidentes u originales. "En ciertas áreas tiene un equipo confiable –dice un veterano de la curia–, pero en otras sus asesores son insulsos, que es definitivamente una de las debilidades de este papado". Los hombres insulsos, agrega este conocedor del Vaticano, tienden a no ser grandes pensadores. Son el tipo de personas a quienes importa más la lealtad que hacer análisis estimulantes que podrían ir en contra de las disposiciones del monarca.

Así, Karol Wojtyla está más solo que nunca, y desde su trono se ve obligado a observar cómo en la Iglesia y en la curia los asuntos empiezan a escapársele de sus manos. Los severos decretos de *Veritatis Splendor* son el intento del Papa por preservar lo que, según él, debería ser un orden inmutable. Su interés por traducir la voluntad de Dios en realidad y su convicción de que fue elegido cerca del final del milenio para llevar a la práctica un plan específico de la Providencia se han convertido en una especie peculiar de arrogancia.

En los últimos años, Juan Pablo II ha intentado encontrar una fórmula –más allá de su papado– que comprometa a la Iglesia con su idea de una voluntad divina. Declaró que los hombres casados no podrán ser sacerdotes. Reiteró la prohibición de la Iglesia al ingreso de las mujeres al sacerdocio. Se negó a considerar la posibilidad de permitir a los divorciados y casados en segundas nupcias recibir la comunión.

Impedir que el tema de la ordenación de mujeres siquiera se plantée se le ha convertido en obsesión. Su meta es evitar cualquier discusión al respecto. A fin de impedir que las monjas plantearan el tema en un sínodo sobre la vida religiosa realizado en el otoño de 1994, publicó un nuevo documento papal, *Sacerdotalis Ordinatio* (Ordenación sacerdotal), con miras a reforzar la antigua prohibición. El documento se valió del argumento tradicional que las iglesias reformistas y anglicanas desecharon hace mucho tiempo: "Cristo sólo escogió hombres como sus apóstoles, y la Iglesia ha imitado a Cristo en su práctica constante de elegir sólo hombres".

El tono del documento fue bastante inusual: "A fin de eliminar cualquier duda –anunció Juan Pablo II–, por virtud de mi ministerio de confirmar a los hermanos en la fe, declaro que la Iglesia no tiene autoridad alguna para conferir una ordenación sacerdotal a las mujeres, y que todos los fieles están definitivamente comprometidos con esta apreciación". Sin embargo, las dudas persistieron, y un año después, en noviembre de 1995, el cardenal Ratzinger se vio obligado a publicar otra instrucción en la que decía que la declaración del Papa era "definitiva e infalible" y que todos los fieles estaban obligados a aceptarla. De hecho, el cardenal escogió una forma bastante retorcida de proclamar la infalibilidad de una decisión papal, algo que no había sucedido desde el Concilio Vaticano II. El nuevo documento de Ratzinger decretó que las palabras del Papa se referían a una doctrina de suyo "infalible".

"Roma locuta, causa finita" (Roma habló, el caso se cierra), solía decir

san Agustín. Sin embargo, lo cierto es que mientras más rodea Juan Pablo II a la Iglesia con alambre de púas, más evidentes son las grietas en el muro. La oposición emerge con frecuencia.

En el sínodo sobre África realizado en 1994, el obispo congolés Ernest Kombo desafió al Papa, quien estaba presente en el debate, cuando proclamó la esperanza de que las mujeres pudieran ser nombradas en los cargos más altos posibles en la jerarquía eclesiástica, incluso como "cardenales laicas". En ese mismo sínodo, el documento final de los obispos participantes expresó "horror [ante] la discriminación y la marginación a las que están sometidas las mujeres en la Iglesia y la sociedad", y votó en favor de una disposición que declaraba imperativo incluir a las mujeres en los diversos niveles de toma de decisiones en la Iglesia.

Como el sexo en una u otra forma (divorcio, sacerdotes casados, la ordenación de mujeres, la anticoncepción) se ha convertido en el campo de batalla en el que Juan Pablo II ejercita su voluntad de mando, el Papa se ve cada vez más confrontado por la oposición de los príncipes de la Iglesia que no se sienten a gusto ante lo que perciben como un prejuicio cultural del Pontífice.

El cardenal Carlo Maria Martini, de Milán (con frecuencia mencionado como un *papabile*), propuso estudiar la posibilidad de que las mujeres entraran al diaconato, pese a que el Vaticano ha dejado en claro que este asunto *no* debe figurar en el temario de la Iglesia. Martini también definió el celibato sacerdotal como una decisión histórica susceptible de ser modificada. Cuando se le preguntó en una entrevista de la BBC sobre la prohibición del Vaticano de impartir la comunión a personas divorciadas y casadas en segundas nupcias, Martini no ocultó su descontento.

El obispo Karl Lehmann, de Mainz, presidente de la Conferencia Episcopal alemana, incluso hizo una petición formal al Vaticano para que revocara la prohibición o por lo menos atenuara su rigor absoluto, permitiendo a las parejas tomar sus propias decisiones basados en su conciencia individual. Por orden de Juan Pablo II, el cardenal Ratzinger impidió que los obispos alemanes tomaran una decisión independiente al respecto. En el consistorio de 1995, Lehmann fue castigado por haber intentado modificar el decreto del Papa: se le negó el birrete de cardenal.

En Gran Bretaña, el cardenal Basil Hume (otro *papabile* en el último cónclave) se refirió al amor homosexual como una experiencia enrique-

La ira del Papa

cedora, pese a que *Veritatis Splendor* todavía considera la sodomía como pecado mortal.

En enero de 1995, el obispo francés Jacques Gaillot fue emplazado al Vaticano y retirado de su diócesis sin previo aviso porque insistió en hablar en favor de los sacerdotes casados, el uso de preservativos por personas con VIH y el respeto por las relaciones homosexuales en las que mediaba un compromiso.

En medio de nutridas manifestaciones que protestaban contra su destitución sumaria (a Gaillot le dieron doce horas para renunciar "voluntariamente" pero él se negó a hacerlo), el presidente de la Conferencia Episcopal francesa, Joseph Duval, declaró por la televisión pública en Normandía: "Este es un acto autoritario que no puede ser aceptado por la sociedad, ni siquiera por la Iglesia. La gente quiere consultas y diálogo. Los gestos autoritarios de Roma se han multiplicado en días recientes: el Catecismo de la Iglesia universal, la encíclica sobre la moralidad *(Veritatis Splendor)*, la prohibición contra la ordenación de mujeres, la imposibilidad de dar la comunión a personas divorciadas y casadas de nuevo. Estos actos hacen que la Iglesia parezca una organización rígida, cerrada".

Un año después, los obispos franceses publicaron un folleto sobre el VIH en el que se decía que los preservativos pueden ser una "necesidad", una postura que el Vaticano rechaza radicalmente. Incluso el cardenal holandés Adrianus Simonis, de Utrecht, famoso por su tradicionalismo, se ha pronunciado a favor de esta posición como un "mal menor".

Y en 1996, uno de los pupilos de Wojtyla, el arzobispo Christoph Schönborn, de Viena, escogido por el Papa para dirigir el retiro cuaresmal en el Vaticano, también estuvo de acuerdo: "Nadie puede esperar que el amor tenga que ocasionar la muerte", dijo.

Uno de los principales problemas que afronta el papado de Juan Pablo II sigue siendo la democracia en su propia casa. Como se preguntaron muchos católicos franceses en medio del fragor del asunto Gaillot: ¿puede un Papa que defendió los derechos democráticos en Polonia y en todo el mundo seguir dirigiendo la Iglesia como una monarquía absoluta? El obispo Rembert Weakland, de Milwaukee, ex superior general de los benedictinos, sostiene que el papa Wojtyla "siente un gran temor de

545

que todo el asunto de la libertad y la democracia de alguna manera se filtre dentro de la Iglesia".

Juan Pablo II se niega a abordar el asunto. El nuevo *Manual para el clero,* publicado en 1994, hace énfasis en que "las falsas ideas de democracia corroen la constitución jerárquica [de la Iglesia] dispuesta por su Divino Fundador". Sin embargo, el problema se está agudizando cada vez más, en parte porque las demás iglesias cristianas lo han abordado muy directamente y, con frecuencia, con efectividad. Muchos católicos también están exigiendo mayor voz en la Iglesia.

La forma de gobierno de Juan Pablo II prácticamente ha paralizado los proyectos de unidad con las otras iglesias cristianas, en donde se aplican principios democráticos mediante asambleas especiales. En su pontificado ha habido muchos gestos amistosos, mas no un progreso real. Es sobre todo en el seno mismo de la Iglesia católica, empero, donde se están acumulando el descontento y el resentimiento. Mes tras mes, el Papa recibe informes perturbadores del Secretariado de Estado. Los métodos despóticos del Vaticano han fomentado el surgimiento de movimientos de oposición de base amplia que manifiestan su descontento mediante la recolección de firmas. "Somos la Iglesia", es su grito de batalla. "Lo que a todos interesa –agregan–, debe ser decidido por todos". Estas protestas no tienen precedentes. En Austria, en donde Juan Pablo II nombró al cardenal tradicionalista de línea dura Hermann Grör en Viena como sucesor del cardenal König (y se vio obligado a retirarlo en 1995 luego de acusaciones de pedofilia en su contra), un movimiento de base de quinientos mil católicos presentó a los obispos una petición: exigían reconsiderar el tema de celibato, más democracia y una mayor participación de la Iglesia local en el nombramiento de los obispos. (Los obispos son escogidos por el Papa a partir de una lista secreta de candidatos sometida por sus nuncios). El movimiento de protesta se extendió a Alemania, Francia, Italia, Bélgica y Estados Unidos. En Alemania, los reformadores católicos recogieron un millón y medio de firmas; y la facultad teológica católica de Tubinga hizo un llamado público al Vaticano para que se rehabilitara oficialmente al teólogo Hans Küng, haciendo énfasis en que la facultad nunca había exigido su retiro por presuntas desviaciones doctrinales.

Los católicos estadounidenses plantearon sus objeciones al más alto nivel. En junio de 1995, más de cuarenta obispos respaldaron una declaración de doce páginas en la que se denunciaba la intromisión del Vaticano en la formulación de políticas de la Conferencia Episcopal de Estados Unidos. Los signatarios criticaron la política curial de debilitar el papel de todas las conferencias episcopales, así como la costumbre del Vaticano de promulgar documentos de aceptación obligatoria para casi mil millones de católicos sin consulta previa. "Existe una sensación generalizada de que documentos romanos de diversos niveles de autoridad han estado, desde hace algunos años, reinterpretando sistemáticamente los documentos del Vaticano II, a fin de presentar las posiciones minoritarias del concilio como el verdadero significado de éste", dijeron los obispos estadounidenses. El villano de esta historia era, sin duda, Karol Wojtyla.

El Papa, comenta el obispo Weakland, "tiende cada vez más a colocar a la gente contra la pared, y si continúa en esta línea, fácilmente podría comenzar a dividir a la Iglesia".

En todo caso, las cuestiones no resueltas surgen regularmente. La negativa de permitir el divorcio, que todas las demás iglesias cristianas aceptan, ha suscitado una bonanza de anulaciones religiosas, contra las cuales Juan Pablo II despotrica en vano año tras año en sus audiencias en la Sagrada Rota Romana, la corte que supervisa los tribunales de la Iglesia y los juicios de anulación en todo el mundo.

"El juez no debe dejarse influir por conceptos antropológicos inaceptables –dijo en 1987–. El juez siempre debe guardarse del peligro del sentimentalismo, que sólo parece ser pastoral" (1990). "No se puede de ninguna manera adaptar la norma divina, ni siquiera torcerla para que se ajuste al capricho de un ser humano" (1992).

Sin embargo, la tasa de anulaciones –en las cuales la corte declara los matrimonios nulos desde su inicio– sigue siendo altísima, con Estados Unidos a la cabeza. En 1989 se concedieron 78 209 anulaciones, de las cuales 61 416 en Estados Unidos. En 1991 hubo 80 712, con 63 933 en Estados Unidos. En 1992 la cifra fue de 76 829, de las cuales 59 030 correspondieron a Estados Unidos.

En 1995, Juan Pablo II descargó su ira contra los obispos en general "que podrían sentirse tentados a rezagarse en el cumplimiento de los procedimientos establecidos y confirmados por el derecho canónico".

Esto significa que muchos obispos están efectivamente distanciándose de las reglas con las cuales no están de acuerdo.

La crisis –y sin duda es una crisis, incluso en opinión de muchos en la Iglesia que admiran a Juan Pablo II y están de acuerdo con una buena parte de sus pronunciamientos– también puede percibirse en las multitudes menos nutridas que se reúnen en Europa cuando Juan Pablo II regresa a un país que ya ha visitado. Cuando viajó a Praga en mayo de 1995, la ciudad lo ignoró. Sólo sesenta mil fieles acudieron a la misa que ofició en el estadio: novecientos cuarenta mil checos menos que los que asistieron durante su visita de 1990.

Pocas semanas después, cuando viajó a Bélgica, no más de treinta y cinco mil personas acudieron a una misa frente a la basílica de Koekelberg. Los obispos belgas sólo le organizaron una visita de veinticuatro horas. El 4 de junio, cuando el Papa se reunió en Bruselas con algunos antiguos condiscípulos del Colegio Belga de Roma (en donde vivió entre 1946 y 1948), el cardenal Jan Schotte se quejó amargamente ante los presentes: "El Santo Padre deseaba permanecer tres días en Bélgica, pero los obispos belgas no lo querían".

La sensación de soledad que rodea al trono papal se ve acentuada por el comportamiento de los fieles, sobre todo en Europa. Las encuestas reflejan una falta de consenso. En 1984, Juan Pablo II era "muy popular" para el cincuenta y cuatro por ciento de los belgas. La cifra hoy es de veintiséis por ciento. Sólo el diecinueve por ciento aprueba su prohibición de la comunión para personas divorciadas que hayan contraído segundas nupcias. El veinticinco por ciento aprueba la proscripción de los anticonceptivos. Los puntajes del Papa sólo son altos en lo que respecta a sus viajes al exterior (sesenta y dos por ciento) y al papel que desempeñó en Europa oriental (cincuenta y cuatro por ciento).

Incluso en Italia, el país más directamente sometido a la influencia del Vaticano, los fieles siguen por su propio camino. Un sondeo realizado en 1995 por orden de la Conferencia Episcopal italiana reveló que sólo un veintitrés por ciento de los italianos asiste regularmente a misa. El sesenta por ciento nunca se confiesa. Más de la mitad de los católicos italianos está a favor del divorcio y del sexo premarital. Cerca del setenta por ciento defiende la píldora, el cincuenta y tres por ciento no tiene objeciones frente a la homosexualidad, y sólo el catorce por ciento cree que el aborto debe ser ilegal bajo cualquier circunstancia.

Sin embargo, las encuestas jamás han influido sobre Juan Pablo II. En opinión del Papa, la lucha por preservar las leyes morales y eclesiásticas como él las conoce es un deber ineludible. Todo esto representa una carga bastante pesada, pero nadie lo ha escuchado nunca quejarse de lo arduo de su oficio. A veces, cuando regresa exhausto de sus viajes, su ángel guardián en el Vaticano, la hermana Eufrozja, le da la bienvenida diciendo: "Me preocupa Su Santidad". A lo cual él responde, con una sonrisa traviesa: "También a mí me preocupa mi santidad".

Eva

La mujer recorrió los corredores del palacio acompañada por un caballero de traje oscuro, pero apenas si cruzó una que otra palabra con él. Las estatuas, los tapices y los frescos parecían desfilar a gran velocidad a su lado. En un recinto, echó una ojeada a una antigua Biblia situada sobre una mesa de mármol exquisitamente labrada; sin embargo, aunque estos maravillosos objetos de arte picaban su curiosidad, no la impresionaron. Estaba habituada a las maravillas del mundo. Roma y Nueva York, Londres y Ginebra le eran tan familiares como las grandes ciudades de Asia, África o América Latina. Además, no había escogido esa mañana del 18 de marzo de 1994 para hacer un gira cultural. Había ido a hablar de cosas serias: sobre mujeres, madres, familias. Con sensibilidad y delicadeza, con franqueza si era preciso, y con firmeza de acero si no había más remedio.

Echó un vistazo al trono de la Sala Clementina. Aunque vacío, lucía majestuoso. Sin embargo, el caballero del traje negro pronto la condujo por otro corredor.

Juan Pablo II la aguardaba en su estudio. A lo largo de su pontificado, las mujeres siempre habían sido un problema, o por lo menos la prensa mundial no cesaba de asegurar que lo eran. O bien los medios hablaban sobre el aborto y la negativa papal de conceder a las mujeres la libertad de elegir, o bien mencionaban su prohibición rotunda a la ordenación sacerdotal de mujeres. En uno u otro caso, constantemente se le acusaba de atraso e insensibilidad frente a las necesidades y aspiraciones de las mujeres modernas. El Papa recibía estas acusaciones con enojo. Cuando leía sobre ellas en los resúmenes de prensa, las desechaba con una contracción nerviosa de las cejas.

La idea que tenía Juan Pablo II sobre su relación con las mujeres difería de la imagen negativa que presentaban los medios: él se conocía a sí mismo. Pensaba en las mujeres con sentimientos de ternura infinita. ¿Acaso no las consideraba seres extraordinarios e irreemplazables? ¿Acaso no había escrito una carta apostólica especial, *Mulieris Dignitatem* (La dignidad de la mujer), en la que declaraba que "una mujer representa un valor particular ... por el simple hecho de su feminidad"? ¿Acaso no había aclamado líricamente "el amor conyugal, con su potencial maternal oculto en el corazón de la mujer como novia virginal"? Estaba convencido de que el "genio femenino", cuando se unía a Cristo, predisponía a las mujeres a una especial "apertura a todas y cada una de las personas".

El feminismo radical entristecía a Karol Wojtyla. Cuando surgía el tema durante las visitas de Zofia Zdybicka al Vaticano, solía decir perplejo: "Hermana, siento tanto respeto por las mujeres, tengo una opinión tan elevada de ellas". Con frecuencia le confiaba: "Sé que las mujeres tienen un potencial enorme para hacer el bien ... lo que sucede es que en estos momentos están sometidas a restricciones culturales".

Una vez, en 1993, proclamó su respeto por las mujeres ante el mundo entero desde la ventana de su estudio, con vista sobre la Plaza de San Pedro: "María, Virgen y Madre del Redentor, quiero daros unas sinceras 'gracias' de parte de toda la Iglesia al Señor por el regalo de la mujer, por todas y cada una de ellas".

Sin embargo, durante su pontificado la marea de críticas en su contra no amainaría, ni dentro ni fuera de su Iglesia. En lo que concernía a la idea de la maternidad, un profundo abismo lo separaba del enfoque de las feministas, así como de muchas otras mujeres que jamás se habrían definido a sí mismas como feministas. Para Wojtyla, el embarazo mismo era un símbolo exaltado. Para él, "la gestación de un bebé es una metáfora del ser contemplativo", explica David Schindler, editor norteamericano de la revista teológica auspiciada por Ratzinger, *Communio*. "Es absorber algo y reflexionar sobre ello. Vive en su seno, luego viene el período de maduración, el dar a luz. Y luego, concomitante con dar a luz, está el sentimiento del sufrimiento, del dolor. ... Este concepto es fundamental para el Papa".

Sin embargo, según las feministas y otras mujeres, que veían con sospecha esa visión excesivamente romántica o engañosa de la mujer –como Ángel o Madre–, había que reafirmar el derecho de controlar sus propios cuerpos y no ser tratadas como simples recipientes, como materas que protegen una planta preciosa. Así pues, el conflicto tenía raíces muy hondas.

El Papa sabía que, en el tema de las mujeres, existía un espíritu de crítica y oposición muy generalizado en el mundo católico, sobre todo –como los departamentos del Vaticano no cesaban de recordarle– en Estados Unidos. Al fin y al cabo, fue una monja estadounidense, una superiora de las Hermanas de la Misericordia, quien se atrevió a desafiarlo apenas un año después de su elección. Sucedió en Washington, en el santuario de la Inmaculada Concepción, el último día de su primer viaje a Estados Unidos, en octubre de 1979. Cerca de cinco mil religiosas se habían congregado en el santuario. Más de dos tercios de ellas habían prescindido del velo o del hábito, pese a que, tan pronto fue nombrado Papa, Juan Pablo II insistió en que las monjas debían usar su traje tradicional, y continuó insistiendo en ello durante su gira por Estados Unidos. La desobediencia lo irritaba.

Aquí y allá, en la nave central neogótica y en las naves laterales de la iglesia, podía ver unas cincuenta monjas que se destacaban entre las demás: portaban un extraño brazalete azul, como si fueran voluntarias de alguna organización. Cuando interrogó a sus colaboradores del Vaticano al respecto, le informaron que las monjas pertenecían a un grupo de oposición que propugnaba la ordenación de mujeres. Su lema era, "si las mujeres pueden hacer pan, pueden partir el pan".

La mujer escogida para darle la bienvenida fue la hermana Theresa Kane, presidenta de la Conferencia de Liderazgo de Mujeres Religiosas. También ella había acudido en traje laico. El Papa miró a la diminuta mujer vestida con un sastre azul. La hermana demoró menos de diez minutos pronunciando sus palabras formales; al final, declaró por el micrófono con voz resonante: "Su Santidad, la Iglesia debería responder a los sufrimientos de las mujeres contemplando la posibilidad de incluirlas en todos los ministerios sagrados". Sus palabras, retransmitidas por televisión en todo Estados Unidos, merecieron un fuerte aplauso.

Luego, la hermana Kane se acercó a la silla papal y saludó al Papa de una manera democrática, casi irreverente (en comparación con las sumisas monjas polacas e italianas del Vaticano): "Buenos días, me da mucho gusto conocerlo". Lo saludó de mano y le pidió la bendición. Se arrodilló, pero no le besó el anillo. Juan Pablo II no olvidó esto. Cuando le llegó el turno de dirigirse a las hermanas en el santuario, su afabilidad usual había desaparecido. No sonrió ni una sola vez.

Años más tarde, la hermana Kane recordaría cuán rápidamente el Vaticano tomó represalias. Pocas semanas después del episodio, cuando viajó a Roma para asistir a una reunión de la Congregación de Religiosos, recibió una carta con un mensaje lacónico que decía: "Apreciaríamos una aclaración de su saludo al Santo Padre en el santuario".

En el Vaticano fue recibida por un sacerdote y no, según lo planeado, por el cardenal Eduardo Pironio, prefecto de la Congregación de Órdenes Religiosas. La escena, aunque vagamente intimidante, tuvo un toque de lo absurdo. "Ahora que hemos evacuado los otros ítems del temario –dijo el sacerdote–, quiero pedirle que aclare su saludo".

"Yo quiero preguntarle a *usted* qué es lo que quiere que aclare", respondió la hermana Kane. Un silencio absoluto cayó sobre el recinto. El sacerdote se volvió a sus colegas y preguntó: "¿Qué es lo que queremos que aclare?" Nadie contestó.

Obviamente querían que dijera que en las palabras que pronunció ante el Papa no se había referido a la ordenación de mujeres. Pero ella insistió, "quiero que ustedes lo sepan: sí incluí la ordenación ... la ordenación estaba incluida". Su castigo se produjo al finalizar el período de la hermana Kane como presidenta de la Conferencia de Liderazgo. Cuando solicitó ver a Juan Pablo II, el Vaticano le informó que una reunión sería "inapropiada".

Así, las protestas de las mujeres habían comenzado. En el transcurso de los años, con raras excepciones, las mujeres habían sido las únicas en contradecir a Juan Pablo II frente a grandes audiencias, ante la prensa y la televisión mundiales. Habían utilizado pocas palabras, pero nunca renunciaban a los temas que les interesaban, pasándose tenazmente el bastón como en una carrera de relevos.

La ira del Papa

El año siguiente, 1980, en Munich, en la muy católica Baviera, una joven de nombre Barbara Engel criticó la actitud de la Iglesia con respecto al celibato sacerdotal y los problemas sexuales. Cuando el Papa viajó a Suiza, de nuevo fue una mujer, Margrit Stucky-Schaller, quien lo confrontó. "Lamentamos que nuestro trabajo revista tan poca importancia para la fe y para la Iglesia. Nosotras las mujeres tenemos la impresión de que nos consideran ciudadanas de segunda categoría", dijo.

En 1985, durante el viaje del Papa a Holanda y Bélgica, la recepción había sido más animada. En Utrecht, miles de jóvenes punki, anarquistas, homosexuales y lesbianas salieron a las calles en una ruidosa y extravagante protesta contra el autoritarismo papal. Se enfrentaron con la policía durante tres horas. Más tarde ese día, Hedwig Wasser, la vocera principal de la reunión de organizaciones misioneras, lo interrogó: "¿Cómo podemos tener credibilidad cuando proclamamos el Evangelio con un dedo acusatorio en lugar de una mano extendida en señal de ayuda? ¿Cuando en lugar de abrir espacio para ellos, excluimos a las parejas divorciadas, a los homosexuales, a los sacerdotes casados y a las mujeres?" Sin inmutarse ante la evidente incomodidad del séquito papal, Wasser fijó la mirada en Juan Pablo II y observó con calma: "Los sucesos recientes en ciertas partes de la Iglesia nos han forzado a muchos a desobedecer a las autoridades eclesiásticas".

En Louvain-la-Neuve, una sucursal de la antigua y famosa universidad flamenca, el ataque provino de una joven de ascendencia polaca: Véronique Yoruba, la presidenta del cuerpo estudiantil. "Nos inquieta saber que el uso de anticonceptivos puede colocar a las parejas al margen de la Iglesia –dijo–. Algunas posiciones que usted ha asumido con relación a las naciones de Latinoamérica y a la teología de la liberación nos sorprenden. Creemos, de hecho, que tanto Nicaragua como Polonia, tanto El Salvador como Chile, son países en donde la gente lucha por afirmar los principios mismos de justicia, libertad y democracia que defiende la Iglesia".

En el auditorio de conferencias de la universidad, se desató un verdadero pandemonio en frente del Papa. Los aplausos de los estudiantes que estaban de acuerdo con Yoruba tuvieron como respuesta la algarabía de los admiradores de Wojtyla, quienes intentaron silenciarla con gritos de "¡Viva el Papa!" Yoruba entonces se dirigió a algunos de los miembros más excitados de la multitud y gritó con sarcasmo: "Gracias, Opus Dei". La reacción de Juan Pablo II fue suave y paternal: besó a la joven estudiante en la cabeza.

Ahora, sin embargo, en la primavera de 1994 en el Vaticano, esos conflictos no podían ser apaciguados con un simple gesto teatral. La mujer que iba a reunirse con el Papa era, a sus ojos, un ángel de la muerte. Juan Pablo II había iniciado el año proclamando que las Naciones Unidas buscaban destruir la familia y la vida y que El Cairo era el lugar escogido para perpetrar este crimen.

La Conferencia de las Naciones Unidas sobre Población y Desarrollo, programada para septiembre en El Cairo, tenía que aprobar un programa de acción diseñado en varias reuniones preparatorias. El programa se concentraba en dos temas centrales: los derechos reproductivos tanto de parejas como de individuos, y las garantías en materia de salud reproductiva. Hacía énfasis en la obligación de los gobiernos de proveer servicios de salud, al tiempo que concedía la mayor libertad posible en lo concerniente a métodos anticonceptivos. Esto ya había despertado las sospechas del papa Wojtyla: temía una política global que fomentara la distribución masiva de píldoras anticonceptivas y preservativos. Sin embargo, lo que más le alarmaba era la insistencia del programa en que los abortos se practicaran en condiciones seguras y legales.

En los documentos informativos que el Secretariado de Estado del Vaticano preparó para el Papa, se hizo énfasis en cuánto habían cambiado las condiciones políticas desde la última conferencia, celebrada diez años antes en Ciudad de México. Durante el gobierno de Reagan, Estados Unidos había propugnado una política "pro vida" con miras a complacer al Papa y reforzar la alianza estratégica con el Vaticano. No obstante, ahora los vientos en Washington habían cambiado de curso. El gobierno de Clinton favorecía el derecho a escoger y defender los derechos sexuales individuales, incluidos los de los homosexuales. También propugnaba la disponibilidad de abortos seguros y legales.

Al Papa esto le parecía intolerable. Estaba convencido de que Estados Unidos y el *lobby* feminista norteamericano querían imponer estilos de vida sexual occidentales en los países en desarrollo. En una carta dirigida a las familias del mundo entero, escrita pocas semanas antes, Juan Pablo II trazó las líneas de batalla: de un lado la civilización de la vida y el amor, defendida por la Iglesia, y del otro una anticivilización destructiva, impregnada de utilitarismo, con una educación sexual irresponsable, aborto para quien lo solicitara, propaganda en favor del amor libre ("que arruina las familias"), la destrucción del matrimonio (dejando "huérfanos cuyos padres viven") y uniones homosexuales, siguiendo una tendencia "peligrosa para el futuro de la familia y la sociedad".

Justamente ahora Juan Pablo II estaba trabajando en la versión preliminar de su más reciente encíclica, *Evangelium Vitae* (El Evangelio de la vida). Era un ataque fulminante a las "amenazas contra la vida", como la eutanasia y el aborto.

La mujer que venía a verlo tenía que entender que él lucharía a capa y espada contra una "nueva masacre, una verdadera matanza de inocentes, un nuevo holocausto". El Holocausto era precisamente la imagen que venía a su mente cada vez que escuchaba la palabra *aborto*.

La puerta se abrió.

La mujer dirigió la mirada al escritorio situado en el centro de la habitación. Juan Pablo II estaba sentado, y sólo cuando ella se acercó se puso de pie en señal de cortesía. Estaba solo. Toda la luz del recinto parecía enfocarse en su sotana blanca y en el oro de su cruz pectoral.

El Papa observó a su invitada. Nafis Sadik, subsecretaria de la Conferencia de las Naciones Unidas sobre Población y Desarrollo, vestía el traje típico de su nativo Pakistán: una túnica larga tipo sari, de color pastel, sobre pantalones del mismo color. Tenía cerca de sesenta años, con tez morena y cabello todavía negro azabache. Su rostro reflejaba una expresión tranquila y decidida.

Juan Pablo II intercambió un rápido saludo y un apretón de manos con Sadik y, señalando el asiento en donde debía sentarse su invitada, comenzó: "Sabe usted que este es el Año de la Familia". Hizo una pausa deliberada. El comentario tomó por sorpresa a Sadik, que apenas había tenido tiempo de tomar asiento. Antes de que pudiera contestar, el Papa prosiguió: "Pero a mí me parece que es el Año de la Desintegración de la Familia".

El tono acusador del papa sorprendió a la representante de las Naciones Unidas. De inmediato, Sadik intentó señalar que existen muchos tipos de familias en el mundo: familias extensas, familias nucleares, familias monoparentales, familias abandonadas. El Papa, sin embargo, levantó el índice de su mano derecha y lanzó una diatriba. "¿Cómo cree usted que han crecido las poblaciones del mundo? Por la familia. Una familia es un esposo, una esposa y sus hijos. Y el matrimonio es la única base de una familia. Los homosexuales y las lesbianas no son familias".

El pensamiento "usted no conoce los hechos de la vida" cruzó por la mente de Sadik, pero se limitó a contestarle que el programa de acción de la conferencia versaba esencialmente sobre niños y madres, es decir, los grupos más vulnerables a las consecuencias de las familias demasiado grandes y al abuso sexual.

Una vez más Wojtyla levantó la mano derecha y anunció: "Las Naciones Unidas deben hablar claro, las Naciones Unidas deben proveer un liderazgo moral y espiritual". Sadik observó cómo le temblaba la mano. El rostro del Papa delataba una fuerte tensión emocional. Sadik volvió a explicar que las Naciones Unidas tenían que representar todos los puntos de vista de sus miembros, que tenían que reflejar las culturas de cinco mil setecientos millones de personas. Sin embargo, le resultaba difícil plantear sus argumentos, porque el Papa no hacía sino interrumpir, saltando de un tema a otro.

–¿Por qué el enfoque es diferente del de las conferencias anteriores? –preguntó.

–Su Santidad debería estar contento –respondió Sadik–, porque con respecto al problema demográfico, hemos escogido un enfoque centrado en la persona. Nunca mencionamos cifras. Todo se basa en las necesidades individuales y en la elección individual.

De hecho, esta era la gran novedad del documento preparatorio de la conferencia de El Cairo. El tema del crecimiento demográfico estaba primordialmente ligado a los problemas del desarrollo: educación, salud y poder de decisión de las mujeres. En vez de recomendar límites numéricos que podrían fomentar –como ya antes había sucedido– restricciones del Estado en cuanto al tamaño de la familia, el documento insistía en los derechos reproductivos de las mujeres, en la libre elección individual de métodos de planificación familiar, y en salvaguardar la salud de la gente. En el caso del aborto –que los autores del documento no propugnaban, pero sentían que tenían que confrontar–, pedían garantías para que el procedimiento fuera seguro y legal.

–¿Quién hace más que la Iglesia por el desarrollo? –preguntó el Papa de repente. Se inclinó y lanzó una mirada airada a Sadik.

–Eso lo aprecio –dijo Sadik, agregando que ella había estudiado en una escuela de monjas en Calcuta–, pero no en el área de la planificación familiar.

Ahora sabía cuál línea de argumentación debía tomar. El Papa la miró fijamente a los ojos. Ella se puso tiesa y le devolvió la mirada. Esta era una pelea real, no un desacuerdo cortés.

Las voces iban y venían, la de la mujer más cálida y suave, la del hombre más pesada y lenta. De cuando en cuando, el Papa levantaba la mano derecha como un predicador que pone énfasis en un punto determinado. La representante de las Naciones Unidas permanecía casi inmóvil. A veces, su mano sujetaba el borde del sari cuando éste trataba de resbalar*.

–La planificación familiar sólo puede practicarse de acuerdo con las leyes morales, espirituales y naturales –dijo Juan Pablo II.

–Pero las leyes naturales representan métodos no confiables de planificación familiar –contestó Sadik.

La conversación giró hacia la libre elección de los individuos en materia de planificación familiar. "En esta área –declaró el Papa– no puede haber derechos y necesidades individuales. Sólo puede haber derechos y necesidades de la pareja".

"Pero 'pareja' implica una relación equitativa. En muchas sociedades, y no sólo en el mundo en desarrollo, las mujeres no tienen un estatus igual al de los hombres. Existe mucha violencia sexual en el seno de la familia. Las mujeres están dispuestas a practicar los métodos naturales y la abstención, porque ellas son las que quedan embarazadas sin quererlo. Pero no pueden abstenerse sin la cooperación de sus compañeros".

Le habló sobre las cerca de doscientas mil mujeres que mueren anualmente como consecuencia de abortos autoinducidos, lo que constituía un serio problema de salud: "Los líderes religiosos, y de hecho todos nosotros, debemos afrontar este tema tan importante".

"¿No cree usted –interrumpió Juan Pablo II– que el comportamiento irresponsable de los hombres es causado por las mujeres?"

---

*Más tarde, Sadik reconstruyó la escena en un memorando.

Sadik se quedó de una pieza. "Se me aflojó la mandíbula", diría después. Juan Pablo II vio la expresión de asombro en el rostro de su interlocutora y trató de cambiar de tema.

Sin embargo, la mujer del sari lo detuvo. "Excúseme, debo responder su afirmación sobre el comportamiento de las mujeres. En la mayor parte de los países en desarrollo, los hombres creen que las relaciones maritales son un derecho propio, y que las mujeres tienen la obligación de complacerlos. Los hombres regresan a sus casas ebrios, y tienen relaciones sexuales con sus esposas; y las esposas quedan embarazadas. O adquieren el VIH sin tener control alguno sobre el comportamiento de su compañero o sobre su propia situación".

Sadik aún no había terminado. "La violencia en la familia, la violación, de hecho, es muy corriente en nuestra sociedad. Lo más terrible de todo esto es que sólo las mujeres sufren las consecuencias. Sabe usted, muchas mujeres terminan siendo abandonadas. América Latina está repleta de familias abandonadas, repleta de mujeres que quedan convertidas en jefes de familia, con niños a su cargo, mientras los hombres se marchan e inician otra familia en otro lugar".

La mirada del Papa era severa. Sus ojos, por lo general tan afectuosos, tenían un brillo frío. A Sadik le pareció que estaba tenso como un resorte. No estaba preparada para una recepción semejante.

"¿Por qué es tan duro, tan dogmático, tan falto de bondad? –se preguntó–. Al menos podría decir 'siento realmente el sufrimiento de estas personas, pero la mejor salida es la moral' ". Después del encuentro, le dijo a algunos amigos: "No es de ninguna manera la persona benévola que su imagen parece reflejar".

Juan Pablo II tampoco sintió simpatía alguna por su interlocutora. A su juicio, los programas de Sadik, pese a su ascendencia pakistaní, eran producto del feminismo norteamericano, una de las peores características de la sociedad contemporánea, una forma de imperialismo cultural destructivo. La conversación le ratificó la idea de que Occidente había perdido de vista el profundo significado de la misión de la mujer, de su más preciado "tesoro". ¿Qué podía ser más maravilloso que dar vida, formar la personalidad de un niño, guiarlo a él o a ella hacia la edad adulta?

Al Papa le preocupaba que incluso en la Iglesia, incluso entre muchos teólogos, había personas que no entendían a cabalidad el valor de la vida y el papel único de las mujeres.

Ahora Sadik le estaba diciendo que los obispos alemanes, aunque propugnaban el método del ritmo en planificación familiar, habían admitido que este no siempre resultaba adecuado. Por ello, recomendaban que se facilitaran otros métodos para dejar que las mujeres decidieran con seguridad la cantidad y el espaciamiento de sus hijos.

El Papa la interrumpió molesto. (Era evidente que no le gustaba que lo contradijeran, ni estaba acostumbrado a ello). "Conozco el informe de los obispos, desde luego. Fue el materialismo de la sociedad alemana lo que presionó a los católicos a redactar este informe".

Sadik comprendió que no había muchas posibilidades de encontrar un terreno común.

De nuevo el Papa cambió de tema. "A los adolescentes se les debe enseñar un comportamiento responsable, y ese es el único camino. Educarlos".

–No tengo ninguna objeción a ese respecto –dijo Sadik–. Sin embargo, añadió, había que tener en cuenta los embarazos de adolescentes en el Tercer Mundo.

–No podemos condonar el comportamiento inmoral –objetó el Papa.

Sin embargo, como mujer y como ginecóloga, Sadik insistió: "Incluso si uno no lo aprueba, de todas maneras tiene que tratar a los pacientes por las consecuencias de sus actos. Uno puede incluso desaprobar el comportamiento, pero no podemos simplemente juzgar sin hacer nada. Tenemos que ayudar si podemos, ayudar y proveer...

–El único camino es cumplir con la ley moral, espiritual y natural. Y hay que educar, educar, educar –dijo el Papa.

Arrinconada de nuevo, Sadik recuerda: "Me sentí bastante exaltada. Yo estaba esforzándome por encontrar alguna forma de conmoverlo, de por lo menos hallar una respuesta, no necesariamente que cambiara de parecer. Pero su actitud era tan áspera".

–¿Cuántos católicos cree usted que hay en el mundo? –preguntó Sadik de repente. El Papa se inclinaba hacia ella desde el otro lado del escritorio.

–¿Cuántos musulmanes hay? –espetó.

–Unos mil doscientos millones.

–Y la misma cantidad de católicos. (De hecho, la cifra correcta se acercaba más a novecientos millones).

–De hecho, ese no era el punto de mi pregunta –prosiguió Sadik–. Era, ¿cuántos católicos cree usted que realmente siguen las enseñanzas de la Iglesia en esta cuestión?

–Sólo no lo hacen los católicos en esas sociedades desarrolladas materialistas –insistió el Papa–. Todas las personas en los países más pobres lo hacen.

–Siento tener que discrepar, porque en América Latina, por ejemplo, las mujeres no tienen acceso a los anticonceptivos, por lo cual recurren al aborto –anotó Sadik–. De hecho, la más alta tasa de abortos ilegales se encuentra en muchos de los países católicos más pobres del mundo.

El Papa replicó que las mujeres eran perfectamente capaces de decidir no tener sexo si querían controlar el comportamiento sexual de una pareja.

–Creo que nuestra experiencia es totalmente diferente. Para los millones de mujeres con quienes he tenido que ver, no es así como funcionan las cosas.

–Las Naciones Unidas –dijo el Papa– no pueden incluir en su programa la esterilización forzada, el control natal obligatorio y el aborto.

–Le aseguro que nuestro programa no incluye nada semejante –observó secamente Sadik. Le parecía que el Papa no había leído el documento preparatorio de la conferencia de El Cairo y que hablaba con base en algunos extractos no representativos.

–¿Es usted musulmana? –le preguntó de repente Juan Pablo II a Sadik, y luego agregó velozmente–: El islam es la religión de más rápido crecimiento en el mundo. Sin hacer siquiera una pausa, evocó para ella su visión de una generación más joven en los países antiguamente comunistas y otros lugares del mundo desechando el ateísmo y regresando a la religión.

–Las Naciones Unidas deben promover principios éticos, y no importa lo que digan los países –continuó–. En estas sociedades occidentales la familia se está desintegrando. Sus valores éticos desaparecieron. Personalmente me preocupa mucho esto, y lo asumo como una misión personal. Voy a ir a las Naciones Unidas en octubre para pronunciar un discurso al respecto.

La conversación duró cuarenta minutos. A Sadik le tomó unos instantes comprender que había llegado a su fin. De repente le colocaron una medalla de plata en las manos, y un monseñor entró para recordarle al Papa que tenía otros asuntos pendientes. La audiencia había terminado. En la antecámara, el fotógrafo que usualmente tomaba fotos de las audiencias papales estaba curiosamente ausente. Era evidente que el protocolo del Vaticano había dictaminado que Nafis Sadik no merecía una fotografía.

Sadik salió a la Plaza de San Pedro decepcionada ante la falta de compasión del hombre. "No le gustan las mujeres –comentaría después–. Esperaba un poco más de simpatía ante el sufrimiento y la muerte".

Una semana después de la audiencia con Nafis Sadik, ciento cuarenta nuncios del mundo entero llegaron al Vaticano para participar en una conferencia cumbre extraordinaria. Juan Pablo II había decidido declarar su propia guerra contra las Naciones Unidas. Estaba furioso. Su amigo más cercano en el Vaticano, el cardenal Deskur, nunca había visto al Papa en tal estado de ira. Por lo general, Juan Pablo II visitaba todas las semanas al cardenal enfermo. Sentado ante la mesa en donde Deskur había organizado tantas cenas para lanzar al joven obispo Wojtyla, Juan Pablo II habló con toda libertad: "Están propiciando el naufragio de la humanidad". Su condena se refería tanto a la ONU como a las democracias occidentales.

Una vez tomada su decisión, Juan Pablo II actuó con una beligerancia que antes nunca había desplegado, ni siquiera para salvar a Polonia. Toda la aproximación a la familia por parte de los gobiernos occidentales era contraria a la razón y a Dios, le dijo el Papa al dominico Feliks Bednarski. Ordenó a su secretario de Estado, el cardenal Angelo Sodano, movilizar personalmente a todas las delegaciones diplomáticas de la Santa Sede para presionar a los estados amigos del Vaticano y organizar un *lobby* capaz de bloquear el programa de acción de la ONU.

El 25 de marzo de 1994, los ciento cuarenta nuncios convocados a Roma cruzaron la gran Puerta de Bronce del Palacio Apostólico para escuchar al secretario de Estado. Se encontraron ante un verdadero consejo de guerra. Además del cardenal Sodano, estaban el ministro de Relaciones Exteriores del Papa, el obispo francés Jean-Louis Tauran; el cardenal Roger Etchegaray, jefe del Consejo de Justicia y Paz; y el cardenal Alfonso López Trujillo, presidente del Consejo Pontifical de la Familia, el más cercano y leal colaborador del Papa en asuntos de ética sexual y problemas maritales.

En los últimos años, este tipo de reuniones sólo se había convocado en tres ocasiones: la guerra del Golfo, el desmembramiento de Yugoslavia y el reconocimiento, por parte del Vaticano, del Estado de Israel. Los nuncios comprendieron que la batalla para salvar la vida "desde la concepción hasta la muerte" se iba a tener que librar con todas las armas de la diplomacia. Según les informaron, algunos puntos del programa de acción de la ONU iban en contra de "principios éticos fundamentales" y favorecían el aborto por solicitud, el cual se utilizaría como un medio de control natal. El Papa estaba firmemente convencido de que el documento se inspiraba en una visión individualista de la sensualidad y de que consideraba obsoleto el matrimonio.

El efecto fue inmediato. En la siguiente reunión de la comisión preparatoria de la ONU encargada de redactar el programa de acción, algunas delegaciones latinoamericanas y la delegación griega, que representaba a la Unión Europea, pidieron un nuevo debate sobre el texto. Los párrafos sobre los que había desacuerdo fueron encerrados entre paréntesis; al poco tiempo, los paréntesis habían invadido el texto y habían rodeado, cual alambre de púas, casi un tercio del documento. En el Vaticano hubo júbilo ante la "derrota punzante" sufrida por "Clinton y sus aliados feministas".

El 28 de abril, el Papa se fracturó el fémur, pero eso no lo detuvo. En un estado de ánimo místico, les dijo a sus colaboradores: "Quizás esto se necesitaba para el Año de la Familia", queriendo decir que su dolor debía verse como un símbolo de sacrificio especial por la causa de los valores familiares. Fomentando esta atmósfera mística, Radio Vaticano comentó: "Una vez más el Papa es un peregrino en el mundo del sufrimiento –de su propio sufrimiento personal–, él que ya carga sobre sus hombros el peso de las aflicciones de la humanidad".

Obligado a guardar cama, adolorido y casi inmóvil, Juan Pablo II siguió liderando la batalla contra la ONU desde la Clínica Gemelli. Instó a sus colegas a buscar una alianza con el islam; y así los diplomáticos del

Vaticano comenzaron a hacerle la corte a los países islámicos más fundamentalistas y extremistas. El ministro de Relaciones Exteriores del Papa, Tauran, viajó a Libia y a Irán. El riesgo de que el extremismo islámico pudiera debilitar a los estados musulmanes laicos y pro occidentales (por lo general más abiertos a la Iglesia católica) parecía irrelevante.

Por primera vez desde la lucha de Pío XII contra el estalinismo, se movilizó efectivamente a la Iglesia en el mundo entero para librar una batalla política. Se exhortó a los cuatro mil obispos católicos a ejercer presión sobre sus gobiernos y movimientos políticos nacionales. Los cardenales que militaban en favor de Wojtyla, como John O'Connor, de Nueva York, estaban entusiasmados: "Que le quede muy claro al mundo que el Papa en persona, y todos los partidarios del Papa, se sienten terriblemente afligidos por el documento preliminar [de la ONU]". O'Connor estaba convencido de que "el sentimiento es tan fuerte que podría culminar con algo dramático, si la conferencia de El Cairo se desarrolla con base en el documento preliminar y Occidente lo acepta". Con el consentimiento de Roma, pensó en organizar un viaje especial del Papa a la ONU para condenar la organización.

Los obispos y cardenales que no estaban de acuerdo con esta cruzada guardaron silencio o simplemente la aceptaron de dientes para afuera. Muchos no compartían la impetuosidad del fiel cardenal de Nueva York, la diócesis más importante de Estados Unidos, quien proclamó: "Vislumbro la formación de una alianza entre la Iglesia católica y el mundo musulmán contra Occidente. Eso realmente podría cambiar muchas cosas".

Ante los obispos africanos reunidos en su sínodo en Roma, monseñor Diarmuid Martin, miembro de la delegación del Vaticano ante la conferencia de El Cairo, diseñó la nueva estrategia: "Se espera que la presión de los países islámicos y africanos sea tan fuerte que se pueda encontrar una solución positiva".

Para el Vaticano, una "solución positiva" significaba que la conferencia de El Cairo debía rechazar la propuesta del aborto seguro y legal. La ofensiva diplomática en el frente islámico cosechó algunos éxitos. El 8 de junio, algunos representantes del Secretariado de Estado del Vaticano se reunieron discretamente en Roma con representantes de la Organización para la Conferencia Islámica, la Liga Musulmana Mundial y la

Conferencia Musulmana Mundial. Según se declaró en su comunicado conjunto, las dos partes "se oponen a la orientación individualista que caracteriza al documento [de la ONU]. ... El individualismo exacerbado y agresivo conduce, en último término, a la destrucción de la sociedad, provocando un estado de colapso moral, de libertinaje, y la supresión de los valores sociales". Además, el Vaticano se abrogó el derecho de hablar en nombre de los "cristianos creyentes", pese a que las posiciones asumidas por las iglesias reformadas se alejaban por completo de la estrategia fundamentalista del Vaticano, y a que las iglesias ortodoxas nunca habían convertido la cuestión del aborto en una confrontación con las autoridades civiles, como había hecho Karol Wojtyla.

Desde El Cairo llegó un respaldo oficial a la santa alianza católica-islámica. El gran imán Haq Ali Gad el Haq, líder espiritual de la Universidad Al Azhar de El Cairo, una de las más prestigiosas del mundo musulmán, exigió que se eliminara del programa de acción de la ONU cualquier frase ofensiva para la ley islámica y las "religiones celestiales" (el judaísmo y el cristianismo). Haciéndole eco a la tesis avanzada por el Vaticano, el gran imán sostuvo que el documento de la ONU autorizaba el aborto, las relaciones homosexuales y el amor libre. Consternado, el ministro egipcio de Asuntos Familiares, Maner Mahran, se vio obligado a emitir una declaración según la cual su gobierno "no aceptaría la adopción de ninguna recomendación que violara la ley del islam".

En lo más álgido de la batalla, Juan Pablo II apeló por carta al secretario general de la ONU, Boutros Boutros-Ghali, y a los jefes de Estado del mundo entero, argumentando que el programa de acción podría acarrear el deterioro moral de la humanidad. El Papa telefoneó personalmente a Bill Clinton, y siguió insistiendo en su punto de vista cuando el presidente de Estados Unidos fue recibido en audiencia en el Vaticano el 2 de junio. El cardenal López Trujillo anunció entonces que el Papa iría a las Naciones Unidas el 20 de octubre para "elevar una protesta profética contra el asalto criminal que se estaba perpetrando contra la familia en el campo del control de la natalidad". Las ideas del Papa estaban contenidas en un panfleto que publicó López Trujillo. Abordaba, como había ordenado Juan Pablo II, la "dimensión ética" del tema de la población y lanzaba un ataque frontal contra las Naciones Unidas: "Ninguna institución pública internacional tiene el derecho de presionar a los estados para que impongan políticas incompatibles con el respeto por la persona, por las familias o por la independencia nacional".

Se invitó a los católicos del mundo entero a estar dispuestos a reafirmar, con el martirio si era necesario, el valor que cada persona tiene a los ojos de Dios. Los opositores del Vaticano contestaron que los verdaderos mártires eran las mujeres que no tenían más remedio que someterse a abortos inseguros y que los monseñores que estaban distribuyendo esos panfletos no estaban asumiendo riesgo alguno.

A medida que se aproximaba la fecha en que debía inaugurarse la conferencia, el Secretariado de Estado del Vaticano, urgido por el Papa, intensificó su campaña. La consigna era combatir el "colonialismo demográfico", dirigido sobre todo contra el Tercer Mundo. Además de sus aliados islámicos, en todos los continentes Juan Pablo II podía contar con una o más naciones que acogían su causa con simpatía. En Europa estaba la Polonia de Walesa; en África, Senegal, Benin y Costa de Marfil; en Asia, Filipinas; prácticamente todos los países centroamericanos; y en Suramérica, Chile y Argentina. El presidente de Argentina, Carlos Ménem, envió una carta a todos los jefes de Estado latinoamericanos, proponiéndoles que asumieran una postura común en la conferencia de El Cairo, basada en el "derecho a la vida".

El papa Wojtyla mismo, dado de alta del hospital, utilizó sus coloquios dominicales con los fieles desde la ventana de su estudio para reafirmar que el matrimonio corría peligro, para condenar las uniones homosexuales y para evocar las amenazas que se cernían sobre toda la humanidad, sobre todo en cuanto al aborto. A veces parecía presa de una ira intensa como los italianos nunca antes habían visto en él. Si había algún asunto que tomaba como personalmente, eran las mujeres y la reproducción. A Deskur le parecía que la angustia del Papa tenía raíces profundas en su propia vida y en la de Emilia, su madre, y quizás también en la historia de Olga, la hermana que Karol Wojtyla nunca conoció.

En vísperas de la conferencia de El Cairo, el portavoz del Papa, Joaquín Navarro-Valls, lanzó tres ataques públicos contra el vicepresidente Al Gore, jefe de la delegación estadounidense. Tal actitud no tenía precedentes, y resultaba contraproducente. En su rueda de prensa informativa, Navarro-Valls también sostuvo que la conferencia estaba ignorando las necesidades reales del desarrollo en nombre de un individualismo exagerado. La sola presencia del portavoz personal del Papa como miembro de la delegación del Vaticano era, de suyo, una afirmación de principios.

La Conferencia sobre Población y Desarrollo de El Cairo tuvo lugar entre el 5 y el 13 de septiembre de 1994. Con la ayuda de sus tropas de choque –los representantes de naciones con puntos de vista similares, entre ellas Eslovaquia, Malta, Argentina, Ecuador, Chile, Perú y Guatemala–, la delegación del Vaticano obstruyó repetidamente las sesiones de trabajo al cuestionar compromisos que ya habían sido debatidos a fondo. También suscitó la hostilidad de las organizaciones no gubernamentales de mujeres, porque el Vaticano se negaba a admitir que detrás del tema de los derechos reproductivos y de la salud concomitante había toda una historia de horror que involucraba a cientos de millones de mujeres obligadas a sufrir embarazos en la adolescencia, clitoridectomía, abandono, dominación masculina, enfermedades infecciosas transmitidas por sus compañeros y la privación de derechos civiles fundamentales.

Al final, la alianza con el fundamentalismo islámico se desbarató porque la ley religiosa islámica autoriza el aborto en caso de peligro para la madre. Gradualmente, incluso la oposición de los países latinoamericanos que habían estado entre los más beligerantes cedió. Como resultado, por primera vez el Vaticano decidió aprobar "por consenso" (aunque con algunas reservas) un documento de la ONU sobre temas demográficos.

La estrategia de Wojtyla, empero, logró que la conferencia reafirmara que el aborto no era un medio aceptable de control natal. Se suprimieron los términos que propugnaban el acceso a abortos legales y seguros en todas partes del mundo. Sin embargo, fue una victoria pírrica. Por primera vez, un documento de la ONU reconoció la legitimidad de interrumpir el embarazo y aprobó el principio de que en los países en donde el aborto no es contrario a la ley (173 de las 184 naciones miembros), debería ser un procedimiento seguro. Pero sobre todo, la Santa Sede se encontró aislada con respecto a los países industrializados, cuyas delegaciones se molestaron muchísimo por el obstruccionismo del Vaticano. Fue una derrota para Wojtyla no sólo frente a los movimientos de mujeres en los países occidentales y en el Tercer Mundo, sino también frente a una gran cantidad de mujeres católicas, incluidas las que no tenían vínculo alguno con movimientos feministas.

Este aislamiento moral fomentó algunas reflexiones privadas sobre los temas en discusión. El año siguiente, en la Conferencia de Mujeres de Beijing, el Papa nombró a la profesora estadounidense Mary Ann Glendon como primera mujer en presidir una delegación del Vaticano. Y cuando el debate sobre el aborto volvió a surgir, el Vaticano finalmente no se opuso a la adopción de una resolución que pedía a todos los estados "reexaminar la legislación que estipula medidas punitivas contra mujeres que se han practicado un aborto ilegal".

El Vaticano no tenía intenciones de librar nuevamente la batalla de El Cairo. Y Juan Pablo II tampoco viajó a Nueva York en octubre, oficialmente por motivos de salud. Se consideró que no sería aconsejable una presentación del Papa en las Naciones Unidas para seguir lanzando sus críticas furibundas.

Héroe

Los fieles, unos treinta, escucharon consternados las oraciones por el eterno descanso del alma de Juan Pablo II. Estaba congregados ante un altar en San Pedro para la misa temprana, cuando escucharon la noticia. Era el 4 de septiembre de 1994. La información le había llegado al sacerdote minutos antes de iniciar el servicio. La voz que dio el anuncio por el teléfono sonaba muy segura y oficial; además, no había tiempo para verificar. Eran las seis y media pasadas de la mañana. "*Requiem aeternam dona eis, Domine ...*" comenzó a recitar el sacerdote en voz alta.

Pero el Papa no había muerto: se trataba de una broma macabra. Hubo repetidas llamadas semejantes mientras Juan Pablo II pasaba los últimos días de sus vacaciones en su residencia veraniega de Castel Gandolfo. Se hacían sobre todo en la noche, y provenían de personas que se identificaban como miembros del personal de Castel Gandolfo.

Incluso unos cuantos cardenales fueron alertados: "Su Eminencia, queremos informarle que...".

Nadie identificó nunca a la persona detrás de las llamadas. ¿Un loco? ¿Un monseñor que trataba de atemorizar a los cardenales en vísperas del viaje de Juan Pablo II a Sarajevo? ¿Una broma pesada?

El Vaticano prefirió olvidar el bochornoso asunto.

En el ocaso de su pontificado, Juan Pablo II se ve acosado por señales crecientes de fragilidad. El 25 de diciembre de 1995, los televidentes del mundo entero se sorprendieron cuando, en una emisión de televisión en directo desde el Vaticano, vieron a un Karol Wojtyla de semblante pálido que tuvo que interrumpir su sermón de Navidad desde la ventana de su estudio, presa de un súbito arranque de náuseas. Unas semanas después, se vio aquejado por una fiebre persistente, carente de explicación. Sin embargo, como dice su viejo amigo Malinski, sigue "mirando hacia el futuro con alegría".

"El Papa tiene una gran fe en la Providencia –observa el secretario de Estado, cardenal Angelo Sodano–. No le importa mientras el Señor le dé vida. Siente una gran calma que no pierde ni siquiera en los momentos más difíciles"... por lo menos desde lo acontecido en El Cairo. "Disfruta de la imperturbabilidad, como en la famosa oración de santa Teresa: 'Que nada te perturbe, que nada te asuste' ".

El Papa todavía abriga sueños de realizar una gran peregrinación retomando los pasos de Abraham. Seguirle la huella a Abraham significa partir de Ur, en Mesopotamia (el actual Irak), pasar por Haran (Siria), Líbano, Jordania, Israel y Palestina, y seguir hasta Egipto, la tierra de los faraones. Cuando Juan Pablo II habla sobre esto, su rostro se transfigura.

Las huellas del patriarca enmarcan la historia de un conflicto dramático que ha enfrentado a los hijos judíos de Abraham contra sus hijos árabes, el islam contra el cristianismo, el Oriente contra Occidente, el fundamentalismo contra las sociedades laicas. El Papa místico sigue haciendo gala de una habilidad genuina para pensar en el idioma de la política. Considera su campaña de apoyo a la Bosnia musulmana (e implícitamente en contra de los serbios cristianos), así como su anterior oposición a la guerra del Golfo, como una inversión en el futuro.

Juan Pablo II no quiere que el siglo XXI empiece bajo la sombra del odio entre musulmanes y cristianos. Está consciente de los peligros del fundamentalismo islámico y ha denunciado a los países musulmanes que promueven la "discriminación contra los judíos, los cristianos y los miembros de otras familias religiosas", que no pueden siquiera reunirse para orar en privado. Sin embargo, al mismo tiempo está persuadido de que tiene que aprovechar el mensaje de tolerancia que forma parte del legado de Mahoma. Cree que sería un error trágico convertir el islam en el nuevo demonio internacional. Es por ello que envió al cardenal Achille Silvestrini, el prefecto de la Congregación para las Iglesias Orientales, en misión a Irak, y por ello también apoya la suspensión del embargo internacional impuesto contra Bagdad.

El Papa quiere ver reconciliadas la Cruz, la Luna Creciente y la Estrella de David. Cree que la religión nunca más debe servir de pretexto para la guerra. Advierte a los creyentes contra la violencia verbal y física del fundamentalismo de cualquier índole. A este respecto, Juan Pablo II dio rápidamente un ejemplo. El 1º de julio de 1995, durante un viaje a Eslovaquia, se detuvo en la ciudad de Presov para inclinar la cabeza y orar ante un monumento a veinticuatro mártires protestantes torturados y asesinados por católicos durante las interminables batallas inhumanas en torno a la religión que se conocieron como la Guerra de los Treinta Años (1618-1648).

El Papa tiene otro sueño: un viaje a Rusia, a las lejanas islas Solovetski, en el Mar Blanco, en donde los soviéticos construyeron uno de sus más terribles *gulagui* para obispos ortodoxos, clero y disidentes religiosos. Le gustaría emprender una peregrinación para rendir un tributo a los mártires cristianos de todas las confesiones, recordando así a todas las víctimas de sistemas totalitarios del siglo XX que han tratado de desarraigar a Cristo de la vida humana. "Solovetski representa para Rusia lo que el Coliseo representa para Roma", le dijo al padre Werenfried van Straaten.

El Papa tiene aún otra visión: cruzar la antigua cortina de bambú para propiciar la unificación de los católicos chinos con la Iglesia de Roma y con ello darle una visibilidad más universal al Solio de Pedro. La aspiración última de Juan Pablo II es liberar a los católicos chinos de las cadenas del régimen comunista. "Millones de creyentes no pueden vivir constantemente oprimidos, bajo sospecha y divididos", ha dicho.

Mientras más presionan los años a Wojtyla, más ambiciosos parecen a veces sus planes. Ansía que la Iglesia esté presente "donde quiera que sucedan cosas", como le dijo al padre Malinski. Incluso si su cuerpo le está fallando, no tiene intenciones de convertirse en uno de esos ancianos obsesionados por el pasado que quieren que el mundo termine con ellos. Quizás *sí* se ha vuelto más impaciente e irritable. Durante las ceremonias excesivamente largas, se le ha escuchado murmurar *"basta, basta"*.

La fase final del pontificado de Wojtyla ha estado marcada por el dolor y la debilidad. De repente su cuerpo ha cesado de obedecerle. En el Palacio Apostólico se le ve caminando por los corredores, encorvado y más viejo de lo que dicen sus años. Los reporteros que lo acompañan en sus viajes le han visto el rostro hinchado por los medicamentos que debe ingerir. "A veces me asusto. Su rostro se ve tan rojo", dijo el cardenal Silvio Oddi, tras salir un día de una audiencia papal. Sus párpados muchas veces están semicerrados, camina con pasos pesados, sus movimientos son inciertos. Con frecuencia se le dificulta el hablar; su voz se escucha ronca. Hay ocasiones en que el Papa-actor, el maestro insuperable que conmueve a las multitudes, apenas si puede enunciar las palabras, y su entonación se torna uniforme y opaca.

A veces pierde el hilo de la conversación. Los periodistas del cuerpo de prensa del Vaticano han observado que a Juan Pablo II, famoso por su maestría de lenguas, ocasionalmente se le dificulta recordar las más sencillas palabras en italiano.

Tener que usar bastón y descubrir su propia debilidad han sido un tremendo golpe para el Papa, habituado al montañismo. Después de su elección, se comparó a sí mismo con un abeto trasplantado desde su tierra natal: triste por tener que dejar sus montañas nativas, pero todavía un árbol poderoso. Ahora, detrás de cada tarima en las que celebra la misa, hay un elevador de carga para ahorrarle el esfuerzo de subir las escaleras, un humillante recordatorio de su indefensión. "Su cuerpo no está a tono con su mente, y ese es su mayor problema", dice un prelado del Vaticano.

Con el paso del tiempo, la propia teología del sufrimiento del Papa se ha desarrollado aún más. La hermana Zofia Zdybicka, quien lo conoce desde 1958, es testigo especial de esto: "Siempre ha sido una persona de oración profunda, pero ahora, cuando asisto a la misa en su capilla privada y lo veo de cerca, observo esta diferencia: cuando reza ahora, su rostro se ve lleno de dolor", dice.

A menos que uno entienda esta conexión mística entre dolor y misión, no hay forma de comprender el origen del deseo de Juan Pablo II –consciente o inconsciente– de arriesgar su vida mediante esfuerzos excesivos o proyectos peligrosos, como el viaje que planeó a Sarajevo en el otoño de 1994. El Papa estaba dispuesto a asumir el riesgo de que lo mataran en la capital bosnia, destrozada como estaba por la guerra civil. En el último minuto, cuando los católicos de Sarajevo ya lo estaban esperando, los burócratas del Vaticano impidieron que fuera. Nunca los ha perdonado por contribuir a dar la impresión de que el Papa es inútil o que está en proceso irreversible de deterioro.

En vista de su salud declinante, Juan Pablo II vive su vida más que nunca en oración. "Tan pronto hace una pausa comienza a orar", dice un veterano de la curia. Todo su día avanza al ritmo de la oración. Luego de levantarse a las cinco de la mañana, ora durante dos horas en la capilla antes de oficiar la misa. Ora antes y después del almuerzo, antes y después de la cena. Reza casi continuamente en el transcurso del día. Incluso mientras viaja en el papamóvil, saca su rosario y va pasando lentamente las cuentas hasta último minuto, cuando se apea del vehículo. *"Domine, non sum dignus"* (Señor, no soy digno), murmura cuando lo aplauden.

Ninguna persona que lo haya visto olvidará fácilmente la forma en que se concentra. Parece estar escudriñando en lo más profundo de su alma. "Es una experiencia asombrosa ver al Papa en un reclinatorio, inclinando la cabeza sobre el báculo –dice el obispo Mariano Magrassi, de Bari–. Junta las cejas. En esos momentos de silencio, uno puede ver cómo su rostro se contrae en el esfuerzo por encontrarse con Dios". En la oración, el Papa se deja llevar. "Es una búsqueda por identificarse con la voluntad de Dios", dice un monseñor que lo ha visto con frecuencia en su capilla privada.

Pese a que su mano se ve cada vez más débil al levantarla para bendecir a los fieles, señala un horizonte más extenso. El mundo sabe que es el último de los gigantes en el escenario internacional, que no hay otros grandes heraldos de una visión o principio universal, sean cuales fueren sus causas o ideologías. Ha definido su tiempo como quizás ningún otro líder lo ha hecho, incluso en medio de sus críticas contra la época misma. Entre tanto, Juan Pablo II ha quedado casi solo predicando la dignidad del trabajador y la ayuda para los desempleados, urgiendo la reconciliación y la solidaridad entre los diversos segmentos de la sociedad y exhortando a las naciones ricas a preocuparse por los países asfixiados por la pobreza y la deuda externa. Luchando contra el dolor y la fatiga, el Papa sigue emprendiendo largos y extenuantes viajes para llevar su mensaje al mundo, entre ellos una visita triunfal a Estados Unidos en 1995 que atrajo a millones de católicos y no católicos y una profusión de cobertura de medios de comunicación fervorosos.

De repente, en un escenario mundial dominado por profundas divisiones económicas, nacionales y religiosas, el Papa se destaca como el único vocero internacional de valores universales. Ofrece un Evangelio de salvación y esperanza a la luz de los nuevos ídolos: el egoísmo tribal, el nacionalismo exacerbado, el fundamentalismo fieramente sectario y violento, las ganancias sin preocupación alguna por la calidad de la vida humana. "Algo se les debe a los seres humanos, porque son seres humanos", escribió en su encíclica social *Centesimus Annus* (el Centésimo Año, con referencia al aniversario del *Rerum Novarum* de León XIII). Su Iglesia católica reconoce el papel de las utilidades, pero recuerda a todos que la justicia exige la satisfacción de ciertas necesidades fundamentales.

Para afrontar el extremismo nacionalista, que en estos últimos años condujo a las guerras sangrientas en los Balcanes, en África y en la antigua Unión Soviética, pronunció uno de sus discursos más apasionados, condenando el culto a la nación. "Esta no es una cuestión de amor legítimo por la patria o de respeto por su identidad, sino de rechazar al *otro* en su diversidad, para imponerse uno mismo a él –le dijo al cuerpo diplomático en la Santa Sede–. Para este tipo de patrioterismo todos los medios son válidos: exaltar la raza, sobrevalorar el Estado, imponer un único modelo económico, uniformar [cualesquiera] diferencias culturales específicas".

Juan Pablo II ha comprometido a la Santa Sede con un concepto innovador del derecho internacional conocido como "interferencia humanitaria". El Papa mismo lo explicó con referencia a la agresión serbia contra Bosnia: "Si veo que persiguen a mi vecino, tengo que defenderlo. Es un acto de caridad. La comunidad internacional tiene el mismo derecho y el mismo deber frente a cualquier nación que ha sido atacada y, como último recurso, [defender la nación inocente] mediante la fuerza de las armas".

Los monseñores en la curia informan que en estos últimos años Juan Pablo II parece estar viviendo más allá del mundo y viéndolo desde una perspectiva trascendente. *Evangelium Vitae,* su encíclica de 1995, puede interpretarse como la última voluntad y testamento de Karol Wojtyla, un himno magnífico y desesperado a lo sagrado de la vida. Hay frases llenas de fuerza poética dirigidas a todos los hombres y mujeres, ya sea que vivan en rascacielos o tugurios. "La primacía de las personas sobre las cosas ... significa pasar de la indiferencia al interés por el *otro,* y del rechazo a la acogida. Los *otros* no son competidores que deben ser rechazados, sino hermanos y hermanas con quienes unirse. Deben ser amados por sí mismos; nos enriquecen con su presencia".

El más ambicioso proyecto de Juan Pablo II es celebrar el nuevo milenio con un jubileo que acerque más a la humanidad a Dios, y lanzar una nueva evangelización del mundo. El año del jubileo es una antigua tradición israelita adoptada por la Iglesia católica, que la celebra cada veinticinco años, en vez de los cincuenta originales, como señal de renovación espiritual.

Algunos en el Vaticano están convencidos de que el Papa percibe su propio ciclo de vida en términos de esta meta, y que persevera gracias a una profunda convicción de que ha sido escogido para conducir a la Iglesia al tercer milenio del cristianismo. Juan Pablo ha concebido la visión de transformar el jubileo para el año 2000 en una ocasión para purificar a la Iglesia de sus pecados. El milenarismo y el mesianismo, arraigados como siempre en la piedad de su Polonia nativa, han sido las fuentes de la fe de Wojtyla desde su juventud. En su ancianidad, nuevamente le están proveyendo una poderosa inspiración en un proyecto diseñado para sacudir a la Iglesia católica y sacarla de lo que él considera el letargo y la mentira.

El Papa ha urgido a todos los creyentes a pedir perdón por los pecados –y crímenes– cometidos por los católicos en siglos pasados. Cuando la propuesta se divulgó en abril de 1994, en cartas enviadas por el Secretariado de Estado del Vaticano a los ciento cuarenta cardenales del mundo entero, muchos de los príncipes de la Iglesia no ocultaron su oposición a la idea.

La invitación revolucionaria a un *mea culpa* solemne estaba contenida en un memorando de siete páginas: "¿Cómo podemos guardar silencio sobre todas las formas de violencia que han sido perpetradas en nombre de la fe? ¿Sobre las guerras religiosas, los tribunales inquisitoriales y otras formas de violar los derechos del individuo? Es significativo que estos métodos coercitivos, que violan los derechos humanos, han sido aplicados luego por las ideologías totalitarias del siglo xx. ... La Iglesia también debe realizar un examen independiente de los lados más oscuros de su historia".

La noción de un examen global de conciencia por parte de la Iglesia católica, una revisión crítica de toda su historia, no tiene precedentes. Juan Pablo II está convencido de que este acto masivo de renovación espiritual le daría un fuerte impulso a la reconquista de las almas en el mundo contemporáneo.

Al lanzar el plan, Juan Pablo II ha afrontado algunos problemas para superar la resistencia en el seno de su propia Iglesia. Cuando el Colegio de Cardenales se reunió en el Vaticano el 13 de junio de 1994, acogió la propuesta del Papa con bastante frialdad. Los cardenales de los países antiguamente comunistas se mostraron especialmente contrarios a la idea de un acto público de arrepentimiento.

Reconocer que se había cometido un error en la condena de Galileo, como hizo el Papa unos años antes, tal vez estuvo bien. Pero que la Iglesia se rasgue las vestiduras por dos mil años de historia ya es, según algunos, demasiado. El secretario de Estado Sodano, quien ya había aprovechado la oportunidad para sondear a muchos de los cardenales, prefirió no mencionar la propuesta en su informe introductorio de la reunión. El vocero de prensa del Papa señaló diplomáticamente la oposición en el Colegio de Cardenales: "Algunos cardenales ya han contestado que un examen histórico sería demasiado complejo, que sería mejor concentrarse en analizar nuestro tiempo".

En los meses subsiguientes, el Papa comenzó a redactar un documento específicamente dedicado a su plan de un gran acto de arrepentimiento; luego, el 14 de noviembre, publicó la carta apostólica *Tertio Millenio Adveniente* (Al aproximarse el tercer milenio). "Un capítulo doloroso –escribió–, al que los hijos de la Iglesia no pueden dejar de regresar con una mente abierta al arrepentimiento, es la forma en que [los católicos], especialmente en ciertos siglos, han aceptado métodos de intolerancia e incluso violencia en el servicio de la verdad".

"La consideración de las circunstancias históricas atenuantes –prosiguió el Papa– no libera a la Iglesia de su deber de afligirse profundamente por las debilidades de tantos de sus hijos que han desfigurado su rostro". Ha llegado el momento de arrepentirse, proclamó el Papa; cada cristiano debe adherir a las sabias palabras del Concilio Vaticano II: "La verdad no puede imponerse sino mediante la fuerza de la verdad misma". Por orden del Papa, en 1996 los planes del jubileo tendrán como punto focal el arrepentimiento por la Inquisición y por los pecados del antisemitismo.

Poco antes de morir, el papa Juan XXIII susurró en latín a su secretario Loris Capovilla, *"Ut Unum Sint"* (que sean uno; Juan 17:11). Los pensamientos finales del Papa que había convocado el Concilio Vaticano II fueron para la unidad de los cristianos.

Haciéndole eco a las palabras de su antecesor, el papa Wojtyla dedicó una encíclica –quizás su última– a este tema: el gran jubileo del año 2000 tiene que ver a las comunidades cristianas más cerca unas de otras; la sangre de los mártires cristianos asesinados en el siglo XX debe unir a todas las iglesias cristianas de un modo especial, y dar un impulso fresco al testimonio común de la fe, así como los mártires del Coliseo, Estanislao de Cracovia y Thomas Becket consolidaron la difusión del cristianismo en la antigüedad y en la Edad Media.

La unidad y la conversión (este último término figura cuarenta veces en la encíclica) son los conceptos centrales de Juan Pablo II a medida que una época le abre paso a la siguiente. Está convencido de que la religión cristiana y los sentimientos religiosos en general todavía tienen un gran papel por desempeñar en el futuro de la raza humana. La mente del anciano Papa entiende intuitivamente las debilidades de nuestro tiempo: una carencia de sentido ético, un relativismo sistémico cada vez más difundido que corroe incluso los valores laicos, un sentido de fragmentación, la incapacidad de consolidar los cimientos de una vida con significado. Se da cuenta de que, luego de decenios de optimismo, los hombres y las mujeres una vez más están haciendo preguntas sobre la realidad del mal.

Muchos de los programas y acciones emprendidos por Juan Pablo II en años recientes están concebidos como un legado para sus sucesores. Está dispuesto a confesar la culpa de la Iglesia católica por haber quemado en la hoguera a hombres como el gran líder religioso bohemio Jan Hus (fallecido en 1415), un precursor de la reforma protestante, o al fraile florentino Girolamo Savonarola (fallecido en 1498), quien atacó el estilo de vida lujurioso y anticristiano del Papa renacentista León X.

Luego de la áspera confrontación en la conferencia de las Naciones Unidas en El Cairo, el Papa examinó en silencio su propia conciencia. Desde entonces ha aprendido a apreciar mejor la importancia histórica del movimiento de liberación femenina (un término que él mismo ha estado utilizando últimamente). Juan Pablo II fue el primer Papa en dirigir una carta a las mujeres del mundo entero, asumiendo la culpa por "no pocos hijos de la Iglesia" que han obstaculizado la emancipación de las mujeres. Por fin el Papa parece estar reconociendo que las mujeres "han sido incomprendidas en su dignidad, desvirtuadas en sus prerrogativas, marginadas e incluso reducidas a la esclavitud".

La presión constante de las mujeres, sobre todo en las grandes órdenes religiosas femeninas de la Iglesia, ha forzado al Papa a admitir que el catolicismo, dominado por los hombres, debe abordar el tema del poder compartido. En marzo de 1996, Juan Pablo II expidió un documento en el que declaraba "urgente" que se otorgara a las mujeres acceso a todos los niveles de la Iglesia en donde "se definen las decisiones". Las mujeres, dijo el Papa, ayudan a los hombres a revisar sus esquemas mentales básicos.

Sin embargo, la gestión más asombrosa de Juan Pablo II se orientó hacia las otras iglesias cristianas. Wojtyla ha dicho estar dispuesto a mirar con otros ojos el papel del Pontífice romano. Es incluso posible que esté abriendo ligeramente la puerta a la perspectiva de superar las estructuras absolutistas de la Iglesia católica en el próximo milenio. Ha invitado a las demás iglesias a que se unan a él en una redefinición de los límites y formas de ejercer la autoridad papal. Ha confesado: "Reformar el papado, redefinir sus límites, es una tarea enorme ... que no podré llevar a término yo solo".

Así, Karol Wojtyla, el obispo que hizo escuela en el Concilio Vaticano II, podría ser el último Papa en el espíritu absolutista del Vaticano I, el último soberano de una monarquía espiritual católica que ha perdurado a lo largo de siglos. Su reino, como observa el obispo Weakland, ha sido "altamente centralizado, con el Papa como un gran líder carismático". Es probable que sea el último de su especie.

Todos los papas, no importa su procedencia, terminan convirtiéndose en romanos. A lo largo de los siglos, los romanos han elogiado a sus papas y se han burlado de ellos, los han amado y los han odiado. Los han exaltado en actitud de triunfo y han arrojado sus cadáveres al Tíber.

La Ciudad Eterna ha visto al Papa polaco gobernando en San Pedro, mezclándose afablemente con niños en las parroquias de la ciudad, tambaleándose en el Coliseo bajo el peso de la cruz de madera que porta en la procesión del Viernes Santo.

Pero existe una imagen de Juan Pablo II que los romanos no olvidarán pronto. El 6 de junio de 1996, al caer la noche, la procesión del Corpus Christi se abría paso por la antigua Vía Merulana. El Papa había decidido presidirla a pesar de su mal estado de salud.

Bajo los árboles que bordean el bulevar, marchaban miles de romanos: las confraternidades con sus estandartes, muchos hombres y mujeres maduros y una apreciable cantidad de jóvenes. La mayoría llevaba velas encendidas. En medio de este río de luz, un camión de plataforma avanzaba lentamente; en la parte posterior se había instalado un sillón y un reclinatorio. Y allí estaba el anciano Papa, de rodillas, con sus vestiduras formales, sosteniéndose la cabeza con las manos al orar: un gesto de cansancio, abandono y confianza.

En las sombras de la tarde, Karol Wojtyla navegó en su procesión mística, como Osiris en su barca hacia el ocaso.

Fuentes

Las fuentes primarias del libro son las entrevistas de los autores con más de trescientos individuos, la inmensa mayoría realizadas entre 1993 y 1996.

En la Parte v, a excepción de Jeanne Kirkpatrick, Robert M. Gates, John McMahon, Vernon Walters y Herbert Meyer, con quienes se conversó en 1994-1996, todos los miembros del gobierno de Reagan y los funcionarios de la CIA citados –incluido el presidente– fueron entrevistados en 1991. Los cardenales Agostino Casaroli, John Krol, Pio Laghi y Achille Silvestrini fueron entrevistados en 1991, y con Laghi y Silvestrini se conversó de nuevo en el período 1994-1996.

Prólogo

11-24   Viaje de Juan Pablo II a Polonia: Marco Politi, apuntes personales y reportería. *Il Messaggero*, 2-11 de junio, 1979. *L'Osservatore Romano; L'Attività della Santa Sede.*

11   "Regreso": Juan Pablo II, citado por Giulio Andreotti, entrevista con los autores.

12   Juan Pablo II a los periodistas: Marco Politi, apuntes personales.

14   Comentarios sobre los futuros líderes y activistas de Solidaridad: Zbigniew Bujak y Wiktor Kulerski, entrevistas con los autores.

18   Comentarios de Reagan al ver el recuento del viaje por televisión: Richard Allen, entrevista con los autores.

19-21   Reacciones de los líderes comunistas a la visita papal: Wojciech Jaruzelski, Stanislaw Kania y Kazimierz Barcikowski, entrevistas con los autores; Edward Rolicki, *Edward Gierek;* Kania, *Zatrzymac konfrontacje;* Jaruzelski, *Stan wojenny dlaczego;* Jerzy Ambroziewicz, *Znam was wszystkich.*

19   Situación en Lituania: *Il Messaggero,* 4 de junio de 1979.

19-20   Gromyko sobre la influencia de Wojtyla en Polonia: Marco Politi, apuntes personales.

22-23   Reunión de Casey con Juan Pablo II: Robert Gates, Herbert Meyer y Vernon Walters; Sophia Casey, entrevistas con los autores; fuentes confidenciales de la CIA; confirmación de reuniones no especificadas por Joaquín Navarro-Valls y Pio Laghi en entrevistas con los autores.

21 Fotografía de satélite: Herbert Meyer, entrevista con los autores; fuentes confidenciales.

22 Aspectos religiosos de las conversaciones de Casey con Juan Pablo II: Sophia Casey, entrevista con los autores; algunos detalles fueron confirmados por Joaquín Navarro-Valls; Gates.

23-24 Gorbachov y el peligro para el socialismo: actas del Politburó.

23 "Se puede decir que todo lo que ha ocurrido": Mijaíl Gorbachov, columna en *La Stampa,* como respuesta a la historia principal de la revista *Time,* "Holy Alliance", por Carl Bernstein, 24 de febrero, 1992.

23 "Sacar a Polonia de la órbita soviética": Ronald Reagan, entrevista con los autores, 1991; William Clark y Richard Allen, entrevistas con los autores.

Parte 1: *Lolek*

27 Recuento sobre el nacimiento de Karol Wojtyla: Andrzej Deskur, entrevista con los autores.

27ss Recuento sobre los ancestros, el nacimiento y la niñez de Karol Wojtyla: Adam Boniecki, *Kalendarium;* George Blazynski, *John Paul II;* Malinski, *Pope John Paul II, Le radici, Il mio vecchio;* Offredo, *Jean Paul II;* Vircondelet, *Jean Paul II;* Lecomte, *La Verité;* Svidercoschi, *Lettera;* Szczypka, *Jan Pawel II.*

28 Triunfo de Pilsudski: Szczypka, *Jan Pawel II.*

28 Informes austriacos sobre Karol Wojtyla padre: Boniecki, *Kalendarium.*

29 Wojtyla sobre su madre: Andrzej Deskur, entrevista con los autores.

29 Planes de Emilia para su hijo: Szczypka, *Jan Pawel II.*

30-31 Sobre la vida de Emilia: Bergonzoni, *Emilia Kaczorowska.*

31 Calificaciones escolares de Wojtyla: Boniecki, *Kalendarium.*

32 Zofia Bernhardt: Szczypka, *Jan Pawel II.*

32 "El alma del hogar": Malinski, entrevista con los autores.

32 Wojtyla al sacerdote carmelita: Wladyslaw Kluz, entrevista con los autores.

32 Comentarios envidiosos de Wojtyla sobre la vida en familia: Andrzej Deskur, entrevista con los autores.

32   Emilia como "consumida": Joaquín Navarro-Valls, entrevista con los autores.

33   Beatificación de Molla y Mora: *Washington Post*.

33   "Total fidelidad": *Mulieris Dignitatem* (Sobre la dignidad de las mujeres), encíclica papal.

33-35   Ceremonia de Kalwaria: Wladyslaw Kluz, entrevista con los autores; investigación de los autores *in situ*.

35   "En tu tumba blanca": escrito en Cracovia, 1939; Wojtyla. *Opere Letterarie*.

35 36   Wojtyla después de la muerte de su madre: Juliusz Kydrynski, *Quando Karol aveva diciott'anni;* Jan Kus, Jerzy Kluger y Halina Królikiewicz, entrevistas con los autores.

36   "La sombra de una temprana pesadumbre": citado en Boniecki, *Kalendarium*.

37   Episodio con Helena Szczepanska: Szczypka, *Jan Pawel II*.

37   "La muerte de mi hermano": Frossard, *Be Not Afraid*.

38   "Con tu mirada débil": *ibid*.

38   Estetoscopio: Andrzej Deskur, entrevista con los autores.

38-40   Adolescencia de Wojtyla: Jan Kus, Jerzy Kluger, Halina Królikiewicz Kwiatkowska, entrevistas con los autores; Boniecki, *Kalendarium;* Blazynski, *John Paul II;* Malinski, *Pope John Paul II*.

38-40   Sobre Wojtyla padre: Jerzy Kluger, entrevista con los autores; Boniecki, *Kalendarium;* Blazynski, *John Paul II*.

39   Wojtyla y su padre jugando fútbol: Kydrynski, *Quando Karol aveva diciott'anni*.

39   Recuerdos de Bohdanowicz: *ibid*.

39-40   Wadowice: Boniecki, *Kalendarium;* Szczypka, *Jan Pawel II*.

40-43   Vida judía en Wadowice: Jerzy Kluger y Regina Beer Reisenfeld, entrevistas con los autores.

40-41   Amistad de Wojtyla y Kluger: Jerzy Kluger, entrevista con los autores; Svidercoschi, *Lettera;* Szczypka, *Jan Pawel II*.

43   "Tendremos un problema de carácter judio": Szulc, *Pope John Paul II*.

44   "Su gran compostura": Blazynski, *John Paul II*.

45   Orígenes familiares: Boniecki, *Kalendarium*.

44-45   Descripción de Wojtyla padre: Jerzy Kluger, entrevista con los autores.

46   Karol cantando: Blazynski, *John Paul II*.

46   "Su vida dio un giro": Bohdanowicz, citado en Kydrynski, *Quando Karol aveva diciott'anni.*

46   Descripción de Wojtyla: Kazimierz Figlewicz, en Boniecki, *Kalendarium.*

47   Perfil de Mickiewicz: Czeslaw Milosz, *History of Polish Literature.*

48   Descripción de Beer: Jerzy Kluger, entrevista con los autores.

48   Relaciones de niños y niñas en Wadowice: Jan Kus, Jerzy Kluger, Halina Królikiewicz Kwiatkowska, entrevistas con los autores; Kydrynski, *Quando Karol aveva diciott'anni.*

48   "Había muchos hilos": Bober, citado en Kydrynski, *Quando Karol aveva diciott'anni.*

49   Wojtyla representando *Balladyna:* Szczypka, *Jan Pawel II.*

50   Wojtyla declamando *Promethidion:* Kydrynski, *Quando Karol aveva diciott'anni.*

46-57 Actividad social y teatral de Wojtyla: Regina Beer Reisenfeld, Halina Królikiewicz Kwiatkowska, Jerzy Kluger y Jan Kus, entrevistas con los autores.

52   Descripción de Kotlarczyk: básicamente extraída de Williams, *Mind of John Paul II.*

52-53 Wojtyla y Sapieha: Szczypka, *Jan Pawel II.*

53-56 Wojtyla y la vida religiosa: Jan Kus y Wladyslaw Kluz, entrevistas con los autores; Frossard, *Be Not Afraid.*

54   "Comenzamos con la impresión": citado en Messori, *Varcare la soglia.*

55   Recuerdos de Prus: Wladyslaw Kluz, entrevista con los autores.

55-56 Recuerdos de Beer: Regina Beer Reisenfeld, entrevista con los autores; entrevista de Beer con la North American Newspaper Alliance (NANA), 1979, citada por Szulc, *Pope John Paul II.*

56   Encuentro de Beer con Juan Pablo II: Jerzy Kluger y Regina Beer Reisenfeld, entrevistas con los autores; entrevista de Beer con la North American Newspaper Alliance (NANA).

56-57 Wojtyla y la castidad: Wladyslaw Kluz, entrevista con los autores.

57-76 Primer año de universidad de Wojtyla en Cracovia: Krystyna Zbijewska y Jan Kus, entrevistas con los autores; Boniecki, *Kalendarium.*

58   Radicalismo de Wojtyla: Krystyna Zbijewska, entrevista con los autores.

58-60 Comienzo de la Segunda Guerra Mundial: Mieczyslaw Malinski y Jan

Kus, entrevistas con los autores; Boniecki, *Kalendarium;* Malinski, *Pope John Paul II;* Svidercoschi, *Lettera.*

59   "Debemos que celebrar misa": Figlewicz, citado en Szczypka, *Jan Pawel II.*

62   Deportación de los profesores de la Universidad Jagellona: *ibid.*

62-65   Tyranowski y el Rosario Vivo: Mieczyslaw Malinski y Franciszek Konieczny, entrevistas con los autores; Boniecki, *Kalendarium;* Clissold, *Wisdom of the Spanish Mystics;* Malinski, *Pope John Paul II.* En 1949, Woytyla escribió una semblanza de Tyranowski luego de su muerte ("To the Memory of John") que se incluye en Bioniecki, *Kalendarium.*

65   "¡Sumergirse! ¡sumergirse!": Wojtyla, *Opere Letterarie.*

66-70   Trabajo de Wojtyla en Solvay: Wojciech Zukrowski, Franciszek Konieczny, Józef Krasuski y Franciszek Koscielniak, entrevistas con los autores.

69-70   Episodio con Dabrowska: Józef Krasuski, entrevista con los autores.

70-71   Recuerdos de Kydrynski sobre la muerte del padre de Wojtyla: Kydrynski, *Quando Karol aveva diciott'anni.*

70   Wojtyla sobre la muerte de su padre: Szczypka, *Jan Pawel II.*

70   "Sé cuán pequeño soy": Wojtyla, *Opere Letterarie.*

71   "En estos días pienso con frecuencia": Boniecki, *Kalendarium.*

71   "A mis veinte años ya había perdido": Frossard, *Be Not Afraid.*

71   Episodio de Woltersdorf: Wojciech Zukrowski: W. Zukrowski, entrevista con los autores.

72   Wojtyla y la resistencia armada: *ibid.*

72-76   Vida de Wojtyla durante la Segunda Guerra Mundial: Halina Królikiewicz Kwiatkowska, Danuta Michalowska, Wojciech Zukrowski y Mieczyslaw Malinski, entrevistas con los autores; Boniecki, *Kalendarium;* Malinski, *Pope John Paul II.*

73   Juan Pablo II sobre salvar a judíos durante la guerra: Marek Halter, entrevista con los autores.

75   "Aquellos miércoles y sábados": Blazynski, *Pope John Paul II.*

75   "Parece una paradoja": Halina Królikiewicz Kwiatkowska, entrevista con los autores.

75   "Actuación llena de tensión", "nació un gran actor": Danuta Michalowska y Juliusz Osterwa, citadas en Boniecki, *Kalendarium.*

76   Vocación de Wojtyla: Szczypka, *Jan Pawel II.*

76 Parábola en Mateo 25, cita de Norwid: Kydrynski, *Quando Karol aveva diciott'anni.*

78 Recuerdos de Pokuta: Boniecki, *Kalendarium.*

78 Recuerdos de Cieluch: *ibid.*

78-79 Estudios teológicos de Wojtyla: Mieczyslaw Malinski, entrevista con los autores.

79 Wojtyla en el hospital: Franciszek Konieczny, entrevista con los autores.

79-80 Domingo negro: Szczypka, *Jan Pawel II.*

80 "Los alemanes estaban seguros": Mieczyslaw Malinski, entrevista con los autores.

80-83 Wojtyla y el seminario clandestino: Mieczyslaw Malinski, Franciszek Konieczny y K. Suder, entrevistas con los autores.

82-83 Oficiales del Ejército Rojo en el seminario: Franciszek Konieczny, entrevista con los autores.

83 "El soldado golpeó": del retiro cuaresmal dirigido por Wojtyla, marzo de 1976, el Vaticano, citado en Boniecki, *Kalendarium.*

84 Calificaciones de Wojtyla en la universidad: *ibid.*

84 Wojtyla sobre el futuro de Polonia: Mieczyslaw Malinski, entrevista con los autores.

84 "Al finalizar la guerra": Wladyslaw Kluz, entrevista con los autores.

Parte II: *El padre Karol*

89 La Iglesia católica en Europa oriental: Daim, *Il Vaticano.*

90 Wojtyla en Niegowic: Stanislaw Wyporek y Maria Trzaska, entrevistas con los autores; Boniecki, *Kalendarium.*

91 Wojtyla y la bicicleta: Stanislaw Wyporek, entrevista con los autores.

92 Wojtyla sobre el comunismo: Stanislaw Wyporek, entrevista con los autores.

92-93 Wojtyla escuchando la confesión: Karol Tarnowski, entrevista con los autores.

93 "En la confesión": Szulc, *Pope John Paul II.*

93-94 Las salidas de Wojtyla con jóvenes: Mieczyslaw Malecki, Teresa Miesowicz y Karol Tarnowski, entrevistas con los autores.

94-95 Wojtyla y las relaciones entre hombres y mujeres: Karol Tarnowski, Maria Bozek y Teresa Miesowicz, entrevistas con los autores.

Fuentes

95   "La superficie del amor": Wojtyla, *The Jewler's Shop*.

96-98   Wojtyla sobre las relaciones sexuales: Wojtyla, *Love and Responsibility*.

96   Recuerdos de Zdybicka: Zofia Zdybicka, entrevista con los autores.

98   Wojtyla sobre la anticoncepción: Karol Tarnowski, entrevista con los autores.

98   Comentarios sobre la KUL: Zofia Zdybicka, entrevista con los autores.

98   Wojtyla en Lublín: *ibid*.

99-100   Wojtyla sobre la universidad católica y el comunismo: Stefan Swiezawski, entrevista con los autores.

100-01   Wojtyla sobre Mindszenty: Andrzej Deskur y Stefan Swiezawski, entrevistas con los autores.

100-03   Reunión de Wojtyla con Wyszynski: Wladyslaw Kluz, entrevista con los autores.

103   Wojtyla orando en el convento de las hermanas ursulinas: ex madre superiora Andrea Górska, entrevista con los autores.

104-06   Preparación para el Concilio Vaticano II: Guasco et al., *La Chiesa del Vaticano II;* Poupard, *Il Concilio Vaticano II*.

104   Wojtyla y el cuestionario: Hebblethwaite, *Synod Extraordinary*.

104-16   Wojtyla en el Concilio Vaticano II: Stefan Swiezawski y Jerzy Turowicz, entrevistas con los autores; Malinski, *Pope John Paul II*.

105 06   Sesión inaugural del concilio: artículos de prensa en *Corriere della Sera* e *Il Tempo*, 11 de octubre de 1962.

107   "Estaremos pobres y desnudos": Wojtyla, *Opere Letterarie*.

107   Wojtyla sobre las críticas contra la Iglesia: Karol Tarnowski, entrevista con los autores.

111   "El Concilio Vaticano II": Frossard, *Be Not Afraid*.

111-13   Palabras de Wojtyla en el Concilio: Caprile, *Il Concilio Vaticano II*.

113   Costumbre de Wojtyla de marcar las páginas: Williams, *Mind of John Paul II*.

113   Contactos de Wojtyla con obispos de otros países: Andrzej Deskur, entrevista con los autores; Malinski, *Pope John Paul II*.

113   Información sobre las declaraciones de Wojtyla en el Concilio: Boniecki, *Kalendarium;* Szczypka, *Jan Pawel II*.

115   Relación entre Wyszynski y Wojtyla: Kazimierz Kakol y Jerzy Turowicz, entrevistas con los autores.

115-16   Wyszynski sobre el nombramiento de Wojtyla: Andrzej Bardecki, entrevista con los autores.

115-16   Comentarios comunistas sobre el nombramiento de Wojtyla: Andrzej Bardecki, entrevista con los autores.

116   Misa inaugural de Wojtyla: Szczypka, *Jan Pawel II.*

118   Wojtyla sobre la "concesión y la petición" de *Dignitatis Humanae:* la observación proviene de Hebblethwaite, *Extraordinary Synod.*

118   "Evitábamos el diálogo": Stefan Swiezawski, entrevista con los autores.

119   "Las dichas y esperanzas": documentos del Concilio.

122-23   Relación entre Pablo VI y Wojtyla: Andrzej Deskur y Tadeusz Pieronek, entrevistas con los autores.

122-23   Reunión de Wyszynski con Pablo VI: Hebblethwaite, *Extraordinary Synod.*

123   "No hay ningún llamado": Halina Bortnowska, citada en Hebblethwaite, *Extraordinary Synod,* p. 22.

124   "No se puede reestructurar": Andrzej Bardecki, entrevista con los autores.

124   Virgen Negra de Czestochowa: Marian Banaszak, *Historia kosciola katolickiego.*

125   Reunión de Zenon Kliszko y Wojtyla: Szczypka, *Jan Powel II.*

125   Reunión de Wojtyla con dirigentes comunistas en Cracovia: *ibid.*

126   Informe de la policía secreta polaca: citado en Szulc, *Pope John Paul II.*

127   Lealtad de Wojtyla con Wyszynski: Andrzej Bardecki, entrevista con los autores.

127   Negativa de Wojtyla de viajar sin Wyszynski: Tadeusz Pieronek, entrevista con los autores.

127   Sobre las elección de sucesores por los papas: Andrzej Deskur, entrevista con los autores.

128   "Sé que debo ponerme a prueba": Boniecki, *Kalendarium.*

128   Comisión de Pablo VI sobre control de la natalidad: Kaiser, *Politics of Sex and Religion.*

128-29   Influencia de Wojtyla sobre *Humanae Vitae:* Andrzej Bardecki, entrevistas con los autores.

130-37   Retiro cuaresmal de Wojtyla en el Vaticano: Wojtyla, *Segno di contraddizione.*

Fuentes

132 Wojtyla sobre su familia: F. Bednarski y Andrzej Deskur, entrevistas con los autores.

132 Actitud de Wojtyla frente a las mujeres: Krystyna Zbijewska, Zofia Zdybicka, Maria Bozek y Maria Stadnicka, entrevistas con los autores.

133 Sacerdote de Cracovia sobre *Persona y acción:* Tadeusz Pieronek, entrevista con los autores.

135 "No es izquierdista": Jerzy Turowicz, entrevista con los autores.

135 "Muchas veces": citado en Boniecki, *Kalendarium.*

137 Impresiones de Deskur sobre el retiro cuaresmal: Andrzej Deskur, entrevista con los autores.

137 "Mediante la voluntad": Wojtyla, *The Acting Person.*

137-38 Planes de Wyszynski para Wojtyla: Romuald Kukolowicz, entrevista con los autores.

138 "Era obvio que": Jacek Wozniakowski, entrevista con los autores.

138-39 Sucesos en Polonia en 1968: Davies, *God's Playground.*

139 "Cuando el pueblo está herido": citado en Boniecki, *Kalendarium.*

1239-40 Wojtyla y la política: Jerzy Turowicz, entrevista con los autores.

142 Cronograma cotidiano de Wojtyla: Józef Mucha, entrevista con los autores.

143 Wojtyla y la prensa polaca: Andrzej Bardecki, entrevista con los autores.

144 "San Estanislao se ha convertido": carta pastoral, 8 de mayo, 1977.

145 "Los derechos humanos no pueden darse": Boniecki, *Kalendarium.*

146-164 Colaboración de Tymieniecka con Wojtyla: Anna-Teresa Tymieniecka, George Williams, Hendrik Houthakker y Rocco Buttiglione, entrevistas con los autores; lista de adquisiciones, Widener Library, Harvard University; Wojtyla, *Acting Person*, archivos de la International Phenomenological Society.

149 Navarro-Valls sobre el hecho de que la comisión papal era "sobreprotectora": Joaquín Navarro-Valls, entrevista con los autores.

Parte III: *El cónclave*

167 Descubrimiento de Juan Pablo I: John Magee, entrevista con *Trenta Giorni,* septiembre de 1988. Otros detalles, Cornwell, *A Thief in the Night.*

167-68   Sobre los últimos instantes de Juan Pablo I: Paolo Patruno, *La Stampa*, 10 de junio, 1984.

168   Condición psicológica de Juan Pablo I: Don Mario Senigaglia (secretario de Juan Pablo I), entrevista con *Gente Veneta*, según información de *La Repubblica*, 26 de junio, 1984.

168   "Ya hice todos los preparativos": John Magee, entrevista con *Trenta Giorni*, septiembre de 1988.

168   Juan Pablo I sobre su sucesor: *ibid.*

168-70   Reacción de Wojtyla en Cracovia: Mieczyslaw Malinski, Józef Mucha, entrevistas con los autores.

169   Votos por Wojtyla en el cónclave de agosto de 1978: Kazimierz Kakol, entrevista con los autores.

169-70   Comentarios de Wojtyla sobre la elección de Juan Pablo I: Andrea Górska, entrevista con los autores.

170   Comentarios de Wojtyla al partir con destino a Roma: *ibid.*

170-86   Wojtyla y la campaña del cónclave: Andrzej Deskur, entrevista con los autores; Malinski, *Pope John Paul II*.

172-73   Malinski sobre el futuro Papa: Mieczyslaw Malinski, entrevista con los autores.

173   Clarizio sobre Wojtyla: Ryszand Karpinski, entrevista con los autores.

174   Reunión de Thiandoum y Luciani: Hyacinthe Thiandoum, entrevista con los autores.

174-75   Declaración de Nasalli Rocca: Andrzej Deskur, entrevista con los autores.

175   Comentario de Siri sobre Juan Pablo I: Zizola, *Il conclave*.

176   Reunión en el seminario francés: *ibid.*

176   Ratzinger sobre el peligro de la izquierda: Joseph Ratzinger, entrevista con *Frankfurter Allgemeine Zeitung*, 8 de octubre, 1978.

177-79   Campaña de König: Franz König, entrevista con los autores.

179   Comentario sobre Silva Henríquez: Virgilio Levi, entrevista con los autores.

179-80   Lorcheider sobre el futuro Papa: Aloísio Lorscheider, entrevista con Marco Politi, *Il Messaggero*.

180-81   Wojtyla en la cena con Cody: Virgilio Levi, entrevista con los autores.

181   Conversación de König con Wyszynski: Franz König, entrevista con los autores.

Fuentes

181   Reunión de Deskur con Wyszynski: Andrzej Deskur, entrevista con los autores.

182   Profecía de Villot: *ibid.*

182-83   Declaraciones de Siri: Licheri, *Quel conclave.*

183   El sueño de Kakol: Kazimierz Kakol, entrevista con los autores.

184   El equipaje de Wojtyla: Maryska Morda y Franciszek Konieczny, entrevistas con los autores.

184   Publicación sobre el marxismo: fuentes confidenciales.

185-86   Wojtyla en el cónclave: Donald Wuerl, entrevista con los autores.

185   Votos en el cónclave: Giulio Andreotti, entrevista con los autores; Zizola, *Il conclave.*

185-86   Atmósfera en el cónclave: Franz König y Donald Wuerl, entrevistas con los autores.

186   Wojtyla en los brazos de Wyszynski: fuentes confidenciales.

186   "Si lo eligen": citado por Juan Pablo II en una reunión en el Vaticano con fieles polacos, 16 de octubre, 1988, en *L'Attività della Santa Sede.*

187   "Obedeciendo": *Redemptor Hominis* (El redentor del hombre), encíclica papal, marzo de 1979.

187   Historia de la *camera lacrimatoria*: MacDowell, *Inside the Vatican.*

188   Las lágrimas de Dziwisz: fuentes confidenciales.

Otras fuentes escritas sobre el cónclave: artículos de Marco Politi, *Il Messaggero;* Malinski, *Pope John Paul II;* Blazynski, *John Paul II;* Frossard, *Be Not Afraid;* Murphy, *Papacy Today;* Hebblethwaite, *Year of Three Popes;* Andreotti, *A ogni morte di papa;* Lai, *Il papa non eletto;* Zizola, *Il conclave.*

Parte IV: *Il Papa*

195   Juan Pablo II en el cónclave: Franz König, entrevista con los autores.

196   Misa inaugural: Marco Politi, *Il Messaggero,* 23 de octubre, 1978.

199   Obispos canadienses: 17 de noviembre, 1978.

199   Juan Pablo II a una periodista: 21 de octubre, 1978, Marco Politi, apuntes personales.

199   Juan Pablo II a los jóvenes: audiencia con Azione Cattolica, 30 de diciembre, 1978.

199   Audiencia con periodistas: Marco Politi, apuntes personales.

199-200   Viaje a Asís: Marco Politi, *Il Messagero,* 6 de noviembre, 1978.

201-02   Carta a los obispos de Hungría: *L'Attività della Santa Sede,* 1979.

202   Pasaporte de Wojtyla: Ambroziewicz, *Znam was Wszystkich*.

202-03   Discurso ante peregrinos polacos: *L'Attività della Santa Sede*, 1978.

204   Juan Pablo II y el comunismo: fuentes confidenciales.

204-05   Juan Pablo II y la política exterior: Achille Silvestrini, entrevista con los autores.

205   El Vaticano y los países socialistas: Kazimierz Kakol, entrevista con los autores.

205-06   Informe Bogomolov: Institute for the Socialist System, *Bogomolov Report*.

207-08   Brezhnev y Gierek: Rolicki, *Edward Gierek*.

208-09   Juan Pablo II y Villot: Wenger, *Le Cardinal Jean Villot*.

211   Reunión de Juan Pablo II con Gromyko: Gromiko, *Pamjatnoe*.

213   El sueño de Benedetti: Marco Politi: apuntes personales.

213-14   Mediación del Vaticano entre Chile y Argentina: *L'Attività della Santa Sede*, enero de 1979.

215-17   Juan Pablo II y América Latina: Mieczyslaw Malinski, entrevista con los autores.

215-33   Juan Pablo II, la teología de la liberación y la conferencia de Puebla: Libanio Christo, *Diario di Puebla*.

217-19   Juan Pablo II a los periodistas: Marco Politi, apuntes personales.

218   Auxiliar de vuelo: Marco Politi, apuntes personales.

219-24   Viaje a México: Marco Politi, *Il Messaggero*, 25 de enero-2 de febrero, 1979.

226   Grupos de presión de la CELAM: Libanio Christo, *Diario di Puebla*.

227-30   Conferencia de Puebla y palabras de Lorcheider: *Puebla documenti*.

228-29   Juan Pablo II y los indígenas de Cuilapán: Marco Politi, apuntes personales.

231   Sínodos sobre la Iglesia de los Países Bajos y la Iglesia ucraniana: *L'Attività della Santa Sede*, 1980.

231-32   *Redemptor Hominis*: Tadeusz Styczen, *Le encicliche*.

234   Reacciones checas: *Tribuna*, 30 de mayo de 1979.

235   Autoridades polacas y aniversario de san Estanislao: Marco Politi, apuntes personales.

237-39   Reacciones de los comunistas a los discursos papales: Stanislaw Kania, Wojciech Jaruzelski y Kazimierz Barcikowski, entrevistas con los autores; Rolicki, *Edward Gierek*.

Fuentes

239   Carta de Kania a Juan Pablo II: Stanislaw Kania y Kazimierz Barcikowski, entrevistas con los autores.

242   Reacción de los disidentes al viaje papal: *Glos* (revista católica polaca clandestina, de publicación mensual), según información de J. Vinocur, *New York Times,* 6 de junio, 1979.

243-45   Juan Pablo II en Auschwitz: Marco Politi, apuntes personales y artículos en *Il Messaggero.*

246-48   Sermón de Juan Pablo II: *L'Osservatore Romano.*

248-51   Juan Pablo II en Cracovia: Marco Politi, apuntes personales y artículos en *Il Messaggero;* Wojciech Jaruzelski, Kazimierz Barcikowski, Bronislaw Geremek y Wiktor Kulerski, entrevistas con los autores.
Otras fuentes escritas sobre el viaje a Polonia: S. Viola, L. Accattoli, artículos en *La Repubblica; New York Times.* Sobre la Parte IV en general: Del Rio y Accattoli, *Il nuovo Mosè;* Del Rio, *Un pontificato itinerante.*

Parte V: *El imperio se tambalea*

255   Sobre los levantamientos polacos: Ash, *Polish Revolution, Magic Lantern, Uses of Adversity;* Ascherson, *Struggles for Poland;* Davies, *God's Playground;* artículos publicados en *New York Times* y *Washington Post.*

259   Juan Pablo II en Castel Gandolfo: Zofia Zdybicka, entrevista con los autores.

262   Declaraciones públicas de Juan Pablo II: *L'Osservatore Romano* y otras fuentes públicas.

262   Carta de Carter a Juan Pablo II: Zbigniew Brzezinski, entrevista con los autores.

264   Medidas de Wyszynski con relación a la huelga: Ash, *Polish Revolution, Magic Lantern, Uses of Adversity;* Szajkowski, *Next to God.*

264   "Oh, este hombre viejo": citado en Szulc, *Pope John Paul II,* p. 347.

264-65   Palabras de Juan Pablo II a los trabajadores brasileños: Marco Politi, *Il Messaggero.*

265-66   Reunión de Casaroli con diplomático soviético: Robert Gates, entrevista con los autores; Gates, *From the Shadows.*

266-68   Reunión del Politburó, 29 de octubre, 1980: documentos del Politburó, obtenidos por los autores en Moscú.

269   Reunión del Pacto de Varsovia, 5 de diciembre, 1980; Stanislaw Kania, Wojciech Jaruzelski y Egon Krenz, entrevista con los autores.

270-73 Reunión del Politburó, 11 de diciembre, 1980: documentos del Politburó, obtenidos por los autores en Moscú.

271-72 Celebración en Gdansk: Ash, *Polish Revolution, Magic Lantern, Uses of Adversity;* Szajkowski, *Next to God.*

272-73 Documento del Comité Central, 21 de enero, 1981: archivos del Politburó, 12 de enero, 1981.

273-75 Visita de Walesa a Roma: Walesa, *Way of Hope; L'Osservatore Romano;* Lech Walesa, entrevista con los autores; Lech Walesa, entrevista con Oriana Fallaci.

274-75 Viaje de Zimianian a Polonia: actas del Politburó, 22 de enero, 1981.

275-76 Forma de abordar el Politburó la situación polaca: diversas actas del Politburó, diciembre 1980-marzo 1981.

276-77 Relaciones de Brzezinski con Wojtyla, recuento de los sucesos de diciembre, 1980: Zbigniew Brzezinski, entrevista con los autores.

276-90 Ideas de Reagan sobre el Vaticano y el catolicismo: Ronald Reagan, William Clark, Richard Allen, Jeanne Kirkpatrick, Alexander Haig, Vernon Walters, Robert MacFarlane, John Poindexter, Richard Pipes, entrevistas con los autores.

276-90 Ideas de Reagan sobre Solidaridad: William Clark, Richard Allen, Richard Pipes, Richard Perle, Robert Gates, John Poindexter, Robert MacFarlane, Caspar Weinberger, Jeanne Kirkpatrick y Martin Anderson, entrevistas con los autores.

277 Apoyo encubierto para Solidaridad: Zbigniew Brzezinski, Robert Gates, William Clark, entrevistas con los autores.

279 Misión de Zagladin a Roma: Gates, *From the Shadows.*

279 Informe presidencial diario: Richard Allen y William Clark, entrevista con los autores.

282 "Allí se decidió": Caspar Weinberger, entrevista con los autores; también citado en Schweizer, *Victory.*

282 Reunión en la Casa Blanca, 30 de enero, 1981: William Clark, Caspar Weinberger, Richard Allen y Richard Pipes, entrevistas con los autores; también citado en Schweizer, *Victory.*

282 "Sacar a Polonia de la órbita soviética": Ronald Reagan, entrevista con los autores, 1991; William Clark, Robert Gates y Richard Allen, entrevistas con los autores.

Fuentes

283-85   Debate sobre ayuda encubierta para Solidaridad: Henry Hyde, Lane Kirkland, William Clark, Robert Gates, Bobby Inman, Richard Pipes y Richard Perle, entrevistas con los autores.

285   Casey y las operaciones psicológicas: Richard Perle, entrevista con los autores.

285-86   Influencia de Casey y Clark en Reagan: William Clark, Alexander Haig, Jeanne Kirkpatrick, Richard Allen, miembros del Consejo de Seguridad Nacional, entrevistas con los autores; Cannon, *President Reagan.*

286   Conversaciones de Casey y Clark con Laghi: William Clark, Pio Laghi, John Krol, Robert MacFarlane, John Poindexter, Richard Allen, entrevistas con los autores.

286-87   Reuniones con Krol: Krol, Richard Allen, William Clark, Edward Derwinski, entrevistas con los autores.

287-88   Relación Krol-Wojtyla: John Krol, Pio Laghi y numerosos obispos y monseñores estadounidenses y de la curia, entrevistas con los autores.

288   Homilía de Wojtyla en la iglesia del padre de Krol, palabras sobre Krol: Boniecki, *Kalendarium.*

288-90   Relación entre el papado de Wojtyla y el gobierno de Reagan: Richard Allen, Vernon Walters, Robert Gates, William Clark, Jeanne Kirkpatrick, Robert MacFarlane, John Poindexter, Alexander Haig, Herbert Meyer, William Wilson, Zbigniew Brzezinski, Pio Laghi, John Krol, Agostino Casaroli y Achille Silvestrini, entrevistas con los autores; fuentes confidenciales: miembros de las comisiones de inteligencia de la Cámara y el Senado, y personal de las mismas.

289   Reuniones de Walters con Juan Pablo II y temas discutidos: Vernon Walters, entrevistas con los autores; cables enviados por Walters de Roma a Washington entre 1981 y 1988, obtenidos por los autores de conformidad con la Ley de Libertad de Información con reserva parcialmente levantada.

290   Cancelación de los programas de planificación familiar por parte del gobierno de Reagan: William Wilson, entrevista con los autores; confirmado por otras fuentes.

290   Conversaciones telefónicas interceptadas: fuente confidencial.

290   Pagos hechos por North a sacerdotes en Centroamérica: fuente confidencial, confirmada por John Poindexter y Robert Gates.

291-94   Puntos de vista de Jaruzelski: Wojciech Jaruzelski y Stanislaw Kania, entrevistas con los autores.

294-95   Reagan antes del discurso ante el AFL-CIO: William Clark, Richard Allen, entrevistas con los autores.

295   Carta del Papa a Brezhnev: conocida por William Clark.

295   Discurso de Reagan: documentos presidenciales, 1981.

295-99   Reunión del Politburó, 2 de abril de 1981: actas del Politburó.

297   Margaret Thatcher: William Clark, entrevista con los autores; Thatcher, *Downing Street Years.*

300-04   Viaje de Jaruzelski y de Kania a Brest: Wojciech Jaruzelski y Stanislaw Kania, entrevistas con los autores; Jaruzelski, *Erinnerungen;* actas del Politburó, 9 de abril, 1981.

300   "Jaruzelski confió una pistola y una granada de mano": Jaruzelski, *Erinnerungen.*

302   La Iglesia más débil del bloque oriental: de Eric Hanson, *Catholic Church in World Politics.*

306   Arribo de Suslov a Varsovia, informe de la comisión polaca del Politburó: documentos del Politburó.

307   Casey como ministro de Estado y de Guerra clandestino: Persico, *Casey.*

307   Cartas de Casey a Reagan: Robert Gates, entrevista con los autores.

308-10   Conversaciones de Casey con Juan Pablo II: Robert Gates, Herbert Meyer, entrevistas con los autores; fuentes confidenciales de la CIA.

308-10   Detalles de la reunión de Casey con Juan Pablo II: fuente confidencial de la CIA; Sophia Casey; algunos detalles confirmados por Robert Gates y William Clark.

310-11   Detalles biográficos de Casey: Persico, *Casey;* Woodward, *Veil.*

312   Retrato de Dziwisz: Mieczyslaw Malinski, Rocco Buttiglione, Tadeusz Pieronek, Dominik Morawski y Donald Wuerl, entrevistas con los autores; Bonieck, *Kalendarium;* fuente confidencial de la curia en el Vaticano.

312-13   Relato de Dziwisz sobre el intento de asesinato: Frossard, *Be Not Afraid.*

314-15   Advertencia de De Marenches al Papa: Ockrent y De Marenches, *Dans le secret des princes.*

316   Juan Pablo II y la Virgen de Fátima: Frossard, *Be Not Afraid;* Andrzej Deskur y Mieczyslaw Malinski, entrevistas con los autores.

317-18   Investigación y conclusiones de la CIA: Robert Gates, Herbert Meyer,

Claire Sterling, John McMahon, entrevistas con los autores; artículos de prensa sobre las audiencias en que se confirmó a Gates como director de la CIA.

317-18　Punto de vista de Juan Pablo II sobre el asesinato: Andrzej Deskur, Giulio Andreotti y Rocco Buttiglione, entrevistas con los autores; fuentes confidenciales de la curia.

317-18　Investigación italiana: artículos publicados en *New York Times, Time, Washington Post;* Claire Sterling, *Reader's Digest.*

317-18　Versión de Deskur: Andrzej Deskur, entrevistas con los autores.

317-21　Diversas teorías, incluidos los escenarios búlgaro y Becket: debatidos por los autores con miembros de los servicios secretos estadounidense e italiano.

318-19　Comentarios de Silvestrini y Casaroli: Achille Silvestrini y Agostino Casaroli, entrevistas con los autores.

318　Grupo informal del Vaticano: fuentes confidenciales del Vaticano.

320　Opinión de Juan Pablo II sobre el islam: Carlo De Benedetti, entrevista con los autores; fuentes confidenciales.

322-24　Acciones de Agca antes y después del atentado: actas del juicio.

324　Scricciolo y declaraciones de los abogados: *New York Times,* 23 de marzo, 1983.

325　"Barrido" de la NSA: Szulc, *Pope John Paul II;* fuente confidencial.

326　Revelaciones de Sterling: Claire Sterling, entrevista con los autores.

328　Fuente clandestina en Europa oriental: Robert Gates, entrevista con los autores.

329　Deserción de Mantarov: *New York Times.*

330　"Decisión" del Politburó: actas del Politburó, 13 de noviembre, 1979.

330-31　Reagan en Notre Dame: *New York Times;* documentos presidenciales, 1981.

331　Reagan y razón por la cual él y Juan Pablo II se salvaron: Reagan, William Clark y Pio Laghi, entrevistas con los autores.

332　Carta de Allen a Wilson: hallada entre los papeles de Wilson en Georgetown University.

332-33　Palabras de Juan Pablo II a los peregrinos polacos: *L'Osservatore Romano.*

333　Palabras de Walesa ante el congreso de Solidaridad: Walesa, *Way of Hope.*

333 Comentarios de Brezhnev y de otros miembros del Politburó sobre el congreso de Solidaridad: actas del Politburó, 10 de septiembre de 1981.

333-34 Recuento del congreso de Solidaridad: Walesa, *Way of Hope;* Ost, *Solidarity;* Weschler, *Passion of Poland;* Ash, *Polish Revolution.*

333-34 Reunión de Glemp con Kania y Jaruzelski: Wojciech Jaruzelski, Stanislaw Kania y Kazimierz Barcikowski, entrevistas con los autores.

334 Información de Kuklinski: Zbigniew Brzezinski, entrevista con los autores; *Washington Post.*

334-36 *Laborem Exercens:* Marco Politi, *Il Messaggero.*

336 Situación de Polonia en octubre: Wojciech Jaruzelski, entrevistas con los autores; Ost, *Solidarity;* Ascherson, *Struggles for Poland;* Weschler, *Passion of Poland.*

336-37 Reunión de Czyrek y Gromyko: citado en Spasowski, *Liberation of One.*

337 Conversación de Brezhnev con Jaruzelski: documentos del Politburó suministrados al gobierno poscomunista polaco y divulgados por éste.

337-38 Reunión de Jaruzelski, Walesa y Glemp: Wojciech Jaruzelski, entrevista con los autores.

338-39 Reunión de Juan Pablo II con intelectuales polacos: Bronislaw Geremek y Jerzy Turowicz, entrevistas con los autores.

339-40 Carta de Brezhnev a Jaruzelski: actas del Politburó.

340-41 Polonia en 1981: Relatos de este período de Wojciech Jaruzelski, entrevista con los autores; Ash, *Polish Revolution, Magic Lantern, Uses of Adversity;* Ost, *Solidarity;* Ascherson, *Struggles for Poland;* Szajkowski, *Next to God.*

341-43 Origen de las visitas de Walters al Papa: fuente confidencial, Departamento de Estado de Estados Unidos (el adjunto); Vernon Walters, Michael Ledeen, Alexander Haig, William Clark, Jeanne Kirkpatrick y Pio Laghi, entrevistas con los autores.

343 Perfil de Walters: Vernon Walters, entrevista con los autores; material de los archivos públicos de *Time.*

344-53 Visita de Walters a Juan Pablo II: Vernon Walters, entrevistas con los autores; cable de Walters al Departamento de Estado, la CIA y la Casa Blanca, 30 de noviembre de 1981, obtenido de conformidad con la Ley de Libertad de Información con reserva parcialmente levantada.

345 Fuga de Kuklinski: fuente confidencial de la CIA.

351   "Cuando uno lo saluda, lo asombra su mirada": Nikolai Lunkov, entrevista con los autores.

353-54   Vida en Polonia, invierno de 1981: Ost, *Solidarity;* Ascherson, *Struggles for Poland;* Weschler, *Passion of Poland;* Walendowski, "Polish Church", "Controversy", "Pope in Poland"; *New York Times, Washington Post.*

354   Reunión de Glemp con Walesa: Wojciech Jaruzelski, entrevista con los autores; Walesa, *Way of Hope.*

354-56   Reunión del Politburó, 10 de diciembre, 1981: actas del Politburó.

356-57   Reuniones de la comisión de Solidaridad: Walesa, *Way of Hope;* Ost, *Solidarity;* Ascherson, *Struggles for Poland;* Ash, *Polish Revolution, Magic Lantern, Uses of Adversity, We the People.*

357   Jaruzelski esperado en Moscú: actas del Politburó.

357   Cálculo de tiempo de Jaruzelski: Zbigniew Bujak, Wiktor Kulerski y Wojciech Jaruzelski, entrevistas con los autores; Jaruzelski, *Erinnerungen.*

358   Palabras de Jaruzelski a la nación: Rosenberg, *Haunted Land; New York Times.*

359   Comentarios de Kania: Stanislaw Kania, entrevista con los autores.

359-60   Objetivos de Jaruzelski con relación a la Iglesia: Wojciech Jaruzelski, entrevista con los autores.

360-61   Notificación a Glemp y Dabrowski: Kazimierz Barcikowski, entrevista con los autores.

362   Homilía de Glemp: Ash, *Polish Revolution;* Szajkowski, *Next to God.*

364   Comentarios de Bujak: Zbigniew Bujak, entrevista con los autores; Ost, *Solidarity.*

365-66   Primeras reacciones de Juan Pablo II: Mieczyslaw Malinski, Rocco Buttiglione, Andrzej Deskur, Adam Boniecki, entrevistas con los autores; *L'Osservatore Romano;* fuente confidencial del Vaticano (un asistente del Papa).

367-68   Conversaciones de Lewandowski con Pipes y Juan Pablo II: Richard Pipes, Lewandowski, entrevistas con los autores.

369   Violencia en Katowice y otros lugares: *New York Times.*

369-70   Carta de Juan Pablo II a Jaruzelski: copia obtenida por los autores.

373-74   Reuniones de Walesa con Orszulik y análisis de los objetivos de la Iglesia: Walesa, *Way of Hope.*

374-75   Juan Pablo II en Navidad: Andrzej Deskur, entrevista con los autores; fuente confidencial del Vaticano; *L'Osservatore Romano.*

375-76 Actuaciones de Poggi, Glemp y Dabrowski: Andrzej Deskur, entrevista con los autores; fuente confidencial del Vaticano.

376 *"Salvare il salvabile":* Wilton Wynn, entrevista con los autores.

376-77 Análisis de Jaruzelski por parte de Juan Pablo II: Mieczyslaw Malinski, Andrzej Deskur, Adam Boniecki y Morawski, entrevistas con los autores.

377 Creencia de Juan Pablo II en el poder de la oración: Andrzej Deskur, Mieczyslaw Malinski y otros, entrevistas con los autores.

378-79 Carta de Jaruzelski a Juan Pablo II: obtenida por los autores.

378-79 Respuesta de Juan Pablo II: obtenida por los autores.

379-80 Intentos de Bujak de comunicarse con Glemp: Zbigniew Bujak, entrevista con los autores.

380 Envío de fondos para el Solidaridad clandestino por parte de Juan Pablo II: confirmado por fuentes de inteligencia de Estados Unidos.

381-88 Reunión de Reagan con Juan Pablo II: William Clark, Alexander Haig, Ronald Reagan, Pio Laghi, Agostino Casaroli y Achille Silvestrini, entrevistas con los autores.

381 Nombramiento de William Clark como consejero de seguridad nacional: Clark y Kirkpatrick, entrevistas con los autores; Cannon, *Casey.*

381 Reagan en Westminster: Cannon, *President Reagan.*

381 "Yo no hice que esto sucediera": dicho a Carlo De Benedetti; entrevista con los autores.

382 Gasto de cincuenta millones de dólares por parte de la CIA para mantener vivo a Solidaridad: fuentes confidenciales: miembros y personal de las comisiones de inteligencia del Congreso y funcionarios de la CIA; confirmado en entrevistas de los autores con Robert Gates y William Clark.

382-84 Perfil de Reagan: William Clark, Richard Allen, John Sears, Edmund Morris, Lou Cannon, Alexander Haig, Martin Anderson, George Shultz, Jeanne Kirkpatrick, Richard Pipes, Robert MacFarlane, Stuart Spencer y David Gergin, entrevistas con los autores; Carl Bernstein, artículo principal de *New Republic,* 20 de enero, 1985.

384 Reagan sobre Yalta: Ronald Reagan, entrevista con los autores.

385-86 Percepción de Reagan del Papa como figura heroica: Jeanne Kirkpatrick, entrevista con los autores.

386 Declaraciones de buenas intenciones de Reagan: William Wilson y Alexander Haig, entrevistas con los autores.

386 Haig sobre Reagan: Alexander Haig, entrevista con los autores.

386 Relación Haig-Reagan: William Clark, Richard Allen, Jeanne Kirkpatrick, Richard Pipes y Robert MacFarlane, entrevistas con los autores.

386 Reagan en Reykjavik: Cannon, *President Reagan*. Se dice que Reagan no estaba preparado para su negociación con Gorbachov en Reykiavik. El último día, Gorbachov planteó una propuesta audaz de importantes reducciones de armamentos y Reagan la hubiera aceptado, para desconsuelo de sus asesores, si Gorbachov hubiera aceptado a su vez la IDE. Este elemento no registrado de la cumbre y el vehemente deseo de Reagan de aceptar recortes tan fuertes en armamentos molestaron a muchos en el gobierno.

387 Concepto de Reagan sobre la economía soviética: Ronald Reagan, entrevista con los autores.

388 Instrucciones de Reagan a Casey para que asumiera la coordinación y financiación de apoyo para Solidaridad: William Clark, Bobby Ray Inman y Robert Gates, entrevistas con los autores.

388 "El nombre en clave con que la CIA se refería": transcripción del juicio de Alan Ficrs, artículos sobre el juicio en *New York Times*.

389 Para la historia sobre Casey y el asunto Irán-contras, véase Woodward, *Veil*.

389 Canalización de dinero para la Iglesia por la CIA: John Poindexter, entrevista con los autores.

389 Obando como "activo" de la CIA: *ibid*.

389 Descubrimiento de financiación de la CIA en la arquidiócesis de Obando: Robert Gates, entrevista con los autores; fuente confidencial del personal de la comisión de inteligencia.

389 Actuaciones de Fiers: informe sobre el juicio en New *York Times;* fuente confidencial de la comisión de inteligencia del Congreso.

390 Casey y William Clark alentando la visita papal a Nicaragua: William Clark, Jeanne Kirkpatrick, Pio Laghi, entrevistas con los autores.

390 "Compartíamos un interés en desalentar las cabezas de avanzada comunistas": Jeanne Kirkpatrick, entrevista con los autores.

391 "El Papa estaba en Nicaragua para suministrar": *ibid*.

392-96   Detalles sobre el viaje papal: Marco Politi, apuntes personales y artículos en *Il Messaggero.*

396   "Se mueve como una golondrina": fuente confidencial de la política italiana.

396   "Siempre fue un poco pesado": Jacek Wozniakowski, entrevista con los autores.

396   "Es ... una jaula de oro": fuente confidencial (un monseñor del Vaticano).

397   Cronograma de Juan Pablo II: archivos privados de la revista *Time.*

398-99   Juan Pablo II en las comidas y en reuniones: Mariano Magrassi y Oddi, entrevistas con los autores.

400-01   Lectura de los recortes de prensa por Juan Pablo II: John Patrick Foley, entrevista con los autores.

402   Reuniones con la curia: John Patrick Foley, entrevista con los autores.

403-415 Visita de Juan Pablo II a Polonia en 1983: Wojciech Jaruzelski, Lech Walesa, Adam Boniecki, Virgilio Levi, Andrzej Deskur, Rocco Buttiglione, Mieczyslaw Malinski y Zbigniew Bujak, entrevistas con los autores; *Tygodnik Mazowsze;* Weschler, *Passion of Poland;* Ash, *Polish Revolution, Magic Lantern, Uses of Adversity;* Walesa, *Way of Hope; L'Osservatore Romano;* Marco Politi, artículos en *Il Messaggero;* KOS.

408-09   Supervivencia de Solidaridad y actividades en la clandestinidad: Robert Gates, Bobby Ray Inman, William Clark, Henry Hyde, Edward Derwinski, Wiktor Kulerski, Zbigniew Bujak y Adam Boniecki, entrevistas con los autores; Ash, *Polish Revolution;* Ost, *Solidarity;* Lopinski *et al., Konspira;* fuentes confidenciales (CIA y comisiones de inteligencia del Congreso).

409   Casey y el contrabando de equipo a través de Suecia: William Clark y Herbert Meyer, entrevistas con los autores.

415-16   Carta de Andropov a Jaruzelski: actas del Politburó.

416-17   Reunión de Jaruzelski con Gromyko y Ustinov: Wojciech Jaruzelski, entrevista con los autores; actas del Politburó, 26 de abril, 1984.

Parte VI: *Pastor universal*

421-31   Los detalles de los viajes papales provienen de Marco Politi, artículos publicados en *Il Messaggero.* Las citas papales son de boletines oficiales del Vaticano y de reportería de Politi. Otras fuentes escritas: Del Rio,

Un pontificato itinerante; Del Rio y Accattoli, *Il nuovo Mosè;* Luigi Accattoli, artículos en *Corriere della Sera;* Alceste Santini, artículos en *L'Unita;* Marco Tosatti, artículos en *La Stampa.*

421-22 Canonizaciones: Woodward, *La fabbrica dei santi.*

427 Observación de Gielgud: Ash, *Uses of Adversity.*

433 Comentarios de F. X. Murphy: Murphy, entrevista con los autores.

433 Comentarios de Ida Magli: Magli, entrevista con los autores.

433 Comentarios de O'Connor: John O'Connor, entrevista con los autores.

434 Comentarios de Weakland: Rembert Weakland, entrevista con los autores.

434-35 Comentarios de Foley: John Patrick Foley, entrevista con los autores.

435 Comentarios de Wuerl: Donald Wuerl, entrevista con los autores.

435 Comentarios de monseñor de la curia: fuente confidencial.

436 Comentarios de Kane: Theresa Kane, entrevista con los autores.

439 Juan Pablo II en el hospicio de la madre Teresa: Marco Politi, *Il Messaggero;* Del Rio, *Un pontificato itinerante.*

439-45 Caso Boff: Marco Politi, *Il Messaggero.*

439-45 Reunión de Boff con Ratzinger: artículos de Domenico Del Rio, *La Repubblica;* Luigi Accattoli, *Corriere della Sera;* Gianni Favarato, *La Repubblica;* Giovanni Gennari, *Paese Sera;* Giancarlo Zizola, *Panorama.*

446-47 Caso Schillebeeckx: artículos de Gianfranco Svidercoschi, *Il Tempo,* Giancarlo Zizola, *Europeo,* Marco Tosatti, *La Stampa,* Henry Tanner, *New York Times.*

450-51 Caso Arrupe: Lamet, *Pedro Arrupe.*

452-469 Sínodo: Marco Politi, artículos en *Il Messaggero;* Caprile, *Il sinodo;* Hebblethwaite, *Synod Extraordinary;* Rhynne, *John Paul's Extraordinary Synod.*

454 Reunión de Messori con Ratzinger: Vittorio Messori, entrevista con los autores.

455 Citas de Ratzinger: Messori, *Rapporto sulla fede.*

470 "Me preocupa sobremanera el fundamentalismo": Juan Pablo II, citado por Avi Pazner, entrevista con los autores.

471 Reunión de Juan Pablo II con líderes islámicos: reportería de Marco Politi.

472 Conversación de Juan Pablo II con De Benedetti: Carlo De Benedetti, entrevista con los autores.

473   Juan Pablo II en la sinagoga de Roma: reportería de Marco Politi.

475   Viaje de Juan Pablo II a India: cubrimiento periodístico de Marco Politi.

475   Juan Pablo II y los judíos de Wadowice: Jerzy Kluger y Regina Beer
         Reisenfeld, entrevistas con los autores.

475-77   Asamblea de la paz en Asís: cubrimiento periodístico de Marco Politi.

Parte VII: *La caída del comunismo*

481   Reunión de Gromyko en el Vaticano: de la s memorias de Gromyko.

481-82   Reunión de Gorbachov con Jaruzelski: Wojciech Jaruzelski, entrevista
         con los autores; Gorbachov, *Erinnerungen.*

486   La *Ostpolitik* del Papa: la descripción es de Weigel, *Final Revolution,*
         p. 98.

486   "La *perestroika* es una avalancha": Juan Pablo II, citado por Mieczyslaw
         Malinski, entrevista con los autores.

486   La avalancha había llegado a Checoslovaquia: la observación es de
         Weigel, pp. 174-75.

487   "Sentíamos cuán fuertes éramos": Frantisek Lobkowicz, citado en
         Weigel, *Final Revolution.*

488   "Un grupo de personas que se limitaba": Ost, *Solidarity,* p. 173.

488-89   Polonia no era el "socialismo con rostro humano": Weigel, *Final
         Revolution,* p. 152.

489   "Pues sí, desde luego todos dijimos": Wojciech Jaruzelski, entrevista
         con los autores.

489-90   Reunión de Jaruzelski con Juan Pablo II: Wojciech Jaruzelski, entrevista
         con los autores; fuente confidencial del séquito papal.

490   "Le dije al Papa lo que sabía sobre Gorbachov": Szulc, *Pope John Paul II,*
         p. 406.

490   "Descubrí que [el Papa] entendía perfectamente": *ibid.,* p. 405.

491   "El Papa estaba consciente": Andrzej Deskur, entrevista con los au-
         tores.

491   "Ahora había demasiados grupos": Ost, *Solidarity,* p. 162.

491   "Lech Walesa merece otro premio Nobel de la Paz": Ash, *Uses of
         Adversity.*

492   Garantía de Laghi a la Casa Blanca: William Clark y Pio Laghi, entre-
         vistas con los autores.

493   "En la actualidad, varios de los países hermanos": *Washington Post,* 13 de abril, 1987.

493   Visita de Gorbachov a Praga: *Washington Post.*

493   "Comenté cándidamente con Jaruzelski": Gorbachov, *Erinnerungen.*

494-99   Viaje de Juan Pablo II a Chile y Argentina: Marco Politi, artículos para *Il Messaggero.*

499-501   Viaje de Juan Pablo II a Polonia en 1987: Marco Politi, artículos para *Il Messaggero; Washington Post.*

502-04   Situación interna de Polonia y negociaciones: Wojciech Jaruzelski y Stanislaw Ciosek, entrevistas con los autores; Walesa, *Way of Hope;* Ost, *Solidarity.*

504   "Si ninguna de las partes cedía": Stanislaw Ciosek, entrevista con los autores.

506-12   Visita de Gorbachov al Vaticano: texto obtenido por los autores.

507   Concepto de Juan Pablo II sobre Gorbachov: Achille Silvestrini, Virgilio Levi, Mieczyslaw Malinski, Wojciech Jaruzelski, Andrzej Deskur y Rocco Buttiglione, entrevistas con los autores.

507   Ausencia de críticas del Vaticano contra Reagan: funcionarios del gobierno de Reagan, confirmado por diplomáticos del Vaticano.

507   Concepto de Juan Pablo II sobre Reagan: Agostino Casaroli, Pio Laghi, Achille Silvestrini y Andrzej Deskur, entrevistas con los autores.

508   Concepto de Juan Pablo II sobre Bush: confirmado extraoficialmente por varios funcionarios del Vaticano.

509   "El Papa sabía lo que la mayor parte de los occidentales ignoraba": miembro del séquito papal.

509   "El Santo Padre esperaba que los intentos de Gorbachov": Rocco Buttiglione, entrevista con los autores.

512-13   Escena en la Plaza Roja: Marco Politi, reportería.

513   Juan Pablo II y la Virgen de Fátima: Werenfried von Straaten, Andrzej Deskur y Mieczyslaw Malinski, entrevistas con los autores.

514   Juan Pablo II y el desmembramiento de la Unión Soviética: Andrzej Deskur, Rocco Buttiglione, Mieczyslaw Malinski, entrevistas con los autores.

515   Juan Pablo II y la caída de Gorbachov: Werenfried von Straaten, Mieczyslaw Malinski, Wojciech Jaruzelski, Andrzej Deskur, entrevistas con los autores.

Parte VIII: *La ira del Papa*

521-27   Viaje de Juan Pablo II a Polonia en 1991: artículos en *L'Osservatore Romano, Corriere della Sera, La Repubblica, Il Messaggero, New York Times, International Herald Tribune, Time, Tablet; L'Attività della Santa Sede;* Del Rio, *Un pontificato itinerante.*

522   "La capacidad de la Iglesia": sínodo europeo de obispos, Roma, 28 de noviembre-14 de diciembre, 1991, *Holy See Bulletin.*

525   "Las personas comienzan a temer": Czeslaw Milosz, citado en *Corriere della Sera,* 1º de junio, 1991.

526   "Sería una buena idea": Adam Michnik, citado en *Il Messaggero,* 4 de junio, 1991.

526-27   Comentarios de Juan Pablo II durante el viaje: cubrimiento de prensa; *L'Attività della Santa Sede.*

528   Comentarios de Juan Pablo II a Zdybicka: Zofia Zdybicka, entrevista con los autores.

528   *"Ex Oriente lux": L'Attività della Santa Sede.*

529   "Quería convertir a Polonia en puente": fuentes confidenciales.

529-30   Turowicz en Roma: reportería de los autores.

529   "La Iglesia polaca está muy polarizada": Jerzy Turowicz, entrevista con los autores.

530   Carta de Juan Pablo II a Kydrynski: Andrzej Bardecki, entrevista con los autores.

531   Juan Pablo II sobre Rusia: fuentes confidenciales.

531   Juan Pablo II en Riga: Marco Politi, artículos en La *Repubblica.*

531   "Estas semillas de verdad": Gawronski, *Il mondo di Giovanni Paolo II.*

532   Comentario de Gorbachov a un amigo italiano: Giulietto Chiesa, entrevista con los autores.

532   Juan Pablo II en Denver: Marco Politi, *La Repubblica.*

532   "La lucha contra Dios": Messori, *Varcare la soglia.*

533   "Busca convencer al hombre": Frossard, *Be Not Afraid, Portrait of John Paul II.*

533-34   Anuncio de Juan Pablo II: *L'Attività della Santa Sede.*

534   Sobre Juan Pablo II reservando una habitación en la Clínica Gemelli: Giulio Andreotti, artículo en *Aspenia* (revista del Aspen Institute), No. 2, 1995.

535   Colostomía de Juan Pablo II: *Bulletin of the Holy See.*

535   Fractura de hombro de Juan Pablo II: Marco Politi, La Repubblica.

533   Accidente de esquí: Stanislaw Dziwisz: reportería de los autores.

536   Accidente en el baño: Marco Politi, La Repubblica.

536-37 Hipótesis sobre la enfermedad de Juan Pablo II: fuentes confidenciales.

537   "Soy un *biedaczek*": Marco Politi, *La Repubblica*.

537   Resfriado de Pío X: Zizola, *Le Successeur*.

537   Informes de Navarro-Valls sobre Juan Pablo II: *L'Avvenire*, 19-26 de agosto, 1994.

537   Juan Pablo II en Zagreb: Marco Politi: *La Repubblica*.

537 38 Juan Pablo II sobre sus padecimientos: reportería de los autores.

538   "El Papa tiene una visión teológica": fuentes confidenciales.

538   Buttiglione sobre *Veritatis Splendor*: Rocco Buttiglione, entrevista con los autores.

541   "El Papa está convencido de que su doctrina": Hans Küng, citado por Alessio Altichieri, *Corriere della Sera*, 6 de octubre, 1993.

541   *Veritatis Splendor* contiene muchas cosas hermosas": Bernhard Häring, entrevista con Marco Politi, *La Repubblica*, 7 de octubre, 1993.

541   Danneels sobre *Veritatis Splendor*: Marco Politi, *La Repubblica*.

542   "En ciertas áreas tiene un equipo confiable": fuente confidencial.

544   Sínodo sobre África: Marco Politi, *La Repubblica*.

544-45 Martini, Lehmann y Hume sobre *Veritatis Splendor*: Marco Politi, *La Repubblica*.

546   "Las falsas ideas de democracia": *Direttorio per il ministero e la vita dei presbiteri* (Manual para el clero), abril de 1994.

546   Movimientos de reforma en la Iglesia: Marco Politi, apuntes personales y reportería.

547   Comentarios de Weakland sobre Juan Pablo II: Rembert Weakland, entrevista con los autores.

547   Juan Pablo II a la Sagrada Rota Romana: *L'Attività della Santa Sede*.

548   Viaje de Juan Pablo II a Praga y a Bélgica: Marco Politi, *La Repubblica*.

548   Comportamiento de los fieles en Italia: *"La religiosità" in Italia*.

550   Comentarios de Juan Pablo II a Zdybicka sobre las mujeres: Zofia Zdybicka, entrevista con los autores.

550   "La gestación de un bebé": David Schindler, entrevista con los autores.

551-52 Encuentro de Kane con Juan Pablo II: Theresa Kane, entrevista con los autores; Marco Politi, *Il Messaggero*.

553-54   Críticas de las mujeres a la Iglesia en Alemania, Suiza, Holanda, Bélgica: Marco Politi, *Il Messaggero; l'Attività della Santa Sede.*

555-561 Reunión de Sadik con Juan Pablo II: Nafis Sadik, entrevista con los autores; Marco Politi, *La Repubblica.*

561   Preparación del Vaticano para la conferencia de El Cairo: Marco Politi, *La Repubblica;* reportería adicional de los autores.

561   Comentarios de Deskur: Andrzej Deskur, entrevista con los autores.

563   Comentarios de O'Connor: John O'Connor, entrevista con los autores.

563   Comentarios de Diarmuid Martin ante el sínodo africano: Marco Politi, *La Repubblica.*

563-64   El islam y la conferencia de El Cairo: Marco Politi, *La Repubblica.*

564   Anuncio y panfleto de López Trujillo: Marco Politi, *La Repubblica.*

565   Críticas de Navarro-Valls a Gore: Marco Politi, *La Repubblica.*

566-67   Conferencia de El Cairo: artículos en *La Repubblica.*

567   Conferencia de Beijing: Marco Politi, *La Repubblica.*

567   Misa el 4 de septiembre, 1994: *Il Messaggero, La Repubblica.*

567-68   Llamadas telefónicas a los cardenales: fuentes confidenciales.

568   Juan Pablo II y la peregrinación de Abraham: Marco Politi, *La Repubblica.*

569   Deseo de Juan Pablo II de viajar a Rusia: Werenfried von Straaten, entrevista con los autores.

569-70   Juan Pablo II y los católicos chinos: palabras pronunciadas ante el cuerpo diplomático en el Vaticano, 13 de enero, 1996.

570   Comentarios de Juan Pablo II a Malinski: Mieczyslaw Malinski, entrevista con los autores.

570   Estado de salud de Juan Pablo II: fuentes confidenciales del Vaticano; Marco Politi, apuntes personales.

570-71   Comentarios de Zdybicka sobre la salud de Juan Pablo II: Zofia Zdybicka, entrevista con los autores.

571   Juan Pablo II y el sufrimiento: fuentes confidenciales del Vaticano.

571   "Es una experiencia asombrosa": Mariano Magrassi, entrevista con los autores.

574   Memorando sobre el arrepentimiento público: Marco Politi, *La Repubblica.*

576   Documento sobre las mujeres: Librería Editrice Vaticana, 29 de junio, 1995.

Bibliografía

LIBROS

Ambroziewicz, Jerzy. *Znam was wszystkich*. Varsovia: Polska Oficyna Wydawnicza, 1993.

Andreotti, Giulio. *A ogni morte di papa*. Milán: Rizzoli, 1982.

Ascherson, Neal. *The Struggles for Poland*. Londres: M. Joseph, 1987.

L'Attività della Santa Sede, 1978-1995. Ciudad del Vaticano: Libreria Editrice Vaticana.

Ash, Timothy Garton. *Polish Revolution: Solidarity*. Nueva York: Scribner's, 1983.

–. *The Magic Lantern*. Nueva York: Random House, 1990.

–. *The Uses of Adversity*. Nueva York: Vintage, 1990.

–. *We the People*. Cambridge: Granta Books, 1990.

Arias, Juan. *L'enigma Wojtyla*. Roma: Borla, 1986.

Banaszak, Marian. *Historia kosciola katolickiego*. Varsovia: Accademia di Teologia Cattolica di Varsavia, 1992.

Bergonzoni, Luciano. *Emilia Kaczorowska in Wojtyla*. Edizioni Carroccio, Vigodarzere, 1988.

–. *Edmondo Wojtyla*. Padua: Centro Editoriale Cattolico Carroccio, 1992.

Berry, Jason. *Lead Us Not into Temptation*. Nueva York: Doubleday, 1992.

Blazynski, George. *John Paul II: A Man from Krakow*. Londres: Weidenfeld and Nicholson, 1979.

Bokenkotter, Thomas. *A Concise History of the Catholic Church*. Nueva York: Doubleday, 1990.

Boniecki, Adam. *Kalendarium zycia Karola Wojtyla*. Cracovia: Wydawnictwo-Znak, 1983.

Briggs, Kenneth. *Holy Siege: The Year That Shook Catholic America*. San Francisco: HarperSanFrancisco, 1992.

Brumberg, Abraham. *Genesis of a Revolution*. Nueva York: Random House, 1983.

Brzezinski, Zbigniew. *Power and Principle: Memoirs of the National Security Adviser, 1977-1981*. Nueva York: Farrar, Straus and Giroux, 1982.

Cannon, Lou. *President Reagan: The Role of a Lifetime*. Nueva York: Simon and Schuster, 1991.

Caprile, Giovanni. *Il Concilio Vaticano II*. Roma: La Civiltà Cattolica.

–. *Il sinodo straordinario, 1985*. Roma: La Civiltà Cattolica, 1986.

Carter, Jimmy. *Keeping Faith: Memoirs of a President*. Nueva York: Bantam, 1982.

Catechism of the Catholic Church. San Francisco: Ignatius Press, 1983.

Chelini, Jean. *La vita quotidiana in Vaticano sotto Giovanni Paolo II*. Milán: Rizzoli, 1986.

Clissold, Kenneth. *The Wisdom of the Spanish Mystics*. Nueva York: New Directions, 1977.

Cornwell, John. *A Thief in the Night: The Death of John Paul I*. Londres: Viking, 1989.

Daim, Wilfried. *Il Vaticano e l'Est*. Roma: Coines Edizioni, 1973.

D'Amato, Al. *Power, Pasta, and Politics*. Nueva York: Hyperion, 1995.

Davies, Norman. *God's Playground: A History of Poland*. Vols. 1 y 2. Nueva York: Columbia University Press, 1982.

De Montclos, Christine. *Les voyages de Jean Paul II*. París: Centurion, 1990.

Del Rio, Domenico. *Wojtyla: Un pontificato itinerante*. Bolonia: Edizioni Dehoniane Bologna, 1994.

–, y Luigi Accattoli. *Wojtyla: Il nuovo Mosè*. Milán: Mondadori, 1988.

Falconi, Carlo. *Popes in the Twentieth Century*. Boston: Little, Brown, 1967.

Frossard, André. *Portrait of John Paul II* San Francisco: Ignatius Press, 1988.

–, y el papa Juan Pablo II. *Be Not Afraid*. Nueva York: St. Martin's Press, 1982.

Gates, Robert. *From the Shadows*. Nueva York: Simon and Schuster, 1996.

Gawronski, Jas. *Il mondo di Giovanni Paolo II*. Milán: Mondadori, 1994.

Ginsborg, Paul. *A History of Contemporary Italy*. Nueva York: Penguin, 1990.

Gorbachov, Mijaíl. *Erinnerungen*. Berlín: Siedler Verlag, 1995.

Gromyko, Andrei. *Pamjatnoe*. Moscú: Izdatel'stwo Politicheskoi Literatury, 1988.

Guasco, Maurilio, Elio Guerriero y Francesco Traianiello. *La chiesa del Vaticano II*. Milán: San Paolo, 1994.

Haig, Alexander: *Caveat: Realism, Reagan, and Foreign Policy*. Nueva York: Macmillan, 1984.

Halter, Marek. *La force du bien*. París: Robert Laffont, 1995.

Hanson, Eric O. *The Catholic Church in World Politics*. Princeton: Princeton University Press, 1987.

Hebblethwaite, Peter. *The Year of Three Popes*. Cleveland: William Collins, 1979.

–. *In the Vatican*. Nueva York: Oxford, 1986.

–. *Synod Extraordinary*. Nueva York: Doubleday, 1986.

Herman, Edward S. y Frank Brodhead. *The Rise and Fall of the Bulgarian Connection*. Nueva York: Sheridan Square Publications, 1986.

Bibliografía

Institute for the World Socialist System. *Bogomolov Report.* Moscú, 1978.

Jaruzelski, Wojciech. *Stan wojenny dlaczego.* Varsovia: Polska Oficyna Wydawnicza, 1992.

—. *Erinnerungen.* Munich: Piper, 1993.

Kaiser, R. B. *The Politics of Sex and Religion.* Kansas City, Mo.: Leaven Press, 1985.

Kania, Stanislaw. *Zatrzymac konfrontacje.* Varsovia: Polska Oficyna Wydawnicza, 1991.

Karolek, Tadeusz. *John Paul II: The Pope from Poland.* Varsovia: Interpress Publishers, 1979.

Kelly, George A. *Keeping the Church Catholic with John Paul II.* San Francisco: Ignatius Press, 1990.

Kydrynski, Juliusz. *Quando Karol aveva diciott'anni.*

—, et al. *Mlodziencze lata Karol Wojtyla.* Cracovia: Oficyna Cracovia, 1990.

Lai, Benni. *Il papa non eletto.* Bari: Laterza, 1993.

Lamet, Pedro Miguel. *Pedro Arrupe.* Milán: Editrice Ancora, 1993.

Lecomte, Bernard. *La Verité l'emportera toujours sur le mesonge.* París: J.-C. Lattes, 1991.

Lernoux, Penny. *People of God: The Struggle for World Catholicism.* Nueva York: Viking Press, 1989.

Libanio Christo, Carlos Alberto. *Diario di Puebla.* Brescia: Ed. Queriniana, 1979.

Licheri, Gianni. *Quel conclave e poi Wojtyla jet.* Brescia: Queriniana, 1979.

Livingstone, E. A. *The Concise Oxford Dictionary of the Christian Church.* Nueva York: Oxford University Press, 1990.

Lopinski, Maciej, Marcin Moskit y Mariusz Wilk. *Konspira: Solidarity Underground.* Berkeley: University of California Press, 1990.

MacDowell, Bart. *Inside the Vatican.* Washington: National Geographic Society, 1991.

MacEoin, Gary. *The Inner Elite.* Kansas City: Sheed, Andrews, and McMeel, 1978.

Malinski, Mieczyslaw. *Il mio vecchio amico Karol.* Roma: Ed. Paoline, 1980.

—. *Pope John Paul II: The Life of Karol Wojtyla.* Nueva York: Seabury Press, 1980.

—. *Le radici di Papa Wojtyla.* Roma: Borla, 1980.

Melady, Thomas P. *The Ambassador's Story.* Huntington, Ind.: Our Sunday Visitor Publishing Co., 1994.

Messori, Vittorio. *Rapporto sulla fede.* Roma: Ed. Paoline, 1985.

–. *Varcare la soglia della speranza*. Milán: Mondadori, 1994.

Murphy, Francis X. *The Papacy Today*. Nueva York: Macmillan, 1981.

Nichols, Peter. *The Pope's Divisions*. Boston: Faber and Faber, 1981.

Ockrent, Christine y Alexandre De Marenches. *Dans le secret des princes*. París: Éditions Stock, 1986.

Offredo, Jean. *Jean Paul II: L'aventurier de Dieu*. París: Carrere-Michel Lafon, 1986.

Ost, David. *Solidarity and the Politics of Anti-politics: Opposition and Reform in Poland since 1968*. Filadelfia: Temple University Press, 1990.

Persico, Joseph E. *Casey*. Nueva York: Viking, 1990.

Pieronka, Tadeusza y Romana M. Zawadzienkego. *Karol Wojtyla: Jako Bishup Krakowski*. Cracovia: Papieska Akademia Teologiczna, 1988.

Pontifical Council for the Family. *Marriage and Family*. San Francisco: Ignatius Press, 1987.

Poupard, Paul. *Il Concilio Vaticano II*. Edizioni Piemme, 1987.

Puebla documenti. Bolonia: Editrice Missionaria Italiana, 1979.

Rachwald, Arthur R. *In Search of Poland: Solidarnosc*. Stanford, Calif.: Hoover Institution Press, 1990.

Reese, Thomas J. *Archbishop*. Nueva York: Harper & Row, 1989.

–. *A Flock of Shepherds*. Kansas City: Sheed and Ward, 1992.

Rhynne, Xavier. *Letters from Vatican City*. Nueva York: Farrar, Straus and Company, 1963.

–. *The Third Session*. Nueva York: Farrar, Straus and Giroux, 1965.

–. *John Paul's Extraordinary Synod*. Wilmington, Del.: Michael Glazier, 1986.

Rolicki, Janusz. *Edward Gierek*. Replika, Varsovia: Polska Oficyna Wydawnicza, 1990.

–. *Edward Gierek: Przerwana dekada*. Varsovia: Polska Oficyna Wydawnicza, 1990.

Rosenberg, Tina. *The Haunted Land*. Nueva York: Random House, 1995.

Schweizer, Peter. *Victory*. Nueva York: Atlantic Monthly Press, 1994.

Spasowski, Romuald. *The Liberation of One*. Nueva York: Harcourt Brace Jovanovich, 1986.

Sterling, Claire. *The Time of the Assassins*. Nueva York: Holt, Rinchart and Winston, 1983.

Styczen, Tadeusz. *Le encicliche di Giovanni Paolo II*. Milán: Mondadori, 1994.

Svidercoschi, Gianfranco. *Lettera a un amico ebreo*. Milán: Mondadori, 1993.

Bibliografía

Szajkowski, Bogdan. *Next to God–Poland: Politics and Religion in Contemporary Poland.* Nueva York: St. Martin's Press, 1983.

Szczypka, Josef. *Jan Pawel II: Rodowod.* Varsovia: Instytut Wydaniczy Pax, 1991.

Szostak, John. *In the Footsteps of John Paul II.* New Jersey: Prentice-Hall, 1980.

Szulc, Tad. *Pope John Paul II.* Nueva York: Scribner's, 1995.

Thatcher, Margaret. *The Downing Street Years.* Londres: HarperCollins, 1993.

Thomas, Gordon y Max Morgan Witts. *Averting Armageddon.* Nueva York: Doubleday, 1984.

Uboldi, Raffaello. *Vita di Papa Wojtyla.* Milán: Rizzoli, 1983.

Vircondelet, Alain. *Jean Paul II.* París: Julliard, 1994.

Walesa, Lech. *Way of Hope.* Londres: Collins-Harvill, 1987.

Weigel, George. *The Final Revolution: The Resistance Church and the Collapse of Communism.* Nueva York: Oxford University Press, 1992.

Wenger, Antoine. *Le Cardinal Jean Villot.* París: Desclée de Brouwer, 1989.

Weschler, Lawrence. *The Passion of Poland.* Nueva York: Pantheon Books, 1984.

Willey, David. *God's Politician.* Nueva York: St. Martin's Press, 1992.

Williams, George H. *The Mind of John Paul II: Origins of His Thought and Action.* Nueva York: Seabury Press, 1981.

Wills, Garry. *Reagan's America: Innocents at Home.* Garden City, NY: Doubleday, 1987.

Wojtyla, Karol. *Segno di contraddizione.* Milán: Vita e Pensiero, 1977.

–. *The Acting Person.* Analecta Husserliana, Vol. X. Boston: Reidel Publishing Co., 1979.

–. *Pietra di luce: Poesie.* Ciudad del Vaticano: Libreria Editrice Vaticana, 1979.

–. *The Jeweler's Shop.* San Francisco: Ignatius Press, 1980.

–. *Love and Responsibility.* San Francisco: Ignatius Press, 1993.

–. *Opere Letterarie: Poesie e Drammi.* Ciudad del Vaticano: Libreria Editrice Vaticana, 1993.

Woodward, Bob. *Veil.* Nueva York: Simon and Schuster, 1987.

Woodward, Kenneth L. *La fabbrica dei santi.* Milán: Rizzoli, 1990.

Wynn, Wilton. *Keepers of the Keys.* Nueva York: Random House, 1988.

Yallop, David. *In God's Name: An Investigation into the Murder of Pope John Paul I.* Nueva York: Bantam, 1984.

Zizola, Giancarlo. *La restaurazioni di papa Wojtyla.* Bari: Laterza, 1985.

–. *Il conclave.* Roma: Newton Compton, 1993.

–. *Le successeur.* París: Desclée de Brouwer, 1995.

ARTÍCULOS

Alexiev, Alex. "The Kremlin and the Vatican". *Orbis* (otoño 1983): 554-65.

Bernstein, Carl. "Holy Alliance". *Time,* 24 de febrero, 1992.

–. "Reagan at Intermission". *New Republic,* 20 de enero, 1985.

Brumberg, Abraham. "The Achievements of General Jaruzelski". *New Leader* (26 de diciembre, 1983): 6-8.

–. "A New Deal in Poland". *New York Review of Books* (15 de enero, 1987): 32-36.

–. "The New Opposition". *New York Review of Books* (18 de febrero, 1988): 23-27.

–. "Poland: State and/or Society–The See-Saw between Government and Solidarity". *Dissent* (invierno 1989): 47-55.

–. "Poland: The Demise of Communism". *Foreign Affairs* (invierno 1989-90): 70-88.

Civic, Christopher, "Czechoslovaks Find Faith". *Tablet* (3 de septiembre, 1983): 840-42.

Darnton, John. "60 Days That Shook Poland". *New York Times Magazine* (9 de noviembre, 1989): 39-41, 109-18.

Epstein, Edward J. "Did Agca Act Alone?" *New York Times,* 15 de enero, 1984.

Gage, Nicholas. "The Attack on the Pope: New Link to Bulgarians". *New York Times,* 23 de marzo, 1983.

Hebblethwaite, Peter. "Major Religious Demonstration Pits Catholic Muscle against Czech Regime". *National Catholic Reporter* (19 de julio, 1985): 1, 10.

–. "Hungarian Prelate Lauds Regime That Jails Catholics". *National Catholic Reporter* (14 de febrero, 1986): 56.

Hemphill, Clara. "Disorder in the Court". *New Republic,* 16-23 de septiembre, 1985.

Kaminski, Tadeusz. "Poland's Catholic Church and Solidarity: A Parting of the Ways". *Poland Watch* (verano 1984): 73-91.

Latynski, Maya. "The Church: Between State and Society". *Poland Watch* (primavera 1984): 12-24.

Medek, Ivan. "Roman Catholic Church in Czechoslovakia: Danger of Disunity". *Religion in Communist Lands* (primavera 1980): 44-48.

Milewski, Jerzy, Krzysztof Pomian y Jan Zielonka. "Poland: Four Years After". *Foreign Affairs* (invierno 1985-86): 337-59.

Stehle, Hansjakob. "The Ostpolitik of the Vatican and the Polish Pope". *Religion in Communist Lands* (verano 1980): 13-21.

Bibliografía

Sterling, Claire. "The Plot to Murder the Pope". *Reader's Digest,* septiembre de 1982.

–. "Bulgaria Hired Agca to Kill Pope, Report of Italian Prosecutor Says". *New York Times,* 10 de junio, 1984.

–. "The Great Bulgarian Cover-Up". *New Republic,* 27 de mayo, 1985.

Tomsky, Alexander. "John Paul II's Ostpolitik?" *Religion in Communist Lands* (verano 1980): 139-40.

Tymieniecka, Anna-Teresa. "Feature Study". *Phenomenology Information Bulletin* (publicado por el World Institute for Advanced Phenomenological Research and Learning), octubre de 1979.

Walendowski, Tadeusz. "The Polish Church under Martial Law". *Poland Watch* (otoño 1982): 54-62.

–. "Controversy over the Church". *Poland Watch* (invierno 1982-83): 39-45.

–. "The Pope in Poland". *Poland Watch* (primavera-verano 1983): 1-10.

Agradecimientos

Este libro no se hubiera podido escribir sin la colaboración de Paul Lipkowitz. Paul, nuestro principal asistente de investigación, participó en todas las fases de preparación del libro. Su inteligencia, dedicación, tenacidad y profesionalismo se reflejan en cada una de las páginas. No tenemos palabras suficientes para agradecerle y, ahora que emprende su propia carrera en el periodismo, le deseamos buena suerte.

Lynn Nesbit, nuestra agente, sugirió llevar el libro a Doubleday. Su asesoría y amistad nos han acompañado en cada paso del camino. Desde cuando *Su Santidad* era tan sólo una idea que iba tomando forma, ha contado con el estímulo y apoyo de un grupo maravilloso de personas en Doubleday, que además se han convertido en amigos. Tom Cahill, distinguido autor y ex vicepresidente de publicaciones religiosas, nos guió a través de la primera versión del manuscrito. Trace Murphy ayudó en todas las fases, con una gran dedicación. Steve Rubin y Bill Barry nos dieron la bienvenida a Doubleday, por lo cual estamos especialmente agradecidos. Arlene Friedman, quien se convirtió en presidenta y editora de Doubleday cuando este proyecto ya estaba en curso, aportó su entusiasmo e inteligencia en los momentos precisos. Para suceder a Tom Cahill escogió a Eric Major, cuya orientación y buen humor acogimos con entusiasmo. Otras personas en Doubleday colaboraron generosamente con este libro: Suzanne Herz, Jennifer Daddio, Robin Swados, Jean Anne Rose, Stuart Applebaum, Ellen Sinkinson, Christian Schoenberg y Herman Gollub.

También queremos agradecer la contribución de todas aquellas personas que trabajaron en estrecho contacto con nosotros en la preparación del manuscrito: Allesandra Scanziani, quien viajó a la Unión Soviética y nos ayudó allá; Ewa-Joanna Kaczynska, cuya pericia en asuntos polacos fue sólo parte de su contribución; Allesandra Todisco; Ottavia Fusco; Tamar Gargle y Jennifer Glaisek, cuya paciencia y amistad apreciamos profundamente; Irena Morecki, quien tradujo diligentemente el *Wojtyla Calendarium* del polaco.

Queremos hacer una mención especial a Peter Heinegg, quien tradujo el manuscrito del italiano y lo revisó con agudeza y percepción. Su contribución al libro es enorme. La ayuda de Tom Englehardt, un brillante editor, fue invaluable; también Barbara Flanigan, copieditora cuya colaboración trascendió sus funciones.

Otras personas que revisaron partes del manuscrito y que brindaron generosamente su asesoría y apoyo fueron Bob Woodward, Cheri Kaufman, Jacob Bernstein y Susan Cheever.

Max Bernstein fue, como siempre, una presencia encantadora.

Otros amigos y colegas se mostraron especialmente colaboradores y generosos: Wilton Wynn, Faye Wattleton, Giovanni Volpi, Camilla McGrath, Tim Hayes, Richard McDermott, Adele-Marie Stan. Un agradecimiento especial merece la American Academy de Roma, en particular Pina Pasquantonio, Caroline Bruzelius y Adele Chatfield-Taylor.